La Belle Chocolatière

Bernadette Pécassou-Camebrac

La Belle Chocolatière

Roman

Flammarion

© Flammarion, 2001
ISBN : 2-08-068037-4

À mon mari, et à nos enfants :
Denis, Jessica, Aélie et Léa.

HIVER 1856-1857

— Écoutez, Sophie, on va d'abord enfiler la cage. Pour les étoffes, on verra après. Si on ne commence pas par le début, je ne m'y retrouverai pas.

Antoinette Peyré était une jeune femme extrêmement pratique. Chaque chose en son temps, et une chose après l'autre. Elle n'en démordait pas. Le contraire exact de Sophie Pailhé qui papillonnait dans le salon au milieu d'une montagne de tissus, tirant les dentelles, les velours et les soies en poussant des cris d'admiration de plus en plus excessifs.

— Du tulle lilas ! Ohhhh ! Quelle merveille ! Et cette soie brochée, Antoinette, vous êtes extraordinaire. Mais où avez-vous trouvé ce mauve incroyable ? Et ces dentelles ! Quelle finesse ! C'est fou, c'est fooouuuuu...

Sophie Pailhé courait d'un pouf à l'autre, soulevant les tissus que la couturière avait disposés avec un soin extrême. Elle les saisissait fébrilement tour à tour puis s'en enveloppait et se précipitait devant le grand miroir pour contempler l'effet produit. Là elle restait un instant éblouie d'elle-même, s'admirant en toute impudeur. Penchant sa tête de gauche à droite elle prenait des mines alanguies, envoyant à son reflet des sourires charmeurs.

« Comment peut-on maltraiter ainsi des étoffes aussi délicates et aussi chères ! » Antoinette était outrée de l'attitude de cette Sophie décidément bien irresponsable. La couturière professionnelle qu'elle était savait le prix des choses. Elle connaissait aussi la fragilité de ces étoffes et de ces nouvelles couleurs. Tous ces mauves, ces lilas et ces parmes délicats qu'elle avait réussi à se procurer résultaient des toutes dernières recherches chimiques. Leur prix était exorbitant mais Sophie avait trépigné.

— Je veux du mauve, du mauve, du mauve...

C'était en ce moment la couleur préférée de l'impératrice Eugénie et Sophie voulait une robe du même ton pour assister au grand bal auquel elle était invitée. En ce milieu du XIXe siècle, le rayonnement de l'impératrice Eugénie était tel que les jeunes femmes n'avaient qu'un seul désir : lui ressembler. Napoléon III l'avait parfaitement compris et il réussissait très bien l'un de ses paris : revivifier l'économie en déployant sur son épouse les trésors de la production française. Dentelles de Chantilly, soieries de Lyon, tissages de Beauvais, de Rouen, d'Elbeuf, partout les ateliers fleurissaient. Comme l'avait souhaité l'empereur, à l'imitation d'Eugénie, les femmes dépensaient. Antoinette, qui était toujours obligée de compter sou à sou, se demandait comment cela était possible. À chaque nouvelle demande de Sophie, elle s'alarmait.

— Vous connaissez le prix ? disait-elle. Avant de commander le tissu chez Lacaze, il vaudrait mieux se renseigner...

— Mais taisez-vous, Antoinette, rétorquait Sophie agacée. Ce n'est pas vous qui payez, non ? Alors ? Je vous dis de commander, un point c'est tout.

Antoinette s'habituait mal à tant de dépenses. À dire vrai, elle en était même suffoquée. En voyant Sophie malmener ainsi les magnifiques étoffes, elle fulminait intérieurement. La moindre tache sur ces métrages de dentelles ou de soie, et c'en était fini. Le mal était irréparable, la couleur gâchée. « Cette Sophie est incontrôlable », marmonna-t-elle.

Des craintes d'Antoinette, Sophie ne voyait rien. Elle riait, sautillait dans le salon comme une enfant. Très belle, un visage allongé et fin encadré de longs cheveux noirs retenus en bandeaux à l'espagnole selon la mode du temps, Sophie était en quelque sorte la reine de la ville de Lourdes. Les hommes ne juraient que par elle, et les femmes jalousaient sa beauté et son élégance. Sophie le savait. Fille unique extrêmement gâtée d'un couple bourgeois récemment décédé, elle avait épousé le riche et séduisant Louis Pailhé, pharmacien et chocolatier, l'un des hommes les plus en vue de Lourdes en raison de sa réussite professionnelle exceptionnelle. Très fier de la beauté de sa femme, il la laissait dépenser sans compter, ce dont elle ne se privait pas. Le luxe de leur salon, dans lequel les deux femmes se trouvaient en ce moment même, l'attestait.

Riches tapis chamarrés de fleurs sur fond rouge et or, voilages blancs surchargés de broderies ton sur ton, doubles rideaux de damas rouge aussi longs que des traînes de cour, relevés par des cordelières torsadées terminées par des glands gros comme des ananas. Sièges volantés, meubles capitonnés, poufs brodés au petit point dans des tons mêlés, causeuse bleu canard, vis-à-vis jaune canari garni de chenille et de macarons en passementerie assortie, vitrine en laque noire et or étalant un invraisemblable bric-à-brac de bibelots aussi divers qu'un éventail de Madrid, des verres de Venise, des porcelaines vertes et des opalines fuchsia, des ivoires et quelques émaux. Rien de ce qui était à la mode n'échappait à Sophie. Son avidité de nouveautés était insatiable. Jusqu'à l'indispensable piano droit de palissandre sur lequel de temps à autre, à l'occasion d'une soirée, elle jouait un « petit air » en prenant la pose. La *Lettre à Élise* de Beethoven était son morceau préféré. Elle brodait également. Sa production consistait essentiellement à faire des « macassars », du nom d'une huile avec laquelle les femmes lissaient leurs cheveux. Ces petits carrés de dentelles très en vogue se posaient sur le haut des dossiers afin de les protéger de l'huile en question.

Dans le salon des Pailhé il ne restait plus un seul espace au sol, ni même sur les murs recouverts d'un papier moiré du même rouge que les rideaux. Suspendus par des cordelettes de soie tressée, des gravures et des tableaux de paysages, dont l'un signé d'une gloire locale, le peintre

Capdevielle, affichaient leur valeur par l'opulence de lourds encadrements de bois doré. Se côtoyaient aussi quelques photographies que les Pailhé avaient acquises lors de l'exposition universelle à Paris en 1855. Des vues du Camposanto de Pise faites par Alineri de Venise et une magnifique vue de Paris prise par les frères Bisson. Louis avait également tenu à acheter la Vénus de Milo photographiée par Hippolyte Bayard. Près d'une fenêtre, une plante verte s'épanouissait dans une jardinière tarabiscotée et sur un guéridon drapé trônait, dernière folie de Sophie, un bronze de la maison Barbedienne représentant un jeune chanteur florentin à la mandoline, jeune éphèbe indécent au corps impudiquement moulé dans son habit. Cette œuvre répliquée à des milliers d'exemplaires était la meilleure vente de Barbedienne.

En entrant dans le salon de Sophie on hésitait entre un sentiment d'étouffement et une admiration ébahie face à tant d'abondance. Le rouge dominait, les tissus envahissaient tout, recouvrant le moindre mobilier. La féminité de l'endroit resplendissait et le luxe était là, indéniable et surprenant dans cette bourgeoise maison de province au fin fond du pays de France. Un gros poêle de faïence, placé dans la cheminée, répandait en ronronnant une douce chaleur dans tout le salon. Nous étions à Lourdes au cœur de cet hiver rugueux de 1856.

Antoinette était une habituée de la maison Pailhé. Pour ainsi dire elle y était tout le temps fourrée. Les premières fois, l'opulence des lieux l'avait littéralement laissée sans voix. Elle avait découvert là le confort, la chaleur des poêles, la lumière des lampes à pétrole et des suspensions. Depuis, grâce à sa profession de couturière, elle avait eu l'occasion de pénétrer dans d'autres maisons de la place Marcadal, où se trouvait la demeure de Sophie. Et, d'une certaine manière, elle s'était habituée à leurs richesses. Mais la maison Pailhé restait à son avis l'une des plus belles et des plus modernes et Sophie était, et de loin, sa meilleure cliente. Saison après saison, elle lui commandait des robes de plus en plus chargées, des manteaux, des capes, des petites basquines de velours ravissantes et très ornées, des robes d'hiver, des robes d'été, des sorties de ville, des déshabillés d'intérieur et... des robes de bal. La robe de bal, pour Antoinette, c'était le sommet. C'est là qu'elle excellait. D'autant que Sophie ne lésinait pas. Grâce à elle, Antoinette travaillait les plus belles matières et créait à sa façon en s'inspirant des derniers modèles en vue dessinés dans *Le Journal des dames et des modes* auquel elle était abonnée. Aujourd'hui, c'était un grand jour pour les deux femmes. Il s'agissait de réaliser la plus somptueuse crinoline qui ait jamais existé. Sophie en parlait depuis six mois, depuis qu'elle avait appris que le ministre impérial Achille Fould organisait dans la ville voisine, Tarbes, un bal prestigieux à l'occasion du Nouvel An. Quand, au début de l'été, la femme du ministre lui avait annoncé en venant à la chocolaterie : « Bien sûr, vous serez des nôtres. » Sophie avait cru défaillir de bonheur.

Depuis six mois, donc, elle mobilisait Antoinette car elle avait décidé que la toilette qu'elle porterait à ce bal serait la plus belle. Antoinette avait dû lui montrer au moins cent croquis de modèles, elles avaient couru tous les marchands de tissus de Lourdes et de Tarbes, palpé des kilomètres de dentelles et de passementerie, essayé tous les coloris possibles et imaginables sur le teint de Sophie pour enfin se décider pour une robe dont le coût de réalisation faisait frémir Antoinette. Mais Sophie ne s'en souciait aucunement et aujourd'hui était le jour du premier essayage important. La robe avait déjà été montée dans l'atelier d'Antoinette et il fallait maintenant ajuster le tout et poser les nombreux ornements.

— Savez-vous qui assistera à ce bal ? demanda Antoinette pour tenter d'accaparer Sophie et de la distraire des tissus qu'elle tripotait un peu trop à son goût.

Celle-ci se retourna vivement.

— Les plus grands, Antoinette ! Les plus grands ! Le ministre impérial Achille Fould et sa femme donnent ce bal pour cela. Faire descendre de Paris, dans leur château de

Tarbes, les plus brillants représentants de la cour impériale et l'aristocratie européenne. On murmure qu'il y aura des artistes, des écrivains... et peut-être même la princesse Mathilde.

Sophie parlait et Antoinette l'écoutait à peine. Au milieu de ce capharnaüm, elle avait un mal fou à travailler. En bonne couturière et bonne commerçante qu'elle était, sachant que ce salon était la pièce préférée de Sophie après son boudoir, trop petit pour un pareil essayage, Antoinette Peyré s'en accommodait pourtant. Elle poussa deux ou trois sièges, tira une petite table sur sa gauche et mit la jardinière sur le côté de manière à créer au milieu du salon une sorte d'espace libre. Elle posa la cage de la crinoline au centre, sur le tapis, face aux deux grandes fenêtres. Le plus grand cercle faisait au moins un mètre cinquante de diamètre. Sophie, entre-temps, était allée se déshabiller dans son boudoir avec l'aide de Mélanie, sa femme de chambre, et revenait en sous-vêtements. Un corset et des pantalons de dentelles. Elle sauta au centre de la cage, la releva, et, d'un geste assuré, noua le dernier ruban autour de sa taille.

Dans ce décor sensuel enseveli sous les fanfreluches, l'armature de métal nu de la cage jurait affreusement. Sophie faisait penser à un bel oiseau tout déplumé.

— Brrrr ! Que c'est vilain ces cerceaux ! Je suis ridicule comme ça ! dit-elle. Vite, Antoinette, recouvrez tout ! Mettez les dentelles ! J'ai horreur de ce qui est laid !

Habituée à obéir au moindre désir de sa principale cliente, Antoinette n'en avait pas moins acquis au cours de ces quelques années en sa compagnie une certaine autorité. Du moins lors des essayages. Sophie savait qu'Antoinette lui était devenue indispensable et, du coup, elle la ménageait. Qui d'autre, avec autant de talent que sa couturière, aurait pu tirer de ces pièces interminables de tissus divers des formes aussi gracieuses, des bouillonnés aussi vaporeux ? Personne. Antoinette alla donc, sans se presser autant que Sophie l'aurait souhaité, chercher le premier jupon destiné à recouvrir la cage et à en cacher les cerceaux. Elle aida Sophie à l'enfiler et le lui accrocha dans le dos par un petit nœud. Ensuite elle prit un deuxième jupon qui suivit le même chemin. Plus lourd, plus empesé, celui-ci était destiné à donner du volume et du maintien aux étoffes de la robe elle-même. Sophie soupira d'aise.

— Ah ! voyez ! Je me sens déjà mieux. Maintenant je peux attendre tant que vous voudrez. Je serai très patiente. Mais surtout, Antoinette, faites-moi la plus belle crinoline qui soit !

Sophie était à cet instant comme une petite fille à laquelle on promet un cadeau, une surprise. Elle paraissait d'une candeur totale et s'en remettait entièrement à celle qui allait lui donner ce bonheur. Dans ces moments-là, Antoinette comptait pour Sophie plus que tout au monde. Mais la couturière savait d'expérience que cette intimité ne durerait que le temps de construire la robe. Ensuite, Sophie reprendrait ses distances et Antoinette redeviendrait une femme de sa condition. C'est-à-dire une femme ordinaire, indigne de fréquenter la très bourgeoise Sophie Pailhé. La première fois qu'elle s'en était aperçue, Antoinette avait beaucoup souffert. Elle venait de coudre la première crinoline de Sophie. Une grande réussite qui avait été saluée par toutes ces dames de Lourdes et même de Tarbes. Au cours des essayages, il avait semblé à Antoinette qu'elles étaient devenues amies. Mais à la sortie de la messe, le dimanche suivant, elle reçut une douche froide. Quand elle s'avança avec un sourire vers Sophie, celle-ci la gratifia d'un signe de tête distant et s'éloigna sans lui avoir adressé la parole. Antoinette avait eu très mal. Elle était rentrée dans sa petite maison et elle avait pleuré. Longtemps. Plus tard, Sophie l'avait rappelée pour un mantelet, et Antoinette était revenue : elle n'avait pas les moyens de se priver d'une telle cliente. Depuis, elle s'accommodait de ces rapports successivement intimes et distants. Mais elle en souffrait toujours. Antoinette était seule. Elle travaillait pour vivre et n'avait le temps de rien d'autre. Sa collaboration avec une cliente comme Sophie relevait du sacerdoce. Elle y passait ses journées et quelquefois ses nuits pour finir dans les temps. Ce qu'elle gagnait suffisait tout juste à la faire vivre décemment. Sans plus.

— Je vais commencer par épingler le tulle sur le jupon. Après je marquerai les repères pour les pinces. J'en ai pour une bonne demi-heure. Ensuite je faufilerai les dentelles, vérifierai l'emplacement des nœuds...

— Je sais, je sais, Antoinette. Ne vous inquiétez pas, je ne bouge pas.

La couturière s'empara d'un morceau de tulle lilas, déjà elle n'entendait plus rien.

La taille, le décolleté, l'ourlet, le niveau des volants, l'ajustement des nœuds, le froncé des dentelles, l'équilibre du poids devant-derrière, les pinces, pinces de poitrine, pinces de dos. Antoinette était tout entière dans son ouvrage. Absorbée, engloutie par les mètres et les mètres de frous-frous à discipliner. Agenouillée aux pieds de Sophie, elle faufilait délicatement le volant de dentelle mauve qui viendrait souligner le bas de la robe.

Sophie savait se faire humble quand elle le jugeait nécessaire, et elle restait figée dans une pose crispée. Rien ne devait troubler Antoinette dont elle ne voyait que la nuque ployée. Elle entendait son souffle de plus en plus court, de plus en plus rauque. Au fur et à mesure que le travail avançait, Antoinette s'était mise à transpirer à grosses gouttes. L'effort et la concentration qu'il lui fallait pour ne pas se tromper est impossible à imaginer pour celui qui n'a jamais fait pareil travail. Dix-huit mètres de tulle et trente de dentelles passèrent entre ses doigts. La moindre erreur pouvait être fatale : la délicatesse des tissus ne permettait aucune manipulation supplémentaire. Ajuster, faufiler en direct, bâtir toute l'architecture de la robe pour ensuite terminer la couture chez elle, tel était ce jour-là le défi d'Antoinette.

Deux heures venaient ainsi de s'écouler et Sophie n'avait rien dit. Sur son visage lisse et doux ne se lisait aucune impatience. Elle pouvait continuer à se regarder dans le miroir et elle ne s'en privait pas, faisait inlassablement toutes sortes de mines et de sourires pour quelque admirateur invisible. À ses pieds, le visage tordu et déformé par l'effort, l'inquiétude lui serrant les traits, Antoinette veillait à ne pas se piquer. Cela s'était produit une fois, et le sang ayant taché le tissu, la cliente lui avait demandé de déduire le prix du dommage de sa note. Pareille attitude n'était pas le genre de Sophie. Elle n'était pas avare. Mais Antoinette n'était plus sûre de rien. Sophie l'observait et pensait, en la voyant ainsi agenouillée, rouge et suante, que décidément sa couturière était bien une femme du peuple et que Louis avait raison de lui conseiller la prudence et de maintenir une certaine distance. « Moi je suis trop bonne, se disait Sophie, je lui parle gentiment et elle s'imagine des choses. »

Les deux jeunes femmes étaient ainsi silencieuses, l'une à ses pensées, l'autre à son travail, lorsque la lumière d'hiver qui passait tant bien que mal au travers des voilages brodés tomba d'un seul coup. Antoinette releva la tête et Sophie plissa les yeux.

— Oh ! dit-elle. On dirait que le temps va changer. Vous sentez, Antoinette ? On dirait qu'il va neiger ! (Son visage s'éclaira.) Mon Dieu ! Que j'aimerais ! J'aime tant la neige ! C'est si doux la vue de ces flocons blancs derrière les vitres, et c'est si beau les paysages blancs. Vous savez ce que je fais quand il neige ?

Non, Antoinette ne savait pas.

— Eh bien je m'emmitoufle dans un manteau bien chaud, je mets des bas de laine et mes bottines fourrées, je prends une pelisse et je demande à notre cocher, Basile, d'atteler notre cabriolet d'hiver. Il me promène à travers la campagne et je regarde les flocons tomber. C'est un plaisir tout simple, voyez-vous, Antoinette, mais c'est l'une de mes plus grandes joies. J'adore la neige. Et vous ?

Antoinette hésita. À quoi bon dire la vérité ? Sophie n'avait aucune idée de ce que cela pouvait être que de vivre sans pelisse, sans cabriolet et sans cocher.

— Oui, vous avez raison. C'est très beau la neige, répondit-elle sans grande conviction.

Sophie battit alors des mains dans un mouvement de joie incontrôlé.

— Oh, en repartant, Antoinette, vous qui êtes si pieuse, vous ferez une petite prière à la Sainte Vierge pour qu'il neige ! J'aimerais tant que tout soit tout blanc ! Cela serait si beau pour le bal avec ma robe ! Vous voulez bien, n'est-ce pas ?

Antoinette acquiesça vaguement. Elle était abasourdie. Comment pouvait-on demander à la Vierge une chose aussi insignifiante ? Comment Sophie osait-elle ainsi profaner ce rapport sacré entre la mère de Dieu et ceux qui, dans cette période de misère, avaient tant besoin d'elle ? Il y avait de cela un an à peine, à Lourdes et dans toute la région, l'hiver avait été glacial, terrible. Le choléra avait ravagé la ville et les récoltes avaient été tellement mauvaises que la famine nouait les ventres et creusait les visages. Sophie ne savait donc pas ? Ou ne voulait-elle pas voir ? Antoinette se dit que le monde de celle que tous à Lourdes appelaient « la belle chocolatière » était hors réalité. Hors de ce qui se passait à seulement une rue de là, derrière cette place aux façades de pierre. Dans quelques minutes à peine, Antoinette savait qu'elle allait retrouver les dalles grises de la place Marcadal puis les pavés de la place du Porche où elle entrerait à l'église, et enfin les ruelles boueuses qui menaient vers le bas de la ville. Elle s'arrêterait avant. Chez elle. Juste à l'endroit après lequel les maisons devenaient des masures où vivait une population grouillante et d'où s'échappaient parfois, la nuit, des cris qui n'avaient plus rien d'humain et des pleurs qui la glaçaient d'effroi.

— Antoinette ! Vous êtes une fée ! Quelle splendeur !

Sophie était juchée sur un pouf devant le miroir qui lui renvoyait son reflet en pied. Antoinette poussa un cri, la fit descendre vivement et ne put cacher sa colère.

— Vous savez que je ne veux pas que vous regardiez avant que tout soit fini ! Vous n'avez aucune patience, vous vous gâchez le plaisir de la découverte. La robe n'est pas belle. Rien n'est cousu Il n'y a aucune forme ! Attendez donc une semaine. Ce n'est pas long ! Je viendrai vous la porter une fois qu'elle sera entièrement finie.

Sophie afficha la mine contrite de celle qui veut se faire pardonner. Elle embrassa Antoinette, lui fit mille compliments, l'aida à plier les tissus et appela Basile pour qu'il l'aide à les transporter. Quand Antoinette, épuisée, s'éloigna sur la place, elle ouvrit ses fenêtres et lui cria, tout en faisant un petit signe de main qui se voulait amical :

— N'oubliez pas... pour la neige !

Puis, refermant les fenêtres du salon :

— Ah ! là, là ! Quelle patience il faut pour obtenir quelque chose ! Cette Antoinette est vraiment pénible avec sa susceptibilité ! Non mais, pour qui elle se prend ! Si elle n'était pas la seule ici, il y a longtemps que je serais allée voir ailleurs.

Mélanie, qui rangeait les jupons de l'essayage, crut bon d'intervenir :

— Mais il y a d'autres couturières à Lourdes, je connais...

Sophie l'interrompit d'un ton agressif :

— Taisez-vous, Mélanie, vous n'y connaissez rien. Vos couturières sont faites pour des bonniches. Antoinette est la meilleure. Si vous croyez que je n'ai pas cherché ! Ne serait-ce que pour lui faire voir qu'elle n'est pas irremplaçable ! Ces domestiques, on les paye et en plus il faut les ménager.

Sophie s'offrait une colère de femme gâtée dont elle sortait aussi vite qu'elle y était entrée, mais sa femme de chambre avait horreur de ces éclats et préféra filer. Elle disparut dans le couloir les bras chargés de jupons.

La nuit avait été plus noire que d'habitude, puis le jour s'était levé. Et la neige n'était pas venue.

L'aube était encore pâle quand Antoinette entendit la corne du porcher Samson qui remontait du bas de la ville accompagné de son cortège animal. Ce son mélancolique et grave éveillait en elle un sentiment poignant qu'elle ne savait pas définir. Samson était un homme sans âge. Petit, massif,

17

courbé sur un bâton de buis usé à force de se frotter aux cailloux de tous les chemins du pays, il passait très tôt. Tous les jours, quel que soit le temps. Le travail de Samson consistait à prendre les cochons dans les maisons de la ville qui en possédaient un. Il les emmenait pâturer pour la journée, à l'automne manger des glands sous les forêts de chênes ou, quand les feuilles étaient tombées, se rouler dans les prairies boueuses des bords de Massabielle. Antoinette l'avait toujours connu. Petite, il lui faisait peur. Elle ne se souvenait pas d'avoir jamais pu apercevoir son visage. Courbé comme il était, il regardait toujours le sol et, hiver comme été, on le voyait toujours enveloppé des pieds à la tête dans la même cape de bure marron. Il y avait quelque chose d'un peu fantomatique dans le passage de Samson. Les mères utilisaient la peur qu'il provoquait chez les enfants et les menaçaient de les envoyer avec lui à la grotte de Massabielle.

Il servait d'horloge à beaucoup de maisons. Samson est passé. Debout ! c'est l'heure de se lever. Comme tous les matins, après avoir fait sa toilette, pris un café et allumé le poêle de l'atelier, Antoinette ouvrit la porte de sa maison qui donnait directement sur la rue. Elle jeta un coup d'œil rapide sur le sol et nota avec satisfaction que les cochons n'avaient pas laissé de saletés derrière eux. Elle se mit alors à balayer énergiquement le vestibule de la petite maison de ville qu'elle tenait de sa mère. Ses parents étaient morts. On ne vivait pas vieux à l'époque. Son unique frère était parti dès l'âge de dix-sept ans à Paris où il exerçait le métier d'employé aux écritures dans une banque. Il était marié et avait deux enfants, mais elle n'avait de ses nouvelles que très rarement. Une carte une fois l'an, pour la Noël, et une lettre çà et là. Il l'embrassait, l'assurait de ce qu'il allait bien, et espérait qu'il en allait de même pour elle. Les enfants ajoutaient un petit dessin. Elle ne les avait jamais vus. Ils devaient bien avoir cinq et six ans maintenant. Antoinette aurait beaucoup aimé faire le voyage à Paris, mais il ne fallait pas y penser. Pour cela il aurait fallu prendre la diligence, payer les nuits à l'auberge, les repas. C'était hors de prix, elle s'était renseignée. Et puis impossible de laisser son atelier. Son frère ne lui avait jamais rien écrit en ce sens, mais elle savait que lui aussi aurait bien aimé la voir, surtout quand les enfants étaient nés. La vie à Paris n'était pas facile, il gagnait juste ce qu'il fallait pour payer un loyer de deux pièces et nourrir les siens. Il n'avait jamais pu revenir à Lourdes et chacune de ses lettres se terminait par cette petite phrase : « Le pays me manque. » Il n'en disait jamais plus, mais Antoinette comprenait.

Le vestibule était maintenant bien net. Elle sortit dans la rue et donna un dernier coup de balai devant sa porte. Aujourd'hui, par chance à cause du froid, la terre de la rue était bien sèche et c'était facile mais les jours de pluie elle pestait contre les grosses plaques de boue et enviait les dalles de pierre de la place Marcadal sur lesquelles l'eau glissait et s'évacuait dans les petites rigoles creusées tout autour de la place. Machinalement elle leva les yeux vers le ciel, le plafond était blanc et bas. Elle se dit que Sophie avait eu raison la veille, la neige n'était pas loin. C'est alors qu'elle entendit un roulement sourd. Du bas de la rue une charrette remontait tirée par un homme, poussée par deux femmes, et suivie par deux jeunes filles dont l'une était presque encore une gamine. Sur la charrette deux petits reniflaient, une fillette et un garçon blottis l'un contre l'autre. Antoinette se fit la remarque qu'ils étaient bien peu vêtus pour un froid pareil. Quand ils arrivèrent devant sa maison elle reconnut l'une des femmes. Marie Abadie était une lingère de la rue des Petits-Fossés à laquelle elle confiait ses draps deux fois l'an pour les grandes lessives traditionnelles. Au printemps pour se débarrasser des miasmes de l'hiver et à l'automne pour enlever toutes les poussières de l'été et sécher aux dernières journées de soleil les grands draps blancs dans les prés. Antoinette connaissait peu Marie, mais elle aimait beaucoup son tempérament gai et volontaire. Elle savait qu'elle avait perdu deux enfants d'un coup l'an passé lors du choléra, et aussi que son mari était au chômage et que la vie était dure pour elle. La jeune fille était certainement sa fille, Lucile. Le petit groupe passa en baissant les yeux, ils n'avaient visiblement pas envie de parler. Antoinette reconnut le meunier Soubirous et sa femme, des gens qui avaient eu un peu de bien autrefois, mais qui aujourd'hui rencontraient, paraît-il, de gros déboires. Leurs habits étaient couleur de terre et leurs visages épais, abîmés et comme tordus par une sorte de rictus. Le père portait un béret aplati derrière le crâne et la mère cachait ses cheveux sous un grand mouchoir à carreaux élimé. Antoinette avait un jour entendu parler des Soubirous par la fille de l'huissier, Emmanuélite Estrade, qui s'était émue de la misère de leur enfant qu'elle avait croisé à l'église. Ce devait être ce petit sur la carriole, il n'était pas bien épais. Sans cesser de pousser, la lingère Marie Abadie fit un sourire à la couturière et leva des yeux inquiets vers le ciel blanc.

— Vous avez vu ?

Puis elle ajouta, grave :

— Pourvu qu'il ne neige pas ! Il manquerait plus que ça !

Et elle se retourna après avoir fait un signe de tête. Le petit groupe était déjà à plusieurs mètres quand Antoinette cria :

— Ne vous inquiétez pas, Marie, j'irai à l'église faire une prière à la Sainte Vierge pour qu'il ne neige pas. Elle comprendra...

De loin Antoinette devina le sourire de Marie. Elle se demanda alors ce qu'il lui avait pris de dire une chose pareille. Mais ce qui était dit était dit. Tant pis pour Sophie ! La charrette disparut à l'angle de la rue.

« Sophie aura la neige une autre fois, se dit-elle, ceux-là n'en ont pas besoin en ce moment. Pauvres gosses. Je me demande ou ils peuvent bien aller de si bonne heure avec cette carriole. »

Elle rentra se mettre au travail, ouvrit la porte de son atelier et jeta un coup d'œil satisfait autour d'elle. Tout était impeccable, comme elle aimait. Chaque soir après sa journée de couture, quelle que soit l'heure, elle nettoyait de manière à laisser tout bien rangé et propre, et chaque matin son premier plaisir était de regarder cette netteté. À ce moment précis, Antoinette aimait sa vie de solitude et de travail où, malgré des moments difficiles, elle réussissait à trouver un équilibre personnel. Elle pouvait construire ses modèles, rien ne venait faire obstacle à son imagination fortifiée par la rigueur de ce cadre et le silence total qui régnait dans cette maison. Elle referma derrière elle la porte de l'atelier. Posée sur un mannequin de bois comme une chrysalide en cours de métamorphose, la crinoline attendait de naître de ses doigts. Avec méticulosité, tout en la contemplant, Antoinette se lava les mains dans un plat de toilette en faïence blanche à l'aide d'une cruche posée à cet effet et elle enfila une blouse blanche impeccable, car la finesse et la fragilité des tissus étaient telles qu'il n'était pas question d'y laisser la moindre trace. Après avoir jeté un dernier regard au ciel par la fenêtre, elle attacha à son poignet une pelote d'épingles et, minutieusement, commença à froncer une légère dentelle de Chantilly au bas du premier volant.

Lourdes s'éveillait. Une brume matinale s'effilochait entre les maisons aux toits d'ardoise grise qui se pressaient en désordre au pied d'un magnifique château fort. Un château médiéval très romanesque planté tout en haut d'un énorme éperon rocheux et dont la masse de pierre et la tour carrée se découpaient fantomatiquement au-dessus de la petite bourgade de quatre mille habitants. Pour chacun d'eux, le château était un élément capital. Il focalisait les rêves les plus divers, il était l'horizon que ce gros bourg situé juste à l'entrée des montagnes et enfermé entre de petites collines n'avait pas. Il était haut, dominateur, toujours un peu mystérieux et il logeait un corps militaire prestigieux entre tous : les hussards. Ces derniers passaient parfois dans les rues pour leurs manœuvres sur des chevaux impeccables et leurs costumes sophistiqués, colorés et brodés, leurs casques aux panaches de couleurs faisaient toujours, dans cette ville grise, un effet époustouflant. Les hussards étaient des hommes un peu mystérieux, ils sortaient rarement en ville comme les autres militaires et ils étaient particulièrement soucieux de leur tenue. On les disait un peu fous et il courait régulièrement à leur sujet des histoires terribles de comportement exalté sur les champs de bataille. Ils introduisaient dans la ville de Lourdes une magie à laquelle tous étaient sensibles et cette magie rejaillissait sur le château sombre qui enfermait entre ses murs de pierre un corps militaire aussi exceptionnel.

La ville de Lourdes elle-même n'avait rien de prestigieux, bien au contraire. Nombre de voyageurs qui y passaient en ce milieu du XIXᵉ siècle notaient combien dans son ensemble elle était sale, empuantie d'odeurs fétides avec des eaux usées qui stagnaient au cœur même de ses ruelles étroites et sombres. Les maisons étaient des masures agglutinées comme au Moyen Âge et l'air pur des montagnes toutes proches avait du mal à s'y faufiler pour venir les débarrasser des miasmes qui s'y développaient. Un seul endroit échappait à cet état misérable, le haut de la ville. Car il y avait un haut et un bas. En haut les maisons étaient tout récemment reconstruites selon les dernières innovations en matière d'hygiène et de style. Elles étaient richement bâties avec de beaux matériaux et de hautes fenêtres qui éclairaient de grandes pièces ouvertes face aux montagnes et au soleil. La plupart étaient ornées de sculptures de pierre au centre du linteau des portes comme le voulait la mode du temps. Ces maisons étaient essentiellement regroupées sur la place Marcadal, une place bourgeoise. Tous les notables de la ville y habitaient et les plaques de cuivre gravé brillaient sur les montants de pierre. On devinait des intérieurs cossus trahis par les voilages brodés qui garnissaient les fenêtres et par les lourds drapés dont on entrevoyait çà et là les bordures chargées de passementerie. Ceux de la ville du bas n'y venaient pratiquement jamais, sauf pour le travail et ils ne s'y attardaient pas. C'était la place des maisons riches mais aussi celle du *Café Français* et des boutiques élégantes. Il y avait là la chocolaterie Pailhé, où, avec deux employées, Sophie vendait le chocolat que fabriquait son mari, la maison Lacaze

où elle achetait les magnifiques tissus de ses robes, la merce-
rie où elle se fournissait en passementerie, le magasin de chapeaux des sœurs Tardivail qu'elle fréquentait au moins deux
fois par saison et les chaussures Cazalot chez qui elle passait
régulièrement acheter les derniers modèles en vogue d'escarpins ou de bottines. Une institution, les chaussures Cazalot.
Le tout-Lourdes s'y chaussait, on y venait même de Tarbes
tant la réputation de la maison était grande. En fait Sophie
était plus souvent dans les autres boutiques que dans la
sienne, ce qui faisait jaser ces messieurs du *Café Français*,
aux premières loges pour la voir courir de l'une à l'autre.

Au cœur de la place se trouvait la plus belle fontaine de la
ville. Un luxe de fontaine ! Des dauphins de bronze doré
crachaient une eau descendue directement des grands glaciers et que les domestiques des maisons aux façades de
pierre venaient recueillir dans de belles jarres de terre cuite
vernissée.

Tout près, elles se jouxtaient, il y avait la place de l'église
que les gens appelaient aussi la place du marché car c'est là
que se trouvait l'église paroissiale et que tous les quinze
jours, le jeudi, se tenaient des marchés dont la notoriété était
immense. On y venait de toutes les vallées environnantes, les
petits paysans vendaient les produits de leur ferme et de
leurs jardins et on venait de loin pour acheter des poulains
de grande réputation, les poulains du Lavedan, solides et
rudes à la tâche. On y trouvait aussi toutes sortes de mar-
chandises. Légumes, lapins, poulets, sabots, étalages de
vieux habits usagés où, de temps à autre, comme les femmes
du bas de la ville, Marie Abadie et Lucile venaient acheter
au fur et à mesure des besoins le strict nécessaire... Cette
place était très active, très vivante avec une fontaine et des
administrations : la mairie, le commissariat, les postes, le
service des diligences de chez Cazenave et divers commerces
d'alimentation, de grains, la boulangerie Maisongrosse, la
pharmacie de Louis Pailhé.

La place de l'église était l'espace intermédiaire entre le
haut et le bas. Le seul endroit où les deux villes, la ville riche

et la ville pauvre, se côtoyaient. C'était là que le dimanche, ayant tous revêtus leurs habits de fête, ils venaient à l'église paroissiale commune prier le Seigneur.

En matière d'aménagement urbain la municipalité avait aussi fait quelques efforts. Une vingtaine de réverbères avaient été installés pour l'éclairage à l'huile et une nouvelle chaussée avait été ouverte dans la partie nord : la chaussée Maransin, du nom d'un général d'Empire originaire de la ville. Cette nouvelle voie, très large, permettait un accès plus agréable qu'auparavant quand il fallait passer par un boyau de ruelles entre de misérables masures dont la moitié étaient en ruines. Désormais, les voyageurs qui arrivaient de l'Europe entière par la préfecture de Tarbes et se dirigeaient vers les Pyrénées, très en vogue à cette époque où on allait prendre les eaux dans les stations thermales, n'auraient plus cet aperçu négatif de la ville. Au contraire leur chemin serait dégagé et leur vue porterait directement sur le panorama magnifique du château sur fond de sommets enneigés.

Pour ce qui est de la population, les bourgeois vivaient fort bien des retombées touristiques diverses, des activités intenses du tribunal ainsi que des marchés et des trois foires annuelles qui duraient chacune trois jours et drainaient des foules immenses. Béarnais, Bigourdans, Navarrais, on venait à Lourdes non seulement des régions proches mais aussi de l'Espagne voisine et ces jours-là, dans Lourdes, les langues les plus diverses se côtoyaient, comme se mêlaient les costumes locaux pyrénéens, très colorés et très beaux. Lourdes était donc un carrefour stratégique au commerce florissant. Le petit peuple travaillait essentiellement dans les carrières de marbre, de pierre et d'ardoise situées dans les environs immédiats de la ville. Il y avait eu depuis près de quinze ans des périodes très actives en raison des constructions monumentales qui s'étaient élevées dans les stations pyrénéennes des villes d'eau, mais les années récentes connaissaient un ralentissement de la construction et nombre de carrières avaient dû fermer, mettant beaucoup de carriers au chômage. En dehors de quelques actions municipales caritatives, la ville du bas ne bénéficiait donc ni de la prospérité économique du haut ni de la nouvelle urbanisation mise en place. Ce qui n'empêchait pas la population de vivre en relative harmonie, chacun en fait restant dans son univers et y trouvant matière à vivre ou à survivre. Un journal local, *Le Lavedan*, rendait compte des événements et deux débits de boissons se partageaient la population masculine : le très luxueux *Café Français* situé sur la place Marcadal n'admettait que les membres du Cercle local, exclusivement constitué des notables de la ville qui y débattaient de politique et de littérature, et le très populaire cabaret de Noémie Nicolau où se bousculaient fraternellement tous les carriers, brassiers et chômeurs de Lourdes. Dans le premier on fumait le cigare et on parlait le français, dans le second on roulait les cigarettes en chantant les airs du pays en occitan.

Mais les femmes étaient peu admises en ces lieux et tout ceci était affaire d'hommes. Or, en ce matin d'hiver 1856, trois d'entre elles scrutaient le ciel : Sophie Pailhé, bien emmitouflée dans une splendide pelisse, qui se rendait à la boutique de son mari où elle se distrayait en vendant des pralines ; Antoinette Peyré qui levait le nez régulièrement vers l'azur depuis la fenêtre de son atelier tout en cousant la crinoline de Sophie ; Marie Abadie, enfin, qui lorgnait cette blancheur inquiétante du ciel tout en entassant dans une carriole les maigres biens de la famille Soubirous que le riche propriétaire Rivière jetait à la rue puisqu'ils ne pouvaient plus payer leur loyer.

La première attendait les flocons blancs qui lui rappelaient les jeux de l'enfance, la magie de Noël et la bonne chaleur d'un foyer protecteur, la seconde n'attendait rien, et la troisième priait bien fort pour que la neige ne tombe pas. Car elle faisait entrer dans les masures un froid glacial et laissait derrière elle un cloaque de boue et une humidité mortelle.

La prière de Marie et d'Antoinette avait été entendue. De toute la journée la neige ne tomba pas et quand le soir vint le ciel était dégagé. À deux rues à peine de la place Marcadal, rue des Petits-Fossés, dans l'ombre qui tombait une maigre silhouette pressa le pas, disparut à l'angle de la rue du Baous et s'arrêta un peu plus loin devant la lumière du cabaret de Noémie Nicolau. Lucile Abadie devait avoir dix-sept ou dix-huit ans, par la fenêtre éclairée elle regardait à l'intérieur. Tous les brassiers étaient là, ou presque. Sur un sol de terre battue ils buvaient et parlaient debout, la plupart étaient regroupés contre une sorte de comptoir qui n'était ni plus ni moins qu'une planche posée sur de grosses barriques, d'autres étaient assis sur de petits tabourets à trois pieds et discutaient ou jouaient aux cartes sur des cageots renversés. Elle distingua les hommes de la Confrérie de l'Ascension, les carriers avec lesquels son père travaillait avant de se retrouver au chômage. Mais il n'était pas avec eux. Son regard circula d'un coin à l'autre et, soudain, elle reconnut la forme d'un béret. Son père dormait, affalé sur un tabouret contre un coin de mur. Elle hésita, puis se dirigea vers la porte et entra.

L'odeur forte du vin la saisit, des relents de friture se mêlaient à une épaisse fumée de tabac. Personne ne fit attention à elle. Elle entra et ce fut comme si elle n'existait pas. Se frayant le plus discrètement possible un passage entre les groupes d'hommes qui encombraient le comptoir, elle se dirigea vers une petite porte au fond de la salle qui ouvrait sur un réduit sombre. Noémie Nicolau était penchée sur un baquet d'eau jaunâtre. Elle lavait des verres avec sa nièce Bernadette, une gamine maigre et blafarde qui toussait sans arrêt :

— Ah ! te voilà !

Noémie se redressa en voyant Lucile.

— Alors ? Ils sont où ?

Toute habillée de noir, les cheveux emprisonnés dans un fichu sombre, Noémie Nicolau n'avait pas d'âge. La réputation de son cabaret tenait au bout de sa baguette et elle était connue dans la ville de Lourdes entière. Tout en Noémie respirait l'autorité. Pourtant, ce soir, son visage était inhabituellement plus inquiet que sévère. Visiblement elle attendait la venue de Lucile. La gamine avait cessé de frotter les verres et restait la bouche et les yeux grands ouverts. Lucile la connaissait bien, Bernadette était plus jeune qu'elle mais elles allaient souvent ensemble ramasser du bois ou des os près du gave :

— T'inquiète pas, lui dit-elle, tes parents et les petits sont chez nous. Je suis venue chercher papa pour qu'ils nous aide à installer vos affaires si Sajous est d'accord.

— On va habiter au cachot ?

La voix de Bernadette Soubirous était presque inaudible tellement elle parlait bas.

Tante Noémie mit une main sur son épaule, la secoua un peu et, d'une voie bourrue qui masquait mal son émotion :

— De quoi tu t'occupes ? C'est l'affaire de tes parents, pas la tienne. Allez, essuie les verres, va, au lieu de te faire du mouron.

Puis, s'adressant à Lucile :

— Et l'armoire ? Comment vous avez fait pour la porter ?

— Ils l'ont plus, Rivière l'a gardée.

— Quoi ! Il a gardé l'armoire ! Mais... mais il est devenu fou ou quoi ? Et... et on l'a laissé faire ! Qui y avait quand ils ont déménagé de chez Rivière ?

— Maman, moi, Louise et François. Y avait pas grand-chose à porter. On a réussi à tout caser dans la petite charrette à bras de Soubies.

— Eh oui, rien que des femmes sauf François, et c'est vite vu ! Il risquait pas grand-chose ce salaud de Rivière ! Ah ! Si j'avais su qu'il serait capable d'un coup pareil...

Noémie devint toute blanche. D'un geste vif elle enleva son tablier, dit à Bernadette de mettre son capulet et entra dans la salle du cabaret. Elle alla droit au groupe des carriers qui discutaient au comptoir. Bien que sans illusion, elle leur raconta ce qui venait de se passer. Elle expliqua ce que déjà ils savaient tous. Que Rivière était un usurier et que les usuriers étaient tous des salopards qui faisaient des avances aux plus démunis pour mieux les dépouiller après.

— Il lorgnait l'armoire, il savait que très vite ma sœur

pourrait plus payer, il les connaît bien. Et avec quoi elle aurait payé ! François est toujours au lit. Trois mois de retard et il les fout dehors en plein hiver avec les gosses. Mais il garde l'armoire qui vaut au moins quatre fois plus. Quel salaud ! Qu'il s'avise pas de venir ici, parce que moi aussi je le fous dehors. Et les autres avec, Lavergne et Roux. Ils ont mis au moins six familles sur le carreau ces temps derniers. Et ils paradent ! Leurs biens grossissent, enflent à s'en faire péter le porte-monnaie. Mais qui va faire arrêter ça, bon Dieu !

Noémie Nicolau ne criait pas, sa voix était dure, concentrée. Elle venait d'entrer dans une de ses colères froides et légendaires qui en avaient fait trembler plus d'un. Et aujourd'hui, c'était sa sœur qu'on jetait à la rue !

Les hommes l'écoutaient, mais ils ne réagissaient pas. Ils étaient usés de fatigue, résignés. Le chômage avait atteint des chiffres records. Ils étaient plus de sept mille à chercher un emploi, rien que dans le département des Hautes-Pyrénées. Ce n'était le moment pour personne de faire le malin en rouspétant. Ils connaissaient tous l'histoire des Soubirous. Ils savaient que Rivière les avait volés, mais Rivière volait tout le monde. Et il n'était pas le seul. Les plus jolies fortunes qui étaient en train de se construire en Bigorre étaient toutes bâties par les usuriers sur le dos des faibles ou des naïfs comme François et Louise Soubirous. Qu'y pouvaient-ils ? Le voudraient-ils, ils ne se sentaient même plus la force de faire quoi que ce soit.

Cette dernière décennie avait anéanti les familles. Depuis 1845, année où un petit champignon noir, le phytophthora, était apparu sur les feuilles de la pomme de terre, réduisant les tubercules en une bouillie noire et puante et affamant la population, les crises s'étaient succédé, provoquant des vagues de misère sans précédent. Phases dépressives d'origine agricole suivies de crises de subsistances. Maïs, millet, sarrasin, les produits de base s'étaient raréfiés et l'oïdium avait détruit les vignes pendant près de cinq ans. En juillet

1854, un tremblement de terre avait jeté nombre de maisons à bas et enfin, comme si ça ne suffisait pas, l'an passé, le choléra était venu achever les ravages de la misère. Ces violences successives avaient laissé sur les visages et les corps des marques profondes. Au plus fort de la tourmente, l'an passé, le procureur impérial de Pau avait envoyé à Paris un rapport alarmant et secret : « La misère est immense et elle vient de loin, écrivait-il. Elle est telle qu'elle a réussi à pénétrer au-delà des choses matérielles jusqu'à la vie même, entraînant un appauvrissement des corps et des organes. Les gens ne souhaitent même plus guérir. "Et pourquoi nous soignerions-nous, me disent-ils. Mourir du choléra ou mourir de faim, peu importe." »

Le procureur disait vrai et encore, il était au-dessous de la vérité. Perte de dents, affections de la vue, maladies de la peau, les carriers avaient tous quelque chose de travers. De temps à autre on venait en chercher un pour donner un coup de main à gauche, à droite, mais le reste du temps, entre deux verres, ils attendaient. Noémie savait qu'elle était la seule à pouvoir les tenir quand ils n'étaient pas chez eux, et toutes les femmes des quartiers populaires de la ville, de la rue des Petits-Fossés jusqu'au quartier du Lapacca lui faisaient confiance. Bien avant l'aube, alors qu'elle était encore au lit avec son mari Émile, Noémie entendait les premières femmes passer au-dessous de leur chambre dans la rue. Elle écoutait leurs pas s'éloigner vers la rue du Baous, puis tourner pour prendre le chemin qui menait à la grotte de Massabielle et qui se continuait jusqu'au bois de Lourdes. Elles allaient chercher le bois mort pour le feu de la journée. C'était leur premier travail avant d'enchaîner par la soupe quand il y avait de quoi la faire, puis par les lessives ou les travaux dans les champs à la saison. Parfois, à un trottinement plus léger ou à des petits gémissements mêlés de pleurs et de reniflements, Noémie devinait qu'elles avaient pris les enfants avec elles. Qu'elles avaient dû les pousser dehors dans la nuit glacée et les tiraient comme des chatons mouillés épuisés de fatigue qui ne voulaient plus avancer. Ces fois-là Noémie se levait d'un bond, courait à la fenêtre et les appelait, puis elle descendait précipitamment et ouvrait la porte du cabaret. Pas question de laisser les petiots partir dans un froid pareil. Elle les faisait entrer, allumait vite le feu et les installait sur les bancs, sous le manteau de la cheminée. Ils s'endormaient aussitôt et Noémie rassurait la mère : « Tu les reprendras au retour, va, ne t'inquiète pas. »

Pendant tout le temps que Noémie parlait, Lucile et Bernadette étaient restées muettes, recroquevillées derrière elle. Lucile surtout qui tentait de se faire oublier le plus possible, elle aurait bien voulu être déjà partie mais elle ne savait pas comment sortir, emmener son père qui ne pouvait peut-être pas se tenir debout. Parmi les carriers il y avait deux garçons de son âge, elle les connaissait un peu. Ils lui avaient fait un petit salut de la tête, sans plus. Elle avait vu qu'ils la regardaient des pieds à la tête et, tout d'un coup, elle s'était sentie laide, si laide. Elle les vit ensuite regarder dans la direction de son père et se dire un mot à l'oreille. Elle se sentit rougir, puis les larmes montèrent à ses yeux, venues du plus profond de son cœur meurtri. Ne pas pleurer, ne rien faire voir et partir. Vite. Justement Noémie les poussait dehors.

— Attendez-moi là, je vais chercher ton père.

Quand elle ressortit avec lui, le père de Lucile esquissa un vague sourire et s'appuya au mur, puis, avec l'aide de sa fille, il prit le chemin de la maison. Noémie ajusta le capulet blanc sur la tête de sa nièce Bernadette qui partait avec eux :

— Vas-y, lui dit-elle, tes parents seront contents de t'avoir. Reviens demain quant tu auras aidé ta mère à ranger. Ce soir vous aurez juste le temps d'installer les paillasses et de vous coucher.

La nuit était tombée, noire et froide. Glissant le long des murs, les silhouettes de Jean Abadie, de Lucile et de Bernadette se détachaient parfois, à peine éclairées par l'unique lampadaire de la rue, tellement encrassé qu'il ne laissait filtrer qu'une lueur jaunâtre. Noémie était restée sur le pas de la porte, elle devinait au loin la présence des petites qui maintenaient le père près du mur pour qu'il y prenne appui. Elle mit ses mains en porte-voix et cria avec autorité :

— Faites attention à la boue.

Puis, se parlant à elle-même : « Faudrait pas qu'il glisse. Ça serait frais pour la lessive. Il manquerait plus que ça, tiens, qu'il aille leur donner du boulot en plus ! »

Le petit groupe avait disparu. Avant de rentrer dans le cabaret, Noémie regarda le ciel. Il était rempli d'étoiles qui brillaient intensément tant l'air était limpide. Elle ne put détacher son regard de ce monde lumineux, si net, et, rien qu'à le regarder, elle se sentit tout à coup lavée des odeurs nauséeuses du cabaret, de la graisse des caisses sur lesquelles les hommes s'asseyaient pour casser la croûte, de la vinasse qu'ils laissaient couler des verres ou qu'ils jetaient parfois au sol dans leurs accès de fièvre.

Elle pensa à sa sœur, elle se souvint de leur enfance dans le joli moulin. Qui aurait cru ? Le soleil brillait si fort. Le ciel dans sa mémoire était d'un bleu si doux. Et aujourd'hui sa sœur et les petits allaient croupir dans ce gourbi infect rempli de vermine ! Ils allaient crever de faim, elle en était sûre, le petit Justin n'avait plus que la peau sur les os. La fille de l'huissier, Emmanuélite Estrade, l'avait surpris l'autre jour dans l'église. Entrée pour une prière vers les cinq heures, comme d'habitude, elle avait entendu un drôle de bruit dans un coin, près du confessionnal. Pensant qu'il s'agissait d'un rat, elle alla pour le chasser et tomba sur un petit, tout recroquevillé dans l'ombre et qui croquait quelque chose. Il ne l'avait pas entendue venir et elle avait eu le temps de le reconnaître et de comprendre. C'était le petit Soubirous qui mangeait la cire tombée des cierges. Il avait filé comme un petit rongeur surpris dans son repas. Emmanuélite avait été tellement secouée qu'elle était allée directement voir sa couturière Antoinette Peyré pour l'en informer et c'est Antoinette qui en avait parlé à Marie Abadie qui elle-même l'avait répété à Noémie. C'est ce jour-là que Noémie avait compris combien sa sœur, Louise Soubirous, et les siens étaient au plus bas. Mlle Estrade, émue de tant de misère, avait donné un peu d'argent à Antoinette pour qu'elle le fasse passer par Marie aux Soubirous.

Noémie y repensait ce soir en regardant les étoiles. Elle se demandait qui décidait là-haut dans le ciel, et pourquoi les choses étaient comme elles étaient. Elle se disait qu'elle voudrait être riche, une seule fois, un seul jour, comme la fille de l'huissier, comme ceux de la place Marcadal dont elle admirait les belles maisons aux façades de pierre. Noémie aussi aurait voulu pouvoir aider les siens, et même les autres. Elle aurait voulu pouvoir sortir des sous de sa poche comme Mlle Estrade. Inlassablement. Donner, donner ! Quel bonheur ce devait être que de pouvoir donner ! Cette pensée la laissa tout à coup démunie dans la nuit froide. Noémie n'avait rien. Que la force de ses bras pour laver les verres, passer la serpillière, faire le bois, le feu, servir à manger. Que son courage pour affronter la misère des autres, tous les jours.

Un petit vent se leva. Elle fut prise d'un frisson et il lui sembla que les étoiles s'étaient mises à vibrer de façon plus intense. Elle se souvint alors qu'elle devait rentrer finir les verres. Machinalement, comme cela lui arrivait de plus en plus souvent, elle fit un signe de croix et murmura : « Sainte Vierge, notre mère, aidez-nous. »

Puis elle aspira profondément l'air de la nuit et rentra dans l'atmosphère étouffante et viciée du cabaret.

Marie Abadie jeta un coup d'œil dehors, la ruelle était déserte et dans moins d'une heure il ferait nuit noire. Mais que faisaient-ils ? Lucile et son père devraient déjà être rentrés. Et Sajous ? Pourquoi ne faisait-il rien savoir ? Louise et François Soubirous attendaient près du feu avec les deux petits. Dans le quartier et même, au-delà, dans toute la ville de Lourdes il n'y avait eu que Marie Abadie pour les accueillir. Leur chute faisait peur, comme si elle était contagieuse. Tout le monde les plaignait, personne ne bougeait. On disait que c'était sa faute à elle, qu'elle buvait un peu et qu'elle ne savait pas gérer. D'autres pensaient que c'était la faute à François, qu'il était plutôt fainéant. Bref, les Soubirous avaient échoué dans tout ce qu'ils avaient entrepris. Donc, puisqu'ils avaient échoué, ils avaient tort. Marie ne s'était pas posé toutes ces questions. Ils avaient besoin, elle était venue. Près du feu, le dos courbé, le visage ravagé de rides bien trop précoces, François tortillait son béret entre ses mains.

— Je ne comprends pas, ça s'est fait si vite... L'an dernier encore j'avais le moulin, je disais à Louise...

Louise tentait de le calmer, de le rassurer, mais il ressassait.

— Mais comment on peut tomber si vite ? Comment c'est possible ça ? Moi j'y crois pas, je peux pas... On avait tout ce qu'il fallait, tu te souviens du moulin de Boly. Oui, y'avait tout ce qu'il fallait... on était bien, on travaillait... je sais pas ce qui s'est passé, comment c'est venu. On n'a plus rien... je comprends pas... si vite.

Louise ne l'écoutait plus. Elle, elle pensait juste à ce soir et elle priait la Sainte Vierge pour que le cousin Sajous accepte de les héberger. Où allaient-ils dormir ? Allaient-ils avoir un toit ? L'urgence. Voilà tout ce qu'il y avait dans la tête de Louise ce soir-là.

Marie avait le cœur serré en écoutant François geindre. Elle n'aimait pas qu'on geigne mais elle ne pouvait s'empêcher de penser que parfois, quand le destin s'en mêlait, la vie pouvait être bien injuste. Seulement elle ne voulait pas se laisser gagner par l'angoisse, ce n'était pas le moment de flancher. Les deux petits avaient cessé de pleurer, ils étaient immobiles, bouche ouverte, les yeux épuisés de fatigue. Jusque-là, pris par l'action du déménagement, les Soubirous avaient surmonté cette dure épreuve d'être ainsi mis à la rue. Mais la nuit venant, dans le silence, ils commençaient à se décourager. Marie s'assit au coin du feu, remit une bûche et, d'un tour de main énergique, fit repartir les flammes.

Suspendue au bout de la crémaillère, une marmite bien culottée ronronna.

— Bien sûr que Sajous va vous louer le cachot, dit-elle, il manquerait plus que ça qu'il veuille pas. Et alors ! De toute façon pour cette nuit, si on le voit pas ce soir, vous dormirez ici. On se serrera. En attendant on va manger la soupe, les petits doivent commencer à avoir faim. Hein, les petiots, c'est pas vrai ?

Une flamme s'alluma dans les yeux des deux gosses qui s'étaient assis par terre devant le feu à même le sol de terre battue. Bien sûr qu'ils avaient faim ! Pire, ils étaient affamés, leurs visages creusés se tendirent vers Marie. À bien y regarder, ils étaient presque effrayants.

Dans le vaisselier fabriqué par Jean, son homme, elle attrapa des assiettes de terre cuite au rouge bien fatigué et distribua la soupe en prodiguant à tous un sourire rayonnant.

Louise la regarda éperdue de reconnaissance. Que se serait-il passé sans Marie ? Ils seraient dehors, à attendre dans la nuit. Pourtant la maison de Marie n'était pas riche, c'est le moins qu'on puisse dire. Ur sol de terre battue, trois tabourets et deux paillasses. Avec la pièce maîtresse qu'était le vaisselier, quelques assiettes, quelques cuillères et trois couteaux plus un peu de linge, c'était là tout le trésor de la famille Abadie. On en avait vite fait le tour. Pourtant, et bien qu'elle ait si peu, Marie Abadie était connue pour donner, partager. Dans la rue on disait qu'elle était née bonne et belle. Ce qui déclenchait toujours chez elle un rire incrédule.

— Belle ! Ah, ça ! Vous n'y voyez plus ou quoi ?

Marie s'en sortait par une pirouette. Elle connaissait son corps tordu à force de porter des poids trop lourds. Elle voyait ses mains déformées par l'eau froide des lessives. Ses habits usés, mille fois rapiécés, ses pieds gonflés, les veines violacées de ses jambes.

Mais ce que Marie ne voyait pas, c'était justement ce que les autres aimaient : son visage. Miraculeusement préservé, pur et lisse, reposant comme une source fraîche. Et ceux-là se sentaient déjà apaisés, rien qu'à la regarder.

Elle et Louise se connaissaient depuis l'enfance, toutes deux étaient nées dans les maisons du bas, au quartier du Lapacca. Mais la famille de Louise, les Castérot, était mieux lotie que celle de Marie. Ils avaient un moulin, et de beaux meubles. La famille Castérot, c'était des gens bien. Les parents de Marie, eux, avaient juste un petit pré, mal situé, de l'autre côté du gave sur le chemin de la forêt. Un endroit humide qui ne valait rien. Faute d'avoir le choix, son père y avait bâti une toute petite maison, une bicoque en torchis, faite de boue, de planches et de cailloux. Elle avait été bien construite cependant car elle tenait toujours debout et la mère de Marie y vivait encore...

Trois coups. On frappa à la porte, c'était le cousin Sajous. Quand on l'avait prévenu, il était aux carrières, c'est pour ça qu'il n'était pas arrivé plus tôt. Bien sûr qu'il leur laissait le cachot, mais il préférait être franc, quitte à couper court à leur joie. Il les prévenait. C'était pas beau à voir, c'était sombre, et ça sentait mauvais. Ça donnait sur la petite cour où il mettait le fumier. Et dans cette petite cour, on ne voyait jamais le soleil. Lui, ça le mettait mal à l'aise de les voir s'installer là, mais il avait pas mieux à offrir. Sauf le coup de main ce soir pour emménager et sa femme qui avait prévu aussi un bol de soupe.

Les Soubirous remercièrent le cousin. Ça irait, ils en étaient sûrs. Ils allaient nettoyer, ils arrangeraient. François était tout ragaillardi, il se sentait tous les courages, Louise aussi avait retrouvé le sourire. Ils étaient sauvés puisqu'ils avaient un toit !

Marie savait que pour Sajous ce n'était pas simple. Il avait sa femme, quatre gosses et juste deux pièces au-dessus du cachot. C'était une toute petite pièce qu'on appelait comme ça parce que, autrefois, elle avait servi de prison. Il y avait encore des barreaux à une fenêtre. Cette pièce lui rapportait un peu parfois, il la louait au coup par coup, à des colporteurs, à des Espagnols de passage. Pour lui et les siens, la laisser aux Soubirous, c'était autant de sous indispensables qui ne rentreraient pas. « C'est toujours comme ça, pensa Marie, ce sont les plus pauvres qui aident les plus pauvres. » Elle lui tendit un bol de soupe.

Elle avait à peine versé la première louche dans l'assiette que Lucile entra dans la pièce suivie de son père et de Bernadette. Au premier coup d'œil, Marie comprit que Jean avait bu plus qu'il ne fallait. Sans mot dire, Sajous le prit sous les épaules et aida à le mettre au lit dans un coin de la pièce, mais Marie surprit le coup d'œil réprobateur du carrier devant l'ivresse de Jean. Elle défendit son homme :

— Tu sais, ça lui arrive pas souvent. J'ai rien à lui reprocher, il fait tous les travaux qu'il peut. Rien ne le rebute. Des fois il a un coup de cafard mais ça lui passe vite. Qui n'en aurait pas avec ce qu'il subit. Il est maître carrier, comme toi, et il a pas choisi d'être au chômage. Tu sais ce qu'il fait ces jours-ci ?... Il nettoie les porcheries de toute la ville, il passe de maison en maison. Ne le juge pas mal, Sajous, c'est un homme bien. Demain il repartira.

Sajous baissa les yeux, un peu gêné soudain d'avoir mal pensé. Il ne comprenait pas comment Marie réussissait à faire face, toute seule la plupart du temps, et il se rappela qu'en plus, l'hiver dernier, elle avait perdu ses deux petits. Il voulut lui en parler, pour dire un mot, comme ça... Mais pour Marie ce fut comme une plaie qui se rouvrait d'un coup.

— N'en parle plus. La Sainte Vierge me les a repris, elle doit savoir pourquoi. Elle m'a laissé la grande et c'est beaucoup. J'aurais pu la perdre elle aussi.

Dehors, les Soubirous, aidés par Lucile et Bernadette, avaient tiré la charrette et porté les paquets jusque devant le cachot. Les deux enfants s'étaient endormis sur le sol, le bol vide dans les mains. Marie les débarrassa le plus doucement possible et les étendit sur le lit de sa fille :

— Allons-y, on viendra les reprendre quand tout sera prêt.

Ils sortirent dans la nuit noire et, quand ils eurent refermé la porte derrière eux, on n'entendit plus que le feu qui ronronnait et le souffle délicat des deux petits qui dormaient comme des anges épuisés et meurtris, serrés l'un contre l'autre.

À peu près à la même heure, face au miroir, Sophie s'admirait. Demain soir elle irait au bal du ministre et il fallait que tout soit parfait. Depuis le début de la matinée, elle se préparait à ce moment et il n'y avait pas trop de deux journées complètes pour en venir à bout. Demain ce serait le jour de l'habillage et du maquillage, aujourd'hui c'était celui des soins. Elle avait commencé par prendre un bain, et Mélanie avait lavé ses cheveux, ce qu'il valait mieux faire la veille. Car ces opérations étaient longues et fort épuisantes, elle le vérifiait en ce moment même face à son miroir. Elle avait passé un ensemble d'intérieur pour dîner avec Louis. Celui-ci était ensuite reparti dans son laboratoire comme cela lui arrivait souvent et Sophie était remontée dans sa salle de bains.

Ce vendredi, bien que particulier en raison du bal, était comme tous les autres le jour du bain de Sophie. Un rituel bien rodé et immuable. Dès son arrivée le matin, Mélanie allumait le poêle de faïence de la salle de bains et avant de repartir le soir elle rajoutait un peu de bois car Sophie traînait tard dans la soirée devant ses pots de crème. La maison Pailhé jouissait des toutes dernières marques du confort, poêles dans toutes les pièces sauf le boudoir où Sophie préférait qu'on allume des feux dans la cheminée, éclairage au gaz, et enfin cette fameuse salle de bains dans laquelle elle se trouvait en ce moment. Fameuse parce que très rare. Ils étaient peu nombreux à Lourdes ceux qui avaient les moyens de consacrer une pièce exclusivement à la toilette et quand Sophie avait fait installer la sienne cela avait été un événement. C'était une annexe de la chambre et du boudoir et on pouvait y entrer directement depuis ces deux pièces auxquelles elle ressemblait beaucoup par son aménagement.

Sauf qu'au lieu d'être tendus de tissu, les murs étaient peints d'un ivoire assorti à la mousseline qui agrémentait les fenêtres et les petits meubles. Il y avait là une chaise longue, deux guéridons couverts de bibelots, un paravent, ainsi qu'une coiffeuse et une table de toilette habillées elles aussi de mousseline blanche volantée. Sur cette dernière était posé un délicat nécessaire à toilette assorti, broc, cuvette et coupe à savon en faïence de Sarreguemines beige décorée de fleurs d'eau. Mais la pièce maîtresse qui trônait au cœur de la salle de bains était une magnifique baignoire en zinc. Sophie profitait pleinement de ce luxe récent et désormais, une fois par semaine, elle prenait un bain qui était un véritable rituel de beauté. L'affaire commençait dès le début de l'après-midi et durait jusqu'au soir. Elle mobilisait complètement Louisette et Mélanie et nécessitait la participation du cocher Basile, chargé de remplir la baignoire et de la vider. Louis était averti : le jour du bain il ne devait pas compter sur son cocher.

Le cérémonial commençait par la préparation de deux choses bien distinctes, le linge nécessaire au bain, drap pour mettre dans la baignoire et serviette pour essuyer Sophie, puis le linge pour le change de la jeune femme elle-même. Mélanie s'en chargeait et ce n'était pas une mince affaire car l'armoire à linge regorgeait d'un trousseau d'une telle richesse qu'il fallait chaque fois des heures pour décider quelle pièce de cette magnifique lingerie brodée elle allait utiliser. Pendant ce temps Louisette préparait une décoction pour le bain, et une pour les cheveux que Sophie lavait à cette occasion. La première était à base de plantes aromatiques selon une vieille recette qui consistait à faire bouillir pendant une demi-heure cinq cents grammes de feuilles de roses séchées et d'anis avec une pointe de mélisse, auxquels il fallait ensuite ajouter cent grammes d'eau-de-vie camphrée. D'autres fois, en saison, Louisette mettait dans un petit sac de linge fin deux cents grammes de tilleul, autant de lavande et de poudre d'iris. La fragrance des fleurs parfumait l'eau et imprégnait le corps de Sophie qui, étourdie par les douces effluves, se demandait comment elle avait pu vivre sans baignoire aussi longtemps. La mode était à l'industrie et on vouait un véritable culte à la science et à l'hygiène. Haussmann débarrassait Paris de ses ruelles sombres et noires, ouvrant de larges avenues baignées de lumière. Le passé et ses miasmes disparaissaient pour faire place à un avenir radieux. En prenant son bain et en s'occupant de la santé et de la beauté de son corps, Sophie avait le sentiment de participer à cette ère grosse de progrès et de bienfaits pour l'humanité. Ce sentiment lui procurait une exaltation intense. Elle montait et descendait les escaliers, dérangeant sans cesse le travail de ses deux domestiques car elle voulait que tout soit parfait. Pendant ce temps Basile se rendait à la fontaine pour rapporter les brocs d'eau qu'il versait un à un dans la baignoire au fond de laquelle Mélanie avait déjà installé le drap. Il la remplissait à moitié, puis complétait avec l'eau que Louisette avait mise à chauffer dès midi et qu'il allait chercher à la lingerie dans la grande lessiveuse en tôle sous laquelle brûlait un foyer à charbon de bois. Quand enfin tout était prêt, que la pièce embaumait l'odeur délicieuse des plantes aromatiques de la décoction que Louisette avait versée dans le bain, le rituel pouvait commencer. Mélanie aidait Sophie à se déshabiller, opération qui se passait toujours derrière le paravent bien qu'il n'y ait qu'elles dans la salle de bains. Puis, quand elle était entièrement nue, Sophie s'avançait vers la baignoire et entrait dans l'eau les yeux fermés, avec le sentiment de vivre un moment quasi religieux. Une religion toute nouvelle qui sévissait à l'époque et qui portait un nom : l'eau. Le thermalisme était à son apogée et Sophie, convaincue du bienfait des eaux pyrénéennes, avait acquis la certitude que l'eau de la fontaine, descendue tout droit des glaciers et associée aux vertus vivifiantes des plantes, garderait son corps dans l'état de perfection où il se trouvait. Elle venait d'avoir vingt-sept ans et avait décidé de ne rien négliger de ce qui pouvait de près ou de loin toucher à sa beauté. L'hygiène était l'un de ces moyens. Au début, quand Louisette la voyait passer plus d'une heure dans le bain, elle s'affolait et montait voir ce qui se passait :

— Vous allez vous rendre malade avec tous ces bains, lui avait-elle dit un jour, et pourquoi faire tout ça ? Je vous le demande un peu. Pour être plus belle ? Comme si vous l'étiez pas assez comme ça !

— La beauté, avait rétorqué Sophie, c'est le seul argument des femmes. Le seul par lequel elles puissent espérer exister un peu. Si tu étais belle, Louisette, tu ne serais pas là à nettoyer les fourneaux, tu aurais trouvé un amant pour t'entretenir et tu prendrais des bains tout comme moi. Crois-tu que si je n'étais pas aussi belle Louis me gâterait autant !

— De toute façon, avait murmuré Louisette, la beauté ça s'en va un jour avec la jeunesse. Alors !...

Pas troublée le moins du monde, allongée comme un pacha dans la baignoire, la tête soutenue par un petit coussin, Sophie lui avait adressé un sourire moqueur. « Quel rabat-joie, cette vieille Louisette ! Elle me fait penser à la mère supérieure des Enfants de Marie. Toujours à vouloir gâcher notre plaisir. Pas étonnant que l'une soit nonne et l'autre bonniche ! »

Ce soir, face au miroir de sa coiffeuse, elle pensait au bal de demain et se remémorait en souriant les paroles de Louisette. La jeunesse ! Quelle bêtise, comme si la jeunesse faisait tout. Elle pensa justement à Adeline Dufo qui serait certainement au bal. Fille du notaire, elle venait d'avoir dix-huit ans et faisait ses débuts dans le monde. Elle était apparue aux dernières soirées, et bien qu'elle soit fort jolie, Sophie avait bien remarqué que pas un seul de ces messieurs ne lui avait accordé l'attention dont ils la gratifiaient. Loin de là. Elle était sûre qu'Adeline serait au château du ministre impérial car l'occasion était trop prestigieuse de côtoyer le grand monde pour que cette toute jeune femme apparemment très ambitieuse la manquât. Mais Sophie ne craignait aucune concurrence. Sa féminité était à son apogée, elle le savait, et ce n'était pas une petite fille à peine sortie des limbes qui allait lui faire peur.

Le poêle ronronnait, diffusant une douce chaleur. La coiffeuse devant laquelle était assise Sophie en cet instant était une petite table en demi-cercle recouverte d'un plumetis blanc léger qui retombait jusqu'au plancher et d'une plaque de magnifique marbre blanc. Au centre, un miroir et, de chaque côté du miroir, des appliques dont les bougies éclairaient son visage. Sur le marbre de la coiffeuse un ensemble de flacons en cristal côtoyait divers pots, houppettes et autres boîtes élégamment recouvertes de tissu rose pâle ainsi que des timbales en argent dans lesquelles elle disposait des peignes et des brosses. Le moment où Sophie s'installait à sa coiffeuse, le soir, était crucial car c'est alors qu'elle enduisait son visage d'une crème de beauté qui faisait, paraît-il, des miracles pour le teint. La recette lui avait été donnée par la femme de chambre de Mme Fould, la femme du ministre impérial. Cette femme de chambre, Anna, originaire de Lourdes, connaissait Louisette. Comme elle était chargée de faire préparer la crème pour sa patronne chez un pharmacien très renommé, elle en connaissait la composition. Mais la préparation était si délicate à réaliser que Louisette n'avait rien pu faire et il avait fallu solliciter les compétences de Louis. Ça n'avait pas été facile : il trouvait ces recettes de bonne femme complètement ridicules. Mais pour avoir la paix, il avait fini par céder. Une fois par mois, il faisait fondre au bain-marie trente grammes de cire blanche et soixante grammes de blanc de baleine. Ensuite il ajoutait deux cent quinze grammes d'huile d'amande douce. Quand le mélange était bien homogène, il laissait refroidir et délayait quinze grammes d'essence de rose. Le tout donnait une crème d'une onctuosité exceptionnelle. Sophie ne pouvait plus maintenant aller se coucher sans avoir totalement enduit son visage et son cou. Ce soir donc, comme tous les soirs, elle attrapa le petit pot de porcelaine blanche, l'ouvrit, prit délicatement la crème du bout de ses doigts et l'appliqua sur son visage avec d'infinies précautions. Ce faisant, elle s'imaginait vêtue de sa magnifique crinoline pénétrant dans la salle de bal du château le soir du Nouvel An et elle sentait déjà tous les regards se tourner vers elle. Le miroir lui renvoya son propre reflet qui souriait de bonheur, c'est alors que la petite pendule de bronze doré de la chambre tinta dix coups légers. Elle sursauta : « Déjà dix heures ! Et Antoinette qui doit me livrer la crinoline demain matin à huit heures ! Vite, au lit ! Sinon mon teint en souffrira et je serai toute chiffonnée. »

Juste avant de se mettre au lit elle souleva machinalement le rideau brodé de ses fenêtres et jeta un dernier coup d'œil dehors. La lueur bleutée de la lune dessinait dans la nuit les contours de pierre du château qui paraissait plus attirant et plus fantomatique que jamais.

Pendant que Sophie enduisait son visage de crème, Antoinette travaillait. Elle n'y voyait presque plus car, malgré sa lampe à huile et ses bougies, l'obscurité avait fini par gagner tout l'atelier. Mais elle s'obstinait. Il lui semblait que la cinquième dentelle en partant du bas n'était pas tout à fait aussi froncée que les autres et elle sentait que cela créait un déséquilibre. C'était infime, à peine perceptible, mais son œil exercé ajouté à son instinct de professionnelle n'en démordait pas : il y avait un défaut. Et ça, la très rigoureuse Antoinette Peyré ne pouvait l'admettre. Elle remit de l'huile dans la lampe, rajouta une bûche dans le poêle et se mit à la tâche. Elle démonta toute la dentelle du cinquième volant ce qui avec les fronces, la finesse du point et du fil utilisé et la fragilité de la dentelle lui prit une heure entière. Ensuite, elle débarrassa le volant et la dentelle des fils qui y étaient restés accrochés puis, avec le fer qu'entre-temps elle avait mis à chauffer sur le poêle, elle repassa la dentelle froissée. Ensuite elle noua autour de son poignet la pelote d'épingles et, concentrée comme à la première heure, fronça à nouveau la dentelle au bas du volant.

Quand, deux heures plus tard, elle monta à sa chambre, elle était satisfaite, tout lui semblait parfait. Mais ce n'est pas encore ce soir qu'elle pourra continuer sa lecture. Ses doigts engourdis d'avoir tant et tant tiré sur l'aiguille lui faisaient si mal qu'elle n'aurait pas pu tourner les pages et sa tête était en bouillie. Du coup elle enrageait car ce livre la passionnait. Il avait été écrit par un certain Flaubert et il connaissait un grand retentissement. Son frère le lui avait envoyé de Paris. Il savait le goût immodéré de sa sœur pour la lecture et, de temps à autre, il lui faisait un petit envoi. C'était l'histoire d'Emma Bovary, une femme mariée à un médecin et qui se morfondait au fond de sa province. Tout de suite Antoinette avait pensé à Sophie, sans vraiment pouvoir expliquer ce qui l'avait amenée à faire ce rapprochement car, à y regarder de près, les deux femmes ne se ressemblaient pas du tout. Emma était mélancolique et s'ennuyait, alors que Sophie était vive et s'amusait de tout. Mais cette première impression était tenace et il tardait à Antoinette de savoir ce qu'allait vivre Emma. D'une certaine manière il lui semblait qu'elle lirait ainsi dans l'avenir de Sophie. « Je me demande bien pourquoi je m'intéresse tant à elle, se disait en même temps Antoinette, c'est bien la peine ! Pour ce qu'elle m'en est reconnaissante ! Je ferais mieux de penser à moi. » Mais c'était chaque fois pareil. Quand l'imaginaire d'Antoinette vagabondait, ce n'était jamais elle-même qui était au centre de ses propres pensées car pas une seule fois elle ne s'était vue autrement que comme elle était. Elle habitait cette maison, y vivait seule et y travaillait. Cela s'était fait naturellement et elle n'imaginait pas qu'il puisse en être autrement. Elle avait trente ans et n'avait jamais eu d'histoire d'amour, ne serait-ce qu'une petite romance. Cela faisait rire Sophie qui s'en moquait souvent. Le célibat d'Antoinette était un sujet qui revenait régulièrement entre les deux femmes et Sophie ne comprenait pas que sa couturière, qui avait tant de qualités, n'ait pas encore trouvé l'âme sœur.

— Pensez-vous, disait Antoinette, à part mon travail je ne fréquente personne. Où trouverais-je le temps, et puis où aller ? Je ne vais nulle part.

— Comment ça, vous n'allez nulle part ? lui rétorquait Sophie. Même pas au bal de la mairie le dimanche ?

— Sûrement pas. Je l'ai fait quelquefois et ça n'a pas été une réussite. C'est envahi par ceux du bas, ça se voit que vous n'y allez pas. Il est vrai que vous, vous avez des bals privés... Non, ce n'est pas agréable, il y a toujours quelque homme aviné qui vient vous tirer pour danser et le reste du temps vous restez toute seule, les autres ne viennent pas. Ils préfèrent danser avec les filles du bas.

Sophie souriait :

— Eh oui, elles sont moins farouches...

Antoinette n'aimait pas quand Sophie allait trop loin dans cette conversation : « De toute façon, à quoi bon, se disait-elle, pour ce que ça la préoccupe ! » Mais Sophie poursuivait :

— Vous êtes trop timide Antoinette, ou... trop distante. Vous devez leur faire peur.

Antoinette ne disait rien, elle savait bien qu'elle ne faisait fuir personne puisque personne ne s'approchait d'elle. C'est comme si tout un pan de vie, qui semblait pourtant faire partie de celle de tous les autres, même les plus laids et les plus démunis, lui échappait, sans qu'elle ait jamais rien fait pour cela. Aucun garçon ne lui avait jamais fait la cour, sauf une fois. Du moins c'est ce qu'elle avait cru. C'était le fils de la boulangerie Maisongrosse et quand elle venait chercher le pain il lui disait quelques plaisanteries. Elle, si peu loquace d'ordinaire, s'était prise au jeu d'autant plus facilement qu'il était plaisant à voir et surtout gentil. Mais, un jour, elle avait appris qu'il allait épouser la fille Cazalot. Bien qu'il ne se soit jamais rien passé entre eux, elle en avait souffert car elle avait fini par s'imaginer qu'un jour, peut-être, il la conduirait à l'église. Elle avait même été jusqu'à dessiner la robe de mariée qu'elle porterait ce jour-là. Le temps avait passé, elle était revenue chercher le pain, avait revu le boulanger et sa jeune femme, puis elle avait oublié.

Dans la nuit qu'elle contemplait en ce moment de sa lucarne, les nuages qui passaient devant la lune créaient des ombres mobiles et, tour à tour, le château était éclairé ou plongé dans le noir. Antoinette pensa à son frère qui était si loin, il lui manquait. Soudain, elle crut entrevoir une silhouette qui longeait le chemin de ronde. Mais à cette heure-ci c'était plutôt improbable et d'ailleurs la silhouette avait déjà disparu. Elle songea à ces cavaliers mystérieux aux costumes splendides qui dormaient là-haut et, quand onze heures sonnèrent à l'église paroissiale, elle eut du mal à s'extraire de sa contemplation. La fatigue finit par l'emporter et elle se glissa dans son lit.

« Je vous salue, Marie pleine de grâces, le Seigneur est avec vous, vous êtes bénie entre toutes les femmes et Jésus, le fruit de vos entrailles, est béni. Sainte Marie, mère de Dieu, priez pour nous pauvres pêcheurs et délivrez-nous du mal... »

Dans la pénombre, à même le sol de terre battue, Lucile et sa mère s'agenouillèrent. Elles avaient aidé les Soubirous, partagé la soupe avec eux chez Sajous et elles étaient rentrées, épuisées. Il était tard et demain il faudrait être debout dès six heures pour aller au bois. Mais elles ne se coucheraient pas sans avoir fait la prière. Marie était intransigeante là-dessus. Comme chaque soir elle avait pris la Vierge de terre cuite sur le rebord de la cheminée et l'avait installée sur une chaise basse. Lucile connaissait par cœur cette petite statuette. Elle en scrutait tous les soirs le moindre détail, la moindre égratignure, la moindre usure, comme si elle parcourait un paysage inconnu. En même temps elle chuchotait doucement les prières au côté de sa mère et les mots réguliers qu'elle prononçait s'enchaînaient au rythme lancinant d'une mélopée. Les dernières braises du feu rougissaient à peine leurs profils semblables.

D'aussi loin qu'elle puisse se souvenir du temps de sa petite enfance, Lucile priait avec sa mère. Mais la prière de Marie avait changé. Elle était devenue plus intense depuis l'hiver du drame, cet effroyable hiver de 1855, quand le choléra était entré dans Lourdes en faisant d'un coup plus de trois cents morts. La prière de Marie avait perdu de sa douceur, elle ressemblait à un cri.

Les images de ces terribles moments revinrent à la mémoire de Lucile et la submergèrent. Le choléra était par-

tout, aucune maison de la rue des Petits-Fossés ne lui avait
échappé, celle des Abadie pas plus que les autres. Lucile se
souvenait de ces journées de neige et de givre qui avaient
englouti le pays pendant plusieurs mois. La maladie était
arrivée au début du dégel dans l'humidité et la boue, trans-
mise par un colporteur qui venait de Bagnères, la ville ther-
male de l'autre côté de la vallée. En moins d'une semaine,
toutes les maisons du bas de la ville avaient été touchées. La
mort avait frappé à une vitesse inouïe, elle avait emporté les
plus faibles et Dieu sait qu'il y en avait, la maladie étant
arrivée dans un contexte de grande famine. Chaque matin
les cadavres étaient déposés devant les maisons dans des
linges ou dans des sacs, à même la boue noire et puante.
Lucile se souvenait surtout des lamentations, des pleurs, et
de ces ombres noires qui parcouraient les rues tirant des
charrettes. Elle entendait encore le grincement des roues
puis le silence assourdissant à chaque arrêt devant une maison. Elle se bouchait les oreilles pour ne pas entendre les
hurlements des mères auxquelles on enlevait les enfants
morts qu'elles avaient tenté de cacher pour les garder encore
un peu près d'elles. Et puis, un jour, ça avait été leur tour,
d'abord le petit Louis, un an à peine, puis la petite Jeannette
qui venait d'atteindre ses trois ans. Oh ! ce bruit de la charrette qui vient ! Ce crissement devant la maison quand elle
s'arrête ! Qu'il est violent encore aujourd'hui dans la
mémoire de Lucile ! La scène avait été très rapide pourtant.
Elle revit son père se jetant sur sa mère, la serrant dans ses
bras à l'étouffer pour l'empêcher de voir les petits corps que
les gardes emportaient vers une fosse loin de la ville où,
comme les autres morts, ils seraient brûlés. Au moment de
sortir, un garde avait manqué tomber en portant Jeannette
et un bras de la petite était sorti du drap. Malgré l'interdiction de toucher les morts Lucile avait embrassé de toutes ses
forces la main de cette petite sœur qu'elle ne reverrait plus
jamais. L'homme avait dû la lui arracher. Puis il avait remis
le drap en place avant de sortir. Le grincement horrible de
la charrette avait repris. C'est alors que Marie s'était mise à

hurler dans les bras de Jean, elle ne voulait plus laisser partir les petits corps, elle divaguait, implorait son mari de la lâcher, d'aller reprendre les petits. Elle ne voulait plus qu'on les brûle. Elle disait que peut-être ils étaient encore vivants. Ses cris étaient devenus effroyables, elle tentait de s'échapper, mais Jean serrait fort. Du coin de la pièce où elle s'était terrée, Lucile voyait le visage durci de son père, ses yeux fermés, sa bouche crispée et ses bras noués autour de sa mère. Fermement campé sur ses deux jambes il résistait pour deux. Cela avait semblé une éternité à Lucile. Puis le silence était revenu, le soir était tombé et l'unique pièce de la maison dans laquelle ils se trouvaient était devenue glaciale.

— Va faire un peu de feu.

La voix douce de son père avait réveillé Lucile. Elle lui avait obéi et c'est seulement quand les premières flammes étaient montées dans la cheminée qu'il avait desserré les bras d'autour de sa femme et avait embrassé sa chevelure défaite. Avec des gestes d'une infinie tendresse il l'avait assise sous le manteau de la cheminée. Lucile était encore bouleversée en repensant à cette scène tout à la fois horrible et merveilleuse. Elle se disait qu'il y avait toujours eu de l'amour entre ses parents, et que c'était toujours l'amour qui les avait sauvés du pire : le désespoir.

Le dernier grain du chapelet de buis venait de rouler entre les doigts de Marie. De la première prière à la dernière, du premier grain jusqu'au dernier, elle n'avait pensé qu'à une seule chose : à ses deux petits qui étaient morts. Et ce soir comme tous les soirs, sans que Lucile, espérait-elle, s'en aperçoive, son cœur de mère saignait. Le maigre feu avait fini de se consumer. Il était temps d'aller dormir. La mère et la fille enlevèrent juste le fichu, le caraco et les sabots et se couchèrent toutes habillées sous une couverture de bure. Le vent froid qui venait de se lever s'engouffrait dans la pièce par les mauvaises jointures de la porte et de la fenêtre. Lucile resta longtemps les yeux grands ouverts. Une image l'empêchait de dormir. Celle des deux garçons au cabaret qui riaient et chuchotaient en la regardant.

Le ciel était bleu, net et bien dégagé. Précédé de son troupeau sale et reniflant, le porcher Samson traversait la place de l'église pour rejoindre l'avenue Maransin où il avait deux autres cochons à prendre. Devant la fontaine, Basile frottait énergiquement les roues d'un magnifique cabriolet d'hiver attelé à deux beaux chevaux noirs. Le porcher s'arrêta devant la voiture et, sans relever la tête, de sorte qu'on ne voyait comme à l'accoutumée que le haut pointu de son capuchon de bure, il émit un grognement qui pouvait passer pour un sifflement admiratif. Du moins c'est la traduction qu'en fit Basile :

— Eh oui Samson ! lui dit-il, tu peux siffler, c'est le dernier modèle. Et encore t'as pas tout vu.

Il ouvrit la portière du cabriolet et fit signe au porcher de s'avancer pour voir. Samson se pencha à l'intérieur et découvrit un habitacle délicieux destiné à transporter deux personnes, trois au maximum en se serrant sur l'unique banquette entièrement capitonnée de velours rouge sombre, comme l'ensemble des portières, des montants et jusqu'au plafond. De fines dentelles blanches retenues par des embrasses en passementerie ornaient les vitres du cabriolet et des rideaux de velours assortis au capitonnage permettaient, une fois tirés, de s'isoler complètement. Un cordon de soie pendait près d'un siège le long d'un montant, à portée de main du passager. Il était relié à une clochette qui se trouvait à l'extérieur et il était destiné à sonner le cocher en cas de besoin. L'ensemble, bien dans le goût de l'époque, était très raffiné et faisait la fierté de Basile qui aimait beaucoup le conduire lors des grandes occasions. Il lustrait avec une grande application la carrosserie noire rechampie de filets clairs et passait un temps fou à brosser les chevaux dont le pelage finissait par briller autant que la carrosserie. Pour tout commentaire sur la beauté du véhicule il n'eut droit qu'à un hochement de capuchon et à cette remarque :

— Et tu t'y prends bien tôt pour faire le nettoyage !

Basile aurait souhaité un peu plus d'admiration, ne fût-ce qu'un grognement supplémentaire pour marquer le coup, mais Samson était toujours un peu bizarre dans ses réactions. Basile choisit de ne pas insister et répondit à sa question :

— C'est mieux, après y'a trop de monde sur la place. Entre ceux qui viennent chercher l'eau et ceux qui s'arrêtent pour discuter, on en a pour la journée. À cette heure y'a personne et du coup je fais plus à l'aise.

— Et où tu vas, pour te faire si propre ?

— Au bal, Samson. Ce soir je conduis Monsieur et Madame au bal du ministre impérial, au château de Tarbes.

Samson se mit à rire sous sa cape de bure, son capuchon remuait au rythme de ses hoquets.

— Ah ! Le ministre impérial ! Au bal ?... au bal des flocons, oui...

Et le porcher continua son chemin laissant Basile ahuri.

« Au bal des flocons ? Qu'est-ce qu'il veut dire ? » Spontanément Basile regarda le ciel qui n'avait pas bougé, il était toujours aussi bleu et aussi limpide. « Tu parles ! se dit-il. Quel vieux fou ce Samson ! »

Il n'était pas remis de sa surprise qu'un étrange équipage déboucha de la rue du Porche, et traversa la place de l'église. Basile reconnut la couturière de Mme Pailhé. Antoinette faisait de grands gestes et guidait deux hommes dont l'un disparaissait totalement sous une sorte de grosse cloche qu'il portait par en dessous et sur laquelle on avait jeté une toile blanche. On aurait dit une montgolfière que le deuxième homme tenait tant bien que mal dans le dos du premier et, comme celui-ci n'y voyait rien, il le maintenait dans la direction donnée par la couturière. À plusieurs reprises le pire faillit se produire et l'équipage manqua s'étaler de tout son long en pleine rue. Basile se gratta la tête en signe de perplexité, surtout quand il vit cette équipe cocasse entrer chez Pailhé, place Marcadal.

Antoinette avait donné rendez-vous à Sophie pour la

livraison de la crinoline ce matin-même, jour du bal, et, depuis l'aube, Sophie l'attendait. Elle avait posté Louisette en bas pour qu'elle guide les hommes jusqu'à l'étage avec Antoinette et elle se tenait derrière les portes de sa chambre comme une enfant qui s'apprête à découvrir le plus extraordinaire des cadeaux. Sophie avait tant attendu ce moment ! Elle entendit le bruit des pas qui montaient les marches et elle se plaça juste derrière les portes. Il y eut un peu de brouhaha puis plus rien, le silence.

Les doubles panneaux de chêne de la grande porte sculptée s'ouvrirent tout doucement et Sophie laissa échapper un cri de joie fébrile tout en portant d'un geste vif ses mains jointes à son visage.

Dans l'encadrement, posée sur un mannequin de bois, éclairée par le franc soleil d'hiver qui en ce début de journée inondait la chambre, la crinoline était là. Ce fut un éblouissement ! Cette robe était exceptionnelle et jamais Sophie n'en avait vu de pareille. Elle contemplait l'apparition diaphane qui semblait s'être posée dans le corridor de sa chambre par miracle. C'était une robe de conte de fée, la robe des livres de l'enfance que Cendrillon portait dans le carrosse qui l'emportait au bal sous un ciel plein d'étoiles. Dans un frou-frou vaporeux, délicatement souligné par de fines broderies blanches que l'on devinait à peine mais que le soleil faisait ressortir par endroits, trois magnifiques volants de dentelles de chantilly lilas clair se superposaient, mettant en valeur un petit buste de soie aux formes féminines si troublantes qu'on aurait pu croire qu'il y battait un cœur.

— Alors ? Elle vous plaît ?

Cachée jusque-là par la crinoline dont les formes extrêmes envahissaient l'encadrement, Antoinette apparut. D'un air décidé, et sans attendre la réponse, elle fit un petit signe et les deux hommes restés cachés en haut de l'escalier se montrèrent. À leur mise, vestes et pantalons élimés, à leur visage creusé, à leur béret qu'ils tortillaient maladroitement entre leurs mains, on voyait bien qu'ils venaient du bas de la ville. C'était des brassiers, à coup sûr. Antoinette les employait chaque fois qu'elle devait déplacer une robe imposante. Deux hommes pour porter une robe, c'était cher. Mais comment faire autrement ? Et puis ça faisait toujours son effet auprès de la cliente et, en bonne commerçante, Antoinette savait le poids de ce genre d'attention. C'est ainsi que, le jour de la livraison, la robe arrivait directement sur le mannequin où elle avait été bâtie.

— Si elle me plaît ? La réponse de Sophie se fit enfin entendre avec un léger tremblement. Oh ! Antoinette ! Jamais je n'aurais imaginé en porter une comme celle-là un jour !

— Et moi ! Vous croyez que j'aurais pensé un jour avoir l'occasion d'en coudre une pareille ! Quelle folie ! Ça, vous pouvez dire qu'elle m'aura donné du souci. Tiens ! rien que ce transport, j'en suis encore toute retournée. Heureusement que ça n'arrive pas tous les jours !

Tout en parlant, alors que Sophie restait toujours figée devant la crinoline, Antoinette guida les deux brassiers silencieux, impressionnés par l'ambiance féminine des lieux. Avec des précautions infinies dont on ne les eût pas crus capables, ils installèrent délicatement la crinoline au centre de la chambre face aux deux grandes fenêtres. À peine fut-elle posée que la lumière inonda les voiles, traversa les superpositions de dentelles, de fine tarlatane et de coton blanc, créant des mouvances d'ombre et de clarté si soudaines que les deux hommes se reculèrent, hébétés, incrédules soudain face à cette merveille qu'ils avaient tenue dans leurs bras. Puis, sur un signe d'Antoinette qui leur glissa furtivement une pièce dans la main, ils disparurent en refermant les doubles portes de chêne clair sur eux. Le bruit de leurs pas s'éloigna dans l'escalier, on entendit la voix de Louisette qui les reconduisait et le claquement sourd de la porte d'entrée qui se refermait.

Dans la rue, les deux hommes filèrent rapidement. Ils longèrent les façades de pierre, tournèrent à gauche vers la place de l'église et s'engouffrèrent dans une petite rue étroite et sombre. Une odeur âcre et un froid humide y régnaient. Deux chiens sales se battaient pour quelques déchets noirs et boueux entassés au pied d'une porte. À peine le coin de la rue passé, les deux hommes se retournèrent pour vérifier qu'ils étaient bien seuls.

— C'est bon, dit le premier en sortant de sa poche les pièces qu'il y avait prestement glissées. Il fit le compte. Quatre-vingt, quatre-vingt-dix, cent. Un franc ! Ça fait un franc ! pas mal pour une petite heure, hein Jeannot ! D'habitude il faut la demi-journée pour les gagner.

L'autre acquiesça par de grands mouvements de tête tout en se dandinant de tout son corps pour bien marquer combien il approuvait.

— Putain, tais-toi ! Surtout pour un travail pareil ! Moi je veux bien en porter tous les jours des choses comme ça. C'est pas lourd et ça pue pas, c'est pas comme la caillasse ou les cochons. Et ça paie mieux ! (Soudain horrifié il regarda ses doigts :) Heureusement qu'on s'était lavé les mains avant de partir parce que ce con de Nicolau il aurait pu nous dire ce qu'on allait faire. Il a juste dit que la couturière avait besoin. Tu parles ! Tu nous vois en train de mettre du noir sur leur truc en dentelle là ! Il y aurait fait du vilain !

Il rit et regarda ses mains sous toutes les coutures comme s'il voulait se faire une frayeur a posteriori. L'autre, agacé, y posa la moitié des sous.

— T'inquiète pas, va, on n'a rien sali. Viens, on va boire un coup chez Nicolau pour fêter ça.

Ledit Jeannot hésita un peu, puis le suivit sans conviction. Ils s'éloignèrent dans l'étroite ruelle sans paraître le moins du monde dérangés par l'odeur pestilentielle qui s'en dégageait et s'y enfoncèrent même avec la rapidité animale des bêtes qui, un temps à découvert dans la claire lumière, retrouvent avec jouissance l'ombre humide et familière des terriers protecteurs.

Dans le ciel dégagé et l'air glacé les étoiles scintillaient.

C'était une très belle nuit de Nouvel An. Sur la route qui menait de Lourdes à Tarbes, éloignée d'une vingtaine de kilomètres, le cabriolet noir roulait à vive allure sous la houlette de Basile qui fouettait avec un savoir-faire indiscutable et beaucoup de doigté les deux somptueux chevaux noirs. Près de lui sur la banquette, Louis Pailhé jurait que cette Sophie ne l'y reprendrait plus. Vu l'ampleur de la crinoline de sa femme qui occupait tout l'habitacle intérieur du cabriolet, il avait été contraint de s'installer près de Basile et il ne décolérait pas.

Quand Sophie lui avait expliqué qu'il n'y avait plus de place pour lui dans la voiture, il lui avait vite fallu se rendre à l'évidence : il ne pouvait y pénétrer sans écraser la robe de sa femme. Il s'était donc résigné, et, couvert d'une épaisse couverture de laine, s'était installé près du cocher.

— Mais attention, avait-il grondé, très en colère, je te préviens qu'à peine la grille du château passée, je viens dans la voiture. Pas question d'arriver comme ça, j'aurais l'air de quoi ?

Sophie s'était empressée d'acquiescer : « Mais bien sûr, Louis, bien sûr. » Puis elle s'était rapidement enfermée dans le confortable intérieur et, à cause du froid, avait tiré les petits rideaux de velours rouge sur les fenêtres des portières. Maintenant elle jouissait pleinement de cette solitude qui lui donnait le sentiment d'aller seule au bal comme une jeune fille. « Ce Louis est vraiment incroyable ! », se disait-elle en repensant à ce qu'il lui avait dit en voyant sa crinoline. Au lieu de s'émerveiller comme elle l'aurait souhaité, rien. Quand il était arrivé près du cabriolet, elle l'attendait, debout, frémissante de bonheur à l'idée de se montrer aussi belle. Basile, le premier à l'avoir vue arriver avec Louisette, avait été ébloui et il n'avait pu se retenir de la complimenter. Elle était encore sous le charme de cet hommage quand Louis était arrivé. Et là, rien. Louis n'avait rien dit, ou plutôt, si, il avait rouspété :

— Mais enfin Sophie ! Quelle idée de rester ainsi les

épaules nues avec ce froid ! Et quand je dis les épaules ! Tes décolletés deviennent vraiment... excessifs. Non ?

Vexée, elle avait rétorqué vivement :

— Ah, Louis, s'il te plaît, pas de leçon de morale. La semaine dernière tu avais le nez plongé dans celui de la femme du procureur et il ne me semble pas que tu le trouvais excessif ! Pourtant je te signale que le mien est deux fois moins ouvert que le sien. Quant au froid, si tu avais été à l'heure je n'en serais pas là. Comme d'habitude tu étais au milieu de tes fioles, ou en train de concasser ton cher cacao. Plus d'une demi-heure ! Tu entends, je t'ai attendu plus d'une demi-heure !

Du coup, elle était ravie de le savoir là-haut près de Basile à se geler. « C'est bien fait pour lui. Quel goujat ! »

Le voyage fut pour elle un ravissement, pour lui une torture, mal couvert il était complètement frigorifié quand la voiture arriva au château et qu'elle franchit les hauts piliers de pierre à l'entrée du parc. Basile arrêta le cabriolet sous un arbre, Louis enleva la couverture et s'engouffra tant bien que mal dans le cabriolet, puis Basile continua son chemin vers le perron du château. Les attelages encombraient les allées et les cochers discutaient entre eux par petits groupes. Ils avaient détaché les chevaux et les avaient mis à l'abri dans un bâtiment rempli de foin et de paille fraîche. Le luxe ! C'est que la nuit allait être longue, froide, et, dans ces cas-là, les bêtes souffraient toujours. Achille Fould, dont l'excessive passion des chevaux n'était un secret pour personne, avait fait construire cette écurie spécialement pour ceux de ses invités, faisant par là même le bonheur des cochers qui, tant qu'à faire, y trouvaient aussi refuge.

Mais pas plus que celui des chevaux le sort des cochers n'était la préoccupation de Sophie.

Allait-elle faire sensation ? Allait-elle être à la hauteur de ces princesses et de ces aristocrates descendues exprès de Paris pour le bal ? Pourvu que Louis ne fripe pas trop sa crinoline ! Voilà ce qui virevoltait dans sa tête en cet instant crucial.

Ce n'est qu'au moment ultime, après avoir monté les quelques marches de l'escalier principal qui donnaient sur le grand hall du château où les invités étaient accueillis par deux domestiques et un maître d'hôtel en grande tenue, que Sophie fut prise d'un doute affreux. Et si sa robe était trop voyante ? Trop volantée ? Ce mauve trop osé ? Jusqu'à présent, emportée par l'envie féroce d'être « époustouflante de beauté », elle n'avait pas vu la question sous l'angle de l'élégance, mais elle surprit le coup d'œil perplexe du maître d'hôtel et soudain, dans le hall strict et sévère du château, sa crinoline lui parut démesurée. Mais il était trop tard pour reculer. Le maître d'hôtel s'avançait dans son habit blanc et les deux domestiques en livrée noir et or débarrassaient Louis de sa redingote noire. Trop tard pour avoir des remords. Le maître d'hôtel écartait les lourdes draperies vert sombre qui retombaient sur les grandes portes de la salle de bal et annonçait l'arrivée de M. et Mme Louis Pailhé. Sophie se redressa, prête à faire face. L'envergure de sa robe lui parut soudain monumentale et c'est d'un pas faussement assuré qu'elle fit son entrée dans la salle brillante de mille feux et bruissante de rires et de conversations. Louis, qui en raison des dimensions de la crinoline n'avait pas réussi à prendre le bras de sa femme, la suivit en affichant un sourire qui se voulait fier. Mais il était très inquiet de la tournure que prenait ce début de soirée et très contrarié de cette crinoline qui l'avait obligé à faire le voyage dans le froid et qui maintenant le reléguait à l'arrière.

« Si j'avais su, maugréait-il intérieurement, j'aurais demandé à voir sa tenue. Mais jamais je n'aurais imaginé qu'elle en arriverait à de telles extravagances ! Et quel prix cela doit coûter, une fortune ! Mon Dieu, je me fais avoir. Quel imbécile je fais, tout le monde va rire de moi. Ça m'apprendra à lui faire confiance, je suis trop gentil. »

Loin des soucis de Louis, Sophie une fois dans la lumière oublia instantanément ses appréhensions. Tous les regards s'étaient tournés vers elle. Sous l'immense lustre de cristal étincelant aux flammes des bougies, rayonnante comme une princesse de conte de fées émergeant d'un piédestal de tulles mauves et blancs vaporeux à l'excès, elle attendait. Son fin visage au teint mat était encadré des lourds bandeaux de sa chevelure noire, elle-même retenue par une guirlande de fleurs savamment enroulée. Surmontant son angoisse face à la foule des invités, elle arborait un tel air de défi que l'assistance méduisée s'écarta pour la laisser avancer. Enfin ! Elle avait gagné. Elle le sentit à cet instant précis. Sa crinoline les impressionnait, mieux, elle les subjuguait. Ce fut pour Sophie un moment d'une très grande intensité et elle éprouva au contact des regards éblouis une jouissance infinie.

Puis elle s'avança d'un pas mesuré, saluant de gauche à droite comme le ferait une reine en représentation. Louis la suivait de plus en plus difficilement, un sourire crispé sur le visage. Trop, c'était trop. Aux yeux de tous, il n'était plus le prestigieux pharmacien-chocolatier, mais bel et bien le mari de Sophie. Celui qui payait ses toilettes somptueuses. Car personne n'ignorait les fortunes que Sophie dépensait pas plus que le montant de ses dettes chez le drapier. L'intéressée se souciait bien de cet aspect des choses ! Ce soir, dans cette salle de bal faite pour le plaisir, ils étaient à ses pieds, tous. Et plus rien ne comptait. Plus rien que sa beauté qui réduisait à néant leurs diplômes, leurs fortunes, leurs intelligences et toutes leurs stratégies. C'est elle qu'on regardait, c'est elle qu'on admirait. Pour cette seule et unique raison : elle était belle. D'une fascinante beauté. Comme si tous les dieux du ciel s'étaient réunis pour dessiner ces traits parfaits, liés les uns aux autres par une douceur et une harmonie d'une féminité troublante.

C'est alors qu'arriva l'inconcevable. Le ministre impérial Achille Fould lui-même s'avança et vint lui baiser la main :

— Madame, quelle élégance ! Quelle grâce ! Il me semble être à la cour ! Et encore ! En sa compagnie la plus prestigieuse.

Puis il se tourna vers Louis qui, tant bien que mal, était arrivé à suivre et affichait le même sourire crispé.

— Mon cher, je vous félicite. Un homme qui a une femme aussi belle ne peut être qu'un homme remarquable. Permettez-vous que j'ouvre le bal avec votre épouse ?

Sans attendre de réponse, il entraîna Sophie au centre de la piste.

L'orchestre jouait une valse. Le rêve devint réalité. Pour Sophie, ce fut l'apothéose. Elle ouvrait le bal au bras du ministre impérial devant la foule médusée des notables locaux et des aristocrates parisiens. Dans sa crinoline aux dentelles insolentes, la belle chocolatière de Lourdes semblait tout droit sortie d'un palais royal.

Debout au bord de la piste de danse, légèrement en retrait d'un petit groupe d'invités visiblement très prestigieux au vu de leur mise somptueuse, une dame aux allures aristocratiques, strictement vêtue d'une robe de satin vert dénuée de toute décoration, la regardait avec bienveillance. Mme Fould, quand elle venait à sa villa de Tarbes comme elle appelait volontiers son château, savait que priorité était donnée aux électeurs du coin et à leurs femmes. Elle se pliait à cette discipline de manière, disons, très professionnelle. Sorte de gentleman-farmer passionné de courses hippiques, propriétaire de la plus belle écurie de France, membre du prestigieux Jockey-Club, son mari était le troisième fils d'un des plus gros banquiers de l'époque, Beer Léon Fould, originaire d'une importante famille juive de l'est de la France. Son frère ayant repris la succession aux affaires, il ne restait à Achille qu'à se faire une place en politique. Il était désormais ce qu'on appelait un « homme du Président ». Le plus puissant. Ministre d'État, ministre de la Maison de l'Empereur, il avait en charge la gestion des palais et celle de la cour. Fonction qui lui donnait partout en France, et même en Europe, une influence considérable. Sa position de député des Hautes-Pyrénées n'en était pas pour autant négligeable à ses yeux, bien au contraire. En cette année 1857, elle était même pour lui et pour l'ensemble du patrimoine de sa famille absolument primordiale. Bayonne, Bordeaux, Toulouse, Tarbes, le Sud-Ouest dans son ensemble tenaient une place considérable dans les réseaux des grands hommes d'affaires de l'époque. Une place d'autant plus forte que nombre des familles qui soutenaient l'économie du Second Empire y avaient leurs origines. La « fête impériale » représentait pour la famille Fould une conjoncture exceptionnelle. Ils ne la laisseraient pas passer.

C'était le temps des grands travaux d'équipement, des grands chantiers d'urbanisme. Le temps de la construction des grandes lignes de chemin de fer qui bientôt traverseraient la France du Nord au Sud, de l'Est à l'Ouest. Achille Fould était convaincu que c'était par là que s'opérerait la modernisation du pays. Loin de la capitale mais très en vogue en raison de la proximité de Biarritz et des villes thermales où affluaient les riches curistes européens, le département des Hautes-Pyrénées était stratégique dans le jeu qui opposait les deux grandes compagnies ferroviaires de l'époque. En 1855, la ligne de Bordeaux était arrivée jusqu'à Bayonne et le problème d'un réseau pyrénéen au cœur d'une bataille entre les intérêts colossaux des grandes compagnies ferroviaires avec un arrière-plan politique. En effet, le Crédit Mobilier, dont la banque Fould formait le noyau, cherchait à développer un réseau dit « Le Grand Central » qui contrôlerait les axes d'un commerce s'étendant jusqu'à l'Espagne. Dans cet échiquier, et malgré son isolement, on comprenait que les Hautes-Pyrénées, et donc ses électeurs, tenaient pour Achille Fould et pour Madame, une place de tout premier plan.

Recevoir le plus souvent possible, briller en faisant venir les célébrités du moment, écrivains, princesses, artistes, aristocrates, leur faire côtoyer les « gens du cru », ceux qui comptaient du moins, voilà l'une des occupations de Mme Fould. Occupation d'autant plus agréable que la vie mondaine dans les Pyrénées battait son plein tous les étés, que le pays était une splendeur, et que la convivialité régnait en maître. Sans compter la bonne chère qui, ici, était bien au-delà même de tout ce qui pouvait se faire ailleurs.

C'est donc avec le plus grand plaisir qu'en ce soir du 31 décembre 1856, Mme Suzanna Fould voyait son mari ouvrir le bal avec une femme du pays dont la beauté très luxueuse et très actuelle, bien qu'un peu tapageuse, contribuait à donner à son bal la touche de prestige indispensable. Il y avait parmi les invités le duc et la duchesse de Morny, la princesse Galitzine, le duc et la duchesse de Bassano, un écrivain renommé, Prosper Mérimée, un architecte, Viollet-le-Duc, des musiciens et des journalistes en vue ainsi que nombre d'autres familiers de la cour qui étaient descendus de Paris tout exprès en plein hiver. « Ils seront bluffés et rapporteront leurs impressions là-haut en termes des plus favorables. Ce qui est excellent pour les Fould. » Voilà ce que se disait la maîtresse des lieux. La soirée avait donc très bien commencé et Suzanna Fould, flanquée de sa dame de compagnie, put vaquer à ses mondanités. Il n'y avait pas trop de la nuit pour cela. Toutes les personnalités du département, et même au-delà, étaient venues.

La valse venait de se terminer et le ministre avait reconduit Sophie vers son mari qui était en pleine conversation avec l'huissier de Lourdes, M. Estrade, sa femme et leur fille. L'euphorie de son arrivée étant maintenant dissipée, Sophie était fébrile. Que faisait Louis avec ce couple Estrade ? Elle fulminait intérieurement après son imbécile de mari qui, au lieu de converser avec des personnes de valeur, perdait ce temps précieux avec des gens sans importance qu'on avait sous la main quand on le voulait ! Alors qu'ici, ce soir, se trouvait l'aristocratie la plus brillante venue des salons parisiens les plus huppés. Décidément en mondanités, en dehors de son petit cercle local, son mari ne valait rien.

« Et que cette Mme Estrade est mal fagotée ! se disait Sophie. Cela fait au moins deux ans qu'on la voit avec la même robe, triste et passe-partout. Mon Dieu ! Et cette odeur insupportable ! »

L'odeur qui enveloppait le couple Estrade en témoignait

à chaque occasion, la robe de Madame sortait de la naphtaline. Dans les salons de Lourdes à l'heure du thé c'était d'ailleurs l'objet de moqueries entre ces dames qui les avaient surnommés : « M. et Mme Naphtaline. » Sophie ne put réprimer un sourire que Mme Estrade, surprise, lui rendit aussitôt, pensant qu'il était amical.

En retour elle eut droit à une grimace. Un instant décontenancée, Mme Estrade comprit vite. Sophie regardait derrière elle par-dessus son épaule. Une jeune femme était au cœur d'un véritable attroupement. Adeline Dufo, dans une crinoline au bleu indigo très voyant, arborait un décolleté provocant. Un décolleté inouï. Deux épaules parfaites, une poitrine à l'éblouissante blancheur laiteuse mise d'autant plus en valeur qu'une masse sombre de jaquettes masculines s'empressaient autour d'elle. Sophie était suffoquée. Quel changement entre la jeune personne entrevue à peine un mois plus tôt lors d'une soirée et cette jeune femme pleine d'assurance et très osée. Un cri lui échappa :

— C'est indécent !

Mme Estrade saisit au bond la remarque de Sophie.

— Comme vous dites ! Ces demoiselles ne se tiennent plus. Regardez ! (Elle désignait d'autres jeunes filles dans le salon.) C'est à celle qui en montrera le plus. Mais ça ne va pas durer, plusieurs ecclésiastiques se sont plaints à l'évêché et une ligue est en train de se constituer pour faire interdire ces débordements.

Sophie, un instant déstabilisée, retrouva sa prestance. Pas question que Mme Estrade aille colporter partout qu'elle s'était laissée impressionner par l'arrivée d'Adeline. Aussi feignit-elle de l'écouter avec un grand intérêt :

— Une ligue ? Mais quelle ligue ?

Ravie de l'importance qu'elle prenait tout à coup, la femme de l'huissier, qui n'avait jamais pu s'offrir autre chose que cette robe terne qu'elle traînait depuis des années, se déchaîna :

— Celle des prêtres de plusieurs paroisses. Ils en ont assez. De semaine en semaine au bal de la mairie de Lourdes ou de Tarbes les décolletés en dévoilent de plus en plus. Mais où cela va-t-il s'arrêter ? (Elle se pencha vers Sophie en confidence.) Tout à l'heure le père Sempé de Garaison n'a eu que le temps de se glisser entre une de ces effrontées et Mgr Laurence qui arrivait... (Mme Estrade, essoufflée, s'arrêta un instant. Repenser à l'événement lui coupait encore la respiration.) Le décolleté de la jeune fille était si profond qu'un téton était sorti. On a évité le scandale de justesse. Le père Sempé a envoyé l'inconsciente se rhabiller. Et, vous verrez (elle désigna Mlle Dufo), son balcon est plein à craquer, ça ne m'étonnerait pas que tout ça ne jaillisse d'un moment à l'autre !

Au fur et à mesure qu'elle racontait, Mme Estrade avait oublié la prestance qu'elle tentait de se donner. Elle parlait très rapidement, de manière hachée, et se mettait dans un tel état que son front luisait de transpiration et que le collier de fausses perles tressautait sur sa gorge grasse au moindre de ses soupirs.

— En tout cas ces demoiselles vont être surprises. Les prêtres ont convenu de ne plus donner l'absolution aux fautives quand elles viendront à confesse. L'affaire est grave, ils ont décidé d'en parler à Monseigneur pour que des mesures soient prises.

Tout en écoutant les informations précieuses de Mme Estrade, Sophie constatait que, pour l'instant, l'absolution du père Sempé préoccupait très peu Mlle Dufo et ses admirateurs. Entraînée sur la piste de danse par un fringant cavalier, Adeline rayonnait. Le pianiste jouait une polka sur un rythme de plus en plus endiablé et la crinoline tournait et retournait tant et si bien qu'on ne voyait plus que son bleu extravagant qui emplissait la salle. Adeline riait un peu trop, emportée par son cavalier qu'elle regardait avec une sorte de béatitude.

« Quelle idiote ! se disait Sophie intérieurement, on ne doit jamais regarder un homme de cette manière. Cette Adeline est décidément très bête, elle n'a aucune finesse. On dirait une montgolfière prête à éclater. Vous plantez une épingle et... pffft, tout disparaît. » Bien qu'elle ne veuille pas l'admettre, Sophie était troublée : l'effet provoqué par Adeline, bien que trop clinquant, était réel.

C'est alors que la pauvre Mme Estrade dit le mot de trop :

— Remarquez, même si cela ne lui vaut aucune excuse, il faut bien reconnaître que Mlle Dufo est vraiment très belle.

Un coup nerveux d'éventail vint stopper net sa phrase. Une main à ses dentelles, l'autre à l'éventail qu'elle venait de prendre dans sa ceinture, Sophie s'éventa vivement et s'éloigna sans même accorder une formule de politesse à son interlocutrice qui en resta bouche bée.

— Tu vois, dit-elle à sa fille après un court instant de silence, ces femmes-là font semblant de s'intéresser à nous, mais elles retrouvent vite leur naturel. Sophie Pailhé nous méprise. J'ai bien vu comment elle regardait ma robe et la tienne. Nous ne sommes pas du même monde. Elle tient à nous le faire savoir. Jamais elle ne se serait permis de faire ça à une femme de son milieu.

Des larmes apparurent dans les yeux d'Yvonne Estrade. Elle les essuya en même temps que la sueur de son front à l'aide du petit mouchoir en dentelle qui ornait son bustier.

Gentiment, sa fille prit son bras et l'entraîna hors de la grande salle, vers les salons. Emmanuélite était une jeune fille tranquille. Elle appréciait la beauté fastueuse de cette soirée dans ce château mais la représentation sociale ne lui faisait aucun effet et elle ne comprenait pas que sa mère puisse être aussi sensible à l'attitude d'une femme comme Sophie Pailhé. Cependant elle sentait que sa peine était réelle et elle voulait la consoler :

— Tout cela n'a aucune importance, maman. Regarde. Prenons du plaisir là où il y en a, c'est si beau ! Tous ces bouquets ! Tu as vu ? Et ces tableaux qui ornent les murs, ces gravures avec des chevaux ! Viens, allons les voir de près, ils sont superbes. On a l'impression que si on les touche ils vont se mettre à hennir. Tiens, je vais essayer...

Joignant le geste à la parole, Emmanuélite s'approcha d'un tableau et frôla du bout de ses doigts un splendide éta-

lon de race anglo-arabe. Elle fit ensuite semblant de s'évanouir, comme si le contact de la bête l'avait envoûtée.
Mme Estrade ne put s'empêcher de rire. Grâce à sa fille elle
avait retrouvé sa joie. Sophie Pailhé et toutes ces dames de
la place Marcadal pouvaient bien la mépriser, au fond quelle
importance ? La fraîcheur, la gaieté et l'amour de sa fille
étaient bien plus puissants que tous les mépris du monde.

Dans la foule bruissante, Sophie, qui avait abandonné
Louis, se fraya sans mal un passage, malgré l'envergure
impressionnante de sa robe. C'est que son air altier en
imposait.

— Sophie, ma chère, je vous cherchais.

Irma Journé s'approcha et, d'un air mystérieux, la prit à
part :

— Alors, vous avez vu ?

Décidément, elle n'avait pas de chance, après le couple
Estrade, Irma. Impossible pourtant de l'envoyer promener
comme la mère Estrade :

— Qui ça ?

— Voyons, ma chère, à quoi pensez-vous ? Ouvrez les
yeux !

— Mais de qui parlez-vous ?

— Non, vous ne voyez pas ? Irma ménagea le suspense
puis articula : Adeline Dufo. Vous avez vu son décolleté ?

Sophie se redressa. Encore Adeline Dufo !

Mais c'est qu'elle n'en avait rien à faire de cette idiote ! Il
y avait ici des artistes, le prince d'Orléans, l'architecte Viollet-
le-Duc, des membres du Jockey-Club, c'était quand même
autre chose ! Que cette Irma était donc sotte elle aussi avec
la fille Dufo et son décolleté. Décidément, se disait-elle, ces
Lourdais sont très provinciaux. Ils n'ont aucune idée de ce
qu'est la haute société, ils ressassent toujours leurs petites
histoires.

— Eh bien Irma, répondit-elle sèchement à la femme du
commissaire, quelle importance ? À tout à l'heure, excusez-

moi je vais saluer Mme Fould, je n'en ai pas encore eu le temps.

Elle esquissa un coup d'éventail et s'apprêtait à planter là Irma Journé quand la voix forte du maître d'hôtel, dominant la rumeur de la salle, annonça :

— Le régiment des hussards de l'Empereur !

Le brouhaha s'interrompit immédiatement et les regards stupéfaits se tournèrent vers l'entrée. Personne ne savait que les hussards étaient invités, d'ordinaire seul leur capitaine acceptait de se déplacer, et encore ! La plupart du temps il filait à peine les civilités d'usage respectées. Dans un silence total les cavaliers entrèrent les uns après les autres. Les invités les regardaient comme des êtres hors normes qu'ils ne voyaient jamais qu'à cheval, distants et fiers, si lointains en leur citadelle de Lourdes haut perchée. Ce soir, ils étaient descendus de leur nid d'aigle pour venir parmi eux et c'était un événement exceptionnel. Le ministre impérial l'avait organisé très discrètement et il jouissait en cet instant même de l'effet produit. Achille Fould nourrissait à l'égard de ce corps d'élite des cavaliers hussards un sentiment d'admiration très vif. Il avait donc souhaité la présence de l'ensemble du régiment à sa fête et il savait qu'ainsi il lui donnerait un prestige d'autant plus grand qu'il était extrêmement rare. Les hussards étaient des hommes mystérieux et jaloux de leur particularisme. C'est dire l'effet que provoqua leur arrivée...

— M'accorderez-vous cette valse ?

Elle ne l'avait pas vu venir et il était tout près d'elle. Grand, mince et en même temps solidement bâti, il n'était pas le genre d'homme auquel une femme peut refuser ne serait-ce qu'une minute de son temps.

— Mais...

Sophie n'avait pas eu le temps de réfléchir qu'il l'avait déjà entraînée vers la piste, avait pris sa taille et glissé sa main dans la sienne. Il l'avait quasiment enlevée et elle en était suffoquée.

— Je m'appelle Abel. Et vous ?

Abel ! Entre deux tours, Sophie vit dans la foule le sourire d'Irma Journé. Elle se demandait comment elle s'était retrouvée là, à valser dans les bras du hussard. Une légère panique l'envahit et ses jambes se dérobèrent. Elle sentit soudain peser sur elle tous les regards féminins de la salle et le souffle d'Abel dans sa nuque la fit frissonner de bonheur.

— Moi ?... Je suis Mme Pailhé, euh... enfin, je veux dire, Sophie Pailhé.

Elle n'avait pas eu le temps de détailler les traits de son visage mais elle avait eu le temps de s'apercevoir qu'il était fascinant. Cet homme qui la faisait danser, trop proche en cet instant pour qu'elle puisse le regarder sans indécence, était viril plus que de raison. Il valsait au rythme merveilleux de Richard Strauss, et la puissance de ses pas emportait Sophie hors du bal, hors du temps, hors de tout. Elle était dans les bras d'un homme et ce sentiment qu'elle croyait connaître et qu'elle découvrait tout autre, si nouveau et si inattendu, la transportait. Les valses s'enchaînaient et ils valsaient sans cesse, soudés l'un à l'autre comme par enchantement.

Le couple sortit en dansant jusque sur la terrasse du château. Il faisait nuit, la musique tournait encore dans leurs têtes et de lourds flocons blancs se mirent à virevolter autour d'eux. Elle ne le connaissait pas, elle ne l'avait jamais vu, et pourtant c'est avec un sentiment d'échange pour l'éternité qu'elle se laissa embrasser, là, dans cette nuit du Nouvel An, sous la blancheur éblouissante de cette neige inespérée.

Quand elle revint dans la salle de bal, Sophie n'était plus la même. Le hussard l'avait raccompagnée et il avait baisé sa main en lui lançant un regard de feu qui avait fini de l'enlever à un monde qu'elle ne reconnaissait déjà plus. Le bal, les mondanités, les gens qu'il fallait voir et de qui il fallait impérativement être vue, tout cela avait disparu, effacé d'un coup par ce seul baiser. L'inconnu avait ouvert une porte dont elle n'avait jusqu'alors jamais soupçonné l'existence. Elle était incapable de savoir ce qui se passait exactement en elle en cet instant, mais le monde se serait écroulé que ce n'aurait pas été plus fort. Un seul baiser sous cette neige d'hiver qu'elle avait tant attendue, et l'univers de Sophie s'était réduit à un seul homme. Elle le sentait jusqu'au plus profond de son être, cet homme lui avait tout pris. Son cœur, son âme et son corps.

PRINTEMPS-ÉTÉ 1857

Six mois étaient passés depuis ce fameux soir du 31 décembre 1857, six mois qui pour Sophie s'étaient écoulés à la vitesse de l'éclair. Jamais de toute sa vie elle n'avait connu une période aussi exaltante et mouvementée que celle qui venait de s'écouler. La passion était entrée dans sa vie avec Abel et, depuis, elle ne vivait, ne respirait que pour cela : le voir, le revoir et le voir encore et... l'aimer. Elle le retrouvait clandestinement et son quotidien en avait été complètement changé. « J'ai un amant », se répétait-elle de temps à autre comme pour se donner des frissons. Et cela lui apparaissait complètement inouï. Car jamais, elle pourtant si coquette, n'avait envisagé d'être infidèle à son mari un jour.

Quand elle avait rencontré Louis, Sophie s'était crue amoureuse. Elle l'attendait avec de petits battements de cœur quand il venait lui faire la cour chez ses parents, en tout bien tout honneur bien sûr, et même si elle avait éprouvé une certaine déception lors de sa nuit de noces, elle ne s'en était pas émue pour autant car elle se trouvait heureuse. Louis l'aimait puisqu'il l'avait épousée, et comme en plus il était riche, il la gâtait. Elle pouvait dépenser ce qu'elle voulait, il ne disait jamais rien et elle ne se souvenait pas de s'être privée de quoi que ce soit.

La seule et unique fois où Louis lui avait dit quelque chose, c'était le soir du Nouvel An pour la crinoline. Elle avait eu droit dès le lendemain du bal à une scène mémorable. Au retour, Louis n'avait pas voulu voyager dehors près de Basile et il s'était assis près de Sophie sans se soucier d'écraser les dentelles de sa crinoline. Elle n'avait rien osé dire, d'autant que ce soir-là, tout au long de ce voyage qui la ramenait à Lourdes, elle ne pensait qu'à Abel, l'homme pour lequel elle éprouvait déjà une passion extrême. Il lui semblait que ses sentiments devaient se lire sur son visage de manière criante et elle n'avait pas compris que Louis n'ait rien vu, qu'il ne se soit douté de rien, alors qu'elle avait pratiquement passé la soirée dans les bras du hussard et qu'ils s'étaient absentés fort longtemps sur la terrasse. Non, au lieu de s'inquiéter de cette compagnie masculine qui eût dû l'effrayer et réveiller sa jalousie, il ne lui avait parlé que de sa crinoline. La robe avait fait écran à tout le reste et d'une certaine manière, par son excès, elle avait protégé Sophie.

— Ne t'imagine surtout pas que je vais continuer à payer des folies pareilles, lui avait dit Louis, encore furieux au souvenir de la soirée, c'est la dernière, tu entends. Désormais je ne veux plus d'extravagances, je l'ai dit à mon banquier, il ne te donnera pas d'argent au-delà d'une somme que j'ai fixée avec lui. Te voilà avertie !

Sophie n'avait rien dit. À la grande surprise de Louis, elle avait même approuvé :

— Mais tu as tout à fait raison, Louis, avait-elle répondu avec une conviction qui l'avait un peu désarçonné, d'ailleurs de moi-même j'étais décidée à diminuer le coût de ma garde-robe. Tu vois...

Ce matin, alors qu'elle prenait son petit déjeuner, elle repensait à cette scène stupéfiante et se disait que, décidément, son mari ne valait pas l'amour qu'elle lui avait longtemps accordé. L'éclat d'un beau soleil de printemps tombait sur un coin de nappe blanche et Sophie respirait l'air et la lumière de son pays qui arrivaient jusqu'à elle par les portes grandes ouvertes. Tous les matins, le couple Pailhé prenait le petit déjeuner à la cuisine, au royaume de Louisette, mais l'un après l'autre car Louis était toujours parti avant que Sophie ne se lève. Au début de leur mariage, elle se faisait servir dans le petit salon qui donnait derrière sur le jardin et qui jouxtait la salle à manger. Mais il était trop éloigné de la cuisine et, l'hiver, Sophie le trouvait trop froid. Elle s'était donc rapprochée et Louisette la servait dans la salle à manger. Mais très vite Sophie s'était lassée. La salle à manger était une pièce d'apparat. Elle était trop vaste et son mobilier noir, ses draperies de velours rouge sombre aux fenêtres et ses multiples guéridons sur lesquels étaient disposés vases et statuettes étaient trop pesants. C'était un décor merveilleux le soir quand on recevait, surtout l'hiver avec un bon feu, mais le matin, quelle que soit la saison, Sophie aimait la lumière. Elle avait donc élu domicile dans la pièce la plus simple et la plus vivante, la cuisine. Là au moins il faisait bien chaud, la lumière venait par les portes qui donnaient sur le jardin et elle avait la compagnie de Louisette. Tôt, cette dernière dressait au bout de la table de l'office un élégant ensemble. Argenterie, tasses en porcelaine anglaise fleurie, et confitures maison servies dans de jolis pots en cristal taillé. Louisette était un peu agacée que Louis et Sophie envahissent ainsi son royaume mais elle avait fini par y trouver des avantages, cela lui évitait nombre d'allers-retours pour servir et desservir.

Ce matin, alors que Sophie profitait pleinement de son petit déjeuner, Louis arriva. D'ordinaire il se levait tôt, vers les sept heures. Il avalait un café sur le pouce, et courait à sa pharmacie préparer les commandes. Après quoi il filait à la chocolaterie mettre en route la fabrication de son « prestigieux cacao ». Rien ne pouvait se faire s'il n'était pas là. Il estimait qu'il était le seul à sentir le moment exact où les fèves étaient suffisamment grillées, ou pour voir, rien qu'à la couleur, quand il fallait cesser de cuire la pâte. Que de fois Sophie avait entendu son commis, Léon, rouspéter parce qu'il lui fallait attendre Louis encore plongé dans ses préparations médicamenteuses.

— Il va falloir qu'il choisisse, les fioles ou le chocolat ! Il peut pas continuer comme ça, disait Léon.

Les fioles ou le chocolat ? Un dilemme quotidien pour Louis même si, pour l'instant, il arrivait à jongler entre les deux. Mais ce matin, justement, Louis avait pris le temps de revenir déjeuner avec Sophie après être passé à la pharmacie. C'est qu'il avait quelque chose de primordial à lui dire. Quand elle le vit arriver Sophie eut peur. Il avait l'air sombre et elle crut qu'il avait appris quelque chose sur sa liaison avec Abel. Mais elle n'eut pas le temps de trop se faire de souci, il la détrompa immédiatement. Il ne s'agissait que de son chocolat.

Cependant que Louisette remplissait les fines tasses de café noir, il dit à Sophie d'un air très sérieux :

— N'oublie pas qu'aujourd'hui, à la boutique, tu vas servir du « criollos ». Attention ! C'est ce qu'il y a de mieux au monde en matière de fèves de cacao. Je les ai eues grâce aux Basques. Pour une fois ils m'ont fait une fleur, ils m'en ont réservé un lot sur les quelques sacs qu'ils ont réussi à rapporter à Bayonne. Ça fait plus de six mois qu'on n'avait pas vu une seule fève au port, même pas à Bordeaux.

— Les Basques t'ont fait un cadeau ? C'est pas trop dans leurs habitudes, hasarda Sophie pour dire quelque chose.

Louis s'était fait berner plusieurs fois par la Confrérie des chocolatiers de Bayonne et il n'appréciait pas beaucoup que Sophie le lui rappelle. Les Basques se targuaient d'être les plus forts en matière de chocolat et ils n'aimaient pas la concurrence, surtout celle d'un Bigourdan qui avait été classé hors concours à l'Exposition universelle et avait obtenu le titre envié de « Fournisseur attitré de Sa Sainteté le Pape ». Depuis, les rapports étaient un peu tendus.

— Ne t'occupe pas ! dit-il d'un ton sec. Ce sont des affaires d'hommes, le Basque Fagaldo se méfie. Il connaît le poids d'Achille Fould et il a beau avoir le titre de « Fournisseur impérial » à Biarritz pour le chocolat, il préfère entretenir avec moi de bonnes relations. Au cas où... parce qu'à Bayonne, le Béarnais Cazenave vient de réussir un beau coup. Il s'est fait nommer « Fournisseur de l'Impératrice ». Pas mal non ? Fagaldo était furieux. Mais il n'a rien pu faire. Il va devoir s'habituer à partager le gâteau.

Agacée par ces complications qu'elle n'écoutait pas car sa tête était ailleurs, Sophie s'impatientait :

— Écoute Louis, si j'ai bien compris, le chocolat que nous vendons en ce moment est exceptionnel. Compte sur moi pour le faire savoir aux clientes...

— Et comment que j'y compte ! Sors de la lune un peu ! À quoi penses-tu ces temps-ci ? Ça y est, la saison a commencé, demain c'est l'été.

L'été, déjà ! Sophie songea à la multitude de touristes qui allaient arriver de partout. D'Allemagne, d'Angleterre, d'Italie, d'Espagne, d'Autriche et même des États-Unis. Toute l'aristocratie européenne se rendait aux eaux et les stations thermales des Pyrénées étaient les plus en vogue. La princesse Mathilde qui résidait à Biarritz devait se rendre à Cauterets, puis aux Eaux-Bonnes. Elle passerait immanquablement par Lourdes. La ville était un carrefour, un passage obligé pour tous ceux qui se rendaient en cure. On annonçait même cette année la venue de l'Empereur et de l'Impératrice. En ce moment ils étaient au palais d'Eugénie, à Biarritz, où ils organisaient des fêtes gigantesques. En prévision de leur venue, Lapeyre, le patron de l'hôtel des Princes aux Eaux-Bonnes, avait d'ailleurs passé à Louis une commande impressionnante pour fournir toute cette aristocratie en chocolat, et, depuis huit jours, ça n'arrêtait pas d'aller et venir depuis Tarbes. Sophie était inquiète car elle se disait qu'il y aurait beaucoup de travail à la boutique où, depuis deux ou trois ans, elle avait pris l'habitude d'être très assidue pendant l'été. Cela lui donnait l'occasion de voir du beau monde et surtout de se faire admirer. Mais cette année elle comptait bien sur l'été pour voir Abel plus souvent, et elle se demandait comment elle allait faire pour partir le retrouver sans que les employées se doutent de quoi que ce soit.

— J'ai compris, dit-elle à Louis. C'est le moment où jamais de se faire connaître. Ne t'inquiète pas, j'ai l'habitude maintenant. Mais je serai absente cet après-midi, c'est les filles qui feront la vente. Il y aura Léon bien sûr...

Louis avala son café de travers :

— Et où vas-tu ?

Sophie le rabroua tout en jouant la stupéfaite.

— Tu me demandes ça chaque fois. Où je vais ? Et où veux-tu que j'aille, ici, dans ce trou perdu ? Chez Antoinette bien sûr, pour l'essayage.

— Encore ! Encore une robe ! Mais ça n'en finira donc jamais ! On ne sait plus où les ranger, il y en a partout. J'ai même remarqué que tu avais poussé mes trois malheureuses jaquettes pour installer la dernière. Fais attention, Sophie, je t'ai déjà prévenue et cette fois-ci je pourrais mettre le holà définitivement.

Il se leva et quitta la table, visiblement très énervé :

— À ce soir. Après le Cercle bien sûr. J'irai directement. Tu peux dîner sans moi parce que ça risque de se prolonger.

En débarrassant la tasse de Louis, et en reservant Sophie qu'elle voyait contrariée, Louisette se fit complice.

— Il a tort de pas dîner avec vous ce soir, parce que je vais vous préparer un gratin délicieux. Tant pis pour lui.

Sophie lui sourit. Louisette ne pouvait pas savoir que Sophie se moquait complètement de la présence de Louis. Qu'il aille à son cercle ! Elle ne l'attendrait plus comme elle l'avait fait trop souvent, seule devant une assiette froide. Ce n'était plus lui qu'elle attendait maintenant. Ce qui la contrariait par contre, c'était sa soudaine colère à propos de ses robes. « Pourvu que ça lui passe, et qu'il n'y pense plus ! » se disait-elle tout en buvant son deuxième café.

Elle ferma les yeux et un autre homme apparut : Abel. C'est lui qu'elle allait retrouver chez Antoinette, comme elle le faisait au moins deux fois par semaine depuis le bal du Nouvel An. Dès le début elle avait décidé de mettre sa couturière dans la confidence. Comment faire autrement, il n'y avait qu'en elle que Sophie avait une confiance absolue. Cela n'avait pas été simple. Pour Antoinette la croyante, la pratiquante assidue, l'adultère était un péché mortel et il était absolument impensable de cautionner les amours de Sophie et d'Abel. Mais Sophie était venue la voir plusieurs fois en la suppliant d'accepter, elle s'était même mise à genoux en pleurant et en lui disant que si elle n'acceptait pas elle serait capable du pire car elle ne pouvait plus vivre sans Abel.

Épuisée par les assauts quotidiens et les pleurs de Sophie, Antoinette avait fini par céder. À un moment, refuser lui eût été fatal. Comment se séparer d'une cliente qui représentait plus de la moitié de ses revenus ?

Sophie avait donc obtenu ce qu'elle voulait et cet après-midi, chez Antoinette, elle irait retrouver Abel. « Tant pis pour la colère de Louis ! se disait-elle, de toute façon je suis bien tranquille, dès qu'il aura le nez plongé dans son chocolat et dans ses fioles, il n'y pensera plus. »

L'église paroissiale sonna midi. Déjà ! Elles étaient parties au bois dès cinq heures du matin et elles rentraient à peine. Sept heures de marche et de travail, courbées sur le moindre bosquet à traquer la moindre brindille, et tout ça pour ramener à peine quatre fagots ! Marie et Lucile remontaient du chemin de la forêt, il faisait un grand soleil et la température était déjà très lourde pour ce début d'été. Elles étaient maintenant rue du Baous et s'apprêtaient à rejoindre la rue des Petits-Fossés en passant par la rue du Fort, celle qui descend du château. Il aurait été plus simple de prolonger la rue du Baous puis de tourner plus loin directement à gauche. Mais Marie ne voulait pas s'approcher du centre ville, surtout de la place Marcadal. Elle n'y pénétrait que très furtivement quand elle devait aller chez Sophie Pailhé, maison où elle était lingère. Elle s'arrangeait pour aller chercher et ramener le linge très tôt, quand le jour se levait. À ces heures très matinales elle n'avait affaire qu'à Louisette, la cuisinière. Il lui arrivait de croiser M. Pailhé mais il ne l'avait jamais saluée, il était tellement pressé qu'il ne la voyait pas. Quand à Madame, elle ne lui avait même jamais parlé. C'est Louisette qui avait fait l'embauche le jour où Marie s'était présentée sur les conseils d'Antoinette Peyré, et, depuis, c'est toujours à elle qu'elle avait affaire. Cette situation convenait très bien à Marie qui n'aurait su que faire de familiarités. Elle n'existait pas, ils ne la voyaient pas, tant mieux. Et puis qu'est-ce qu'elle aurait bien pu leur dire s'ils lui avaient parlé ? Elle n'aurait peut-être même pas compris ce qu'ils lui auraient dit avec leur français, alors ! Les choses étaient bien comme elles étaient, voilà ce que pensait Marie. C'est pour ça qu'elle n'irait surtout pas là-bas en plein jour quand l'activité battait son plein et qu'elle risquait de rencontrer tous ces messieurs et dames qu'elle voyait à la messe de loin ou qu'elle croisait parfois les jours de marché, place de l'église. Elle ne se trouvait pas présentable et elle avait l'intuition que, même pour laver leur linge, les riches préféraient une main-d'œuvre bien mise. C'était une idée qu'elle avait, et elle n'en démordait pas.

En plus, l'été, les places du haut subissaient encore une autre métamorphose et non des moindres. Elles étaient envahies par les voyageurs fortunés qui allaient prendre les eaux.

— Viens, Lucile, on va passer par la rue du Fort, comme ça on risque pas de rencontrer le beau monde...

Docile, Lucile suivit sa mère et toutes deux enfilèrent la petite rue étroite par laquelle, à une centaine de mètres, elles rejoindraient la rue du Baron-Duprat qui descendait directement du château et allait jusqu'à la place de l'église, coupant sur son chemin la rue des Petits-Fossés et la rue du Bourg. Il y avait juste une centaine de mètres à faire dans la rue du Baron avant de rejoindre les Petits-Fossés. Mais à peine eurent-elles quitté l'ombre de la rue du Fort qu'elles s'arrêtèrent net.

Un groupe élégant était installé en plein milieu de la rue.

Au centre, assis sur un drôle de petit siège, un homme, foulard rouge négligemment noué autour du cou, crayon à la main, les yeux plissés en direction du château, dessinait sur un grand album. Autour de lui trois dames, vêtues de crinolines claires, abritées du soleil sous des ombrelles de dentelle fine admiraient son travail dans le plus grand recueillement. L'arrivée de Marie et de Lucile, courbées sous le poids de leurs fagots, jeta le groupe de voyageurs dans la plus grande perplexité. Quant à Marie et Lucile, ne pouvant passer ni à gauche ni à droite tant les crinolines prenaient de place, elles restèrent là, plantées au milieu de la rue..

— Extraordinaire ! Vraiment extraordinaire !

L'homme semblait avoir eu une révélation, il fit un geste autoritaire dans leur direction :

— Surtout ne bougez pas ! Restez comme vous êtes. Je n'en ai pas pour longtemps.

Il parlait en français avec un accent inhabituel et ni Marie ni Lucile ne comprirent ce qu'il disait, mais à cause de son geste elles n'osèrent plus bouger. Il se remit alors à crayonner avec une frénésie décuplée tout en parlant aux dames en crinoline :

— Fantastique ! Voyez, mesdames, c'est le destin qui envoie ces pauvresses ! Nous faisons toujours des croquis de paysages, c'est la faute aux Anglais. Depuis qu'ils viennent dans les Pyrénées, il n'y en a que pour leur point de vue, et leur point de vue c'est le paysage. Nous oublions trop les autochtones qui disparaissent totalement de nos dessins. Ces femmes rendront le croquis vivant et elles donneront de l'animation aux pierres du château.

— Mais, mon cher, répliqua une dame en prenant un ton savant, le paysage est l'art par excellence. Pensez à cette vue splendide faite l'été dernier par Georges Hart Taylor et que nous avons admirée ensemble dans le salon de la princesse Galitzine. Une aquarelle de toute beauté, souvenez-vous. L'artiste est à son sommet, on y voit le château justement et la ville au loin environnée de montagnes. Le ciel, les arbres, le mystère de la nature toute puissante, c'est bien cela qui est important, non ? (Elle se dandinait tout en parlant et levait les bras vers le ciel comme pour faire appel à toutes les forces de la nature qu'elle glorifiait.) Vous qui avez vu l'aquarelle tout comme moi, vous n'allez quand même pas me dire que les personnages manquent dans le tableau. (Elle jeta un coup d'œil méprisant à Lucile et à sa mère qui patientaient en plein soleil sous une chaleur de plus en plus étouffante.) Les gens de pays sont pour la plupart affreux, sales

75

et ils ont les traits grossiers. Comment voulez-vous réussir quelque chose de beau avec ça ? Pensez à ce qu'ont fait ici les grands comme Delacroix, Schrader, Viollet-le-Duc. Ils ne se sont pas attardés sur ces misérables !

Sans cesser de crayonner, l'homme reprit :

— C'est vrai. Mais cela n'est pas valable pour tous les paysagistes. Les plus grands aquarellistes anglais, Harlowe, Welling, John Nattes, ont souvent mis çà et là quelques personnages pittoresques pour donner de la perspective ou pour ajouter un peu de vie, de couleur. William Oliver quand il a peint l'église des templiers de Luz-Saint-Sauveur a représenté tout un groupe, les paysannes avec leurs capulets rouges et les hommes avec leurs chaussettes blanches et leurs boléros marron. C'est du plus bel effet, je vous assure. Cela donne beaucoup de gaieté. D'autant que ces gens ont de très beaux costumes.

— Oh ! là, mon cher, vous vous enflammez et pour vos pauvresses, je crains que ce ne soit pas le cas. Vous avez vu leurs horribles frusques ?

— Bon, je vous accorde qu'elles sont mal attifées ! Mais ce n'est pas grave, le propre d'un artiste est d'avoir sa vision personnelle. Leurs habits sont laids ! Qu'à cela ne tienne, j'inventerai et ce sera très beau... Tenez, regardez. On peut déjà se faire une idée.

Il se recula alors invitant ces dames à se pencher pour regarder son dessin. D'un seul mouvement, les ombrelles plongèrent vers l'album...

Pendant ce temps, écrasées de chaleur, Marie et Lucile n'avaient pas bougé. Le rapin avait le coup de crayon facile et le croquis n'avait pris que quelques minutes, mais, ajouté à l'immense fatigue de cette longue et laborieuse matinée, cela suffit pour que le poids des fagots sur le dos de Marie devînt insoutenable. Elle tomba de tout son long, exténuée. Une faiblesse générale l'avait envahie mais elle n'avait même pas trouvé la force de dire un seul mot à Lucile. Les genoux en avant, elle s'était laissée partir et, maintenant qu'elle était au sol, elle entendait des cris qui lui paraissaient bien lointains.

— Mon Dieu ! elle s'evanouit. La paysanne s'évanouit !
Vite, Charles, vite !...

Une dame cria en la voyant et s'approcha en courant mais
sa crinoline était si large qu'elle l'empêcha d'aider Marie à
se relever. Elle était là, impuissante, debout près de Marie
allongée et elle trépignait :

— Charles ! Charles ! Mais venez vite enfin, faites quelque
chose !

Charles n'avait pas eu le temps de se lever de son siège
qu'une femme était déjà agenouillée près de Marie et lui
relevait le visage en tapotant ses joues. C'était Antoinette
Peyré qui revenait de l'église et avait entendu les cris juste
au moment où elle arrivait dans la rue. Elle avait vu Marie
allongée face contre terre et elle était accourue :

— Ce n'est rien, dit-elle pour calmer la dame en crinoline
qui s'agitait beaucoup. Ne vous inquiétez pas, je connais
cette femme, c'est ma lingère, je m'en occupe.

Comme la dame restait là, debout, ne sachant que faire,
Antoinette insista :

— Vous pouvez y aller, je la ramène chez elle avec sa fille.

Elle désigna Lucile qui semblait paralysée par ce qui venait
de se produire. La dame ne se le fit pas dire deux fois, elle
eut un petit mot du genre : « Si vous avez besoin », et elle se
dépêcha de rejoindre ses amis qui observaient la scène de
loin comme s'ils n'étaient pas concernés. Charles était toujours assis sur son siège et les dames regardaient fixement,
hébétées sous leurs ombrelles.

Marie retrouvait sa lucidité et elle tentait maladroitement
de se remettre debout avec l'aide de Lucile et d'Antoinette.
On voyait maintenant qu'elle s'était blessée au visage en
tombant. Puis, quand Antoinette eut remis sur son dos les
fagots tombés sur le sol, elles filèrent ensemble toutes les
trois, le plus rapidement possible, vers la rue des Petits-
Fossés.

Le petit groupe les regarda s'éloigner et disparaître dans
une ruelle.

La dame qui avait crié et était accourue près de Marie n'était pas contente.

— Quand je pense qu'aucun de vous n'a bougé ! Surtout vous, Charles, c'est votre faute si cette pauvre femme s'est évanouie, en plus elle était blessée, vous avez vu ? Pourquoi lui avez-vous dit de rester là avec cette chaleur ? Vous êtes inconscient, avez-vous réalisé le poids des fagots qu'elle transportait sur son dos !

Surpris, le crayonneur bafouilla des explications malhabiles, et il ajouta que son fagot n'avait pas l'air si lourd que ça.

— Son fagot n'était pas lourd ? Ça alors ! Je voudrais bien vous y voir. Décidément, Charles, vous ne valez pas mieux que les hommes de ce pays qui laissent leurs femmes porter de telles charges.

Très contrariée, la dame sortit alors un petit livre rouge du réticule qui pendait à son bras. C'était le *Guide Richard*, la « bible » que tout voyageur cultivé et soucieux d'acquérir des connaissances nouvelles emportait avec lui. Devant la moindre colline, la moindre cascade, ils sortaient leur guide et contemplaient le paysage à travers les lignes rédigées par le fameux Richard. Descriptions des lieux, conseils de voyages, d'auberges, il donnait également quelques indications sur la vie des « autochtones ». La dame visiblement très attentive avait noté le passage suivant qu'elle se mit à lire à haute voix, heureuse de voir confirmés dans la réalité les dires de son oracle :

— ... On rencontre souvent ces femmes laborieuses, infatigables, ayant à elles seules le poids de leur ménage et allant partager les travaux de la campagne qui ne devraient être exécutés que par des hommes... (À ce moment de la lecture elle releva la tête pour voir celle de Charles qui se contentait de faire des yeux ronds et prenait une mine agacée pour bien montrer qu'il ne voyait pas où son amie voulait en venir. Elle continua.) Ces mœurs rappellent celles des premiers âges, celle des Égyptiens surtout chez lesquels les hommes se livraient aux besognes les plus douces, à la confection des corbeilles et des paniers, tandis que les femmes s'employaient aux rudes travaux de la campagne...

Satisfaite de sa démonstration par le texte, la dame referma le petit guide d'un geste sec.

— Voyez, Charles, ça ne date pas d'aujourd'hui. Si un guide aussi officiel que le *Guide Richard* souligne cet état de fait, c'est que la tâche des femmes en ces pays reculés est vraiment rude. Et vous qui êtes pourtant un homme éclairé, vous la cautionneriez ?

Pris directement à partie, Charles, qui commençait à en avoir assez de passer pour un goujat, se redressa sur son petit siège :

— Daphné ! On dirait que vous découvrez la vie. C'est l'état de pauvreté qui rend la vie de ces femmes rude. Ici comme ailleurs ce n'est pas nouveau et cela n'a rien de spécifique à ce pays. Quand il y a de l'argent, vous savez, le problème est vite réglé et ce sont les dames qui ont le beau rôle. À Lourdes comme à Paris elles nous ruinent en crinolines. Comme celle que vous portez d'ailleurs qui doit coûter fort cher vu la qualité et la quantité de ses dentelles.

En disant ces derniers mots Charles avait pris un ton persifleur.

— Que vous êtes susceptible ! répliqua Daphné. Pourquoi m'agressez-vous ? Vous vous sentez donc un peu coupable ?

Charles eut du mal à se contenir. Cette Daphné en prenait vraiment trop à son aise avec ses remarques. Très énervé, il plia le drôle de siège et rangea son croquis dans un carton. Il n'avait plus envie de se remettre au dessin. Tout avait pourtant bien commencé et le château était fort beau, mais à cause de ces pauvresses la séance avait été gâchée. Il commençait à comprendre les paysagistes qui ne s'encombraient pas de personnages vivants et il se jurait intérieurement de s'en tenir désormais aux merveilles de la nature. Reprenant son rôle de chef de groupe, il proposa à ses compagnes d'aller se rafraîchir à l'auberge, après quoi ils partiraient pour Cauterets où, il leur en fit la promesse, elles verraient monts et merveilles.

Pendant ce temps, Antoinette avait proposé de raccompagner Lucile et sa mère jusque chez elles, mais Marie n'avait pas voulu et Antoinette n'avait pas insisté. Elle les avait laissées rentrer seules non sans une certaine culpabilité car elle avait bien vu leur fatigue et leur maigreur à toutes les deux, mais que pouvait-elle faire ? Leur donner à manger, une fois oui, deux fois peut-être, et après ? De plus en plus souvent Antoinette croisait dans sa rue la faim et la misère, elle les devinait derrière un visage creusé, dans un regard vide, un dos courbé, dans les cris trop aigus d'une mère à l'enfant larmoyant qu'elle traînait derrière elle, dans un homme abruti de vin. Pas une seule de ces rencontres ne la laissait indifférente. Au contraire, chacune d'elle s'imprimait au fer rouge dans son cœur et le laissait meurtri. Et pourtant Antoinette fuyait la vision de cette misère trop proche car d'une certaine manière elle l'effrayait. Elle se sentait coupable de ne pas faire vers l'autre le pas qu'il aurait fallu, coupable de ne pas poser de questions, coupable d'avoir peur d'être obligée de donner. De temps à autre elle laissait des offrandes à l'église pour les pauvres mais elle ne voulait pas donner directement, elle ne voulait pas créer de liens, même si elle se torturait de ne pas le faire, se trouvait égoïste et se jugeait mal. Elle avait peu de bien, si peu qu'elle y tenait férocement et qu'elle se sentait incapable de partager. Ce tout petit patrimoine était son royaume, il comprenait sa modeste maison avec son atelier, son poêle, sa cuisine et ses deux chambres à coucher meublées, ainsi qu'un minuscule grenier sous le toit, un peu de linge et quelques livres. Aussi dérisoire soit-il, elle se sentait responsable de ce petit héritage, pour son frère ou ses enfants, au cas où...

Lucile et Marie avaient disparu, Antoinette restait seule debout dans la rue vide. Pourtant la couturière avait toujours devant les yeux la blessure que Marie s'était faite au visage en tombant, une vilaine mâchure qui avait défiguré ses traits si purs et tuméfié son nez.

Tant pis pour Louis et tant pis pour ce qu'en penseraient les autres. Après déjeuner, Sophie était revenue à la boutique vêtue très élégamment, parée de nouvelles boucles d'oreilles que les vendeuses ne lui avaient jamais vues. Des perles blanches en goutte d'eau très fines qu'elle avait achetées la veille chez le bijoutier Poque. Ce n'est pas qu'elle en ait eu besoin, elle était largement pourvue en boucles d'oreilles, mais pour aller retrouver Abel, elle ne supportait plus de mettre celles que lui avait offertes Louis. Pour la première fois elle s'était donc rendue seule à la bijouterie et elle avait bien senti l'étonnement du père Poque car d'ordinaire, pour chaque achat de bijoux, Louis était là. C'était la seule chose qu'il ne voulait pas lui laisser faire seule. Cette fois-ci Sophie avait enfreint la règle et, bien que très ennuyé, le bijoutier avait obtempéré. Il frémissait en pensant à ce que dirait M. Pailhé, un de ses meilleurs clients, mais il ne pouvait quand même pas refuser de servir sa femme. Quant à Sophie elle était prête à tout pour Abel : « Tant pis ! j'en ai assez de toujours demander comme une petite fille. Après tout j'ai le droit et l'âge de faire ce que je veux. » Mais au fond elle était plus inquiète qu'elle ne voulait se l'avouer. L'achat d'un bijou était un acte particulier et, cette fois-ci, Louis comprendrait qu'il se passait quelque chose d'inhabituel. Peut-être était-ce d'ailleurs ce qu'elle souhaitait inconsciemment, car elle n'en pouvait plus de devoir ainsi se cacher et mentir. Au début, cela avait été pour elle comme un jeu mais le temps passant et sa relation avec Abel devenant de plus en plus forte, elle commençait à le vivre très mal. Si elle avait pu elle aurait crié, hurlé son amour à la face du monde entier, or là il lui fallait le cacher. Aussi quand elle arriva à la boutique avec ses nouvelles boucles et qu'elle vit la mimique des deux vendeuses, elle ne fut pas mécontente. Elle eut le sentiment d'affirmer son nouvel amour devant les deux jeunes femmes et, du coup, il devenait plus réel. Une heure se passa durant laquelle Sophie, impatiente, tendue, regarda tour à tour la pendule et le grand miroir qui reflétait son portrait. Puis ce fut l'heure de rejoindre Abel.

— Bon, dit Sophie en jetant avec une négligence affichée un très léger châle de soie frangée sur ses épaules, je vais chez ma couturière. Je ne serai pas là avant au moins cinq heures... l'essayage est compliqué. Vous ne devriez avoir aucun souci, Léon est derrière à l'atelier, tout l'après-midi. Si besoin est il vous aidera.

Les vendeuses se regardèrent en coin.

— Madame Pailhé !

Un couple d'Anglais venait d'entrer dans la boutique. Ils s'avancèrent en souriant, bras tendus pour de joyeuses retrouvailles et Sophie fut arrêtée net dans son élan. Rien ne se lut sur son visage, mais elle était effondrée et s'inquiéta du temps qu'allait prendre leur visite. Elle ne pouvait décemment leur faire faux bond. Les vendeuses souriaient.

— Sir Francis ! Madame ! dit Sophie. Vous voilà de retour dans nos chères Pyrénées. Quel plaisir de vous revoir ! Vous arrivez de Londres ?

— Presque directement ma chère ! (L'homme s'exprimait dans un français impeccable à peine marqué d'un léger accent.) Nous sommes arrivés à Pau il y a un mois et il nous tardait de venir aux eaux pour passer chez vous. Toujours aussi séduisante ! Et votre chocolaterie, quel merveilleux parfum ! On en mangerait. (Ce disant, il respirait à pleins poumons.) Cette odeur est incomparable !

Sophie, parfaite dans son rôle de « belle chocolatière », entraîna le couple vers le comptoir central recouvert d'une nappe blanche. Divers blocs de pâte de chocolat étaient présentés dans de petites corbeilles tressées. Certains étaient d'un rouge acajou surprenant. Sophie en prit un morceau et le tendit à Sir Francis :

— Touchez, dit-elle, il est encore tiède, on vient juste de le cuire. La torréfaction a eu lieu ce matin. C'est pour cela que l'arôme est si puissant.

Puis, malicieuse, elle tendit à l'Anglais une poignée de billes blanches et dodues.

— Regardez, je suis sûre que vous n'avez jamais vu ceci, ou pas souvent.

Surpris, Sir Francis prit les boules, les tourna entre ses doigts, les renifla et demanda :

— Qu'est-ce que c'est ?

— Des fèves de cacao.

— Ça, des fèves de cacao ? Des fèves blanches ! On dirait plutôt de la porcelaine.

Sophie, ravie, riait de bon cœur, heureuse de montrer que la maison Pailhé recelait des trésors en matière de chocolat.

— Eh oui ! Les fèves les meilleures, les plus fines, les plus rares qui soient au monde. Des criollos.

— Vous avez du criollos ! Ça alors ! Quelle chance ! La maison Debauve et Gallais à Paris n'en a plus depuis un bon bout de temps. Il paraît que c'est impossible de s'en procurer en ce moment. Comment avez-vous fait ?

Sophie se retourna, surprise. La très élégante dame qui venait d'entrer et d'intervenir dans la discussion semblait transportée de joie. Elle n'en revenait pas ! Trouver du cacao criollos ici, à mille lieues de la capitale, dans cette bourgade ! Cela tenait de la magie. Tout en jetant un coup d'œil inquiet en direction de la pendule, Sophie lui fit déguster un tout petit bout de pâte ainsi qu'à Sir Francis et à sa femme. Conquise la dame acheta plusieurs blocs et passa commande pour son retour d'ici une quinzaine de jours, car elle repartirait alors sur Biarritz.

À peine était-elle sortie de la boutique que Sir Francis se pencha vers Sophie :

— Savez-vous qui c'est ?

— Non, c'est la première fois que je la vois.

— C'est la princesse Mathilde, la propre cousine de l'Empereur. Elle vient d'arriver avec tout un groupe. Il y a entre autres le duc de Morny et un certain Ernest Renan. Le monsieur qui l'accompagnait est le fameux Flaubert. Vous savez, l'écrivain qui a fait scandale avec *Madame Bovary*.

Sophie n'écoutait pas, elle regardait la pendule et s'impatientait de plus en plus :

— Flaubert ! Oui... euh non, je ne vois pas... je crois que j'en ai entendu parler mais vous savez la plupart du temps je ne sais pas à qui j'ai affaire. Parfois on est prévenus à l'avance, surtout quant il y a un membre de la famille impériale, mais là, voyez-vous, pour la princesse je n'aurais pas cru, je n'ai vu aucun garde.

— C'est que la princesse est un peu à part dans la famille. Elle se plie mal aux exigences de la cour Elle a une vie très libre et fréquente beaucoup d'artistes.

Sophie parut soudain plus intéressée :

— Comme ce doit être agréable... Parler avec des artistes, comme ce doit être différent ! J'ai du mal à imaginer. (Elle poussa un grand soupir.) C'est un autre monde.

Derrière le comptoir les deux vendeuses observaient la scène. La plus jeune se pencha vers sa collègue.

— Dis donc, madame va être en retard à son rendez-vous. C'est sa « robe » qui va pas être contente !

— Une belle robe à moustaches, oui ! Tu as vu les boucles d'oreilles qu'elle a, et son châle ? On dirait qu'elle va au bal.

— Si monsieur vient à la boutique et qu'elle n'est pas là, il va faire vilain. Tu as vu la dernière fois, il était furieux !

— Chut ! Madame vient.

Les Anglais étaient enfin partis. Sophie très agacée ajusta son châle :

— Vous direz à mon mari s'il passe que la princesse Mathilde est venue et que je le lui raconterai ce soir. À demain, je ne suis pas sûre que j'aurai le temps de revenir, ces Anglais m'ont fait perdre un temps précieux.

Les deux vendeuses la regardèrent partir en courant. La plus jeune et la plus coquine ne put s'empêcher de faire une remarque.

— Elle doit être bien belle cette « robe » à moustaches. Je me demande bien qui ça peut être ?

Lucile ne pouvait rester en place. Depuis qu'elle était rentrée avec sa mère, elle n'avait qu'une idée en tête. Aller voir les belles étrangères. Ce matin, c'était la première fois qu'elle en approchait d'aussi près. Elle repensa à ce moment, inouï pour elle, quand elle avait senti le parfum de la dame. Une senteur légère et délicate, quelque chose de si doux... Un peu comme l'odeur qui flottait autour des lilas ou du chèvrefeuille au printemps et qu'elle respirait à plein nez dans les haies au bord des chemins chaque fois qu'elle le pouvait. Mais là ce n'étaient pas des fleurs qui sentaient bon, c'était une dame. Une odeur fine, si fine ! Et ces dentelles ! Lucile les avait touchées, bien involontairement d'ailleurs. Quand la dame s'était baissée auprès de Marie évanouie, sa crinoline s'était écrasée contre la jupe d'indienne défraîchie de Lucile. Elles étaient si proches qu'elle avait pu voir la minutie de ces tissus ajustés les uns sur les autres, si mousseux, si légers... et l'ombrelle toute blanche qu'elle tenait à la main, ajourée de roses brodées. La dame portait aussi – chose inimaginable – des gants dentelés qui couvraient son avant-bras jusqu'en haut du coude. En la regardant Lucile avait oublié sa fatigue et jusqu'à sa mère évanouie. Elle s'était sentie ailleurs, momentanément transportée dans un autre univers. Elle avait pensé que le paradis devait être ainsi.

Quand la dame s'était relevée, Lucile avait aperçu les rubans de son petit chapeau de paille qui retombaient le long de ses cheveux ondulés. Des cheveux blonds, coiffés mais libres. Depuis toujours Lucile voyait sa mère emprisonner sa chevelure dans un fichu sombre, fermement noué autour du visage, comme faisaient toutes les femmes du pays et comme elle le faisait elle-même, depuis l'enfance. C'était plus pratique pour le travail. Elle n'imaginait pas qu'on puisse ainsi les laisser flotter librement.

Cette découverte l'avait émerveillée, et maintenant qu'elle avait retrouvé son quotidien, le sol de terre battue, l'ombre de leur pièce, elle se disait qu'elle avait rêvé et déjà ce rêve lui manquait. Elle sortit sur le pas de la porte. Juste à cet instant Bernadette Soubirous, la cruche à la main, partait vers la fontaine.

— Attends, Bernadette, attends-moi. Je viens chercher l'eau avec toi.

Elle rentra en coup de vent, prit la cruche sur le coin de l'évier et ressortit en courant.

— Je vais chercher de l'eau !

Marie recoupait le bois des fagots pour les ranger sous la

cheminée afin qu'ils prennent moins de place. Elle releva la tête, surprise. Lucile était déjà loin.

— Viens, dit-elle à Bernadette, on va aller à la fontaine de l'église.

Docile, Bernadette acquiesça. Aller à la fontaine du haut ou à celle du bas, pour elle cela n'avait aucune importance.

— Je veux voir les touristes de près, lui expliqua Lucile.

— Ah ! Et pourquoi ?

— Tout à l'heure j'ai vu de près la robe d'une dame riche. Si tu savais comme c'est beau !

— Ah !

— C'est tout ce que ça te fait ? Ça t'intéresse pas de voir de belles choses en vrai. Tu sais, c'est même plus beau que les madones à notre église

Bernadette eut un petit haussement d'épaules.

— Oh, ça ! ça m'étonnerait.

— Et pourquoi ça t'étonnerait puisque je te le dis ?

Bernadette s'était arrêtée, elle regardait Lucile avec un regard inquiet :

— Dis, t'as pas un peu de pain chez toi, ou de mique.

— Ah c'est ça, t'as pas mangé ?

— Pas trop.

— Écoute, au retour on ira voir maman. Elle a fait des miques hier soir, je suis sûre qu'elle t'en donnera une. Et maintenant, tu viens ou non ?

— Oui, oui...

Bernadette afficha un sourire heureux et pressa le pas. Mélange de farine de maïs broyé et de sang de cochon, le tout cuit à l'eau, la mique, qui se présentait comme une boule de couleur brunâtre, était l'aliment de base du petit peuple. Un aliment peu digeste et peu nutritif, mais solide. Il « tenait au corps » comme on disait ici. Une mique calmait pour quelques heures les estomacs les plus affamés et la perspective d'en manger une apaisa Bernadette Soubirous. « Je dormirai bien ce soir », pensa-t-elle.

Pendant que les cruches se remplissaient et que Bernadette rêvait à la mique promise, Lucile, émerveillée, observait l'incroyable activité qui se déroulait sur la place. C'était la première fois qu'elle y venait en pleine journée et en cette saison. Elle vivait à deux rues de là, pourtant tout ce qui se passait ici était nouveau pour elle. Des messieurs en jaquette accompagnés de dames en crinoline déambulaient, attendant que l'on change les chevaux des voitures lourdement chargées de bagages. Des calèches découvertes arrivaient de la route de Tarbes et emportaient vers la montagne des étrangers rieurs. Les femmes avaient des ombrelles ou des chapeaux à larges bords noués sous le menton et les messieurs des écharpes de soie et des gilets colorés.

Bernadette secoua le bras de Lucile.

— Les cruches sont pleines, regarde. Elles débordent. On peut y aller.

Agacée, Lucile la rabroua.

— Laisse-les déborder, on s'en moque. Je suis pas venue pour l'eau, je suis venue pour regarder.

Pour toute réponse elle obtint une vilaine toux que Bernadette étouffa rapidement dans les restes effilochés d'un mouchoir à carreaux.

Sous l'ombre des platanes un groupe de cavaliers faisait une pause. Des femmes les accompagnaient. Au moment de repartir, l'une d'elles s'arrêta tout près de Lucile pour laisser boire son cheval à la fontaine. Elle était mince, grande et se tenait très droite, une main accrochée à la selle et l'autre jouant avec une cravache de cuir noir tressé. Elle portait une longue amazone de velours vert sombre et un petit boléro noir. Un cavalier s'approcha et, sans tenir aucun cas de la présence de Lucile et de Bernadette, il murmura de manière à ne pas être entendu des autres :

— Je vous attends ce soir, ma chère. N'oubliez pas ! Vous me rendez fou ! J'ai eu envie de vous toute la journée ! Ne me faites pas languir !

Lucile était hypnotisée. Elle n'avait pas tout compris à cause de cette langue qu'elle parlait si mal et qui n'était pas la sienne, ce « français de malheur ! » comme elle disait chaque fois qu'elle enrageait de ne pouvoir comprendre ce qui se disait. Mais elle était certaine de n'avoir jamais entendu un homme parler de la sorte. Le cavalier était beau, il souriait et couvait sa compagne de ses yeux brillants. Une écharpe de soie blanche piquée d'une broche dorée lui entourait le cou. Son costume noir ajusté mettait en valeur un corps parfait et il possédait l'assurance des séducteurs. Cette race d'homme lui était totalement inconnue et il parlait d'une façon si particulière que Lucile sentit un étrange nœud se faire au creux de son ventre.

Une toux abominable, rauque, pleine de crachats, venue du plus profond des entrailles et de la maladie, arracha Lucile à sa rêverie et les promeneurs à la grâce de ce moment léger. Bernadette, recroquevillée contre la pierre de la fontaine, crachait du sang dans les lambeaux de son mouchoir. La jeune cavalière, dans un geste spontané de répulsion, rabattit le voile de son chapeau tout contre sa bouche et s'éloigna avec une grimace d'écœurement.

Bernadette était livide et son visage maigre faisait peur à voir. D'un geste vif Lucile s'empara des deux cruches et lui fit un signe. Elles s'enfuirent peureusement sous les regards désapprobateurs des touristes dérangés.

En rejoignant son groupe, l'homme et son cheval faillirent renverser une dame très belle et visiblement très pressée. Il s'excusa mais Sophie était déjà loin. Abel l'attendait. Comme si ces Anglais n'avaient pas pu venir à un autre moment ! Vite ! Courir chez Antoinette et se jeter dans les bras de son amour !

Rue Duprat au pas de course, vite, vite, à droite rue du Bourg. Antoinette habitait une dizaine de maisons plus loin. À ce niveau les encadrements de pierre qui faisaient la beauté du haut de la rue du Bourg disparaissaient. La maison de la couturière était dans une zone intermédiaire, ni tout à fait dans les beaux quartiers, ni vraiment dans les quartiers populaires pauvres.

Sophie poussa la porte d'entrée. Face à elle, dans le petit vestibule sombre, un escalier de bois bien ciré en haut duquel Abel l'attendait. Mais avant il fallait dire un mot à Antoinette au cas où il se passerait quelque chose avec Louis. Il avait l'air si contrarié ce matin !

Sophie frappa un petit coup à la porte sur sa gauche et sans attendre la réponse elle entra. Sa couturière était là, occupée à planter des épingles dans un tissu qu'elle ajustait sur une carcasse encore informe. L'atelier d'Antoinette était une pièce de dimensions moyennes mais contrairement aux autres pièces de la maison il était très clair, et le soleil y entrait abondamment par une large fenêtre ouverte qui donnait sur la rue. Un magnifique bouquet de marguerites trônait sur une table, près de la machine à coudre.

— Il est là, il est arrivé il y a presque une heure, il vous attend.

Sophie embrassa Antoinette et la serra dans ses bras :

— Il m'a attendue ? Oh merci Antoinette, merci, vous me l'avez gardé, j'ai eu si peur qu'il ne reparte ! Qu'est-ce que je ferais sans vous ? Si quelqu'un venait on fait comme prévu, n'est-ce pas ? Vous dites que je viens juste de repartir. Je vous dis ça parce qu'il me semble que Louis...

C'est à ce moment précis que Sophie se rendit compte que quelque chose n'allait pas chez Antoinette. Elle la regarda dans les yeux :

— Mon Dieu ! Antoinette ! Mais vous avez pleuré ? Que s'est-il passé ? Vous avez l'air toute retournée ?

Antoinette s'empressa de nier, il ne s'était rien passe et elle n'avait rien, une petite fatigue peut-être due à un excès de travail ces temps derniers, mais rien de plus, pas de quoi se faire du souci. Et elle se dépêcha de changer de conversation.

— Que me disiez-vous à propos de votre mari ? J'espère qu'il ne viendra pas ici, vous...

— Jamais Antoinette ! Pensez donc, pas lui. Mais il pourrait envoyer quelqu'un me chercher pour une raison quelconque. Il avait l'air contrarié ce matin. C'est pour ça que je préfère vous prévenir.

Le mal était fait. Maintenant que Sophie avait émis l'idée que Louis, ou un employé, pourrait faire irruption chez elle, Antoinette avait peur. Elle vit le pharmacien entrant, questionnant, criant et montant comme un fou à l'étage. Et elle imagina le pire.

Devant le visage crispé de sa couturière, Sophie se dit qu'elle avait fait une erreur. Elle n'aurait jamais dû lui annoncer que Louis pourrait venir car celle-ci n'accepterait jamais cette idée. Or Sophie avait plus que jamais besoin d'Antoinette.

— Qu'y a-t-il, Antoinette ? Vous n'avez plus confiance en moi ?

— Oui et non.

— Non ! Comment ça non ?

— Votre amour vous aveugle, vous ne prenez plus assez de précautions. Je pressens un drame.

En prononçant ce dernier mot, Antoinette prit un ton grave, comme si elle voulait en marquer le sens prémonitoire.

Sophie éclata de rire.

— Un drame ! Comme vous y allez ! Mais enfin Antoinette, vous lisez trop de romans. À ce propos, j'ai vu dans votre chambre qu'il y en avait de nouveaux. C'est toujours votre frère qui vous les envoie de Paris ?

— Oui.

— Eh bien, croyez-moi, ça n'est pas bon et ça vous tourne les idées ! Allez, je vous laisse, vous allez finir par gâcher mon bonheur.

Puis, sur un petit signe complice, elle ferma la porte et monta retrouver son amant avec un sourire radieux.

Antoinette resta seule, le cœur serré. Elle se souvenait de ce fameux jour de janvier où Sophie était venue lui avouer son amour pour Abel et la supplier de l'aider. Elle avait bien été obligée d'accepter, mais cela avait changé sa vie. Sa position sociale la plaçait au carrefour de deux mondes et elle s'y tenait dans une grande solitude tour à tour apaisante ou douloureuse, mais à laquelle tant bien que mal elle s'était habituée. Elle avait même fini par l'aimer et sa maison lui était d'un grand réconfort. Elle y vivait avec les âmes de ses parents décédés et le souvenir très présent de ce frère tant aimé. Cet amour qui vibrait dans sa propre maison juste au-dessus de sa tête, dans sa chambre, bouleversait complètement cette paix personnelle si difficilement acquise et en profanait le sacré. Elle entendait Abel et Sophie rire, parler, et dans leurs silences bruissants elle pouvait imaginer leurs baisers, leurs étreintes. Ces visions lui étaient insoutenables et il lui devenait impossible de faire son travail. Combien de fois elle s'était assise en se bouchant les oreilles, combien de fois elle avait préféré partir pour ne pas les entendre ! Elle n'en pouvait plus et pourtant il lui fallait bien continuer car elle ne pouvait pas se permettre de rester oisive chaque fois qu'ils étaient là. Elle poussa un long soupir. Son regard se posa par hasard sur le magnifique bouquet de marguerites blanches qui trônait dans son atelier et ses yeux s'embuèrent de larmes. Un éclat de rire suivi d'un choc lourd se fit alors entendre au-dessus. Antoinette essuya ses larmes et se remit au travail. Elle s'assit à sa machine à coudre et glissa machinalement le bord d'un tissu dans la petite clenche de métal. Le cliquettement mécanique se mit en route, emportant une question qui lui venait et qu'elle n'avait pas les moyens de se poser : « Que vais-je devenir ? »

Assis à l'ombre de la grande toile blanche qui abritait la terrasse du *Café Français*, deux hommes dégustaient un vin frais du pays tout en fumant de gros cigares. Chroniqueur à succès de *La Revue des Deux Mondes*, collaborateur au *Journal des Débats*, Léonce de Lavergne était un habitué des lieux. Ancien conseiller d'État et député du Gers, il avait souvent l'occasion de jouer le rôle de guide pour nombre de personnalités et il ne s'en privait pas. Au contraire, cela lui donnait l'occasion de maintenir le contact avec des gens haut placés à Paris qui pourraient un jour ou l'autre lui être utiles. Aujourd'hui il était en compagnie d'un écrivain célèbre, sénateur de surcroît et très bien introduit à la cour.

— Mon cher Mérimée, vous revoilà. Décidément vous ne vous lassez pas de nos Pyrénées.

Depuis près de neuf ans, Prosper Mérimée venait puiser dans la région de quoi alimenter son imagination. Ses récits étaient très à la mode et plaisaient beaucoup à tout un monde friand d'exotisme et de dépaysement.

— Que voulez-vous, je suis bien obligé de suivre la cour. Tout Paris est ici, que dis-je, toute l'Europe. Vous connaissez mon goût pour les mondanités n'est-ce pas ? Ce n'est un secret pour personne. Donc les beaux jours venus je suis aux Pyrénées, puisque c'est là qu'il faut être.

— Et Biarritz ?

— J'en viens et je suis épuisé ! Les eaux de Cauterets me feront du bien. À Biarritz que de déjeuners sur la plage, que de réceptions ! J'ai l'estomac en capilotade. Le luxe qui règne l'été là-bas est inimaginable ! Y êtes-vous déjà allé ?

— Je n'ai pas comme vous le plaisir d'être invité au palais de l'impératrice où je me suis laissé dire que la fête battait son plein.

— On ne vous a pas menti. Tous les soirs, au palais et dans les riches villas, se donnent des bals masqués. Vous n'imaginez pas combien j'ai dû saluer de princesses déguisées, de fausses gitanes enrubannées. Mais la plus sublime reste incontestablement Mme Rimsky-Korsakov.

— La sulfureuse beauté russe ?

— Elle-même. Puisque l'empereur Alexandre II lui refusait le divorce, elle est partie sans son autorisation. Elle est en ce moment à Biarritz avec son amant. Cette femme est incroyable ! Rien ne lui fait peur. Elle s'est travestie en Salambô, je vous laisse deviner ce que l'on voyait de ses charmes ! Tout, ou presque. Mais vraiment, quelle belle femme ! On lui pardonne ses extravagances, elle peut tout se permettre avec tant de beauté.

— Vous pensez que la beauté est une excuse à tout.

— À mon âge, oui. C'est si fugace ! Sur la plage hier avant de partir je suis allé la saluer. Elle portait une robe jaune citron et noir avec des bas bleus et un chapeau tourte sur sa chevelure. Quel chien elle avait ! Je regrettais presque de partir.

— Vous n'allez quand même pas y retourner ?

— Non, quand même pas. À dire vrai, je suis fatigué.

— Fatigué de quoi ? Vous êtes en vacances.

— En vacances ! Allons donc ! Je ne travaille jamais autant que dans ces périodes estivales. C'est le moment idéal pour cultiver mes relations, cher Léonce, je suis partout où il faut être. Et vous appelez ça des vacances ! Non, croyez-moi, je suis fatigué de tous ces potins, de ces mesquineries de cour, de ces repas auxquels il faut assister sous peine d'être exclu du cénacle. Toutes ces petites choses finissent par devenir de véritables tyrannies, on vit toujours ce qu'on n'a pas envie de vivre en se disant que c'est justement pour arriver à vivre ce que l'on veut. C'est un cercle vicieux dont on ne sort pas. J'ai besoin de retrouver un peu de hauteur.

Le député Léonce se voulut réfléchi :

— Je comprends très bien, dit-il, et vous avez employé le mot juste : tyrannie. Je ressens ça aussi, savez-vous ? Si je n'écoutais que mes envies, eh bien, je peux vous assurer que je ne serais pas ici en ce moment, mais chez moi, dans ma maison avec ma famille. Seulement voilà, je me dois moi aussi à mes relations comme vous dites. Ah là là ! on n'en finira donc jamais, il faut toujours être au feu.

— Si je vous suis bien, dit Mérimée moqueur, je vous ennuie mais vous êtes en ma compagnie au cas où...

Le chroniqueur poussa les hauts cris et jura ses grand dieux que jamais il n'avait eu à son sujet une pensée pareille, mais l'écrivain eut un geste las :

— Il n'y a que l'art qui échappe à tout ça, dit-il, et encore, seulement le grand art.

Pris d'une mélancolie soudaine il se mit à déclamer :

— ... Sous mes pieds, sur ma tête et partout, le silence,
Le silence qui fait qu'on voudrait se sauver,
Le silence éternel de la montagne immense,
Car l'air est immobile et tout semble rêver.
On dirait que le ciel, en cette solitude,
Se contemple dans l'onde et que ces monts là-bas,
Écoutent, recueillis, dans leur grave attitude,
Un mystère divin que l'homme n'entend pas...

Ouvrant les yeux qu'il avait clos pendant sa déclamation, redressant la tête, Prosper Mérimée répéta afin de mieux être entendu de son interlocuteur :

— *Un mystère divin que l'homme n'entend pas.* Que pensez-vous de ce dernier vers, mon cher Léonce. C'est beau, n'est-ce pas ? Cela renvoie à certains mystères...

Un peu surpris au début par cette séance de poésie impro-visée, Léonce de Lavergne avait vite pris le sourire complice de celui qui « sait » et il se dépêcha de montrer l'étendue de sa culture.

— Baudelaire est un très grand poète et j'aime beaucoup ces vers, ils élèvent l'esprit et nous guident hors du commun. Comme vous je me les récite souvent.

Visiblement contrarié que ses sentiments soient assimilés ainsi à ceux d'un vulgaire chroniqueur et que son envolée retombât de ce fait aussi bas, Mérimée changea de sujet. Justement un jeune homme bien mis, carnet à dessin sous le bras, descendait d'une calèche devant le café. L'écrivain se hâta de l'accueillir par une acclamation.

— Gustave ! Venez donc prendre un verre avec nous. Alors ! vous aussi, vous revenez. Je pensais pourtant que votre ouvrage avec Taine était terminé.

— *Le Voyage aux Pyrénées* ? Il est déjà épuisé, vous voulez dire et ils en redemandent. On fait une réédition et je viens rajouter quelques croquis. Et vous ? Vous faites une deuxième *Carmen* ?

— Que non, grands dieux ! Mais au fait... (Il se tourne alors vers M. de Lavergne visiblement charmé de la présence du nouvel arrivant :) Je ne vous ai pas présentés. Monsieur de Lavergne, le grand chroniqueur que vous êtes connaît-il la nouvelle étoile montante du dessin ?

— Monsieur Gustave Doré ? Mais bien sûr...

Mérimée partit alors d'un grand éclat de rire un peu forcé.

— J'en étais sûr, monsieur de Lavergne connaît tout et tout le monde.

Vexé, le chroniqueur en rajouta :

— Il serait difficile de faire autrement, on ne parle que de lui à Paris. J'ai même entendu dire, monsieur, qu'après Taine et Balzac vous vous attaquiez à un autre monument de la littérature, m'a-t-on menti ?

— Si vous voulez parler de *La Divine Comédie* de Dante, on vous a dit la vérité.

— Après le ciel bleu des Pyrénées, vous choisissez de vous enfoncer dans les profondeurs noires de l'enfer. Diantre ! Vous n'avez pas peur ?

— Bof, vous savez c'est un peu la même chose, ici ou ailleurs l'enfer est partout.

— Diable, vous voilà bien pessimiste, dit Mérimée soucieux de reprendre en main la conversation. Et qu'avez-vous donc vécu de si terrible ?

— La cohabitation avec des imbéciles dans des paysages aussi sublimes est plus dure encore qu'à Paris où on y est habitué. Ici on espère autre chose, or voilà qu'à chaque coin de rocher on tombe sur une connaissance, sans parler des petits crevés qui s'imaginent trouver en venant un sens à leur existence. Ils gâchent tout... À côté de ça vous avez aux trousses tous les miséreux du coin qui s'imaginent à voir vivre luxueusement ces fêtards que vous aussi vous avez les poches pleines d'or. Ces gamins en guenilles à mes trousses, tiens, j'ai même des idées noires.

— Des idées noires, à votre âge et dans votre condition ! l'interrompit Léonce de Lavergne. Allons donc, mon cher, laissez cela aux oisifs dont vous parlez et pensez à l'œuvre que vous accomplissez. À ces paysages grandioses dont vous fixez le trait pour l'éternité. C'est cela seul qui compte et si on devait s'attarder sur tous les laissés-pour-compte de l'histoire, on n'avancerait pas. Or il faut aller de l'avant. L'avenir ! L'avenir et la fête, la fête ! Il n'y a que ça de vrai. Qu'en dites-vous, Mérimée ?

— J'en dis que ce soir je vous convie à m'accompagner à Tarbes où les tables sont excellentes. Des cailles en pâté, des milliasses et des confitures. Un bon repas dans ce pays de cocagne, voilà ma réponse. Ça vous va ?

Deux rires amples et spontanés l'approuvèrent immédiatement.

— Encore manger ! Décidément ils ne pensent qu'à ça quand ils viennent ici. Mais ils n'ont rien à se mettre sous la dent là-haut ou quoi ?

Du haut de son siège capitonné derrière le comptoir, dans l'angle de la porte ouverte, Hortense Cazaux écoutait ses clients et les observait.

La cinquantaine passée, rose et soignée, sentant bon la poudre de riz et le parfum « Violettes de Toulouse », cette Lourdaise de vieille souche connaissait toutes les manies de la clientèle, qu'il s'agisse d'habitués ou de clients de passage. Et pour cause. Elle vivait ici depuis sa plus petite enfance. Avant elle, le *Café Français* avait appartenu à son père qui l'avait monté, à l'angle de la place Marcadal et de la rue de Bagnères. Une véritable institution qui réunissait l'élite de la ville et possédait un point de vue exceptionnel sur les deux places centrales où se jouait l'activité essentielle de Lourdes. Qui sortait ou entrait dans les maisons de pierre cossues de la place Marcadal ? Que faisaient les commerçants de la place de l'église ? Qui allait à la messe ? à la mairie ? à la Poste ? au commissariat ? Quels étaient les voyageurs qui arrivaient ? Bref, tout voir sans être vu.

Depuis la mort de son père, voilà plus de vingt ans, Mme Cazaux s'habillait tous les matins d'une élégante robe immanquablement noire, agrémentée de dentelles, en laine ou en étoffe plus légère selon la saison. Plus de vingt ans qu'elle tirait ses cheveux en arrière et les nouait en chignon

bas après avoir lissé, selon la mode de l'époque, deux bandeaux le long de son visage rond, ce qui lui donnait un air
d'Espagnole cossue. Car si Mme Cazaux était une femme
très discrète, elle restait une femme de son temps. À la place
qu'elle occupait près de son mari, elle se devait d'avoir une
présentation impeccable et, malgré son âge, elle tenait à
maintenir une certaine modernité. Surtout avec la clientèle
huppée qui passait chez eux. Petite fille dans la salle ou
femme mûre derrière le comptoir, voici plus de trente ans
que Mme Cazaux observait ces messieurs, les voyait évoluer,
vieillir, rire, se disputer, se réconcilier. Trente ans qu'elle
assistait à leurs amitiés, à leurs amours et à leurs trahisons.

— Vois-tu Thérèse, disait-elle la veille à son amie
Mme Millau lors du thé du lundi chez cette dernière, ils me
fatiguent. Je n'ai plus de patience comme avant. En plus ils
se sont mis à fumer la pipe et le cigare toute la journée. Je
ne respire plus. Ils m'étouffent. La saison prochaine je pren-
drai une aide de plus pour pouvoir m'absenter un peu.

Thérèse l'y avait fermement encouragée et, en cette fin de
journée, Mme Cazaux était tellement agacée qu'elle se jurait
de le faire le plus rapidement possible.

— Ida ! la porte !

Impeccable dans sa robe de toile noire et son tablier blanc
sagement noué autour de la taille, Ida, un plateau à la main,
alla rouvrir pour la énième fois la porte d'entrée que M. le
maire, Anselme Lacadé, avait machinalement refermée derrière lui. À peine était-elle revenue laver les verres derrière
le comptoir que Louis Pailhé, toujours de la dernière élégance dans sa jaquette noire, ses pantalons à carreaux et son
haut-de-forme entra à son tour et, comme le maire, referma
la porte derrière lui.

Ida, furieuse, regarda Mme Cazaux d'un air désespéré.

— Vous verrez, cet hiver, ils laisseront la porte ouverte et
je serai toujours en train d'aller la refermer.

— Ne t'en fais pas, va, répondit la patronne paisiblement.
Je vais faire poser une cale dès la semaine prochaine. S'ils

s'imaginent qu'on va s'intoxiquer dans la fumée de leurs affreux cigares, ils se trompent.

Ida renchérit.

— Et ce pharmacien ! Quel goujat ! C'est bien la peine de faire toutes ses théories sur la bonne santé. Je suis sûre qu'il va se mettre à fumer avec les autres.

Sans se douter le moins du monde qu'il était observé, Louis suspendit sa jaquette, posa son haut-de-forme, et, sous le regard noir d'Ida, alluma un bon et gros cigare. Après quoi il s'en alla rejoindre les autres membres du Cercle qui jouaient au bridge et au billard dans la petite salle du fond, loin des touristes. Une salle qui faisait la fierté de Mme Cazaux avec sa magnifique boiserie de frêne que son mari, Paul Cazaux, venait de faire poser par un ébéniste venu spécialement de Pau. Un professionnel réputé qui avait acquis un savoir-faire raffiné et un goût très britannique en travaillant dans les villas que la colonie d'aristocrates anglais faisait construire dans cette ville depuis près d'un demi-siècle. Des villas d'un luxe inouï ! D'ébéniste il était devenu conseiller-décorateur et l'aménagement du *Café Français* avait pris sous sa houlette une distinction toute nouvelle où se mêlaient des fauteuils clubs au cuir capitonné, des suspensions et des lampes à pétroles, des cuivres et des gravures romantiques représentant les Pyrénées. Avec encadrements en pitchpin, bien sûr.

Mme Cazaux était attachée à l'ancien décor, celui du temps de son père. Un décor simple fait de tables cirées et de petits rideaux blancs tendus à moitié fenêtres sur de fines tringles dorées. Mais elle n'était pas mécontente de l'initiative de son mari, grâce à lui le *Café Français* était désormais entré dans une catégorie plus luxueuse. C'était devenu une sorte de « club » dont l'ambiance flattait son goût bourgeois.

En cet instant même, comme toutes les fins de journée vers les six heures et demi, « Monsieur Paul » quitta la salle principale et s'en alla rejoindre le groupe des Lourdais dans la salle du billard. Tous appartenaient au fameux « Cercle Saint-Jean ». Un regroupement de l'intelligentsia locale qui réunissait entre eux les hommes d'un même monde social. Deux ou trois aristocrates du cru et des bourgeois bien installés, ayant tous pignon sur rue et compte en banque bien garni. Avocats, notaires, médecins, pharmaciens, rentiers, officiers, journalistes, au Cercle chacun avait son rôle et s'y tenait, ce qui permettait à la conversation d'avoir lieu de la manière la plus souple. Il y avait bien parfois un peu de polémique, mais si peu et si légèrement. Juste de quoi émoustiller les sens. Entre hommes de bonne compagnie, on n'allait jamais à l'affrontement et on se quittait toujours bons amis. Quant au costume, il n'y en avait qu'un, chemise blanche, chapeau haut-de-forme et redingote noire. Un uniforme incontournable auquel ne dérogeaient que certains esprits originaux comme le journaliste Bibé, porté sur les carreaux, et de temps à autre Louis Pailhé, toujours très au fait des dernières tendances.

Autour du billard, trois hommes pratiquaient l'échange avec un art consommé de la bienséance. Un moment, concentrés, ils étaient avec les boules de couleur et le tapis vert. L'instant après, libérés de leur jeu et passant à la craie le bout de leur canne, ils reprenaient la conversation commune. Ce soir, il était question d'un article paru la veille dans la *Revue des Deux Mondes*.

Pantalon à carreaux, gilet brodé, une lourde chaîne de montre à gousset en argent pendant sur sa poitrine, le jeune et fringant journaliste Bibé, qui sévissait dans les colonnes du journal local, *Le Lavedan*, se piquait, outre son élégance, d'être, chose essentielle à ses yeux, à la pointe des idées de son temps. Ne rien rater de l'avenir merveilleux qui s'annonçait pour l'humanité. Et ce grâce à la science et à la nouvelle philosophie en vogue : le positivisme. Renan, Auguste Comte, Littré, Taine, ces écrivains et penseurs étaient la bible du journaliste qui les citait à tour de bras.

Même son de cloche chez Louis Pailhé. Avec cependant une nuance de poids qui occupait la joute de cette soirée. Seuls, pour Louis, comptaient les scientifiques

— Vos philosophes, vos artistes, vos poètes, c'est bien

beau, mon cher Bibé, mais que font-ils, à part jongler avec les idées ? Or ce ne sont pas les idées qui importent aujourd'hui, mais les faits. Les grands hommes de demain sont et seront ceux qui se penchent avec méthode sur les faits. Les scientifiques l'emporteront sur les littéraires. Pasteur reléguera Victor Hugo aux oubliettes. Vous verrez !

— Pourquoi citez-vous Victor Hugo ? C'est un très grand poète, mais vous savez bien ce que je pense des poètes. N'oubliez pas que le positivisme est une science qui ne s'embarrasse pas de doux rêveurs. Néanmoins la critique, l'histoire, la philosophie sont indispensables à l'avenir et la recherche scientifique ne pourra développer une nouvelle histoire humaine qu'à la condition qu'elle s'unisse à ces sciences-là.

— Vous êtes un aussi doux rêveur que les poètes, Bibé ! La science « scientifique » s'imposera car c'est la seule indispensable, elle est la base de la connaissance et son fondement. Nous allons vers des progrès inouïs. L'homme concurrence la nature, il fait même mieux. Un avenir de grande prospérité pour tous les hommes s'annonce. C'est un fait sans précédent dans l'histoire et nous n'en sommes qu'au tout début, vous verrez. À quoi servent réellement vos philosophes ? Même Pasteur n'a pas une grande sympathie pour eux.

Le journaliste était outré :

— La philosophie se passe de l'assentiment de Pasteur, pour qui se prend-il ? Quelle arrogance ! Le positivisme triomphe sans lui et, qu'il le veuille ou non, jamais la pensée ni la réflexion ne pourront être dissociées de la science. Ce pourrait même être très dangereux ! Les scientifiques se doivent d'avoir une réflexion morale sur leurs travaux.

Louis Pailhé esquissa un haussement de sourcil plein de mépris et pointa la boule rouge. Une bande, deux bandes, trois bandes. Joli coup ! Fier de sa réussite il se redressa :

— Vous voyez, au jeu comme en science, les faits sont les faits. Et dites-moi un peu ce que la morale a à voir avec ça, hein ? Pourquoi faut-il que les hommes dont le talent est d'écrire s'imaginent être indispensables et veuillent toujours penser à la place des autres ! Qu'ils se contentent donc d'écrire des romans et qu'ils laissent les faits aux scientifiques qui savent s'en occuper bien mieux qu'eux. Regardez Auguste Comte, le créateur du positivisme, toutes ses belles théories sur la connaissance scientifique de l'homme se sont effondrées. Et devinez devant quoi ?

Bibé eut l'air surpris.

— Devant une femme, mon cher. (Louis Pailhé partit d'un rire que rien ne semblait pouvoir calmer.) Une Clotilde de Vaux qui le fit tourner en bourrique et rallia ce grand esprit aux vertus du sentiment et des superstitions. Il paraît même qu'il aurait appelé Dieu ou le diable au secours pour qu'elle daignât enfin le regarder et lui accorder l'aumône d'un sourire. Voyez, Bibé, les esprits philosophiques sont des esprits bien faibles face aux réalités. Seuls résistent les faits... et les vrais scientifiques.

Il riait de plus en plus fort devant un Bibé déconfit qui ne savait quoi répondre.

— Une Clotilde de Vaux, une simple femme, et hop ! toute la construction de votre Auguste fout le camp. C'est à se tordre de rire, non ? insista Louis qui riait de plus belle.

Le troisième joueur, qui jusqu'à présent avait assisté sans sourciller à l'échange entre le pharmacien et le journaliste, regardait à l'extérieur. Bel homme, la trentaine, connu pour son extrême rigueur professionnelle, le commissaire Journé possédait ce qu'il est convenu d'appeler un œil aigu.

Il fixait une silhouette féminine, un châle sur les épaules, qui traversait la place Marcadal en courant et qui rentrait précipitamment sous le porche de la maison du pharmacien. Le commissaire Journé reconnut Sophie Pailhé. Même de loin, il avait discerné qu'elle était ébouriffée et que sa course avait un rythme inhabituel, un brin trop rapide. Journé esquissa un imperceptible sourire et se retourna vers Louis. Le mari de Sophie arborait toujours le même air béat de satisfaction après sa joute avec Bibé dont il estimait être sorti largement vainqueur. Comme Louis, le commissaire n'avait pas beaucoup de goût pour les grands discours que leur imposait souvent le journaliste et à son avis la littérature ne servait qu'à embrouiller les esprits. Dans son commissariat il en savait quelque chose, s'il avait dû écouter tout ce qu'on lui racontait ! Les faits et seulement les faits. Il était totalement d'accord avec Louis Pailhé. Seulement, ce soir, l'air arrogant du pharmacien à qui tout réussit et qui a toujours raison lui fut plus insupportable que les discours fumeux de Bibé.

« Ce pharmacien qui parade pendant que sa femme court, qui ne voit rien et qui donne aux autres des leçons de lucidité ! C'est un comble ! » Journé sentit monter en lui le cynisme froid qui le caractérisait lorsqu'il exerçait son métier. Cet homme calculateur, qui parlait peu mais observait beaucoup, n'était jamais autant à son aise que dans les situations de double jeu. Surtout quand il avait les cartes en main. Dans un premier temps, il décida d'instiller dans le cœur du pharmacien le fiel du doute. « Il faut y aller à petites doses, se disait-il, lancer des allusions peu claires mais suffisamment énigmatiques pour intriguer. Ce pharmacien mérite qu'on le remette à sa place. »

Il s'approcha du billard où se tenaient Bibé et Louis et prit un air matois :

— À propos de fait, mon cher Louis, le problème voyez-vous, c'est que pour bien comprendre ce qui se passe autour de nous, il faudrait avoir l'œil à tout. Connaître justement tous les faits. (Il prit soin de bien insister sur ce « tous ».) Or, c'est impossible, n'est-ce pas ? Du coup, comme la plupart des faits nous échappent, on passe à côté d'informations essentielles qui nous seraient fort utiles. Et contre ça, l'analyse scientifique ne peut pas grand-chose.

Stupéfait d'une intervention aussi mystérieuse Louis Pailhé se redressa.

— Que voulez-vous dire ? De quels faits parlez-vous ?

Le poisson avait mordu, le commissaire jubilait.

— D'aucun en particulier. Simplement je voulais attirer votre attention sur le fait que la science qui vous est si chère, mon cher Louis, n'a pas encore fini d'explorer l'insondable mystère de la nature humaine. Que nous apprend la science sur les êtres qui nous entourent ? Y compris sur ceux qui nous sont le plus proches ? Croyez-moi, j'ai vu dans mon métier beaucoup de cas échapper à la logique et à toute raison. C'est ainsi, je dois me rendre à l'évidence. La nature humaine reste un mystère, même pour la science et sur ce terrain-là rendons grâce à nos philosophes et à nos écrivains car, avec leur imagination, ils nous en apprennent beaucoup

Bibé affichait un sourire resplendissant. Le commissaire sortit calmement sa montre à gousset, faisant fi de la mine déconfite de Louis dont il venait de ternir la belle rhétorique.

— Huit heures. L'heure du dîner. Mes amis, je vous laisse. À demain.

Il enfila soigneusement la jaquette noire qu'il avait suspendue au portemanteau lourdement chargé de la petite salle, posa son haut-de-forme sur ses cheveux courts et blonds impeccablement peignés, prit sa canne au pommeau argenté et salua l'assemblée avec le même sourire que tous les soirs. Un sourire courtois sous sa moustache claire. On ne savait jamais vraiment ce que pensait le commissaire Journé.

Mme Cazaux le regarda s'éloigner. Rien ne lui avait échappé de la scène qui venait de se jouer et elle avait bien vu le regard du commissaire sur la course de la belle chocolatière. Hélas ! elle était trop loin pour entendre ce qu'il avait dit ensuite à Louis. Mais en voyant l'air perplexe du pharmacien, elle se demandait ce que pouvait bien fabriquer cette coquette de Sophie. « Il ne faudra pas, se dit-elle, que j'oublie d'en parler à Thérèse Millau, lors du prochain thé. »

Que se passait-il ? Pourquoi la voiture était-elle déjà sortie et les chevaux attelés si tôt devant chez Pailhé ? Il n'était pas encore sept heures, Marie Abadie en était sûre, elle avait jeté un coup d'œil à l'horloge de l'église en passant. Elle venait ramener le linge et elle ralentit le pas, ce remue-ménage inhabituel la dérangeait. Elle reconnut Léon, l'employé de

Louis Pailhé, qui transportait une grosse pile de sacs de toile dans la voiture avec l'aide du cocher Basile.

« Ah ! oui, c'est vrai ! C'est le jour de Bayonne. Ils vont au port chercher le cacao. Heureusement, le patron n'a pas l'air d'être encore là. » Soulagée, elle se dépêcha de passer avant qu'il n'arrive mais elle avait du mal à avancer tant elle était épuisée. Cela se voyait, elle le savait, et c'est pour ça qu'elle ne voulait surtout pas croiser le patron. Ce n'aurait pas été bon qu'il la voie dans cet état. La panière à linge qu'elle portait sur sa tête était remplie de draps et pesait lourd, enfonçant son cou entre ses épaules. On aurait dit une petite vieille toute ramassée. Quand elle arriva au niveau des deux hommes, Léon était en train de râler après Basile qui, selon lui, installait mal les sacs.

— Si tu mets tout de ce côté, là-bas, à Bayonne, au moment de remplir, ils vont pas s'embêter. Ils vont prendre n'importe lesquels et nous, à l'arrivée, on sera dans la merde. Il faut de l'organisation. À droite on met le tas de sacs pour les fèves forasteros et à gauche ceux qui sont pour les catégories supérieures ou les nouveaux arrivages. On ne sait jamais, il peut encore y avoir du criollos ou un lot inconnu. Faut bien préparer au départ. Tu sais pas encore ça à ton âge ? Qu'est-ce que tu as appris alors ?

Basile venait d'avoir dix-huit ans. Il était bien plus jeune que Léon et ce dernier profitait du bénéfice de son ancienneté dans la maison, trente années au service de Louis, et de son père avant lui, pour jouer au patron à chaque occasion. Basile soupira mais s'exécuta. Quand on trouvait une place comme celle-là, régulière et bien payée, on se taisait. À Lourdes ils étaient nombreux ceux qui auraient bien voulu avoir cette chance. Petit, râblé, l'air autoritaire de l'homme assuré de sa situation dans la maison, Léon s'affairait. Il ne prêta aucune attention à Marie qui ployait sous la charge et passa près d'eux. Seul Basile lui lança un sourire complice.

— Dis donc, fit-il à Léon, elle a l'air bien fatiguée, la Marie.

— Et alors ! répondit le commis d'un air hargneux, tu

crois qu'on n'est pas fatigués, nous ? Si elle portait ces sacs, elle verrait, tiens, c'est autre chose que sa panière ! Allez occupe-toi du boulot au lieu de pleurer sur les fainéants.

Marie n'avait pas entendu. Elle s'était faufilée sous le porche jusqu'au jardin derrière la maison. Elle atteignit la porte des communs qui s'ouvrait sur un petit couloir desservant, à gauche la cuisine, et à droite la lingerie et la remise. Par la porte de la lingerie entrouverte, Marie vit le tablier immaculé de Louisette aux volants impeccablement amidonnés. Une belle lumière matinale d'automne éclairait le linge blanc que cette dernière était en train de trier sur une longue table de bois clair. Devant cette ambiance soudaine de douceur et cette quiétude, Marie sentit monter en elle une faiblesse immense que rien ne semblait pouvoir arrêter. Elle suffoqua. Elle voulut appeler Louisette, mais les mots ne sortaient pas. Une odeur de café et de pain grillé arrivait de la cuisine jusque dans le couloir. Marie la respirait comme si elle l'avalait. Tout se brouilla devant ses yeux. Elle s'effondra sur le sol dur, lâchant la panière qu'elle portait et qui vint s'écraser contre le mur de la lingerie. Les draps bien pliés s'étalèrent en vrac dans le couloir.

Il y eut un silence puis une voix d'homme cria depuis la cuisine.

— Louisette ! C'est vous ? Mais que se passe-t-il, bon sang ?

Louisette elle aussi avait entendu le fracas. D'un bond elle surgit dans le couloir et, en un clin d'œil, voyant Marie étalée, elle comprit ce qui se passait. Vite, se dit-elle, il faut réagir avant que Monsieur ait le temps de venir voir. Elle se jeta littéralement sur la porte de la cuisine et elle passa la tête par l'entrebâillement pour le rassurer.

— Ne vous inquiétez pas, monsieur, c'est rien, c'est rien. J'ai fait un mauvais pas et je suis tombée avec la panière du linge. Je ramasse tout, c'est rien.

Son bol de café à la main, son pain grillé dans l'autre, Louis la regardait, ébahi.

— Eh bien vous en faites du bruit en tombant, vous !

Et sans se soucier de savoir si elle s'était fait mal ou non, il enchaîna :

— Je pars à Bayonne dans deux minutes. Vous direz à ma femme que, comme convenu, je serai là demain dans la journée. En début d'après-midi au mieux.

— Bien, Monsieur. Ne vous inquiétez pas, je lui ferai la commission, et, de toute façon, on vous attend pour le dîner.

Indifférent à l'attention qu'elle lui prêtait tout comme il l'avait été à sa chute, Louis continua de manger.

— À demain, Monsieur, et faites bon voyage.

Comme il avait la bouche pleine, il fit un signe qui semblait vouloir dire qu'il avait entendu et Louisette referma la porte. Dans le couloir, Marie n'avait pas bougé. Elle gisait au sol, inconsciente. Louisette tenta de la soulever, mais en vain, elle était trop lourde. Que faire ? Si Monsieur sortait maintenant ! Il ne fallait à aucun prix qu'il voit Marie ainsi, sinon il dirait qu'elle n'était bonne à rien. « Basile ! Vite je vais aller le chercher. Il va m'aider et lui au moins il ne dira rien à personne. » Elle sortit et revint avec le jeune cocher. Tous deux portèrent Marie dans la lingerie et arrivèrent à l'asseoir sur une chaise.

— Laissez-moi faire.

Basile donna deux grandes claques sur les joues de Marie qui, sous le choc, ouvrit les yeux.

— Ça va mieux ?

Dans le flou, Marie discerna un jeune visage penché sur elle et qui lui souriait. Elle reconnut Basile et esquissa un sourire fatigué.

— Mais qu'est-ce qui m'arrive ? Qu'est-ce que je fais là.

Tout tournait dans sa tête, Louisette, le linge, la table, Basile. Elle avait du mal à stabiliser sa vue. Elle fit un effort pour se lever, mais Louisette l'en empêcha.

— Reste là, Marie. Je vais te chercher un café chaud, ça va te requinquer. Bouge pas, attends-moi là, je reviens vite. Je vais voir Madame. Comme ça après on sera tranquilles.

Elle sortit avec Basile.

— Qu'est-ce qu'elle a ? demanda celui-ci en parlant de Marie. Je la trouve bien changée depuis quelque temps.

— Tu en connais beaucoup, toi, pour qui ça va fort en ce moment ? À part ceux du haut pour qui tout va de mieux en mieux. Mais... les autres... hein ! tu trouves qu'ils vont bien, toi ?

— Non. Je sais. Tiens, mon frère avec ses trois petits, il a de plus en plus de mal. Et pourtant il travaille aux carrières. Mais c'est irrégulier. Y'a des fois je dois l'aider. Heureusement j'ai pas encore de femme ni de petits.

— Ohhh ! Tu dis ça d'une drôle de façon, toi. Qu'est-ce que ça veut dire ? Tu as une fille en vue ou quoi ?

Basile rit de bon cœur.

– - Bah ! J'ai personne en vue. Et si j'avais, c'est pas à toi que je le dirais. Allez, à demain Louisette ! (Il désigna d'un geste la porte au fond du couloir.) Et soigne-la bien.

Seule dans la lingerie, Marie revenait petit à petit à la réalité. Elle regardait autour d'elle. La haute fenêtre ouverte donnait sur le côté du jardin. Une rangée de peupliers brillait dans le soleil. Les feuilles rouge et or bougeaient à peine dans la douceur de l'air, et ce ballet faisait des ombres mobiles sur le mur blanc de la lingerie. On entendait leur bruissement léger mêlé au chant matinal des oiseaux. Marie se laissait porter. Que de beauté ! Que cette pièce était claire et qu'elle sentait bon l'air pur ! Elle se mit à rêver. Et si cette pièce, c'était chez elle ? Elle mettrait des lits, là, au fond. Et elle verrait bien le coin cuisine avec l'évier tout près de la fenêtre pour profiter de l'air et aussi une table au centre, face aux peupliers. Quelle richesse d'avoir tant de lumière qui rentre chez soi ! Ce court moment d'imagination était déjà du luxe pour Marie qui ne se laissait jamais aller à imaginer quoi que ce soit. À quoi bon ! Mais là elle se demandait pourquoi il faisait toujours sombre chez les pauvres, toujours humide, quand ailleurs existaient des pièces si saines, si claires... Qu'est-ce qu'elle y était bien !

La porte s'ouvrit et Louisette entra avec un plateau sur

lequel elle avait posé un gros bol de café fumant et quatre belles tartines grillées recouvertes de confiture.

— Allez, Marie, tu vas manger ça, tu iras mieux après, tu verras. Mais avant (elle attrapa dans un placard une bouteille de vin blanc déjà entamée), bois un petit coup. Ça requinque. C'est du vin bourret que le père Cazenave nous a porté en livrant le patron. Ils viennent de faire les vendanges. Il est tout frais. Il a encore le goût du raisin.

Marie but une gorgée et le vin glissa au fond de sa gorge, charriant avec lui toute la douceur de l'automne.

— Que c'est bon ! Que ça fait du bien ! Merci Louisette.

— Allez, allez, pas tant de mercis. Mange ! (Elle installa le plateau sur les genoux de Marie.) Pendant ce temps je vais ramasser le linge et le plier. On se tiendra compagnie. Je suis montée voir Madame, elle descend pas avant une bonne heure. On est tranquilles.

Mais Marie ne l'écoutait plus. Elle avait plongé dans le bol de café et dévorait frénétiquement une tartine. Plus rien n'existait. Elle mangeait, ou plutôt, elle engloutissait. C'est alors que la porte s'ouvrit violemment sur Louis Pailhé. En un clin d'œil il vit la bouteille de vin bourret, le café, les tartines, et son sang ne fit qu'un tour :

— C'est Léon qui avait raison, il s'en passe de drôles dans mon dos ! (S'adressant à Marie d'un ton méprisant :) Et vous, qu'est-ce que vous faites là ?

Louisette, encore sous le choc de l'entrée de Louis, s'interposa :

— C'est moi, Monsieur, je...

Elle n'eut pas le temps de finir, Louis l'avait empoignée par la manche et l'avait tirée dans le couloir tout en claquant la porte derrière lui, laissant Marie seule dans la lingerie, désemparée avec à la main un bout de pain. À travers la porte elle entendit Louis crier :

— Mais qu'est-ce qui vous prend, Louisette ! Vous perdez la tête ou quoi ? Et tout ce linge par terre, c'est elle, non ? Elle a bu, elle tient plus debout, que fait cette ivrognasse ici ?

Le mot choqua si fort Louisette et il était tellement loin de ce qu'était Marie qu'elle ne put s'empêcher d'être indignée :

— Une ivrogne ! Mais, Monsieur, Marie est notre lingère, c'est une femme très bien et...

Mais Louis n'était pas disposé à entendre quoi que ce soit :

— Écoutez, Louisette, si vous voulez garder votre place, vous me la foutez dehors et je ne veux plus la voir dans cette maison. Ces gens-là ont toujours trois sous pour acheter du vin mais pour le pain ils n'en ont jamais. Toujours la même rengaine ! Et si elle se lavait en plus ça ne serait pas de trop, quelle odeur elle a ! Dehors ! Vous m'avez compris Louisette, et vite.. que je n'en entende plus parler !

Marie entendit Louisette acquiescer d'une petite voix :

— Oui, Monsieur, oui... je m'en occupe.

Puis les pas du pharmacien s'éloignèrent dans le couloir. Quelques minutes se passèrent. Dans la lingerie, Marie tremblait. Elle avait posé le plateau sur la chaise et elle attendait debout, n'osant pas bouger. Enfin Louisette ouvrit la porte. Elle tenait dans les bras le linge tombé dans le couloir.

— Je pars, Louisette, je pars, lui dit aussitôt Marie. Excuse-moi pour tout, je pars.

Elle se dirigea vivement vers la porte. Louisette, blême, fit barrage :

— Tu restes là, Marie. Ici, dans cette pièce, je suis chez moi. Tu fais ce que j'ai dit. Assieds-toi.

Marie était anéantie, les paroles de Louis s'étaient enfoncées dans son cœur et l'avaient broyé. Fuir, elle ne voulait que fuir et pour cela elle se sentait encore la force de se lever et de faire les pas qu'il fallait. Mais Louisette fut intransigeante et elle n'y alla pas par quatre chemins. Prenant Marie par les épaules, elle la jeta sur une chaise et remit le plateau sur ses genoux. Mais Marie n'avait plus faim, elle avait mal, si mal que plus rien ni personne ne pouvait la soulager. Louisette sortit vérifier que la voiture était bien partie, de loin elle vit la silhouette de Léon qui rentrait dans la pharmacie :

— C'est lui, ragea-t-elle, c'est cette larve, ce larbin ! J'en suis sûre, il a vu Basile venir me donner un coup de main et il lui a tiré les vers du nez, puis il a tout raconté au patron pour se faire bien voir. Quelle pourriture ! Je l'aurai, dès que je peux je lui fais un coup tordu. Il s'en remettra pas, quelle ordure !

Puis elle revint près de Marie.

— Depuis quand t'as pas mangé de pain, Marie ? lui demanda-t-elle doucement.

Marie releva la tête.

— Ça fait bien... trois semaines.

— Trois semaines ! Et qu'est-ce que tu manges, alors ?

— De la pâte de maïs. Ça fait trois semaines qu'on n'a rien pris d'autre. Ma mère m'a donné quelques légumes que j'ai cuit pour une soupe avec un peu de pâte, et j'ai acheté quatre fois du lait. Le vin, tiens, ça fait une éternité que j'en avais pas bu. Quant au café j'en achète plus depuis long-temps, et tout l'hiver on a eu que des châtaignes. Le lard, j'ai payé le loyer avec.

— Je savais que ça allait pas bien, Marie, je le voyais. Mais tu es toujours si souriante, si gaie. Je me doutais pas que c'en était à ce point... Et ton Jean alors ? Qu'est-ce qu'il fait ?

— Ce qu'il peut. Il cherche tous les jours. Il sort, il va aux diligences, aux carrières, aux champs. Mais à son âge ça devient difficile. Jean vient juste de faire ses trente-cinq ans, c'est pas vieux, seulement, à choisir, un patron préfère un jeune de vingt-cinq ans. Ils ont plus de force, plus de résis-tance. Ça fait plus de vingt ans que Jean est aux carrières. Il a commencé à douze ans et ça l'a pas arrangé. Il commence à être mal en point, comme moi, et ça se voit.

Elle baissa la tête et d'une voix à peine audible elle dit :

— Et Monsieur ? Il criait, j'ai pas tout compris à cause du français, mais il disait que je dois partir, c'est ça non ? C'est ça qu'il disait ?

Marie ne voulait pas dire à Louisette qu'en fait elle avait très bien compris les mots de Louis. Ils étaient encore plantés à vif dans sa chair, si fort qu'elle ne pouvait même pas en parler. Seulement elle se demandait si Louis voulait aussi dire qu'elle ne devait plus travailler pour eux. Et cette question la plongeait dans une angoisse noire.

— Il veut plus que je travaille ici et...

Louisette l'interrompit, elle aussi était à vif, la violence et la méchanceté de Louis l'avaient un instant suffoquée. Mais elle n'était pas femme à se laisser faire, elle avait trop l'expérience des caprices de ses patrons, trop d'années passées au service de cette maison pour se laisser traiter ainsi et, dès que Louis avait eu le dos tourné, elle avait décidé que ça ne se passerait pas comme ça.

— C'est pas son affaire, dit-elle à Marie d'un ton soudainement redevenu serein, la maison c'est l'affaire de Madame et la mienne. Il n'a rien à y voir, qu'il s'occupe de ses fioles ! (Puis passant du coq à l'âne :) Et Lucile, elle peut pas chercher du travail aussi pour t'aider ?

Marie sursauta :

— Mais Louisette ! Elle ne fait que ça. Tu t'imagines bien qu'elle reste pas à rien faire. Elle fait des fagots, elle va aux champs chercher le moindre coup de main qu'elle peut donner, elle va même à la tutte aux cochons à Massabielle dans la boue chercher des os. Ça rapporte un peu, mais si peu. Et maintenant c'est l'hiver qui arrive... Je vais te dire. J'ai peur. Pour la première fois j'ai peur qu'on y reste tous. J'ai plus de forces et pour aller au bois chercher les fagots, Dieu sait qu'il en faut ! Avec Lucile on y part dès quatre ou cinq heures. Tous les jours. Sinon on trouve rien, les autres sont passées avant et elles ont ratissé les bois morts puisque le reste on peut pas y toucher et le garde il surveille, tu sais, il en a pris plus d'une qui cassait des branches dans les futaies et il les a pas ratées. Alors on est obligées de marcher jusqu'au fond du bois de Lourdes, des fois pour presque rien. Et le froid qui te mange les os. Lucile a plus de bas. On les a reprisés au moins dix fois. Ils tiennent plus. L'été ça va. Mais cet hiver pour aller au bois...

Louisette était remontée. Louis Pailhé était allé trop loin, il allait voir ce qu'il allait voir.

— Attends-moi.

Elle fila à la cuisine et revint avec un pain entier et un morceau de lard qu'elle enveloppa dans un drap et qu'elle glissa au fond de la panière de Marie. Puis elle se ravisa et alla au placard duquel elle sortit une robe de laine et une paire de grosses chaussettes d'homme un peu usées.

— C'est pas de la première fraîcheur mais ça va t'aider. La robe était à moi mais je peux plus la mettre (en riant elle montra son tour de taille) et je pense pas que je la remettrai jamais. Les chaussettes, elles sont au patron quand il va à la chasse. Elles seront un peu grandes mais tu t'arrangeras. Moi je lui dirai qu'elles étaient mortes.

Elle cacha le tout sous la pile de linge à laver et mit un doigt sur sa bouche. Puis elle plongea la main dans la poche de son tablier et sortit deux francs qu'elle glissa prestement dans la poche de celui de Marie qui la regardait faire, bouche bée.

— Mais...

— Ne dis rien. C'est pas du vol, c'est une petite avance. Je le dirai pas à Monsieur, tu t'en doutes, mais je le dirai à Madame et elle sera pas fâchée, au contraire. Je la connais bien. Seulement je lui dirai le jour venu. Faut choisir ses moments. Allez, Marie. T'inquiète pas. Ces sous tu les as gagnés, ils sont à toi, c'est juste une avance que je te fais sur le nombre de draps. On s'arrangera, ne te fais aucun souci.

Marie sentit les larmes lui venir. La violence de Louis Pailhé, la générosité de Louisette, elle ne savait plus... Depuis qu'elle était toute petite, à peine tenait-elle sur ses jambes, elle n'avait jamais arrêté de travailler. Le travail ! Elle ne connaissait que ça et elle s'y était donnée entièrement, persuadée qu'il les sauverait. Il était, de toute façon, la seule voie possible et elle y avait cru de toutes ses forces, elle l'avait donné comme valeur suprême à sa fille et elle s'y était toujours tenue. Tout ça pour s'entendre dire un jour qu'elle était une « ivrognasse » ! Oh, que ce mot lui faisait mal ! Quelle désillusion ! Louisette la raccompagna jusque sous le porche et, avant qu'elle ne franchisse la riche et lourde porte cochère, elle lui dit :

— Je t'aiderai, Marie. N'aie pas peur, et surtout ne pense plus jamais à ce qu'a dit le patron, il...

Marie s'éloigna en courant. Elle ne voulait pas éclater en sanglots.

— Louisette ! Louisette ! Où êtes-vous donc ?

Sophie venait de descendre et, ne trouvant pas sa cuisinière, s'était mise à l'appeler à grands cris. Louisette bougonna et arriva au pas de course.

Quand elle pénétra dans la cuisine, Sophie était assise à la table, l'air tout retourné.

— Louisette, enfin ! Mais où étiez-vous ? Je ne me sens pas très bien. Je crois que je vais aller voir le docteur Balencie.

Le docteur ! Ça alors ! Louisette était stupéfaite. C'était bien la première fois depuis qu'elle était à son service qu'elle entendait Sophie se plaindre d'être malade. Ronchonner parce que sa coiffure n'allait pas, que sa robe était déjà démodée et qu'il lui en fallait une autre, pester parce que le chapeau désiré n'était pas encore arrivé chez la modiste. Toutes ces jérémiades de coquette, Louisette y était habituée. Mais malade ? Sophie ? Jamais. Elle n'était pas douillette. Louisette était inquiète, effectivement Sophie avait une drôle de mine. Elle ne touchait pas à son petit déjeuner et elle était bien pâle.

— Mélanie n'est pas encore arrivée, lui dit-elle. Vous allez m'aider à m'habiller. Je veux aller voir le docteur tout de suite, je suis vraiment mal.

Elles montèrent à la chambre et tout le temps de l'habillage elles passèrent en revue ce que Sophie pouvait bien avoir. À commencer par ce qu'elle avait mangé les derniers jours.

— Peut-être les œufs, dit Sophie.

— Pensez donc, ils sont tout frais à chaque fois. Je les prends directement à la ferme de Petiot. Non, non ce n'est pas les œufs... peut-être la farine. La dernière fois, au lieu de la prendre chez Maisongrosse, je l'ai achetée au marché à un ambulant. J'aurais dû me méfier...

— La farine ! Que voulez-vous qu'il y ait dans la farine ?

— Tout ce qui s'est pas vendu, tiens ! Lentilles, pois, haricots, tout ce qui commence à pourrir, ils le concassent et hop ! Ni vu ni connu ils vous le fourguent dans la farine.

Sophie fit une moue de dégoût et se tint le ventre.

— Vous pensez que ça pourrait être ça, Louisette ?

— Mais oui ! Ça ou autre chose. Aujourd'hui on ne sait plus à qui faire confiance. Tenez il paraît qu'à Grasse, là-bas sur la Méditerranée, on vient d'emprisonner trois bouchers. Ils vendaient de la viande d'animaux morts de maladie. Vous vous rendez compte ! Je parie qu'après ça on doit avoir le ventre bien retourné.

— Ahggg...

Sophie venait de porter les mains à sa gorge, elle défaillait. Vite, vite. Louisette attrapa la cuvette en faïence dans le boudoir attenant à la chambre et la posa sur les genoux de Sophie.

— Surtout, madame, si vous devez vomir, faites-le là-dedans. On va attendre un peu que ça vous passe avant d'y aller.

Elle lui passa un linge humide sur le front et sur le visage.

— Là. Ça va mieux ?

— Oui, un peu. Mais c'est votre faute Louisette. Avec ces histoires horribles. D'où sortez-vous ça ?

— C'est les maquignons de Toulouse qui le racontaient au marché jeudi dernier, mais, madame ! tout le monde sait que tout est trafiqué en ce moment. Sous une couche de beurre frais on vous met un bloc de beurre rance. Le roquefort, ils y mélangent du pain moisi et de vieilles fécules de pommes de terre pourries. Et le vin n'en parlons pas. Heureusement qu'on se sert directement chez Artiganave, sinon allez savoir ce qu'on boirait...

Sophie était de plus en plus pâle et son visage grimaçait vilainement. Louisette n'avait pas tort, il s'en passait de drôles avec la nourriture. Pas plus tard que la veille, Louis lui avait raconté qu'en Angleterre ils avaient épinglé un certain Richard Cadbury parce qu'il mettait n'importe quoi dans son cacao. Des farines avariées et jusqu'à de la brique pilée pour augmenter le poids et donner une couleur plus rouge. Rien qu'à imaginer ce que cela devait faire dans le ventre des enfants, elle mit ses mains sur le sien...

— Oui, vous devez avoir raison. Peut-être que c'est la farine. Mais quelle idée de l'acheter à n'importe qui aussi !

Louisette acquiesça.

— Ah, ça ! on ne m'y reprendra pas.

Le docteur Balencie enleva ses gants de caoutchouc, posa son stéthoscope et s'assit derrière un luxueux bureau noir de style Empire dernier modèle. Sophie finissait juste de se rhabiller, aidée par l'assistante du docteur. Elle ajusta son mantelet et prit place face au bureau sur l'une des deux élégantes chaises légères en bois tourné noirci, à rehauts de dorure et à l'assise capitonnée de feutrine rouge.

Elle eut soudain un mauvais pressentiment. Le docteur la regardait en souriant, mais au lieu de lui être de bon augure, ce sourire faisait naître en elle une inquiétude.

— Chère madame Pailhé. C'est une excellente nouvelle que j'ai à vous annoncer.

Mains jointes, avant-bras appuyés sur le cuir de son bureau, Balencie la regardait avec bienveillance. Il pesait ses mots afin de leur donner plus de poids. Il ne doutait pas un instant que ce qu'il avait dire allait combler la jeune femme.

— Chère madame...

Le ton était solennel et c'est seulement à cet instant que Sophie commença à entrevoir la vérité. Comment n'y avait-elle pas pensé ! Le rythme de son cœur s'accéléra de manière folle.

« Non ! hurla-t-elle intérieurement. Non ! pas maintenant ! ce n'est plus possible ! Ce n'est pas vrai, au secours !... »

Toujours souriant, Balencie observait la transformation du visage de Sophie. Il attribua le désarroi qui s'y lisait à la peur d'un espoir déçu. Alors il se lança. D'après lui, Mme Pailhé était prête à recevoir l'heureuse nouvelle, il avait bien ménagé son effet.

— Oui, madame, c'est bien ça, vous avez bien compris... (Et il articula :) Vous a-tten-dez un en-fant.

Sophie blêmit. Elle était au bord de l'évanouissement. Le docteur crut à une joie trop forte. Il vint près d'elle et lui tapota les joues d'un geste mi-médical, mi-paternel.

— Allons, allons, vous voyez que tout arrive. Je vous l'avais dit. Vous vouliez un enfant et il ne venait pas. Il viendra en son temps, vous disais-je. J'avais raison, n'est-ce pas ? Soyez heureuse. Il est là. Et si mes prévisions sont exactes, vous devriez accoucher en janvier 1858. Un beau début d'année, non ?

Balencie raccompagna Sophie sur le pas de la porte et, quand elle fut dans la rue, il attendit pour lui faire de loin un signe amical, comme s'il voulait accompagner la bonne nouvelle le plus loin possible. Puis il rentra en se frottant les mains. La journée commençait bien. C'est que dans un cabinet de médecin les bonnes nouvelles étaient rares. Il fallait en profiter.

Seule dans sa chambre, Sophie tenait une lettre ouverte. Elle était assise sur le bord du lit et son bras pendait le long de son corps, elle tenait la lettre du bout des doigts et son regard absent fixait le vide. Une mauvaise nouvelle ne vient jamais seule, dit-on. Jusqu'à ce jour la vie lui avait épargné les grands chocs, mais là, en une seule matinée, le destin lui en offrait deux d'un coup.

Abel partait. La lettre était de lui et il disait qu'il voulait la voir ce soir chez Antoinette. Demain il serait trop tard peut-être. Son régiment pouvait partir d'une heure à l'autre. Il devait aller en mission en Italie et ignorait pour combien de temps. Il savait seulement que le départ était imminent. Sophie avait appris la nouvelle en rentrant. Louisette lui avait annoncé qu'Antoinette Peyré était venue la voir. Ça paraissait important et Antoinette avait attendu Sophie longtemps, mais elle avait été obligée de partir et du coup avait bien été obligée de sortir une lettre de sa poche qu'elle avait confiée à Louisette avec mille recommandations. Soi-disant une histoire de dette chez Lacaze pour les derniers métrages de soie et de dentelles. Ces explications alambiquées n'avaient pas rassuré Louisette, au contraire, et Sophie avait bien vu qu'elle était intriguée quand elle lui avait remis la lettre, d'autant qu'elle ne l'avait pas ouverte devant elle. Sans aucune explication ni sur son mal ni sur la lettre, Sophie était montée à sa chambre et avait demandé qu'on ne la dérange pas. De toute façon qu'aurait-elle bien pu dire à Louisette et à Mélanie ? Heureusement que Louis n'était pas là. Comment aurait-elle pu jouer la comédie du bonheur ? Impossible. La nouvelle de l'enfant à naître l'avait plongée dans un grand désarroi et le départ d'Abel à ce moment précis lui était d'une violence insoutenable. Comment allait-elle faire face ? Que dire à Abel ? Cet enfant n'était pas de lui, Sophie en était sûre. Il ne pouvait être que de Louis puisqu'elle ne s'était vraiment donnée à Abel que tout récemment. Sophie se sentait perdue. Cet enfant qu'elle aurait tant voulu il y a quelques années était maintenant pour elle un fardeau impossible à porter. De toutes les forces de sa volonté elle savait qu'elle n'en voulait pas car cet enfant n'était pas le fruit de son amour. Son amour s'appelait Abel et, aujourd'hui, seul un enfant d'Abel pouvait la combler de bonheur.

Antoinette fut réveillée à l'aube par des coups sourds sur les volets de son atelier. C'était Louisette. Antoinette avait compris, elle lui ouvrit précipitamment la porte.

— Monsieur est rentré plus tôt que prévu, dit Louisette. Il vient d'arriver et il est en train de décharger les sacs. Sophie doit rentrer immédiatement. Il n'y a pas une minute à perdre.

Antoinette le savait, ça finirait mal. Elle grimpa les escaliers quatre à quatre et sans même frapper entra dans la chambre où Sophie et Abel dormaient encore, étroitement enlacés. Ils n'avaient rien entendu. Antoinette les secoua tour à tour.

— Vite, vite ! Sophie ! Votre mari est rentré. Vite !

Sophie et Abel, brusquement sortis du sommeil, ne comprirent pas tout de suite le sens des paroles d'Antoinette. Puis, le premier, Abel réagit.

— Mon Dieu ! C'est le matin ! Sophie ! Vite ! On a dormi toute la nuit.

Rejetant vivement les draps sans tenir compte de la présence de la couturière, complètement nu, Abel se leva et alla ramasser ses vêtements, éparpillés à même le parquet. Antoinette, saisie, détourna spontanément le regard. Sophie était toujours blottie dans les draps cependant qu'il s'habillait précipitamment. Antoinette ne put alors s'empêcher de jeter timidement un coup d'œil vers lui. Le corps d'Abel, formé aux rudes et régulières gymnastiques de son régiment, était magnifique. Sa peau claire dessinait ses muscles au moindre de ses mouvements et il avait des rondeurs inattendues pour qui connaissait l'allure spartiate de l'homme habillé. Pas d'os saillant, pas d'angulosité, formes auxquelles on se serait attendu, mais des courbes douces. Des lignes presque féminines. Tout en s'habillant il secouait le lit.

— Sophie ! Sophie ! Réveille-toi. Ton mari est arrivé, vite !

Il se tourna vers Antoinette et c'est seulement en voyant son regard ébahi qu'il comprit la situation. Elle l'avait vu entièrement nu.

— Oh ! Excusez-moi, je... j'ai été surpris... et... euh... mais que s'est-il passé ? On s'est endormis. Vous ne nous avez pas réveillés ?

— Non, moi aussi je me suis endormie. Je croyais m'assoupir juste un peu sur le fauteuil et c'est la cuisinière de Sophie qui vient de me réveiller.

— Louisette ! Mais qu'est-ce qu'elle fait là ? Quelle heure est-il ?

Sophie venait de réaliser et elle se leva d'un bond, nue elle aussi.

Antoinette s'approcha d'elle vivement :

— Monsieur est rentré.

Sophie comprit enfin ce qui se passait. La veille au soir elle avait retrouvé Abel et ils étaient allés dans la chambre qui était autrefois celle des parents d'Antoinette et qu'elle laissait en l'état, au cas où son frère viendrait un jour. Ils s'étaient aimés, tant et tant qu'ils s'étaient endormis, épuisés d'amour. Et là, c'était le matin, ils avaient dormi toute la nuit. Elle eut un geste affolé vers ses vêtements, puis elle s'arrêta. Calme aussi soudainement qu'elle s'était affolée, elle se recoucha. Antoinette et Abel la regardèrent, ahuris.

— C'est aussi bien comme ça, leur dit-elle. Le destin choisit à ma place. Il est temps que Louis sache pour Abel et moi.

Abel vint tout près d'elle, il s'assit au bord du lit et lui prit les mains. D'une voix fatiguée, avec une infinie douceur, il choisit de la raisonner. Il partait. Demain sans doute il ne serait plus là. Certes, il reviendrait la chercher, comme il le lui avait promis. Mais s'il devait avoir un accident, mourir en mission comme cela arrivait parfois, que deviendrait-elle ?

Les larmes coulèrent sur le visage de Sophie, elle était devenue inerte et il semblait que rien ne puisse la faire réagir.

Depuis l'escalier la voix anxieuse de Louisette se fit entendre :

— Mais qu'est-ce que vous faites, qu'est-ce qui se passe ? Il faut partir. Tout de suite !... Antoinette ! Antoinette !

Antoinette sortit et revint dans la chambre suivie par Louisette qui, sentant le désastre, prit énergiquement les choses en main et ne s'embarrassa d'aucun protocole.

— Comment ça, vous ne voulez pas venir ? Allez, allez, vite. Debout. Qu'est-ce que c'est que ça ? Antoinette, le corset, vite. (Elle se tourna vers Abel toujours assis près de Sophie.) Et vous, allez nous attendre en bas.

En quelques minutes, Sophie fut remise sur pied, habillée et coiffée, prête à partir. Quand elle descendit les escaliers suivie par les deux femmes, Abel l'attendait. Elle se jeta dans ses bras et les deux amants s'étreignirent avec la déchirante douleur de ceux qui sentent qu'ils peuvent se perdre à jamais. Dans le modeste vestibule la vibration de l'atmosphère était devenue telle qu'il semblait que les murs ne pourraient la contenir. Antoinette pleurait, les larmes la débordaient. L'intensité de ce moment passionnel l'avait prise au plus profond. Tout en elle avait mal. Comme Sophie et Abel, elle aussi avait le sentiment qu'elle ne survivrait pas à cette séparation. Prise d'un amour immense pour ces deux êtres auprès desquels elle avait vécu des moments si nouveaux et si forts, elle enlaça le couple, à le broyer d'amour.

Un air froid envahit soudain le vestibule et la clarté de l'aube les saisit brusquement. Seule consciente du danger, Louisette avait ouvert la porte et se tenait dans l'encadrement.

— Vite ! On part. Venez.

Son ton était autoritaire. Abel prit Sophie aux épaules et la poussa vers Louisette.

Dans un réflexe habituel pour cacher la présence d'Abel, Antoinette referma la porte derrière les deux femmes et se retrouva seule avec le hussard. Le vestibule avait replongé dans l'ombre et le silence, un silence bref que déchirèrent soudain des hoquets atroces. Antoinette se retourna vivement. Abel pleurait, debout, la tête dans ses mains, et ses sanglots faisaient trembler son corps tout entier. Avec la spontanéité la plus tendre et la moins calculée, épuisée par le moment qu'ils venaient de vivre, elle vint se blottir contre lui et posa sa tête contre son épaule. Elle sentit alors les bras d'Abel se refermer sur elle. Il la serrait maintenant avec une force inouïe, mais le mal qu'il lui faisait lui procurait paradoxalement un bonheur merveilleux et elle aurait bien voulu que cette étreinte, aussi douloureuse soit-elle, ne cessât jamais.

Une fraction de seconde après, il était parti en courant, laissant la porte ouverte. Le froid s'engouffra dans le vestibule et dans le cœur d'Antoinette. Ce n'est qu'au bout de ce qui lui parut une éternité qu'elle referma la porte et rentra dans son atelier.

Une journée commençait. Au-dessus de sa tête le silence était total. La maison, qui par le passé lui semblait ainsi recueillie, lui apparut en cet instant vide et morte. Il lui fallait travailler et elle se demanda où elle allait bien pouvoir en trouver la force.

La course avec Louisette avait tout à fait réveillé Sophie. Elles étaient maintenant arrivées à l'angle de la place Marcadal. La voiture de Louis était arrêtée devant la maison et Basile déchargeait les sacs. Louis devait être soit à l'atelier soit dedans. Sophie se rendit compte soudain de la gravité de la situation. Elle avait passé la nuit hors de chez elle, son mari était rentré et il ne l'avait pas trouvée à la maison. Comment Louisette avait-elle su pour elle et Abel ? Comment était-elle venue chez Antoinette ? Qu'allait-il se passer ? Comment allait réagir Louis ? Que lui dire ? Si encore Abel restait à Lourdes, elle trouverait le courage. Mais il partait et elle était seule face à Louis.

C'est alors que Louisette, qui en avait gros sur le cœur contre Louis depuis l'altercation qu'il avait eue avec la lingère, prit les choses en mains.

— Bon, maintenant vous allez faire comme je vous dis. Avant de partir tout à l'heure j'ai ouvert le lit et je l'ai défait. Comme si vous y aviez dormi. Monsieur ne m'a pas vue, j'ai filé pendant qu'ils commençaient à décharger. Comme Léon n'est pas là, Monsieur aide Basile. Le temps qu'ils aient fini, je me suis dit qu'on aurait le temps de revenir et de rentrer en douce pendant qu'ils sont à l'atelier.... Mais si Monsieur est venu dans la maison et qu'il ne nous a pas vues. Là, je sais pas... il faut trouver quelque chose à lui dire.

Sophie s'avança d'un pas déterminé vers la maison.

— Viens Louisette, allons-y calmement. Je sais ce que je lui dirai.

Louisette était stupéfaite, d'où venait tant de détermination chez Sophie ?

— Mais... et... vous êtes bien sûre ? Vous n'allez pas faire de bêtises, j'espère.

— Ne t'inquiète pas, viens.

— Votre figure est toute chiffonnée. On voit que vous avez pleuré. Vous pouvez pas le voir comme ça, c'est impossible. Bon sang ! vous n'en faites qu'à votre tête, je vous ai dit qu'il fallait attendre qu'ils soient en bas tous les deux. Basile est encore en haut, ça veut dire que Monsieur va remonter l'aider à charger le sac sur ses épaules. C'est pas le bon moment.

— Ne t'inquiète pas je t'ai dit. Je sais ce que je fais.

Louisette était sens dessus dessous. Quand elles arrivèrent près de la maison, effectivement Louis était là et s'apprêtait à donner un coup de main à Basile. Louisette marmonnait entre ses dents.

— Voyez, je vous l'avais dit. Il fallait attendre.

Louis les regarda arriver, stupéfait. L'une et l'autre avaient l'air toutes retournées.

— Mais... d'où venez-vous ? Qu'est-ce qui se passe ? À cette heure-ci... (Il tira sa montre à gousset de la poche de son gilet et regarda l'heure :) Six heures et demie. Il est six heures et demie et vous êtes dehors toutes les deux ! Mais qu'est-ce que vous faites ?

Inquiet il s'avança vers Sophie et posa ses mains sur ses épaules.

— Mais, mais tu as pleuré ! (Il regarda Louisette :) Qu'est-ce qu'il y a, Louisette ? Que s'est-il passé ? Parlez enfin !

Son ton était devenu nerveux, autoritaire. Sophie coupa court.

— J'ai une nouvelle à t'annoncer Louis. Suis-moi.

Et elle entra dans la maison suivie par un Louis d'autant plus perplexe que Louisette arborait un air consterné.

À peine eurent-ils tourné le dos que Basile questionna.

— Ben alors Louisette, y a un mort ou quoi ?

— Occupe-toi des sacs, va, j'en sais pas plus que toi et...

à propos, hier avant de partir, tu as dit à Léon que Marie s'était évanouie ?

Basile sursauta :

— Penses-tu, jamais ! Il m'a demandé ce que j'étais venu faire avec toi dedans, ça l'intriguait, tu le connais ce fouinard ! J'ai dit que j'avais porté du linge mais il a eu l'air de deux airs. J'ai senti qu'il me croyait pas. Pourquoi ? Qu'est-ce qu'il a fait ?

— Je ne sais pas, mais il perd rien pour attendre !

Et elle fila à son tour vers la cuisine laissant le cocher perplexe.

Sophie entraîna Louis à sa suite jusque dans son boudoir. Passant par la chambre, elle aperçut le lit défait et bénit Louisette d'avoir eu ce réflexe.

Dans sa petite pièce tapissée de bleu éclairée par une fenêtre drapée de lourds rideaux de satin azur, Sophie se sentait protégée. Là était son univers personnel. Chaque meuble avait été choisi par elle, chaque détail voulu par elle. Un meuble d'appui en bois noir à légers décors peints à l'or, égayé de plaques de porcelaines sur les portes et une petite bibliothèque Boulle en écaille rouge constituaient les deux éléments majeurs. Pour la conversation, une méridienne et un petit fauteuil crapaud se faisaient face, recouverts d'un chintz à fond marine chargé de bouquets opulents, rose et bleu vif. Une fine table rococo à trois plateaux en bois noir rehaussé d'étoiles de nacre présentait les bibelots préférés de Sophie dont un perroquet coloré en porcelaine de Limoges. À portée de main, à gauche de la méridienne, une table à ouvrage en bambou et panneaux de laque était restée ouverte, laissant voir un intérieur de satin bleu capitonné et une broderie légère dont le travail était à peine commencé. Car Sophie brodait, et quand elle venait se réfugier dans son boudoir, elle occupait ses mains, tout en laissant vagabonder ses pensées.

Aujourd'hui, Sophie était bien loin de tout cela, et dans ce lieu qui d'ordinaire était son refuge intime elle venait chercher comme une complicité à défaut d'une aide humaine. Comme elle aurait aimé la présence de sa mère auprès d'elle dans un moment pareil et comme elle se sentait seule ! Pour la première fois celle à qui la vie avait épargné toute secousse devait faire face à une situation d'une grande violence intime : annoncer à un homme qu'elle n'aimait pas qu'elle attendait un enfant de lui, qu'elle allait le rendre père.

Dans le boudoir, Louis, un peu gauche, tournait en rond.

— Pourquoi m'as-tu emmené ici ? D'habitude tu ne supportes pas que j'y pose les pieds.

— Louis...

— Oui ! Qu'y a-t-il ? Parle enfin, parle.

— Tu... tu vas être père.

— Quoi ?... Qu'est-ce que tu as dit ?

— Tu vas être père. J'attends un enfant.

Louis vacilla et s'écroula dans le petit fauteuil crapaud qui émit un drôle de craquement. Son visage était blême. Il avait tout imaginé sauf cela. Il allait avoir un enfant. Enfin ! Après toutes ces années où ils l'avaient tant souhaité tous deux. Il allait être père. « Papa ! Papa ! » Déjà il entendait ce mot qu'il n'osait plus prononcer dans sa tête depuis bien longtemps.

— Papa ! Je vais être papa ?

Face à l'émotion de Louis, Sophie fut gagnée par une sorte de tendresse. C'est vrai. Ils l'avaient tant attendu cet enfant. Maintenant il allait être là. Tout se brouilla dans sa tête, Louis, Abel, l'enfant à naître. Elle tomba en pleurs aux pieds de son mari qui lui prit la tête dans les mains :

— Ma chérie, je comprends. Que d'émotion ! Tu es toute retournée. C'est trop de bonheur ! Ce bébé, tu l'as tant voulu. Et moi donc ! Je n'y croyais plus.

Ils restèrent ainsi un moment, bouleversés. Puis la voyant toute faible, le visage si chaviré, Louis se reprit.

— Mon Dieu ! mais tu dois être bien fatiguée ! Où avais-je la tête. Je vais chercher Louisette. Viens, allonge-toi ...

Il installa Sophie sur la méridienne avec une douceur qu'elle ne lui connaissait plus depuis bien longtemps. Puis il courut dans la chambre et, du haut du palier, elle l'entendit crier.

— Louisette ! Louisette ! Venez vite ! Vite ! Madame n'est pas bien.

Deux minutes à peine et Louisette arriva, tétanisée. Monsieur la fit entrer cérémonieusement dans le boudoir et lui demanda de s'asseoir. En dépit du visage gonflé de pleurs de Sophie, rien dans l'attitude de Louis n'évoquait un quelconque drame, Monsieur lui souriait et Louisette était perplexe. Elle s'attendait à une scène de rupture, à des cris ou à un renvoi. Au lieu de cela, d'un ton emphatique, Louis lui annonça une nouvelle qui la laissa sans voix. « Un enfant !... Sophie attend un enfant ! » Elle regarda sa patronne avec des yeux exorbités. Celle-ci, effrayée, se remit à pleurer et lui tendit des bras implorants. Louisette se leva vivement et alla la prendre dans ses bras avec une grande spontanéité. À l'oreille de sa cuisinière, Sophie chuchota : « L'enfant est bien de Louis, j'en suis sûre. » Elles se regardèrent alors comme deux femmes éperdues portant ensemble un secret si lourd qu'il n'y avait en cet instant que le silence ou les larmes pour aider à le partager.

Louis ne les voyait plus, il tournait en rond dans le boudoir et parlait seul à haute voix :

— Louis ! Oui, voilà, Louis ! dit-il.

Il était radieux. Passée l'émotion il était déjà dans l'action et laissait les pleurs aux femmes. Comme elles le regardaient, ébahies, en homme déterminé et sûr de lui, il insista :

— Ce sera un garçon, j'en suis sûr. Et nous l'appellerons Louis, comme moi.

La nuit s'installait. Sophie était toujours allongée, elle avait juste enlevé sa robe et passé un déshabillé pour être plus à l'aise. Louisette lui avait apporté un plateau mais elle n'avait touché à rien. Louis, galvanisé par la nouvelle, avait passé la journée entre la pharmacie, l'atelier de la chocolaterie et la boutique. Il l'avait annoncée à tout le monde, employés, clients. Puis, à peine six heures sonnées à l'église, il avait filé au Cercle, rempli d'orgueil à l'idée d'informer tous ces messieurs qu'il allait être père, autrement dit, un homme normal. Il était remonté voir Sophie, une seule fois dans la journée, et ne lui avait parlé que de ça. De l'étonnement des gens, de leur surprise. Il était surexcité à l'idée de clouer le bec à tous ceux qui ne se gênaient pas pour lui demander régulièrement si sa famille allait s'agrandir. Que de fois il avait dû se taire et les supporter. Un client, ça ne se contredit pas. Soit ils prenaient pour prétexte le printemps qui réveillait les ardeurs sentimentales et donnait envie de faire des petits. Ou bien c'était Noël avec son cortège de cadeaux et le sapin illuminé. « Il faut des enfants pour jouir de tout ça, disaient-ils, sinon... à quoi bon. » « Et alors Louis ! Quand c'est que vous allez vous y mettre ? Des petiots qui courent et s'accrochent à ses jupons ça l'occuperait à votre femme, ça lui ferait du bien », lui répétait invariablement le gros Dominique Normande, membre inamovible du conseil municipal. Louis s'obligeait à sourire mais, intérieurement, il aurait volontiers égorgé sur place le père Normande. Enfin ! Il allait pouvoir l'envoyer promener. Il serait comme tout le monde puisqu'il aurait un enfant, et à cette seule pensée il revivait. À aucun moment Louis n'avait évoqué avec Sophie ce bébé à venir autrement que par les rapports sociaux qu'il allait impliquer. Nulle parole de tendresse ou d'amour pour sa femme et le bébé à venir : il ne parlait que de lui, de ses clients, du Cercle. Ah ! ce Cercle ! Jamais comme en cet instant Sophie n'avait autant haï ses convenances et sa mesquinerie. Jamais elle n'avait vu aussi clairement qu'aujourd'hui sa pauvre couleur uniforme d'habits noirs.

D'épuisement, la belle chocolatière s'était endormie. Une heure ou deux heures peut-être s'étaient passées quand elle ouvrit les yeux. À ce moment ambigu où la clarté du ciel se dissout dans la nuit, un roulement sourd se fit entendre et se rapprocha. Un bruit régulier de sabots sur la pierre des rues.

— Abel !

D'un bond Sophie courut à la fenêtre. Le régiment des hussards descendait du château et arrivait sur la place par la rue du Bourg. Dans leurs splendides uniformes de couleur, les hussards, droits, racés et élégants, passèrent sous les fenêtres de Sophie. Abel était parmi eux. Sophie le vit sortir d'un geste vif une rose de dessous sa petite cape, et, tout en la regardant, il y posa un baiser et laissa tomber la fleur sur le sol. Il partait ! Déjà ! Déjà ! Elle poussa un hurlement de bête blessée : « Abel ! La rose ! » Sophie perdait la tête, les choses étaient allées trop vite et trop soudainement. Elle se jeta hors de la pièce et courut chercher la rose ou Abel, elle ne savait plus. Louisette avait entendu son cri en même temps que le pas des chevaux et avait compris. Elle monta les escaliers quatre à quatre et se heurta à Sophie qui les dégringolait aussi vite.

— Où allez-vous ! Que faites-vous ?

Sophie hurla :

— Pousse-toi, Louisette, il part, il part, je ne veux pas, je vais avec lui, je...

Louisette, forte de sa masse, fit barrage.

— Remontez tout de suite, vous êtes devenue folle ou quoi ?

Sophie s'effondra en larmes :

— Il a laissé tomber une rose pour moi, je...

— Et vous voulez que tout le *Café Français* vous voit ! Je vais aller la chercher moi, cette rose. Attendez-moi dans le boudoir.

Quelques instants plus tard Sophie tenait la rose sur son cœur, elle en serrait la tige si fort que les épines de la fleur entraient dans les paumes de ses mains sans qu'elle en ressente la moindre douleur. La fleur avait échappé par miracle au piétinement des chevaux et sa couleur rouge sombre faisait sur la soie jaune pâle du déshabillé comme une tache de sang.

AUTOMNE 1857

Éperdue, Antoinette courait vers le seul endroit dans cette ville où elle se sentait une place, l'église paroissiale. En y entrant elle eut comme à chaque fois le sentiment de pénétrer dans un lieu qui lui appartenait et qui l'acceptait. Un lieu chaud avec ses boiseries de chêne qui enveloppaient les murs, ses statues colorées et ses multiples petits autels toujours fleuris par des mains anonymes et qui trahissaient par leur luxe ou leur simplicité l'origine sociale de l'offrant. Pour les offices, Antoinette avait sa chaise et occupait un rang précis, juste derrière les notables. Impossible de confondre une place de notable avec une autre : leurs prie-Dieu étaient sculptés, avec des accoudoirs capitonnés, enjolivés de coussins brodés et de mille détails d'ornementation. Les familles aisées rivalisaient par siège d'église interposé et d'année en année les rangs du devant devenaient de plus en plus luxueux. Les initiales des familles s'affichaient en lettres de cuivre travaillé sur les dossiers et des dentelles fines avaient même fait leur apparition sur certains d'entre eux. Après les rangs des notables venaient ceux de la classe moyenne. Là, le siège des prie-Dieu était souvent de paille brute et seul un petit coussin pour s'agenouiller venait l'agrémenter. Antoinette avait ainsi un petit prie-Dieu en paille hérité de sa mère qui, à l'époque, pour faire chic, avait fait mettre ses initiales en lettres cloutées sur le dossier de bois. Derrière Antoinette il n'y avait plus de prie-Dieu ni de chaises. Juste des bancs où ceux du bas s'installaient indifféremment.

Ce matin, seules quelques femmes enveloppées dans des

129

capes priaient sur les bancs, la tête enfouie dans leur capulet. On entendait le chuchotement lancinant de leurs prières et le silence des lieux n'en était que plus fort. Antoinette se dirigea vers un petit autel sur la gauche dédié à la Vierge Marie. Elle s'agenouilla devant une niche décorée de motifs médiévaux aux couleurs passées dans laquelle une vierge de bois polychrome souriait dans ses voiles, bras ouverts à tous. Il y avait trois autres statues de la Vierge à l'église paroissiale, mais celle-ci était de loin la préférée d'Antoinette. Quand elle lui parlait il lui semblait qu'elle s'adressait à une amie, à une sœur ou à la mère qu'elle n'avait plus. Antoinette aimait sa compagnie, elle trouvait en elle une disponibilité et une écoute totale dépourvue de tout jugement. Pour un jour comme aujourd'hui la Vierge était même plus que cela, elle ressemblait à un sauveur. Antoinette la regarda, bouleversée, et fit sur son front le signe de croix par lequel elle commençait toujours sa conversation avec elle :

— Sainte Vierge, dit-elle, il est parti... il est parti hier soir, j'ai entendu le pas des chevaux qui descendaient du château et j'ai couru jusqu'au coin de la rue pour le voir passer. Il ne m'a pas vue, j'étais cachée par la pierre d'angle, mais moi j'ai bien vu son visage et... (elle laissa échapper un sanglot) j'y ai lu de drôles de choses, je ne saurais pas bien dire... Il était grave et il m'a semblé que c'était quelque chose comme... une sorte d'inquiétude, et peut-être même... de peur. Oh ! je sais bien, ça paraît impossible, ces hommes-là n'ont jamais peur, ils sont très courageux et très fiers de partir combattre pour leur pays, mais... vraiment, Sainte Vierge, je l'ai trouvé pas comme d'habitude. Il semblait ne rien voir, il fixait le lointain, et, comme lui, ils étaient tous silencieux et tristes. Il n'y avait personne pour les voir passer à cette heure du soir, ils sont partis comme ça... personne ne savait qu'ils partaient.

Un sanglot plus fort l'interrompit et elle se laissa aller à pleurer doucement, le plus doucement possible, la tête dans les mains. Quand elle la releva, une jeune femme élégante priait aussi non loin d'elle et sous la voilette qui protégeait son visage Antoinette reconnut la femme d'un notable important, Hélène Duprat. Agenouillée à même la dalle de pierre, ses fines mains jointes dans de petites mitaines blanches se tendaient, implorantes, vers la Vierge souriante. Ses lèvres prononçaient des mots silencieux qui vibraient sur son visage avec une telle intensité que même les dentelles de sa voilette ne pouvaient la contenir. Troublée, Antoinette se signa et partit. Pourtant, juste avant de quitter l'église, elle se retourna et, s'agenouillant sur le dernier banc près de la porte, d'une voix mouillée de larmes, elle murmura cette ultime prière :

— Sainte Marie, protégez Abel de la guerre, protégez-le de ces meurtres inhumains qui ont lieu loin de nous sur ces terres d'hommes que sont les champs de bataille et où ne pénètre jamais cette seule chose qui pourrait le sauver... l'amour. Vous qui pouvez tout, Vierge Marie, allez sur le champ de bataille et portez-y l'amour qui le sauvera. Je vous en supplie ! Sainte Vierge, sauvez-le !

Puis elle se signa vivement et quitta l'église.

Depuis plus de quinze jours Sophie n'avait pas quitté ses appartements. Hormis Antoinette qui passait dès qu'elle le pouvait, seules Mélanie, sa femme de chambre, et Louisette étaient autorisées à venir la déranger. Et encore, seulement pour les tâches quotidiennes, aider à sa toilette, à sa coiffure, lui porter à manger, nettoyer sa chambre et son boudoir dans lequel la rose d'Abel, fanée maintenant, commençait à sécher dans un vase que personne n'avait le droit de toucher.

Sophie passait les trois quarts de son temps dans son boudoir où Louis n'était plus toléré depuis qu'y trônait la rose. Il était entré une fois sans prévenir et Sophie avait fait une crise telle qu'il en avait été vraiment effrayé. Louisette, qui veillait, avait arrangé la chose en expliquant que Madame était très fatiguée « vu son état » et dès lors il ne s'était pas ému outre mesure, persuadé qu'il s'agissait d'un caprice de femme enceinte. Louisette était ravie, la nouvelle de l'enfant semblait avoir complètement fait oublier à Louis l'incident avec Marie Abadie. En tout cas il ne lui en avait jamais reparlé, Marie continuait à travailler pour la maison et il ne disait rien. Pas folle, Louisette savait bien que le pharmacien ne tenait pas à la contrarier. En raison de la future naissance, il avait besoin d'elle plus que jamais. Louisette était seule à pouvoir aller et venir dans le boudoir sans que cela pose problème. Les liens entre les deux femmes avaient changé depuis l'incident et ils ne cessaient de se renforcer. De domestique juste bonne à obéir, Louisette avait accédé au statut de confidente. Mieux, elle pouvait donner des conseils et même... des ordres. Deux ou trois jours après cette matinée mémorable, Sophie avait tenu à avoir avec elle une explication. Elle lui avait demandé comment elle avait pu l'aider ce soir-là, comment elle avait compris.

— Surtout, avait-elle ajouté, que vous n'étiez même pas au courant de mon amour pour Abel.

Louisette avait répondu que ce n'était guère sorcier, qu'il suffisait d'avoir les yeux ouverts et qu'elle se doutait bien qu'il se tramait quelque chose. Il aurait fallu être aveugle pour ne pas s'en rendre compte alors que Sophie rentrait de plus en plus tard. Elle se demandait d'ailleurs comment Monsieur ne s'était aperçu de rien. Louisette lui avait aussi raconté que, lors de la fameuse nuit, elle n'avait pas pu s'endormir. Elle était inquiète et tournait en rond dans la maison.

— Dès que vous êtes partie en me disant que vous alliez faire une course à cette heure du soir, j'ai compris, et dès ce moment j'ai attendu votre retour. Je sortais dans la nuit devant la porte, j'allais dans votre chambre. Je priais le ciel pour qu'il ne se soit rien passé de grave. C'était quand même la première fois que vous ne rentriez pas de la nuit. Il aurait pu y avoir un accident. J'étais à deux doigts d'aller frapper chez le commissaire, mais quelque chose m'a retenue. J'ai bien pensé, oui... qu'il pouvait s'agir d'amour. (En prononçant ce mot, Louisette baissait la voix, comme impressionnée.) Et... je me suis dit qu'il valait mieux attendre.

« Et puis l'aube est venue et j'ai entendu les chevaux et la voiture de Monsieur. Quelle peur j'ai eue ! Que faire ? Que dire à Monsieur ? J'ai défait votre lit comme si vous y aviez dormi au cas où Monsieur monterait. J'aurais pu raconter que vous aviez dû sortir prendre un peu l'air, que vous étiez fatiguée ces temps-ci. Et puis j'ai pensé à Antoinette : c'est chez elle que vous étiez le plus souvent et puis c'est elle qui vous avait porté la lettre ici, elle devait bien savoir quelque chose. J'ai filé pendant qu'ils s'affairaient en bas avec les sacs. Voilà, ça s'est passé comme ça.

Ce que Louisette ne disait pas, c'est le plaisir qu'elle avait éprouvé à aider Sophie à duper son mari.

Sophie, qui ne savait rien de l'incident entre son mari et sa cuisinière, avait été émue de ce récit. Ainsi, à cause d'elle, Louisette s'était inquiétée mais au lieu de se morfondre elle avait fait preuve d'un réel sang-froid et de beaucoup d'efficacité. Cette Louisette à la silhouette si lourde pour ses quarante ans passés, qui aurait cru qu'elle serait aussi vive à prendre des décisions de cet ordre, et avec autant de justesse ? Si elle n'avait pas bougé, que se serait-il passé ? Comment aurait réagi Louis ? Il aurait peut-être jeté Sophie à la rue, d'autres l'avaient fait avant lui en apprenant que leur femme les trompait. Et puis il n'aurait jamais voulu croire que l'enfant était de lui. Et où serait Sophie aujourd'hui, en ce moment même ? Fille unique, ses parents tous deux décédés, elle n'aurait eu aucun endroit pour se réfugier, sauf chez les sœurs de Marie, dans son ancienne école... Ou alors Louis, si sensible au qu'en dira-t-on, aurait-il choisi de tout cacher et aurait fait en sorte que la vie continue comme si de rien n'était. C'était même selon l'avis de Sophie la version la plus probable. Mais toutes ces cogitations se terminaient immanquablement par la même question : « Est-ce que cela serait pire que le mensonge dans lequel je vis maintenant ? »

Selon qu'elle pensait à elle ou à l'enfant, elle n'apportait jamais la même réponse. Pour le bien-être de l'enfant, elle était sûre que cette situation était de loin préférable, et toute sa vie elle serait reconnaissante à Louisette. Mais quand elle pensait à elle-même, la douleur d'Abel revenait, lancinante, taraudant une blessure plus vive que jamais. À peine quinze jours qu'il était parti et pourtant une éternité s'était installée depuis son départ puisque Sophie ne savait vraiment ni où il allait, ni quand il reviendrait.

Aujourd'hui Antoinette avait annoncé sa venue dans l'après-midi et Sophie l'attendait avec impatience : sa couturière était la seule avec laquelle elle pouvait s'épancher sur son amour, et aussi la seule qui pouvait lui parler de lui puisqu'elle était la seule qui l'ait connu.

À peine Antoinette était-elle installée dans le petit fauteuil que pour la énième fois elle dut répondre aux mêmes questions :

— Antoinette, racontez-moi. Que faisait-il après nos rendez-vous lorsque j'étais partie ? Restait-il un long moment ? Vous parlait-il de moi ?

Patiemment, Antoinette raconta encore comment Abel était transporté de bonheur à l'idée de retrouver Sophie. Combien il était amoureux ! Mais il lui devenait de plus en plus difficile de dire et de redire éternellement les mêmes choses. Aussi pour la première fois, et un peu par hasard, elle se risqua à parler de détails qu'elle pensait insignifiants mais qui alimenteraient un peu des récits qui commençaient à tourner en rond :

— Oh ! une fois, dit-elle spontanément à la pensée d'un souvenir précis, il est entré sans frapper et m'a surprise à genoux en train de mesurer une coupe de gros drap sur le sol. J'étais bien embêtée d'être surprise comme ça par terre, mais il a ri et...

Antoinette surprit le froncement de sourcils de Sophie et instinctivement s'arrêta. C'était trop tard. Sophie insista :

— Oui... il a ri et ?... et quoi ?

Ne sachant que faire et sentant confusément que la situation lui échappait Antoinette préféra se taire :

— Et... et rien... il m'a vue comme ça par terre, et voilà... je me suis relevée et il a ri. C'est tout.

— Antoinette, vous me cachez quelque chose ! Je veux savoir ! Vous devez me dire la vérité !

La couturière, surprise et refroidie par le ton cassant de Sophie, nia :

— Mais que voulez-vous qu'il y ait ? Rien...

— Assez ! Antoinette je ne vous reconnais pas, vous mentez, pourquoi vous êtes-vous arrêtée de parler ? Que s'est-il passé quand il est entré ? Continuez. Qu'a-t-il fait à ce moment-là ?

Le malentendu prenait des proportions inquiétantes. Rien de spécial ne s'était produit mais Sophie était persuadée du contraire. Elle tenta de la raisonner :

— Il m'a simplement aidée à mesurer le drap.

— Abel ? Il a mesuré du tissu ?

— Oui, vous voyez que ça n'a rien de très intéressant, je vous le disais, il a fait ça pour m'aider... il disait qu'une femme ne devrait jamais avoir à travailler dans une position aussi inconfortable. C'est tout.

Sophie restait insatisfaite et sentait monter en elle une très grande angoisse. Que savait Antoinette qu'elle ne lui disait pas ? Rester ainsi dans l'inconnu était impossible. Elle décida qu'Antoinette ne repartirait pas sans qu'elle ait compris ce qui se passait. Elle contempla sa couturière sans colère et, d'une voix torturée par le doute, lui dit :

— Antoinette, Abel est l'amour de ma vie. Chaque parcelle de mon corps ne vit et ne respire que par lui. En gardant pour vous un mystère, vous m'arrachez la seule chose qui me tienne debout, le souvenir des moments heureux passés avec lui... Sa voix se brisa, elle prit une large inspiration et continua : Vous me déchirez, Antoinette, et je ne sais pas pourquoi...

Antoinette, bouleversée, ne savait comment enlever de la tête de Sophie ce sentiment absurde. Alors, pour apaiser cette douleur trop intense, elle décida de parler, parler, parler, de dire le moindre détail, aussi insignifiant soit-il. Elle raconta comment Abel s'intéressait aux tissus qu'elle cou-

135

sait... et au fur et à mesure qu'elle parlait elle voyait Sophie revivre.

— Il s'intéressait aux tissus ? demanda-t-elle. Et que voulait-il savoir ?

— Tout. Ce que c'était, de la soie ou de la laine, de la faille, du poult-de-soie, du velours...

— Mais pourquoi ? Pourquoi vous posait-il toutes ces questions ?

— Je ne sais pas moi, tout l'intéressait, oui, vraiment tout. Il aimait comprendre, même les petites choses, même... euh, oui enfin tout quoi.

Mais Sophie ne laissait plus rien passer, ce « même » était de trop :

— Même quoi ?

Antoinette ne savait plus quoi dire ou ne pas dire. Elle s'était aventurée sur le terrain de la confidence et elle commençait à douter, Sophie était à nouveau tendue et la conversation tournait à la confrontation.

— Mais rien, je ne sais plus... ce n'est pas important.

— Vous êtes folle ou quoi, Antoinette ? Important ! Ce n'est pas important ! Mais qu'est-ce que vous en savez ? Vous avez raison d'ailleurs, ce n'est pas important : c'est vital, comment faut-il vous le dire ! (Elle s'était mise à crier.) Tout ce qui touche à Abel est vital pour moi, la moindre phrase, le moindre mot nouveau que vous m'apprenez sur lui me donne le courage de rester en vie car parfois Antoinette je me demande si je n'ai pas rêvé, si Abel a bien existé...

Tout en parlant Sophie s'était levée de la méridienne, gesticulant dans son long déshabillé de soie. Ses cheveux à peine retenus par quelques épingles s'étaient défaits, on aurait dit une possédée. Antoinette commençait à prendre peur, Sophie se laissait déborder. Jamais la couturière n'aurait imaginé la voir ainsi un jour. Sa voix grimpait dans les aigus :

— Alors ! Racontez-moi, racontez, Antoinette, s'il vous plaît, encore...

Antoinette, toute retournée, chercha dans ses souvenirs.

— Ah ! oui, je voulais vous dire... oh, ce n'est rien mais, bon, puisque tout vous intéresse... Un soir alors qu'il s'apprêtait à partir après avoir attendu au moins une demi-heure à cause du passage dans la rue, j'avais commencé à faire à manger. Il a fallu que je lui explique ce que je mangeais, et il m'a questionnée sur ce que je cuisinais tous les jours. Il a comparé avec ce qu'ils mangeaient au régiment. Il se trouvait mieux loti. Il riait à cause de la pâte de maïs. Je lui en ai fait goûter, mais il l'a trouvée lourde et pas digeste. Quand je lui ai dit que la plupart des gens, ici, à Lourdes, n'avaient que ça à tous les repas, tous les jours, il a été surpris. Du coup il m'a questionnée sur la ville.

Sophie s'était calmée, elle s'était assise sur le bord de la méridienne et elle buvait les paroles d'Antoinette.

— La ville ? Qu'est-ce qu'il voulait savoir ?

— Comment vivaient les gens.

— Quels gens ?

— Les gens de Lourdes.

Antoinette faisait revivre Abel et Sophie était apaisée mais Antoinette se demandait pour combien de temps. Pire, elle commençait à se demander si ce qu'elle allait apprendre à Sophie n'était pas de nature à la perturber, mais il était trop tard, elle continua donc son récit :

— Il voulait comprendre de quoi vivaient les gens dans toutes ces maisons de la rue des Petits-Fossés et de la rue basse. Il me parlait de ces femmes et de ces petites filles qu'il croisait souvent sur les chemins lors de ses randonnées militaires, à cheval dans la forêt. Il les voyait, ployant sous le poids des fagots. Il me disait que ça lui faisait mal de les voir si maigres, si courbées. Un matin, alors qu'il était en exercice, il avait rencontré une fillette de douze ou treize ans à peine, à l'autre bout de la forêt de Lourdes, au moins à deux heures de marche. Il faisait nuit et il avait été tellement surpris qu'il avait sorti sa montre, c'était cinq heures. Il n'en revenait pas. Il lui a parlé, elle s'appelait Bernadette. Elle lui a expliqué tant bien que mal dans la langue de chez nous qu'elle cherchait du bois. Il disait qu'il n'avait pas bien compris tout ce qu'elle disait mais il l'avait bien regardée. Elle n'avait presque rien sur le dos et elle avait les pieds nus dans ses sabots, pourtant il faisait un froid de canard. Il ne savait pas quoi faire alors il lui a donné les quelques sous qu'il avait dans la poche et il l'a laissée là toute seule dans la nuit. Cette rencontre, ça l'avait retourné et il m'en a parlé plusieurs fois. Il me demandait si je voyais qui ça pouvait être. Le dénuement et la faiblesse de cette petite seule dans la nuit l'avaient beaucoup meurtri. Il s'en voulait terriblement de l'avoir laissée. « C'est comme si c'était moi qui l'avais abandonnée », me disait-il.

Sophie avait écouté le récit d'Antoinette bouche bée.

— Comment ça se fait, dit-elle dans une grande perplexité, moi il ne m'en a jamais rien dit. Il ne m'a jamais parlé de cette petite fille. Quand vous en a-t-il parlé ? Il y a longtemps ?

— Non, vous vous souvenez le jour où vous m'avez demandé pourquoi j'avais pleuré ?

Sophie était de plus en plus perplexe :

— Oui, très bien.

— Eh bien c'était ce jour-là… vous étiez très en retard à cause des Anglais à la boutique…

Antoinette hésita, elle n'avait pas envie de confier ces moments intimes à Sophie mais elle n'avait plus vraiment le choix. Elle raconta alors sa rencontre avec Marie et Lucile et combien leur misère se lisait sur leurs visages.

— … je pleurais en y pensant quand Abel est arrivé et… il m'a écoutée puis, lui aussi, il m'a raconté son histoire. C'est tout, après il est monté vous attendre et vous êtes venue.

Le récit d'Antoinette avait dévoilé à Sophie un Abel totalement inconnu et elle était dans une grande perplexité. Mais l'essentiel était fait, le mystère était levé et Sophie apaisée. Antoinette le sentit et elle en profita pour s'en aller, elle était éprouvée et estimait en avoir assez dit pour aujourd'hui. Après son départ Sophie resta longtemps pensive. Pourquoi

Abel se préoccupait-il de la vie de ces inconnus ? Et surtout, pourquoi n'en avait-il jamais parlé avec elle ? Pas le moindre mot. Au bout d'un moment, après maintes réflexions, elle crut avoir trouvé une explication. « Il fallait bien, se dit-elle, qu'en m'attendant Abel parle avec Antoinette, qu'il la console un peu. À la longue ce devait être ennuyeux pour lui alors il finissait par parler de tout et de n'importe quoi. »

Cette explication la satisfaisait à moitié mais la rassurait quand même un peu. Elle tira sur une corde de passementerie qui pendait à côté de sa méridienne, sur le mur, près du rideau. Cette corde actionnait une sonnette qui se trouvait dans le couloir, entre la cuisine et la lingerie. Ainsi, Louisette et Mélanie l'entendaient, et l'une ou l'autre accourait. C'est Louisette qui entra. Mélanie avait fini son travail et elle était retournée chez elle. Louisette, elle, vivait à demeure. Au début elle logeait en ville. Qu'elle fût célibataire avait beaucoup compté dans le choix de Sophie lorsqu'elle l'avait engagée car elle avait vite pu la convaincre de venir habiter à demeure afin de l'avoir toujours à la maison, disponible. Elle avait fait arranger une chambre pour elle au second étage, près du grenier. Une chambre claire sous les toits qui donnait à l'arrière sur le jardin par une petite fenêtre. De là on apercevait au loin les Pyrénées et le Pic du Midi enneigé. C'était une pièce humble mais coquette avec une belle tapisserie fleurie et un lit d'angle en noyer. Il y avait aussi une armoire où Louisette rangeait son linge personnel. Pour la toilette, elle la faisait en bas le matin très tôt dans la cuisine avant que personne ne soit levé. Comme ça, en même temps elle allumait le poêle et quand le maître se levait il faisait déjà bon.

— C'est vous, Louisette ? dit Sophie en la voyant arriver. Mélanie est déjà partie ?

— Oui, à l'instant. Elle a emporté du linge à repriser, elle a eu une rude journée avec le repassage des draps et elle est venue plus tôt ce matin.

— Oh ! Louisette, chaque fois vous vous croyez obligée de me vanter les mérites de Mélanie. Je sais qu'elle fait bien son travail, je n'avais pas fait attention à l'heure, c'est tout. Et les draps ? Ça va ? Le linge est bien lavé ?

Le ton de Sophie était doux, compréhensif. Rien à voir avec son arrogance habituelle. Louisette n'en revenait pas de la sentir aussi calme et attentive et elle se dit que le moment était peut-être venu de lui parler de Marie Abadie. L'occasion ne se représenterait sans doute pas de sitôt. Louisette se lança :

— Oh ! oui, madame, tout va très bien. Les draps sont impeccables. Marie notre lingère est une femme remarquable. La pauvre ! Pourtant avec tous ses soucis elle a beaucoup de mérite.

Sophie mordit à l'hameçon. Le récit d'Antoinette était encore tout frais dans sa tête et, consciemment ou non, il aiguisait sa sensibilité. La veille encore elle n'aurait même pas relevé. Pour Sophie les pauvres n'étaient pas des gens dont on se préoccupait. On leur faisait la charité de temps à autre et c'était bien suffisant. Mais elle pensait à Abel et à son intérêt pour les petites gens et elle fit comme lui, elle se renseigna :

— Des soucis ! Et quels soucis a-t-elle cette brave femme ?

C'était peut-être gagné, il y avait une chance infime d'aboutir à quelque chose et Louisette le sentit. Aussi n'y alla-t-elle pas par quatre chemins : l'occasion était inespérée. Elle raconta l'incident avec Louis le jour où Marie s'était évanouie de faim et de fatigue et elle se fit implorante. Dans une attitude totalement inhabituelle chez cette femme si volontaire, elle se jeta aux genoux de Sophie stupéfaite qui s'était à nouveau allongée dans la méridienne.

— Oh ! Madame ! Il faut l'aider, ça fait des jours et des jours qu'elle ne mange plus rien ou si peu. De la pâte de maïs, c'est tout. Son mari ne trouve plus de travail, sa fille non plus, si on pouvait au moins trouver quelque chose pour la gamine ! Ce sont des gens très bien, très vaillants, mais vous savez, à Lourdes, pour les petites gens, c'est bien dur. Trop dur, Madame... (Émue par des paroles qu'elle ne prononçait jamais et par ces mots dont elle ne se serait jamais crue capable, Louisette eut soudain du mal à continuer, mais elle reprit son souffle...) Le chômage, la maladie qui s'en mêle, la famine. Vous savez, d'ici où tout va bien et où on est au chaud, on peut pas se rendre compte, mais il y a même des familles qu'on met à la rue parce qu'elles ne peuvent plus payer les loyers...

Tout en parlant, Louisette se disait qu'elle s'égarait, que Sophie n'avait jamais eu un regard, une parole montrant une quelconque conscience de cette inhumaine réalité pourtant si proche d'elle, mais elle était lancée. Elle avait envie de tout sortir d'un coup. Ce qu'elle savait et que, dans cette maison, chacun semblait ignorer, la violente misère des plus misérables de la ville de Lourdes.

Sophie était abasourdie. Non pas tant par ce que lui racontait Louisette que par son attitude. Jamais elle ne l'avait vue dans un état pareil. Elle la sentait au bord des larmes... ou de la colère. Elle ne savait pas déterminer au juste. C'était une Louisette inconnue qui se tenait devant elle.

En son for intérieur, elle s'agaçait cependant de voir que ses malheurs semblaient moins importants à Louisette que ceux des miséreux. Cependant, ce qui l'agaçait le plus, c'était l'attitude de Louis. Comment ! Il venait se mêler de la maison maintenant ? Il n'en avait pas assez de commander à sa pharmacie ? Sophie était très en colère, l'intervention de Louis était inadmissible, il ne connaissait rien de rien au linge et au ménage et il se permettait de renvoyer une lingère qui avait toujours remarquablement fait son travail ? Non mais ! Il ira en trouver une autre lui qui est si fort. Sophie ne décolérait pas. Du coup elle décida d'être généreuse, de se dissocier de Louis et d'aller vers ce que lui soufflait son amour pour Abel. Elle prit Louisette par les épaules avec ferveur :

— Mais bien sûr qu'on va aider la lingère, bien sûr... voyons... Louisette, on va réfléchir... ne vous affolez pas, on va trouver...

Elle se leva de la méridienne, et fit quelques pas dans la

chambre en répétant : « Voyons... voyons... » Agir comme Abel la rapprochait de lui et elle se sentait une énergie toute nouvelle. Soudain, elle crut avoir trouvé.

— Vite, Louisette, courez chercher Thérèse Millau. C'est elle la mieux informée sur tout et sur tout le monde. Elle va nous donner une solution, j'en suis sûre. Allez ! vite... vite, allez...

En entendant le nom de Thérèse Millau, Louisette avait eu un sursaut, mais elle se reprit aussitôt et, en moins de temps qu'il n'en faut pour le dire, elle était déjà partie.

Seule dans le boudoir, Sophie faisait les cent pas, l'air exalté et se parlant à elle-même. Elle allait faire une bonne action et quand Abel rentrerait elle lui raconterait tout et il serait heureux, fier d'elle. À cette perspective, Sophie avait tous les courages : elle ne voulait pas perdre une seconde, il fallait à tout prix que cette affaire de travail se règle immédiatement.

Thérèse Millau, essoufflée, pénétra dans le boudoir, abasourdie d'être ainsi sollicitée en fin de journée pour se rendre de toute urgence chez Sophie. Elle avait passé l'après-midi au thé d'Irma Journé, la femme du commissaire, et amassé suffisamment de ragots pour n'avoir guère envie de ressortir. Thérèse Millau était ainsi, toujours à l'affût de la moindre nouvelle, toujours soucieuse d'être la première avertie. Sa curiosité piquée au vif, elle ne se fit pas trop prier pour suivre Louisette. Dès qu'il s'agissait de la « belle chocolatière », l'information devenait capitale. Tout Lourdes était au courant de sa grossesse dont l'annonce avait fait grand bruit. Mais comme depuis elle ne sortait plus, on manquait de nouvelles fraîches.

— Ah ! Thérèse ! lui dit Sophie qui entre-temps avait refait sa coiffure, vous êtes venue tout de suite ! Comme c'est gentil, vraiment. Installez-vous, Louisette va vous apporter quelque chose à boire. Qu'est-ce qui vous ferait plaisir ?

Thérèse s'effondra dans le petit fauteuil crapaud qui gémit

sous son poids. Elle reprenait sa respiration car Louisette l'avait faite courir.

— Je ne veux rien, je vais dîner d'ici une heure et je sors de prendre le thé.

— Ah ! Mon Dieu ! j'oubliais, dit Sophie. C'est vrai que nous sommes jeudi. Je n'y pensais plus.

— Eh oui, vous nous oubliez, ma chère. Cet enfant à naître vous accapare beaucoup. Déjà ! Faites attention, après, vous en serez esclave. Vous verrez !

Tout en parlant, Thérèse Millau s'était débarrassée de son mantelet et de son chapeau sur les bras de Louisette qui, sur un signe de connivence, avait laissé les deux femmes seules.

Thérèse Millau tenait dans la bourgeoisie lourdaise une place à part. Issue du monde rural, ancienne servante, elle avait fini par épouser son maître. Un vieux célibataire fort riche, rentier de son état, qui lui avait laissé toute sa fortune à sa mort, deux ans plus tôt. Que de bruits avaient alors couru à ce sujet ! On se demandait ce qu'elle avait bien pu lui faire de pas très recommandable pour qu'il l'épouse ainsi. D'autant qu'elle n'était guère gâtée par la nature. Bref, Thérèse Millau était fort décriée dans la bonne société. On riait de son mauvais goût, de ses toilettes criardes, de sa silhouette trapue et de son visage rougeaud de bonne paysanne. Pourtant, malgré ces handicaps, elle avait réussi à se créer un rôle unique. Son salon était même devenu l'endroit le plus prisé de la ville, le dernier endroit où l'on cause, où l'on apprenait tous les potins sur tout et sur tout le monde. Thérèse avait compris l'intérêt capital du potin. Consciente du mépris qu'éprouvait à son égard la classe à laquelle elle appartenait désormais en raison de sa fortune, elle avait gardé ses anciennes relations et cultivé ses réseaux parallèles avec la domesticité des maisons. Grâce à quoi elle était devenue, et de loin, la personne la mieux informée de la ville. On disait qu'elle savait beaucoup de choses, qu'il valait mieux l'avoir avec soi que contre et, d'une certaine manière, on la ménageait. De fort tempérament Thérèse ne se souciait pas du qu'en dira-t-on et prenait avec la bienséance une totale liberté, ce qui lui réussissait fort bien. Son thé du lundi était le plus prisé des bourgeoises de Lourdes et de loin le mieux achalandé. Petits fours, confitures, toasts, gâteaux confectionnés par Mathilde, la remarquable cuisinière que tout le monde lui enviait, porcelaine fine, argenterie et cristal taillé, elle ne lésinait sur rien. Ainsi, tout en dévorant, les langues allaient bon train. Pour ces dames, et pour leurs maris auxquels elles rapportaient tout le soir même au dîner, Thérèse était devenue incontournable.

Remise de sa course avec Louisette, elle écoutait ce que Sophie avait à lui dire et quand la jeune femme lui eut enfin exposé l'affaire, la déconvenue de Thérèse Millau fut totale. « Qu'est-ce qui lui prend ? Voilà maintenant que la belle Sophie se préoccupe du sort d'une lingère ! On aura tout vu. » Thérèse était déçue, elle s'attendait à quelque chose de plus mystérieux. Que Sophie lui demande de venir urgemment pour trouver du travail à une jeune fille pauvre, ce n'était pas ce qu'elle avait imaginé. Mais qu'importe, elle ne montra pas sa déception. Il serait temps plus tard d'éclaircir les dessous de l'intérêt soudain de Sophie pour les miséreux.

Pour l'heure, il s'agissait pour Thérèse de montrer à Sophie l'efficacité de ses réseaux.

— Ma chère Sophie, ne vous faites pas de souci. Je descends et je reviens immédiatement. Nous aurons peut-être résolu votre problème d'ici cinq minutes.

Sophie était subjuguée.

Effectivement, Thérèse revint très vite.

— Déjà !

— Mais oui, mais oui. C'est fait. J'ai une place pour votre gamine.

Sophie était soufflée. Satisfaite de son effet, Thérèse continua :

— Qu'elle se présente demain matin chez Mme Cazaux, au *Café Français*. Je lui ai dit que vous recommandiez la personne et, vous imaginez, cela l'a tout de suite convaincue. Elle veut la voir. Si elle fait l'affaire elle aura la place. Et...

vous le savez, une place au *Français*, c'est une très bonne place.

Sophie ouvrait des yeux ronds, perplexe. Thérèse Millau se rengorgea : une fois de plus elle avait épaté une bourgeoise et pas des moindres. D'une pierre elle faisait deux coups. Elle rendait service à Mme Cazaux, à Sophie et les deux lui en seraient redevables. Thérèse comptabilisait ses services, elle maintenait ainsi son statut et savait sur qui elle pouvait compter. Aujourd'hui sa journée avait été bien remplie et, vu l'heure, elle pouvait rentrer chez elle contente.

Sophie la couvrait de remerciements quand, juste au moment de partir, l'œil aigu de Thérèse vit la rose fanée d'Abel dans le vase :

— Oh mais ! Et votre Louis vous laisse ainsi des fleurs fanées, il pourrait quand même vous offrir des roses fraîches. Ces hommes, tous les mêmes...

Et elle poussa un très profond soupir destiné à montrer à Sophie qu'elle savait bien ce que c'était que la négligence masculine.

Décontenancée, Sophie sourit gauchement.

— Oui, c'est vrai, il faut la changer, je n'avais pas fait attention, mais j'ai déjà un beau bouquet de Louis en bas, Louisette doit le monter...

Thérèse Millau était déjà passée à autre chose et Sophie se dit qu'il n'y avait aucune malice dans ses propos, simple réflexe d'une maniaque du ménage et de l'ordre. Quand elle fut partie, Sophie confirma à Louisette que Lucile aurait du travail, qu'elle devait se présenter demain chez Cazaux, et celle-ci ne put s'empêcher d'admirer elle aussi l'efficacité de Thérèse. Puis elle embrassa Sophie avec fougue et enfila vivement un châle de laine.

— Je vais le dire à Marie. Si la petite doit y aller demain, autant qu'elle le sache dès ce soir.

Sophie était heureuse comme une gamine qui avait fait quelque chose de bien et qui avait rempli sa journée. C'était pour elle un sentiment tout nouveau. Impatiente elle poussa Louisette vers la porte.

— Oui, vite, vite, Louisette, filez et revenez vite. Je vous attends, vous me raconterez.

Dans la nuit, Louisette courait d'une ruelle à l'autre. Elle se demandait comment cela était possible, comment Thérèse avait trouvé du travail si vite alors que des centaines d'hommes, de femmes et même d'enfants allaient se vendre toutes les semaines sur les foires et revenaient bredouilles. Il avait suffi de presque rien, d'un peu de bonne volonté de trois femmes, quatre avec Hortense Cazaux, et voilà que le sort tout entier d'une famille allait être chamboulé. Louisette songeait qu'il valait mieux connaître une seule personne bien placée plutôt que des centaines de pauvres bougres bien gentils mais qui ne pouvaient jamais rien pour vous. Grâce à l'entregent de Thérèse, une paye allait rentrer dans la maison des Abadie. Ce serait peu d'argent, mais ce serait toujours la promesse quotidienne du pain et du toit, autrement dit en cette période le début du paradis.

Les étoiles brillaient là-haut dans la nuit bleue et, tout en courant, d'un signe de croix sur son front, Louisette remercia le ciel.

Dans l'unique pièce de leur logis Lucile et Marie s'étaient recroquevillées près des braises d'un maigre feu. On n'y voyait pratiquement rien, à peine une vague lueur qui rougissait le profil de leurs visages. Elles avaient froid, et ce n'était pas tant la température de cette fin d'automne somme toute assez douce que la faim. Ce soir encore elles avaient ingurgité une mauvaise soupe faite avec les quelques feuilles de chou et les mounjets de la grand-mère. Ces haricots blancs à gros grains qu'on trouvait surtout ici, dans ce coin de France, et qu'on faisait pousser sur les tiges du maïs. Des haricots qui laissaient un goût âpre de terre au fond de la gorge quand on les avait mangés. Ce n'était pas vraiment mauvais sauf que, depuis une semaine, c'était la même soupe qui cuisait et recuisait. Marie ne pouvait y ajouter que l'éternelle pâte de maïs. Elle n'avait pu acheter un morceau de lard et un bout de pain qu'une seule fois dans la semaine. Depuis la violente altercation avec Louis qui l'avait tant meurtrie, jamais Marie n'avait eu le sentiment d'être aussi misérable. La saison des travaux des champs s'était terminée avec la vigne et, cette fois-ci, il y avait eu peu de récoltes. L'oïdium, cette sale maladie due à un excès d'humidité et aux changements de températures, s'était propagé depuis quelques années et on était loin de l'avoir vaincu. Beaucoup de ceps de vigne avaient souffert. Il y avait peu de grains, et partant, peu de vin. Et pourtant quand on n'avait rien dans le ventre, c'était la seule chose qui pouvait calmer la douleur et qui aidait aussi à tenir debout. Marie en prenait un peu quand on lui en offrait, à l'occasion. Il stimulait son corps épuisé mais elle restait très prudente, elle savait jusqu'où l'abus pouvait mener. Le terme employé par le pharmacien revenait dans sa tête : « ivrognasse ». Mais de quoi avait-elle l'air pour qu'il parle ainsi d'elle ? Ce mot terrible la poursuivait.

Ce soir, elle avait fait un petit feu. Tout petit, pour économiser le bois. Elle en avait toujours eu d'avance mais maintenant, pour le bois comme pour la soupe, c'était au jour le jour. Aidée par Lucile, elle reprisait pour l'hiver son unique paire de chaussettes en laine. Elle avait les mêmes depuis plus de cinq ans. Déjà, l'an dernier, Marie disait qu'elles ne passeraient pas la saison, les talons étaient élimés, la plante des pieds aussi. Pourtant il fallait qu'elles durent un hiver de plus. Il n'y avait pas de sous pour acheter la laine et en tricoter d'autres. Le découragement gagnait Marie, il la rongeait petit à petit et elle trouvait de moins en moins la force de lui résister. Elle regardait sa fille Lucile qui tirait patiemment les fils un à un. Elle tentait de les joindre tant bien que mal avec le peu de laine qui restait. Et, par miracle, elle y arrivait. Marie en aurait pleuré. Comme elle, sa petite ne connaissait de la vie que le travail, et toujours dans les pires conditions qui soient. La boue de Massabielle où avec Bernadette Soubirous elle allait ramasser les os pourris que charriait le gave, et le froid glacial de la nuit d'hiver pour aller chercher en forêt quelques brindilles. Et pas une seule fois le travail ne lui avait rapporté autre chose que la survie. Et à quel prix ! Marie tournait tout cela dans sa tête lorsqu'elle entendit quelqu'un qui courait dans la rue. Jean ? Déjà ! Il était allé avec Soubirous chez Cazenave donner un coup de main mais elle ne l'attendait pas avant neuf heures au plus tôt.

Le bruit de la course s'arrêta juste devant leur porte. Lucile avait levé le nez de son ouvrage. Les deux femmes se regardèrent, soudain inquiètes. Qui cela pouvait-il être ? Marie imagina le pire. Qu'aurait-elle pu imaginer d'autre ? Il était arrivé malheur à Jean ! Il avait dû boire un peu trop chez Nicolau : la journée avait été longue et il avait cherché du travail en vain. Ce n'est que sur les cinq heures du soir, alors qu'il n'y croyait plus, qu'on était venu le prendre au cabaret, pour un extra, et il était parti au col du Tourmalet récupérer un équipage en mauvaise posture. Marie posa son ouvrage, se leva d'un bond et courut à la porte qu'elle ouvrit en grand. C'était Louisette ! Louisette de chez Pailhé avec un sourire plein le visage. Visiblement elle avait couru et, vu son sourire, elle n'était pas là pour annoncer une mauvaise nouvelle. Marie la fit entrer et asseoir près du feu. Tout en reprenant son souffle, Louisette les regardait tour à tour en souriant beaucoup. Beaucoup trop. Beaucoup plus que normalement. Que pouvait-il bien y avoir ? Marie et Lucile se figèrent, n'osant penser à rien, ne voulant rien imaginer. Un mois au moins avait passé depuis la promesse de Louisette d'aider Marie et cette dernière n'avait d'ailleurs jamais pensé que cela fût possible. Elle n'y avait donc jamais compté, tout en gardant à Louisette une immense reconnaissance.

Louisette interrompit net les pensées de Marie.

— J'ai trouvé du travail pour Lucile. Une très bonne place de serveuse au *Café Français*. Mme Cazaux l'attend demain matin, sur recommandation de Mme Pailhé et de Mme Millau.

Marie avait porté les mains à sa figure, signe d'une émotion trop grande. Lucile lâcha l'ouvrage qui tomba sur le sol de terre battue. Ni l'une ni l'autre ne pouvaient parler. C'est

Louisette qui se leva et vint embrasser Marie, laquelle s'effondra en larmes dans ses bras. Lucile n'avait jamais vu pleurer sa mère, sauf le jour de la mort des petits. Elle ne comprenait toujours pas ce que Louisette avait dit. On la voulait ? Elle ? Pour travailler ? Elle ne pouvait même pas l'imaginer. Tout ce qu'elle avait fait jusqu'à ce jour, depuis toute petite, elle l'avait arraché à la boue et à la nuit. Et, là, soudain, elle pourrait travailler dans la lumière, dans cet endroit hors du monde réel qu'était le *Café Français*. Et on la demandait pour ça ? Non. Ce n'était pas possible. Qu'avait dit Louisette ? Elle ne savait plus. Et pourquoi sa mère pleurait-elle tant ?

Louisette assit Marie sur un tabouret et s'installa entre elle et Lucile.

— Vous m'avez bien entendue. Cet été, Mme Cazaux a bien vu qu'Ida était débordée. Il y a de plus en plus de touristes. Beaucoup trop pour une seule serveuse. Elle a décidé de former une jeunette durant l'hiver et Lucile est la bienvenue. Mme Millau a tout arrangé. Si Lucile convient, elle commence dès demain. C'est pas beau ça !

Et elle éclata d'un grand rire heureux. Lucile et Marie la regardaient, encore incrédules, puis gagnées par la force de son rire, réalisant enfin qu'elles ne rêvaient pas, elles se mirent aussi à rire avec elle, un peu au début, puis de plus en plus fort, nerveusement, déchargeant une peur trop longtemps contenue. Les pleurs se mêlèrent aux rires cependant que le regard de Louisette tentait de percer la profondeur de l'ombre. Elle ne vit que le dénuement, la terre battue du sol, les deux paillasses et le coffre de bois. Un souvenir lointain et douloureux revint à sa mémoire, celui de la petite fille qu'elle avait été qui, à défaut de chaussettes, mettait de la paille dans ses sabots pour ne pas avoir froid. Louisette ne repensait jamais à son enfance mais là, dans cette nuit noire de la pièce et sur ce sol de terre brune, les odeurs âcres et fortes firent resurgir une image longtemps enfouie. Elle revit le visage informe de fatigue et d'usure de sa mère, morte d'avoir trop peu et que des hommes emportèrent dans un sac. Louisette avait à peine huit ans. La violence de ce souvenir lui arracha un cri poignant et elle étreignit Marie.

— Tu vois, Marie, je te l'avais dit. Il ne faut pas avoir peur, un jour plus personne ne te parlera comme l'a fait Pailhé. On se sauvera, on se sauvera toutes, on sortira de la nuit et de la misère. Il y aura bien un jour où nous aussi on aura droit à la lumière.

Les paroles de Louisette résonnèrent comme une prémonition et, instinctivement, Marie se signa. Elles restèrent ainsi un long moment toutes les trois, puis Louisette se leva, mais elle ne partit qu'après avoir convenu ensemble de la manière dont Lucile devait se présenter.

— Propre et simple, dit Louisette.

— On aurait du mal à faire autrement, avait répondu Marie dans un grand sourire.

Une fois Louisette partie, elles se retrouvèrent seules, mère et fille, avec cette nouvelle exceptionnelle à partager. Une nouvelle trop grande, trop forte, une nouvelle inimaginable. Ce fut un moment étrange, car ni l'une ni l'autre ne parvenaient à vraiment réaliser ce qui venait de se passer. Jamais, jamais, on ne leur avait donné quelque chose. Tout ce qu'elles avaient eu elles avaient dû le gagner, pire bien souvent, elles avaient dû l'arracher. Se réveilleraient-elles demain en ayant rêvé ? Marie prit Lucile contre elle.

— Viens, on va remercier la Sainte Vierge. Tu vois, elle nous a entendues. Mon Dieu ! Heureusement qu'elle est là. Que ferait-on sans elle ? Mon Dieu ! Pourvu que tout cela soit vrai !

Comme tous les soirs, mais avec beaucoup plus de fébrilité que d'habitude, Marie mit en place leur petit cérémonial rituel. Elle prit la petite statue de terre cuite sur le rebord de la cheminée et la posa sur une chaise devant elle. Elles s'agenouillèrent devant la Madone avec un respect infini. Leur prière fut muette, les mots ne venaient pas, les images du *Café Français* défilaient dans leurs têtes et quand Jean rentra sur les dix heures, il les trouva à genoux devant les braises mourantes. Elles n'avaient pas bougé et la petite statuette devant elles vibrait d'une étrange façon.

Depuis l'angle de la place de l'église et de la place Marcadal, ultime limite jusqu'à laquelle elle pouvait aller sans être vue, Marie regardait la petite silhouette de sa fille s'approcher de la belle terrasse du *Café Français*. Elle trouvait Lucile bien mise, bien propre, avec sa robe d'indienne à petits carreaux gris et bleus, son tablier de toile et son fichu marron bien serré sur la tête. Même de loin, Marie voyait les chaussettes dans les sabots. Elle était fière de sa petite et pourtant, autant qu'elle sinon plus, elle avait le ventre noué et le cœur qui battait. La façade du *Français* était si luxueuse ! Comment la patronne du café, cette dame si bien mise, si riche, allait-elle accueillir la petite ?

— Entrez, mademoiselle, entrez. Je ne vous connais pas mais je suppose que vous êtes mademoiselle Abadie ?... C'est ça ?

Lucile eut un faible sourire crispé. Elle avait eu un mal fou à se dominer et à entrer dans le café. Plus elle s'approchait des petites tables rondes recouvertes de nappes blanches avec leurs jolies chaises de rotin qui, jusqu'en cette saison d'automne, ornaient la terrasse du *Français*, moins ses jambes la portaient. Elle savait sa mère cachée là-bas et qui la regardait, si fière d'avoir déniché hier soir pour sa fille cette robe d'indienne, ce tablier et ces chaussettes en faisant le tour de toutes les maisons du quartier. Lucile embauchée au *Français* ? Non ! C'est pas vrai ! Diable ! Dans un premier temps les femmes de la rue avaient été incrédules, puis très vite elles s'étaient mobilisées. En pleine nuit, elles avaient ramassé ce qu'il y avait de mieux dans les maisons puis elles étaient venues chez Marie pour faire essayer leurs trouvailles à Lucile. Un essayage rapide et un choix vite fait, car le trésor vestimentaire des femmes du quartier ne pesait pas bien lourd. Il y avait eu aussi le problème de la taille des vêtements, souvent trop longs, ou trop larges. En ajustant avec quelques épingles, en retournant le bout des chaussettes dans les sabots, les femmes avaient réussi à habiller la petite qui, sous leur regard, avait fini par se sentir presque élégante.

Mais ce matin, au fur et à mesure que Lucile s'approchait du café, à chacun des pas qui la portaient vers ce qui pour elle représentait ce qu'il pouvait y avoir de plus luxueux au monde, elle avait senti fondre la fragile assurance que lui donnait sa nouvelle tenue. Et quand ses sabots à la taille grossière s'étaient posés sur le magnifique parquet de chêne de la grande salle du café, elle avait cru mourir de honte. Jamais elle n'avait vu un parquet pareil. Et maintenant, face au corsage de dentelle immaculée de Mme Cazaux sur lequel brillait un énorme camée d'or et de porcelaine représentant un délicat profil féminin, elle aurait bien voulu rentrer sous terre. C'est sûr, elle n'avait rien à faire ici, jamais on ne voudrait d'elle. Elle était faite pour la boue, pour la terre et les rudes labeurs, non seulement ses vêtements mais tout en elle le criait. Elle en était certaine, elle connaissait ses mains abîmées de sillons noirs, ses cheveux plats et tirés, son visage de paysanne large et buté. Non, elle n'avait rien à faire ici. Mme Cazaux la regardait des pieds à la tête d'un air désapprobateur.

— Alors ! Vous avez entendu ma question ? Vous êtes bien mademoiselle Abadie ?

Était-elle Mlle Abadie ? Lucile ne savait pas. Mlle Abadie ? La fille Abadie, oui, ça elle savait. Mais mademoiselle ? Jamais on ne s'était ainsi adressée à elle, dans ce français impeccable. Elle mit un peu de temps à comprendre mais le sourcil froncé de Mme Cazaux la fit réagir.

— Euh... je suis Lucile Abadie.

— Ah ! quand même, tu as une langue ! Heureusement, parce qu'ici, il faut savoir parler... et avoir de la tenue. (Ce disant elle se pencha par-dessus le comptoir pour juger de l'ensemble. Sa moue était franchement désapprobatrice.) Tu as d'autres vêtements que ceux-là ?

Lucile resta muette. D'autres vêtements ? Que voulait dire Mme Cazaux par « d'autres vêtements » ?... Des plus beaux ?

152

Des moins beaux ?... Lucile ne comprenait pas. Et comme toujours en pareil cas, elle choisit le silence.

Mme Cazaux en profita pour l'observer alors minutieusement. Une inspection en règle. La patronne du café savait déceler dans la moindre des attitudes d'une personne certains traits de caractère. Question d'habitude. Elle en voyait défiler tellement devant son comptoir ! De cet exercice quotidien elle avait tiré une réelle compétence. Son jugement était rapide et sûr. Il se trouva donc qu'après une première impression désagréable due à la manière dont elle était attifée, cette petite lui fit, en y regardant de plus près, le meilleur effet qui soit. Aucune fioriture de comportement et un regard droit, peu hardi et même pour l'instant plutôt paniqué. Derrière le manque total d'assurance de cette gamine effrayée, elle devina une jeune fille vaillante, volontaire et même peut-être... bien mieux que ça. Une gamine intelligente. Une fois prise en mains, habillée, coiffée, un peu éduquée aux manières, elle pourrait faire une employée très efficace, sérieuse et compétente. Voilà ce que se disait intérieurement la patronne du *Français* en dévisageant Lucile. Pour le personnel, Mme Cazaux décidait, son mari lui laissait carte blanche : les rares fois où il avait choisi des filles pour des extra, sur des critères connus de lui seul, ça n'avait jamais été une réussite. Il en avait d'ailleurs convenu. Mme Cazaux lui imposerait donc Lucile. Sa décision était prise. Quand elle sortit de ses pensées, elle s'aperçut que Lucile la regardait d'un air affreusement inquiet. Elle lui sourit.

— Et bien ! Toi au moins tu n'es pas une bavarde ! Tu ne risques pas d'ennuyer ces messieurs à aller leur caqueter toujours aux oreilles comme certaines filles que j'ai eues. (Se retournant, elle appela en direction d'une porte, visiblement celle des cuisines :) Ida ! Ida ! Venez vite.

Quelques secondes après la serveuse en titre du *Français* était là. Vêtue d'une stricte robe de coton noir aux manches longues, un tablier blanc très net bordé d'un petit volant noué gracieusement dans le dos, Ida avait une certaine prestance. Ses cheveux étaient bien tirés vers l'arrière et rassemblés en un chignon bas. Un passe de dentelle blanche amidonnée ornait le dessus de son front. Consciente de ses privilèges et du prestige de son uniforme, Ida était la parfaite illustration d'une employée modèle, soignée, avec la classe qui seyait à sa corporation dans un établissement aussi prestigieux.

Lucile était éblouie. Cette dame si bien habillée était une employée ! Elle n'en revenait pas.

— Ida, voici Lucile dont je vous ai parlé, elle va travailler avec vous. Vous lui apprendrez le métier et j'aimerais que vous alliez avec elle à l'office. Il doit y avoir de quoi l'habiller entièrement. (Elle se pencha à nouveau par-dessus son comptoir et tout en regardant les sabots, elle ajouta :) Et surtout trouvez-lui une paire de bottines. Emmenez-la chez Cazalot. Pas à la boutique, hein ! Au magasin qu'ils ont place du marché, vous prendrez un bon modèle costaud pour le travail. Qu'ils le mettent sur mon compte.

Lucile suivit Ida qui l'entraîna avec un sourire du meilleur augure qui soit. C'est que la petite lui plaisait à elle aussi. Quand Mme Cazaux lui avait annoncé qu'elle allait prendre quelqu'un, Ida s'était inquiétée. Diable ! Après avoir régné sur le café, elle allait devoir partager et elle n'était pas partante, surtout après quelques précédents plutôt désastreux. Mais elle n'y arrivait plus seule et elle était bien d'accord avec sa patronne qu'il leur fallait trouver une solution. En voyant la petite, elle fut immédiatement rassurée. Portée par cet assentiment général, Lucile allait vivre la toute première journée de rêve de sa jeune vie. Tout d'abord, Ida lui passa une robe noire identique à la sienne :

— Parfait, dit-elle en se reculant un peu, elle te va comme si elle avait été faite pour toi. Ça c'est une chance, j'aurai aucun ourlet à faire.

Puis, devant une grande glace où Lucile put s'admirer, elle l'avait coiffée. Ensuite elles étaient parties acheter des bottines et, pour l'essayage, Ida avait emporté une paire de bas de coton noir comme Lucile n'en a jamais vus. Pour la première fois de sa vie Lucile était entrée dans un magasin. Ce fut un choc. Elle eut le sentiment de pénétrer dans une sorte de temple aux étagères remplies de trésors. Elle n'avait jamais eu l'occasion d'acheter quoi que ce soit. De la récupération, de l'échange avec les voisines, ça oui, elle connaissait. Mais acheter ? Une fois, seulement. Sa mère avait payé des pantalons pour son père à des ambulants qui vendaient des vêtements d'occasion. L'achat de ces bottines eut sur elle un effet si puissant qu'elle restait figée. Ida ne comprenait pas ce qui se passait :

— Qu'est-ce qu'il y a ? Tu n'aimes pas ce modèle ou quoi ?

Lucile opina de la tête sans sourire avec le même air buté.

— Bon, dit Ida à la vendeuse, ça lui passera, elles lui vont bien, on les prend, elle va les garder aux pieds, mettez-moi les sabots dans un vieux journal et la note sur le compte de Mme Cazaux.

Quand elle sortit dans la rue chaussée de ses bottines noires, Lucile était une autre et cette métamorphose due à ses pieds qu'elle découvrait au bas de sa robe éclatait dans sa tête comme une révélation. Une seule robe, une paire de bas et des bottines et elle n'était plus la pauvresse en sabots d'il y a seulement quelques heures. Elle se sentait différente, elle était une jeune fille en bottines comme elle en voyait parfois. Des jeunes filles qui lui semblaient inaccessibles et d'un autre monde. Dans la rue Lucile avançait comme sur des œufs, d'une démarche gauche et ridicule. Si elle marchait ainsi c'est parce qu'elle ne sentait rien. Les sabots, il fallait toujours les retenir, crisper ses pieds pour ne pas les perdre. Les bottines tenaient toutes seules, juste avec des lacets. Un miracle ! C'était beaucoup pour elle en une seule fois et c'était trop fort, trop beau et en même temps très mystérieux. Que lui arrivait-il ? Elle se laissait guider sans opposer la moindre résistance, ni manifester d'ailleurs la moindre joie. Ce n'était pas de la joie qu'elle ressentait, c'était presque de la peur. Les événements de ce début de matinée s'étaient succédé, la laissant toujours apparemment aussi passive, et ce jusqu'au moment où Ida, après qu'elles furent rentrées au café, eut noué autour de sa taille le gracieux tablier blanc bordé d'un petit volant. Lucile sortit alors de sa torpeur et quand Ida posa le passe sur son front, son visage rayonna. Ce simple morceau de dentelle blanche sur la tête d'une gamine née dans la nuit de la misère et qui n'avait jamais connu autre chose que de mauvais bouts de tissus à nouer autour de son crâne, ça n'était plus un passe de serveuse de café, ça devenait au moins une couronne royale. Lucile se redressa tout entière, et se fit une promesse qui pour un esprit observateur pouvait se lire en cet instant précis dans son regard noir : plus jamais elle ne mettrait sur ses cheveux des fichus usés, plus jamais elle n'aurait de paille dans ses sabots !

Quand Ida l'emmena se montrer devant Mme Cazaux elle était dans l'état d'esprit d'une princesse qui va être présentée à la reine. Ce qui la frappa le plus, c'est la légèreté de ce qu'elle portait, tout lui semblait d'une finesse incroyable et lorsque Ida la fit tourner sur elle-même devant la patronne pour montrer sa transformation, elle se sentit danser. Or Lucile n'avait jamais dansé. Danser ? Et avec quoi aurait-elle dansé ? Ses camarades la raillaient. Il fallait bien s'amuser quand même, sabots ou pas ! Malgré leurs quatre années de différence d'âge, seule Bernadette la comprenait, c'est qu'elles partageaient ce sentiment du néant que donne la pauvreté totale. Elles venaient toutes les deux des familles les plus démunies et, à côté d'elles, la moindre petite voisine ayant au moins un fichu propre et des chaussettes de laine à mettre dans ses sabots leur apparaissait privilégiée. Avec ses mains et ses chevilles rouges de froid l'hiver ou gonflées de chaleur l'été, Lucile n'avait jamais eu envie de danser. Or voilà que maintenant, dans un habit pour elle digne des contes de fée, elle dansait devant Mme Cazaux guidée par la main sûre et ferme d'Ida qui faisait ses commentaires.

— La robe lui va comme un gant, rien à retoucher. Comme si on l'avait cousue pour elle et il y avait une paire de bottines de travail chez Cazalot. Impeccable. Elle peut venir en salle dès ce midi. Elle est prête. Qu'en pensez-vous ?

Mme Cazaux contemplait sa nouvelle recrue avec un large sourire.

— C'est parfait, Ida. Je suis sûre que d'ici une semaine nous aurons une serveuse tout à fait acceptable.

Elle se tourna vers Lucile :

— Tu n'as pas l'habitude de fréquenter des messieurs comme ceux qui viennent ici mais je te fais confiance pour être discrète et pour ne jamais tenter de leur faire la conversation. De toute façon tu parles trop mal le français et eux ne comprennent pas tous le bigourdan. Ce n'est pas grave, tu es là pour servir, et uniquement pour cela. Ils vont te regarder le premier jour, certains peut-être te poseront des questions mais demain ils ne feront plus attention à toi et c'est ce qui peut t'arriver de mieux, crois-moi. M. Cazaux sera là dans une heure, je te présenterai à lui, pour tes gages tu auras un franc par jour sans compter les pourboires et la nourriture. Ida t'expliquera. Maintenant va, et fais ce qu'elle te dit.

La journée au *Français* se passa sans difficulté d'aucune sorte. Lucile écoutait Ida, la suivait partout, l'observait et enregistrait vite et bien. Aussi, quand, en fin de journée, Thérèse Millau vint prendre des nouvelles de la protégée de Sophie, Mme Cazaux ne sut comment la remercier de lui avoir envoyé cette petite dont elle ne doutait pas un seul instant qu'elle serait certainement la meilleure employée qu'elle ait jamais eue.

— Un franc par jour ? Tu es sûre que tu as bien compris ?

— Un franc par jour, oui, maman, c'est ce qu'elle m'a dit.

— Tu l'aurais pas inventé quand même ?

— Non, non. Je suis sûre que c'est bien un franc par jour qu'elle m'a dit.

Marie n'en revenait pas. Lucile était rentrée depuis cinq minutes à peine et la première chose qu'elle avait fait, c'était

157

de poser sur la table les pièces que Mme Cazaux lui avait données.

— Maman ! je vais gagner un franc par jour.

Ça lui avait fait un choc à Marie. Elle avait compté, c'était bien ça, sa fille allait gagner autant qu'elle. Avec ses lessives Marie faisait juste un franc vingt-cinq et là Lucile allait gagner un franc. Tous les jours ! Ça paraissait impossible à Marie. Lucile avait dû mal comprendre.

— Écoute maman, j'en suis sûre. Mme Cazaux m'a dit que pour les gages, ça serait un franc par jour plus la nourriture.

— La nourriture ?

— Oui. La nourriture à midi. On mange avant le service. Et si je reste tard le soir je peux manger aussi, mais là, après les clients.

— Et elle t'a parlé en quoi ? En français ou en bigourdan ?

— Comme nous, maman. Elle mélange les deux. Je la comprends bien. Et puis elle parle lentement. Elle parle la langue des touristes mais aussi la nôtre, celle du pays. Ça va, c'est pas comme les clients !

— Ah, oui ! Tu as vu les clients ?

Lucile riait et sa mère la regardait, émerveillée. Sa petite qui ne disait jamais rien, parlait, parlait... Elle raconta la séance d'habillage, le magasin Cazalot.

— Tu es entrée chez Cazalot !

Chaque information, chaque phrase provoquaient l'extase, Marie n'en revenait pas. Lucile parla des clients, de Catherine la vieille cuisinière du *Français*, d'Ida, et surtout de Mme Cazaux et de la beauté du café :

— Par terre il y a un parquet.

— Un parquet ! Par terre ! Dans le café !

En disant cela, Marie frappait du pied leur sol de terre battue comme pour mieux percevoir le côté invraisemblable d'une telle richesse. Mais du récit désordonné de Lucile ce qui enflammait le plus l'imagination de Marie, c'était que dans ce lieu magique entre tous on vous offrait une robe et des bottines pour travailler. La tête lui en tournait, comment

158

cela était-il possible ? Tout en y pensant elle contemplait sa fille qui parlait toujours et elle se disait que quelque chose en elle avait changé. Quoi ? Difficile à dire. Marie réfléchissait, l'examinait sous toutes les coutures, puis enfin elle cru avoir trouvé.

— Qu'est-ce que tu as fait à tes cheveux ?

Lucile interrompit net son bavardage.

— Regarde.

Fière, elle se retourna et offrit à sa mère la vision de sa nuque. Marie aperçut un petit chignon bien lisse et bien tiré. Un chignon de jeune fille. Voilà, c'était ça le changement. En un jour, un seul, Lucile avait grandi. Émue, Marie prit sa fille dans ses bras, envahie d'une vague inquiétude qu'elle ne s'expliquait pas.

Lucile rit et s'ébroua.

— Maman ! maman, mais écoute-moi enfin. C'est le paradis. Tu entends. Je suis au paradis. Tout le monde est gentil. Ida et Catherine la cuisinière m'expliquent tout. Le travail est merveilleux, facile. Tu te rends compte, je reste dedans toute la journée. Au chaud, à l'abri. Je ne dois pas courir dans les bois ou dans la boue de Massabielle. Je suis propre, maman, je suis restée propre toute le journée. On me donne de beaux habits et en plus on me paye un franc. Et je mange, si tu savais... je mange bien. Du pain, de la soupe et même de la viande. J'ai mangé du mouton. Catherine avait fait un ragoût pour les clients. Il y en a eu pour nous aussi. Du ragoût ! Mais comment c'est possible ça, maman ? Comment ça existe des endroits comme ça ? Hein ?

Marie se dérida enfin. Et si sa fille venait d'avoir une chance inouïe ? La Chance ! Il y a des mots qui existent, on les connaît mais ils semblent ne pas avoir été créés pour vous. Ce mot qu'elle n'aurait jamais imaginé fait pour elles était là aujourd'hui, dans la vie de Lucile. Le plus difficile à croire était que la chance soit venue les chercher dans cette maison où les difficultés de la vie avaient été si nombreuses et si violentes. Et pourtant ! Il fallait bien se rendre à l'évidence, Lucile avait trouvé un travail. Un travail bien payé, dans un très bel endroit où elle était heureuse. Et ça s'appelait de la chance ? Marie n'en était pas si sûre.

— Viens, dit-elle à Lucile, viens vite. Mets ta cape. On sort.

Lucile regarda sa mère jeter un gros drap de laine sur ses épaules et ouvrir la porte. Avant qu'elle ait pu lui poser la moindre question, elles étaient devant le porche de l'église. Marie entra la première, si brusquement qu'elle bouscula une dame qui sortait elle aussi précipitamment. La dame trébucha et Marie se précipita pour l'aider à se relever. C'est alors qu'elle vit son visage. Malgré le voile qui le recouvrait on voyait bien qu'il était baigné de larmes et que ses yeux étaient rouges d'avoir trop pleuré. L'inconnue remercia et se dégagea vivement puis s'éloigna sur le parvis en direction de la place Marcadal.

— Tu la connais ?

Marie hocha la tête.

— Oui. C'est la femme d'un monsieur haut placé au tribunal, elle s'appelle Hélène Duprat. Jeannette fait le ménage chez eux et elle a assisté à bien des scènes... Cette femme est bien malheureuse.

— Des scènes ? Quelles scènes ?

Marie fit un geste évasif. Lucile insista.

— Pourquoi est-elle malheureuse ?

— D'après Jeannette, c'est à cause de son mari... La pauvre !... Allez, ne t'occupe pas de ça, c'est leurs histoires. Viens, on va prier la Sainte Vierge pour la remercier de t'avoir trouvé ce travail, mais aussi pour cette femme (en disant ces mots, Marie fit un signe de croix rapide sur son front)... Qu'elle veuille bien lui porter secours comme elle l'a fait pour nous.

Tout en parlant elle tirait Lucile par la manche pour la faire entrer dans l'église, mais Lucile résistait. Elle était comme fascinée et regardait au loin Hélène Duprat qui s'éloignait dans le magnifique mouvement d'un manteau de laine sombre éclairé d'un châle aux couleurs dorées comme la couleur des forêts de l'automne.

— Maman ... elle est riche, ça se voit.

— Et alors ! Il manque beaucoup à cette femme.

— Et quoi ? Qu'est-ce qui lui manque ?

— Tout.

— Tout ? Lucile voulait comprendre. Mais maman, si elle a de l'argent elle a de quoi manger, de quoi dormir, une maison sans doute...

— Peut-être, mais il lui manque l'essentiel.

Devant la perplexité de Lucile, Marie se décida à aller plus loin :

— Il lui manque... l'amour.

— L'amour ? Mais l'amour de quoi.

— L'amour de quelqu'un, un enfant, un homme qu'elle aime. Je ne sais pas, moi...

La silhouette d'Hélène Duprat se confondait au loin avec les murs des grosses maisons.

— C'est très difficile de vivre sans amour, tu sais. N'oublie jamais les larmes de cette femme, Lucile, et souviens-toi que si tu n'as pas l'amour, tu n'as rien en ce monde. Pire, tu n'es rien.

L'amour ! Lucile n'en revenait pas, c'était donc si terrible à obtenir, l'amour ? Ses parents s'aimaient bien, eux, alors... quand on était riche et belle comme cette femme et qu'on avait un mari haut placé, qu'est-ce qu'il y avait de difficile ? Lucile ne comprenait pas. Était-ce plus difficile à obtenir que de manger à sa faim ? Qu'est-ce qui était le plus terrible ? Le manque de pain ou le manque d'amour ? Lucile était troublée. Les sanglots de cette femme avaient jeté un voile sur sa joie et quand elle entra dans la pénombre de l'église et qu'elle s'agenouilla près de sa mère, elle ne put effacer l'image à peine entrevue de ce visage noyé de désespoir.

Marie était agenouillée devant sa vierge préférée qui nichait dans le petit autel tout au fond et déjà elle était passée avec elle de l'autre côté du miroir. C'était une Sainte Vierge de bois doré qui tenait entre ses voiles un petit Jésus souriant, Marie lui parlait à voix basse avec ferveur comme on parle à un être de chair et de sang et, comme éclaboussée par l'intense vibration de cette prière, la Vierge et l'enfant dans la niche semblaient rire de bonheur. Qu'elle vienne crier son désespoir ou qu'elle ait simplement besoin de parler, jamais Marie n'avait été déçue par sa Vierge, à chaque fois celle-ci lui répondait par la luminosité plus intense d'un sourire, d'un regard et cela suffisait à Marie car elle savait ainsi qu'elle avait été entendue. C'était là au pied de cet autel, dans cette église paroissiale de Lourdes toujours ouverte aux pauvres gens, qu'elle portait avec Lucile les premières fleurs des champs au printemps. Les grandes gerbes de marguerites blanches et les fragiles églantines roses.

— Merci, Mère de Dieu, oh ! ma Mère ! Merci d'avoir entendu ma prière, merci de votre aide, merci pour ce travail de Lucile, pour cette chance inespérée. Je sais que c'est vous. Vous êtes là, tout près de nous depuis toujours. Dans le silence de la nuit, dans le froid de l'hiver, quand la faim et la peur nous rongent le ventre, vous êtes la seule, Vierge Marie, la seule à nous entendre et à nous aider. La seule à qui on puisse tout dire, la seule avec qui je puisse pleurer. Je le sais, je vous sens là, tout près, tous les soirs. Du fond du cœur, du fond de mon âme, merci d'être avec nous, les plus pauvres d'entre les pauvres...

Lucile joignit ses mains, portée par l'intensité des paroles de sa mère et quand elle leva les yeux vers la Vierge dans sa niche, la mère et l'enfant étaient bien vivants, ils leur souriaient et elle les entendait rire de joie.

HIVER 1857

Il faisait une température glaciale. Les branches nues tendaient vers le ciel sombre leurs rameaux noirs. Le gel avait pris les ruisseaux, les bords du gave étaient blancs de givre et le château, là-haut, avait perdu son air léger et chevaleresque de conte d'enfants, reprenant son allure inquiétante de forteresse. Les touristes étaient partis, les crinolines avaient fui.

À l'aube, comme chaque Lourdais le faisait chaque matin en partant travailler, Lucile jeta un coup d'œil vers le château, si proche, dont la muraille, au cœur même de la ville, surplombait les maisons du centre. Elle entrevoyait parfois sur les remparts, entre les créneaux, la silhouette d'un hussard qui faisait les cent pas sur le chemin de ronde.

C'est ce même hussard inconnu que Sophie regardait en pensant à Abel au cours de ses nuits sans sommeil et c'est encore pour ce même hussard inconnu qu'Antoinette priait chaque jour au nom de tous les hussards du monde qui, dans des pays lointains, mouraient seuls sur des champs de bataille.

Du haut de ses fenêtres, tous les matins, Sophie apercevait Lucile entrer au *Français*. Elle avait reçu de Marie en remerciement un petit napperon de dentelle. Le fil en était grossier mais le geste l'avait touchée. Marie avait dit à Louisette qu'elle ferait chaque matin une prière à la Vierge pour Sophie.

— La Sainte Vierge ne peut rien pour moi, avait répondu

Sophie à Louisette, mais si ça fait plaisir à cette femme, qu'elle le fasse !

Mme Cazaux avait fait dire par Louis que la petite était très bien, elle avait même offert à Sophie un ravissant flacon de parfum à la violette pour la remercier de la lui avoir envoyée. Louis qui ne savait rien de toute cette affaire avait failli faire un drame quand il avait appris le geste de sa femme.

— Qu'est-ce qui te prend de t'occuper des pauvres maintenant ! Recommander la fille de ces moins-que-rien au *Français* ! Mais tu es vraiment folle, Sophie ! Sans la connaître en plus, tu te rends compte ?

Heureusement les félicitations de Mme Cazaux le calmèrent et l'attitude de Lucile au café le rassura. Très vite il oublia.

Il faisait nuit noire lorsque Lucile arrivait au café, et quand elle en sortait, sur les huit heures, il faisait plus sombre encore. Pour Lucile désormais les journées étaient une succession de bonheurs et de découvertes. Son univers avait changé. Radicalement. Désormais elle se sentait appartenir au *Français*. Elle y courait dès qu'elle se réveillait. Catherine, la cuisinière qui logeait sur place, avait déjà allumé les lampes et le poêle ronronnait. Un bon café attendait Lucile avec le pain frais du matin que le commis de Maisongrosse posait derrière les volets après la première fournée. Catherine lui en coupait une large tranche et y tartinait de la confiture ou un peu de crème de lait. Les premières fois, Lucile avait cru à une erreur. On lui donnait de la confiture ! Elle n'en avait jamais mangé. Elle savait tout juste que ça existait. Quant à la crème de lait... n'en parlons pas. Elle avait eu l'occasion d'en goûter une fois chez un paysan où sa mère faisait les saisons autrefois mais c'était si loin. Ce café du matin et cette tartine ! Quel merveilleux moment. Ensuite, Lucile filait vite se débarbouiller à la lingerie attenante puis elle s'habillait à l'office. Ce cérémonial lui semblait être le summum du luxe. Elle s'occupait de « se soigner » comme disait Mme Cazaux. Et ça, c'était une chose qui aurait paru inimaginable à Lucile auparavant. Chez elle, la première tâche consistait toujours à parer au plus urgent : trouver du bois. Et pour aller en forêt, être lavée ou pas, ça n'avait guère d'importance, au contraire. À cause du froid, elle se couchait le plus souvent avec tous ses vêtements et se levait telle que, enfilant juste de grosses chaussettes qui avaient servi au père et une cape. Aux petites heures du jour, le froid du dehors était à peine plus mordant que celui du dedans et, dans la campagne près du gave, l'air se faisait inhumain... Il pénétrait jusqu'aux os, on ne s'en débarrassait pas, on se levait et on s'endormait avec lui. À ce souvenir, Lucile était encore parcourue de frissons. Plus jamais ! Plus jamais elle n'irait dans le froid. Elle se l'était juré, puisqu'il existait des endroits comme celui-ci, éclairés d'une douce lumière et où régnait une douce chaleur, des endroits où l'on ignorait le gel et les crevasses douloureuses qu'il creusait dans les mains et les pieds.

Lucile était maintenant habillée, elle avait tiré elle-même ses cheveux, posé son petit passe blanc et enfilé, toujours avec la même volupté, les bottines de cuir noir. Ah ! ces bottines ! Lucile en parlait à sa mère tous les soirs tellement elle les aimait Elle retourna à la cuisine, et Catherine lui servit un deuxième bol de café avant qu'elle ne s'attaque au travail.

Tout en préparant les légumes de sa soupe, la vieille cuisinière couvait Lucile d'un regard attendri.

— Ça fait du bien, hein ! un bon café chaud le matin !

Lucile approuva d'un franc mouvement de tête tout en continuant à boire.

— Eh oui ! Je sais, va... quand je suis venue ici j'étais comme toi. J'avais que la peau sur les os. Je sais ce que c'est... profite...

Lucile lui lança un sourire puis gagna la salle. C'est elle qui désormais installait tout. Quand Ida arrivait, les lampes à gaz étaient allumées et le poêle de la salle ronronnait. Depuis qu'elle était là – il y avait juste deux mois ! –, elle s'était fait une place à part entière, exécutant toutes les tâches avec

165

efficacité et prenant même les devants par des initiatives judicieuses. Madame Cazaux avait vu juste. Lucile était une excellente employée.

Au début, les clients s'étaient permis quelques remarques.

— Dites, madame Cazaux, elle est gentille, la petite, mais elle est pas très... très... charnue, vous voyez. Surtout pas là où il faudrait. Hein !

Et ils ricanaient d'un air entendu.

— Elle n'est pas là pour ça, avait répliqué vertement Mme Cazaux. Elle est là pour m'aider et pour aider Ida. Pas pour faire les yeux doux.

— Vous fâchez pas, madame Cazaux. On le sait bien, et d'ailleurs elle est très bien, cette petite. On la voit pas, on l'entend pas. Elle sert et, hop, fini. On ne s'est aperçu de rien qu'elle est déjà repartie.

Aucun compliment sur son employée ne pouvait mieux satisfaire la patronne. Être le plus discrète possible de manière à laisser à ces messieurs l'entière place en leur royaume, c'est ainsi qu'au *Français* les quatre femmes faisaient tourner toute la maison.

Mais c'est un homme qui récoltait les honneurs de cette maison si bien tenue, Paul Cazaux, le mari de Madame. Le matin il descendait bien après tout le monde et son premier travail consistait à se faire servir un café par Lucile. Ensuite il lisait le journal, puis il allait saluer les clients et bavarder avec l'un ou l'autre. Il passait ses journées à discuter, à jouer au bridge ou au twist avec ceux du cercle et, le soir, il faisait immanquablement son billard avec le procureur Dufour. Aux yeux de tous, le patron du *Français*, c'était lui.

Pourtant, en temps qu'employée, Lucile n'avait jamais affaire à Paul Cazaux. À peine l'avait-il regardée le jour de l'embauche et, depuis, il ne lui avait jamais vraiment adressé la parole. Comme Madame l'avait prévenue, les clients dans leur ensemble l'ignoraient complètement et, quand elle arrivait à leur table, ils continuaient à parler comme si elle n'était pas là. Mieux, comme si elle n'entendait pas.

Or Lucile entendait très bien. Les jours passant, elle se

familiarisait avec cette langue des riches, le français, qu'elle comprenait de mieux en mieux. La première fois, quand elle s'était rendu compte que les clients parlaient sans tenir compte de sa présence, elle avait été surprise. C'était une fin de journée, le procureur Dufour était avec le commissaire Journé. Ils discutaient de Mme Pailhé, cette Sophie à laquelle Lucile et sa mère vouaient une immense reconnaissance. Lucile nettoyait la table pour installer leurs verres et leur servir un apéritif quand le procureur lança :

— Dites donc, commissaire, vous avez vu le ventre de la « belle chocolatière » hier ? Elle sortait de chez le médecin... Ne me dites pas que vous ne savez rien, je vous ai vu la regarder de loin. Vous paraissiez très intéressé. Elle s'arrondit de plus en plus.

— Allons donc, monsieur le procureur. Pourquoi m'intéresserais-je au ventre de la chocolatière. Ce n'est pas moi qui l'ai rempli. Et... (Le commissaire se pencha avec un sourire narquois vers son interlocuteur :) Je ne crois pas que ce soit son mari non plus. Du moins c'est ce qui se dit...

— Les mauvaises langues, bien sûr... il s'est peut-être rempli tout seul. Après tout qui sait ? (Le procureur eut un sourire ambigu.) On voit de ces choses tellement incroyables !

— La plus incroyable de toutes, cher procureur, poursuivit le commissaire, c'est que son mari ne doute pas un seul instant d'être le père. Il est fier comme Artaban, il en parle à tout le monde. Tenez-vous bien, il va même appeler son fils... je vous le donne en mille...

Le procureur fit signe de son ignorance.

— Louis, mon cher, il va l'appeler Louis.

Le procureur avait éclaté de rire et Lucile avait été très choquée de cette conversation. Comment ! ces messieurs qui étaient des gens si bien parlaient ainsi de la femme de l'un d'entre eux ? Cette découverte avait laissé dans le cœur de Lucile un sentiment vaguement nauséeux et, depuis, elle n'arrivait plus à servir le commissaire et le procureur de la même façon ce que personne, même de très attentif, n'aurait pu déceler. Tout comme personne n'aurait pu déceler ses préférences, or elle en avait. L'avocat Bibé et Louis Pailhé la fascinaient. Elle les trouvait beaux, élégants et... si intelligents ! Même si elle ne comprenait pas tout ce qu'ils disaient, elle aimait la manière dont ils parlaient. Les mots dans leurs bouches coulaient avec naturel et facilité, c'était comme une musique et avec eux elle découvrait l'art de la conversation.

À cette heure, ils étaient au comptoir à attendre la fin de la partie de deux autres joueurs pour aller au billard. De l'endroit où elle lavait les verres, à côté de Mme Cazaux, Lucile était aux premières loges et elle pouvait les entendre et les observer à loisir.

— Alors mon cher Bibé, dit Louis Pailhé, vous avez lu les dernières nouvelles ?

Bibé, surpris.

— Oui. Pourquoi ?

— Il me semble qu'un article aurait dû vous sauter aux yeux.

— Ah ! et lequel ?

— Celui qui parlait de l'ami de votre écrivain préféré, Victor Hugo.

— Vous me mettez encore Hugo dans les pattes ! Décidément vous y tenez. Et de quel ami s'agit-il ?

— Mais le roi du spiritisme, mon cher : Hume. Celui qui fait tourner les tables jusque dans la maison du grand poète et dans celle de notre impératrice.

Hume était une sorte de « mage » fort bien introduit à la cour où l'impératrice faisait souvent appel à ses talents. La femme de l'empereur avait même cru sentir la main de son père défunt lors d'une séance que celui qu'on disait être un charlatan avait donnée aux Tuileries. Depuis, le « sorcier Hume », comme on l'appelait, était une personnalité très en vue.

— Hume ? dit Bibé soudain éclairé.

— C'est ça, le sorcier Hume, l'homme qui fait revenir les morts et met les vivants en contact avec l'au-delà. (Tout en parlant, petit à petit, Louis perdait son flegme et s'emportait.) Quand même ! Je me demande comment, à notre époque, de telles mascarades peuvent encore exister ? Quand je pense aux raisonnements que vous teniez sur cet individu, tout votre charabia sur l'être humain qui avait en lui des trésors insoupçonnés, que nous n'en étions qu'au début ! et patati et patata... Que Hume avait peut-être trouvé d'autres voies, des chemins que nous, simples mortels, nous ne connaissons pas encore.

— Eh bien oui, je maintiens. Nous ne savons pas tout. Loin de là.

— Ah ! Bibé ! Il est beau votre Hume, et ses chemins sont ceux d'un vrai salopard ! Ça oui ! Un vrai tordu soutenu par les grands de ce monde ! C'est ça le plus grave ! Des imbéciles il y en a toujours eu, des crédules aussi, mais qu'un grand poète comme Hugo et une impératrice se laissent berner comme le premier gogo venu, ça non ! Je ne peux pas l'admettre !

Lucile trouvait que la conversation prenait un drôle de tour.

— Mais qu'a-t-il donc fait ? demanda Bibé.

— Il s'est livré à des actes de sodomie, mon cher ! Voilà ce qu'il a fait cet immonde personnage ! Entre autres choses, car on ne sait pas tout, le scandale mouillerait trop de monde ! Alors on cherche à étouffer l'affaire et on le renvoie aux Amériques. Comme ça, on n'en parlera plus. Mais le mal est fait.

— Je vous trouve bien rude, mon cher Louis. Il n'est pas le premier à se livrer à la sodomie et il ne sera pas le dernier...

Louis manqua s'étrangler de colère :

— Décidément vous ne voulez rien voir que ce qui vous arrange, Bibé. Cet individu est un charlatan qui a été encouragé à faire ses « saloperies » au plus haut niveau, tout cela bien sûr en se drapant dans le vaste fourre-tout de la Prémonition, de la Voyance et même de la Religion. Ah ! On en fait des choses sous le couvert de Dieu, croyez-moi. Il est temps, à l'heure où la science triomphe, que la raison balaie ces croyances d'un autre âge.

Chaque fois que Louis pouvait lancer une pique contre la religion, il ne privait pas et toute occasion lui était bonne.

— Vous comparez Hume aux prêtres de nos paroisses, mon cher Louis ? Que dirait l'abbé Peyramale s'il vous entendait ainsi parler de son église et de ses fidèles.

— Peyramale ne dirait rien. Il comprendrait très bien ce que je veux dire.

— Moi, en tout cas, je n'ai pas bien compris.

— Mais si, mais si... Vous, Bibé, le grand journaliste toujours au fait des dernières nouveautés, vous qui vous réclamez des idées de votre temps. Eh bien vous m'avez tenu sur ce Hume des propos inacceptables ! Vous auriez dû dire dès le début que cet homme était un imposteur, un charlatan pour les esprits faibles !

— Je ne suis pas rempli de certitudes comme vous, Louis. L'esprit humain est plein de zones d'ombre qui nous échapperont toujours...

— Rien du tout. Il n'y a aucune zone particulière que la science ne puisse un jour approcher. Vous me faites rire ! Vous vous moquez de la crédulité de nos populations, je crois entendre votre phrase préférée quand vous parlez de ces pauvres bougres qu'on mène par le bout du nez et qui vont s'agenouiller devant de vulgaires statues de plâtre. Mais le merveilleux des pauvres que vous méprisez tant, Bibé, est bien moins répréhensible que les âneries de ce Hume. Et vous, qui avez pourtant été instruit, vous qui vous réclamez du positivisme, vous vous laissez emberlificoter par le premier imbécile qui prétend parler avec des morts ! C'est pire que votre Auguste Comte avec sa Clothilde.

Bibé commençait à perdre de sa superbe, son visage se crispait :

— Attendez, attendez, vous y allez un peu fort. Je n'ai jamais...

— Je vous parle franchement, continua Louis qui était lancé. Vous êtes décevant, Bibé, vraiment décevant ! La science, pour avancer, a besoin de défenseurs solides, d'hommes clairs dans leur têtes. Or, pour gober de telles bêtises, il faut être bien fragile !

Louis Pailhé s'était enflammé, comme toujours quand il s'agissait d'enfourcher la défense de la science. Malgré lui, ses paroles avaient porté jusque dans la salle et Bibé, se sentant insulté face à tout le monde, avait viré au rouge. Puisque Louis Pailhé voulait la bagarre, il l'aurait. Bibé s'éloigna du comptoir et s'avança comme pour faire une déclaration générale.

— Qu'ils m'agacent !

Lucile sursauta, c'était Mme Cazaux que ce remue-ménage commençait à contrarier sérieusement. Du haut de sa chaise derrière sa caisse, elle ronchonna :

— Tu vois, dit-elle à Lucile, ça fait des années et des années qu'ils parlent de la même chose. On dirait deux coqs toujours à se chercher, c'est à celui qui sera le plus bête et crois-moi ils le sont tous les deux, ça va pas en s'améliorant. Quels imbéciles !

Lucile faisait des découvertes. Ainsi Mme Cazaux qui les recevait toujours si aimablement et les accueillait par des : « Bonjour cher Louis, bonjour cher Bibé, comment allez-vous ? », n'hésitait pas à les traiter d'imbéciles.

Bibé se tenait dressé, tête haute, il prit une voix haut perchée :

— Voyons, mon cher Louis ! Vous allez bien à l'église, n'est-ce pas ?

Sentant venir le coup, Louis se raidit dans une posture hautaine et Bibé, encouragé par cette attitude, continua. Il tenait une proie et il ne lâcherait pas, Louis n'aurait pas dû le provoquer.

— Vous allez à la messe et tous les dimanches en plus ! C'est donc que vous croyez en Dieu, en quelque chose de divin, qui dépasse l'homme et la science. Non ?

Louis fit une moue dubitative. Cet imbécile de Bibé avait beau jeu, tout le monde allait à la messe, croyant ou pas. On y allait par habitude, pour la famille, cela n'avait rien à voir avec les opinions qu'on avait sur la question. Bibé tenait un os. Il enchaîna :

— Si vous n'y croyez pas, pourquoi y allez-vous ? Si vous ne croyez qu'en la science, qu'allez-vous donc faire là-bas ? Et au premier rang, en plus ! Que ne restez-vous dans votre laboratoire au service de cette science que vous admirez tant ! Quelle mascarade ! Cela vaut bien celle de Hume, non ?

Louis était blême. Le ton de Bibé était agressif et on sentait sa volonté de blesser. Il voulut le moucher à son tour, mais se ravisa. Il était préférable de ne pas entrer dans cette polémique et il choisit de ne pas répondre. Voyant le billard libre, il se dirigea vers la rangée des queues suspendues sur un tableau, montrant bien par-là qu'il ne poursuivrait pas cette conversation. Mais Bibé était lancé. Louis l'avait fait passer pour une cervelle d'oiseau et maintenant sa réputation était en jeu. Le journaliste de renom qu'il était se devait de laver l'affront. Il lança :

— À moins que ce ne soit pas Dieu qui vous emmène à l'église, mais votre femme...

Un silence se fit. Maintenant que Sophie était au cœur de la conversation, tous attendaient la suite. Bibé s'approcha des queues de billard et prit un air léger.

— ... oui, nous autres, pauvres hommes, nous sommes tous pareils. Les femmes nous mènent par le bout du nez ! Il est vrai, Louis, que la vôtre est particulièrement séduisante... même dans sa situation actuelle.

Bien qu'aucun mot négatif ou déplacé n'ait été prononcé, cette simple allusion à Sophie était de trop. Elle introduisit un malaise. Louis se raidit :

— Veuillez laisser ma femme hors de cette conversation. Je ne vois pas ce qu'elle vient y faire. Est-ce que je fais allusion à la vôtre, moi ?

Bibé fut déstabilisé. L'affaire était bien mal engagée et le terrain devenait glissant : des vastes territoires de la science et de la philosophie, on avait échoué sur Mmes Pailhé et Bibé. Dans la salle du café, des oreilles se dressèrent et certains, comme le conseiller municipal Normande, se poussèrent discrètement du coude :

— Ça devient intéressant, dit-il, on risque d'en apprendre de bien bonnes.

Mme Cazaux était excédée :

— Tu les entends, dit-elle à Ida, ils sont tous pareils. Une dispute et voilà les femmes au cœur du tapis. Ah mais ! qu'ils leur fichent la paix ! S'ils les aiment tant leurs femmes, ils n'ont qu'à rester avec elles au lieu d'être ici tous les soirs ! Attends un peu, je vais te les calmer moi, bêtes comme ils sont ils ne sauront pas arrêter cette escalade et c'est leurs femmes qui vont trinquer ! Il manquerait plus que ça.

D'une voix forte où perçait largement sa colère, elle s'adressa aux deux belligérants :

— Dites, messieurs, je crois que vous allez jouer au billard et je vous sens bien en forme, alors faites très attention, vous savez qu'on a changé le tapis le mois dernier et je ne voudrais pas qu'il paye la note.

L'intervention de la patronne du café stoppa net les deux hommes. Si elle les surprenait par son caractère inhabituel, elle les sortait d'un mauvais pas dans lequel, au fond, aucun n'avait vraiment envie d'aller se fourrer. Ils firent assaut de promesses, ils feraient attention au tapis. Et oubliant volontiers leur querelle, ils se mirent à jouer. Aucun ne tenait vraiment à voir sa propre femme au cœur des conversations. Louis connaissait la réputation de dépensière de la sienne et l'épisode des boucles d'oreille en avait fait jaser plus d'un. Quant au journaliste, il n'était pas si sûr de la sienne qui commençait à se rebiffer pour un oui pour un non... Tous deux préféraient qu'on n'abordât pas le sujet. Mme Cazaux avait le sourcil froncé : si elle n'était pas intervenue cela aurait pu mal finir, et son mari bien sûr ne s'était aperçu de rien, tout occupé qu'il était à jacasser avec le procureur.

— Ah là là ! soupira-t-elle, si je devais attendre de compter sur lui...

Ida venait justement d'aller les servir, elle l'interpella :

— Qu'est-ce qu'ils font ?

— Comme d'habitude, répondit Ida d'un air blasé, ils parlent politique.

Mme Cazaux hocha la tête :

— Toujours pareil, ils refont le monde tous les jours et tous les jours le monde tourne sans eux, parce que pour ce qu'ils font de concret, hein, Ida, dis-moi ? (Ida eut une moue négative.) Eh oui, tu l'as dit, rien. Ah là là !

Elle soupira lourdement et se cala à nouveau derrière sa caisse, l'œil et l'oreille aux aguets.

Lucile n'avait rien perdu de l'épisode. Elle avait suivi de très près l'échange entre Louis et Bibé et senti le ton monter entre les deux hommes, mais seule une phrase de Louis était restée gravée dans sa tête. Tout en continuant sa besogne, elle y pensait, elle la tournait et la retournait encore pour être certaine qu'elle ne s'était pas trompée, qu'elle l'avait bien comprise : « Ce ne sont que de pauvres bougres qu'on mène par le bout du nez devant de vulgaires statues de plâtre... »

Mais de quoi parlait exactement M. Pailhé ? De qui ? Qui étaient ces « pauvres bougres », ces statues « vulgaires » ? Elle ne saisissait pas bien, ou plutôt ce qu'elle croyait saisir lui faisait si mal qu'elle ne voulait pas comprendre. Elle était sûre que le pharmacien n'avait pas dit des choses méchantes. Elle pensa que les mots en français – « bougres », « vulgaires » – lui échappaient, qu'elle avait mal compris le sens de cette remarque et elle s'empressa de l'oublier.

La famille avait bien mangé. Lucile avait rapporté les restes des repas que Catherine mettait de côté quand les clients ne les finissaient pas. Ces soirs-là, c'était vraiment fête chez Abadie. Depuis que Lucile travaillait, la vie avait changé. Jean, Marie et Lucile mangeaient à leur faim tous les jours. Souvent, Marie ne pouvait s'empêcher de pleurer devant la bonne nourriture.

— Comme c'est injuste ! Et nos deux petiots à qui je ne pouvais jamais rien donner. Ils étaient si faibles les pauvres ! C'est pour ça qu'ils sont morts, ils n'ont pas eu de quoi résister. On n'avait rien. Et maintenant... ils pourraient bien manger et ils sont plus là.

Elle se faisait du mal, elle imaginait la petite « qui dévorerait la purée » ou le petit « qui aurait tant aimé rogner cette carcasse de poulet ». Les petits ! C'était encore aujourd'hui la grande douleur de Marie. La seule douleur qui semblait l'avoir jamais atteinte, elle qui avait surmonté tout le reste, la faim, le froid, les travaux les plus pénibles. Mais les petits... Elle ne pouvait pas les oublier et sa douleur était aussi violente qu'au premier jour.

Jean était le seul à pouvoir la consoler. Lui qui parlait si peu était le seul à trouver les mots justes. En les voyant, Lucile comprenait confusément que ce qui unissait ses parents, c'était de l'amour, un amour simple et fort, et elle avait chaud au cœur.

Hormis ces moments de peine, la vie au foyer était devenue agréable. La peur quotidienne du manque avait disparu. Marie avait retrouvé des forces, elle allait seule au bois chercher les fagots. Le courage lui était revenu tout comme l'envie de se battre qui lui avait fait défaut les derniers temps quand ses jambes ne la portaient plus. À nouveau elle aidait les autres. Louise Soubirous venait souvent chercher auprès d'elle un conseil, ou plutôt une consolation. Marie lui donnait ce qu'elle avait de meilleur et de plus efficace : le courage. Pas de plaintes, pas de jérémiades, mais des paroles simples qui vous remettaient debout. Ce qu'il fallait, quoi ! Et puis souvent, chaque fois qu'elle pouvait, elle rajoutait du pain ou un morceau de viande gardé tout exprès. Ses voisines l'aidaient à des travaux de couture ou au linge. Entre les femmes du quartier, ce n'était jamais de la charité. C'était de l'entraide et de l'amitié. Toujours.

Quand Lucile était rentrée ce soir-là, Toinette Cazalas était chez eux. Une femme énergique qui savait donner le coup de main à Marie au bon moment. Elles allaient souvent aux fagots ensemble, et ensuite, elles partageaient. Lucile les trouva en train d'examiner un grand drap que Toinette avait récupéré à la maison où elle lavait le linge.

— Il est bon, juste une déchirure d'usure sur le milieu, c'est rien. On va mettre une pièce de toile. Regarde (elle extirpa de son cabas un morceau de tissu tout chiffonné), j'ai un vieux tablier que j'ai gardé pour les reprises. Ça ira.

Le drap était destiné à Louise Soubirous qui avait dû vendre le sien et, du coup, n'en avait plus. Toinette était fière d'avoir pu en récupérer un et de lui donner.

— Moi ce qui m'inquiète le plus avec Louise, dit-elle à Marie, c'est le vin. Tu trouves pas ? Elle en donne même aux petits. Quand Bernadette était au cabaret chez sa tante, il paraît qu'elle aussi buvait le coup facilement. Un peu trop.

Marie, qui était penchée sur le drap, se redressa d'un coup.

— Ah ! non, Toinette ! Pas toi. Ne dis pas que Louise boit. Ce n'est pas vrai. Elle prend du vin quand elle n'a plus rien d'autre, pour calmer la faim. C'est pas pareil. Je sais ce que c'est. Je peux le dire, je n'ai pas honte. J'ai fait comme ça moi aussi pour calmer les petits des fois, quand ils criaient trop et que j'avais rien. C'est facile de juger les autres quand on a l'assiette pleine, mais je te jure que quand elle est vide... c'est plus pareil. Louise fait ce qu'elle peut. Je l'aide un peu maintenant que Lucile travaille, mais ils sont six en tout. Ça en fait du monde. Il en faut pour remplir les ventres.

Toinette était confuse.

— Je pensais pas à mal, Marie. Je m'inquiétais, c'est tout. C'est dur pour tout le monde et je voudrais pas que Louise aille trop loin.

Marie se calma.

— Tu as raison, je vais aller demain voir comment vont les enfants. Je sais que Bernadette est partie à Bartrès, elle garde les moutons chez Lagües. Ça fait une bouche de moins à nourrir.

Lucile posa son panier sur le coin de l'évier. Elle songea à Bernadette qu'elle ne voyait plus depuis qu'elle travaillait. Pauvre Bernadette ! S'il y en avait une que le ciel semblait avoir oubliée à jamais, c'était bien elle. Et pourtant ! Lucile l'avait toujours vue prier, sagement, profondément. Jamais Bernadette n'avait douté de la bonté divine, c'était à se demander comment un Bon Dieu pouvait laisser une famille dans une telle souffrance... Les paroles de Louis Pailhé revinrent alors à la mémoire de Lucile. Serait-il possible que certaines personnes ne croient pas en Dieu ? En la Sainte Vierge ? Pourquoi le pharmacien avait-il dit que le journaliste Bibé se moquait de ceux qui allaient s'agenouiller à l'église ?

— Maman ?

Marie s'était assise près du feu avec Toinette, elles avaient entrepris de repriser le drap.

— Oui ?

— Il y a des gens qui pensent que la Sainte Vierge n'existe pas, ni le Bon Dieu.

La foudre serait tombée que ce n'aurait pas été pire pour Marie. Elle était interloquée.

— Qu'est-ce que tu dis ?

Lucile s'impatienta.

— Tu as bien entendu, quand même. Je dis qu'il y a des gens, et pas n'importe lesquels, pas des idiots, des gens instruits, riches comme M. Pailhé ou M. Bibé, eh bien ils ne croient pas aux saints et aux statues de l'église.

Marie arrêta net son ouvrage. Elle regarda Lucile intensément.

— Écoute-moi bien Lucile. Ces messieurs ont sûrement leurs raisons pour se passer de la Sainte Vierge. Mais moi je te le dis et ne l'oublie jamais. Nous, les pauvres, on n'a qu'elle. Tu m'entends ! Elle seule pour nous aider et nous écouter quand on n'a plus rien et quand on a mal. Les riches eux, ils vont à l'épicerie ou ils appellent le docteur. Ils ont des sous et ils peuvent peut-être se passer du ciel. Pas nous. N'écoute plus jamais des choses comme ça, tu n'es pas de leur monde. Toi, tu as besoin de la Sainte Vierge. Aime-la, prie-la toujours bien fort comme je t'ai appris. Elle ne te laissera jamais et elle te donnera des forces que personne d'autre ne pourrait te donner, crois-moi.

Marie avait parlé avec ferveur et gravité, mais calmement. Ses mots sonnaient si justes, ses paroles étaient si limpides et si claires qu'elles effacèrent d'un coup le tourment laissé par les paroles du pharmacien.

Les choses étaient bien ainsi, comme sa mère les lui avait toujours apprises. Quand le père rentrerait, ils mangeraient près du feu avec Toinette, et, plus tard quand le père serait couché et Toinette rentrée chez elle, Lucile savait qu'elle ferait avec sa mère la prière du soir, comme tous les soirs depuis sa toute petite enfance. Après quoi, protégée par le ciel immense, elle s'endormirait.

JANVIER 1858

C'était pour aujourd'hui, elle le sentait. Le poids en bas de son ventre s'était fait plus lourd, et ce matin en se levant ses muscles s'étaient durcis. Elle avait éprouvé une drôle de sensation, celle que son corps lui échappait et elle s'était dit que ce devait être ça, les fameuses contractions.

En ce moment elle contemplait la place Marcadal par les hautes fenêtres de son boudoir. Une pluie fine tombait depuis la veille et il semblait que l'humidité pénétrait partout. Le temps était triste et Sophie était triste aussi, ou plutôt vide, vide d'envies, vide de passion. Même Antoinette, dont elle attendait la venue avec impatience, avait fini par espacer ses visites. À quoi bon ? Sophie lui parlait toujours d'Abel et Antoinette n'avait plus rien à lui apprendre, elle avait dit et répété les mêmes choses des dizaines de fois. Abel était loin et il n'avait donné aucune nouvelle. Pourtant Sophie y pensait toujours, plus que jamais peut-être. Son absence, loin d'apporter l'oubli, avait développé en elle un manque profond. Elle avait connu l'amour et il lui avait été enlevé brutalement. Elle ne pouvait s'en remettre. Louis s'était fait une raison de la tristesse de Sophie, persuadé que quand le bébé serait là elle retrouverait sa gaieté habituelle. Il continuait donc à s'occuper de son officine et de sa chocolaterie avec la même passion dévorante qu'avant.

La place était déserte. Une buée recouvrait les vitres du *Café Français*, il n'y avait rien à voir en ce mois de janvier à Lourdes, rien à partager avec qui que ce soit, pas de fêtes, pas de bal. Surtout pour Sophie. Elle avait évité toutes les

179

sorties de fin d'année. Le docteur Balencie avait bien essayé de la rassurer, mais en vain. Depuis ce jour dramatique où elle avait appris le départ d'Abel et la venue d'un enfant, Sophie avait perdu sa joie de vivre. Elle avait petit à petit sombré dans une sorte de mélancolie et n'était plus sortie de sa chambre et de son boudoir. Au début, toute la ville de Lourdes avait parlé de cette disparition de Sophie Pailhé de la scène publique. Il y avait eu quelques rumeurs sur une éventuelle liaison qu'elle pouvait avoir, les vendeuses de sa boutique avaient parlé de ses récentes coquetteries, de ses visites à la couturière, on avait glosé sur ses boucles d'oreilles au sujet desquelles Louis avait fait un scandale chez le bijoutier Poque, mais rien de concret n'était venu étayer cette rumeur. Du coup on avait fini par mettre ce retrait sur le compte de l'enfant à naître et on pensait que la « belle chocolatière » se préservait pour son bébé.

Sophie observait les gouttes de l'hiver ruisseler le long des vitres quand elle vit la porte du *Français* s'ouvrir et Thérèse Millau se diriger tout droit vers sa maison d'un air pressé, courant presque, ce qui donnait un air des plus comiques à sa silhouette trapue et lourdaude. Sophie ne put s'empêcher de sourire en la voyant. Que pouvait-elle bien vouloir lui dire de si urgent ? Thérèse venait la voir de temps à autre pour lui raconter les derniers potins de la vie mondaine de Lourdes et de Tarbes. Vie mondaine qui tournait toujours autour des mêmes réceptions et des mêmes repas chez les notables des deux villes. La conversation de Thérèse se limitait à ces sujets, ce qui convenait très bien à Sophie. Les toilettes des dames étaient l'élément central et récurrent. Qui copiait qui ? Qui portait les dernières nouveautés ? Quels tissus, quelles dentelles ? À quel prix ? Mais le sujet qui passionnait Thérèse était les bijoux ! Ce que Thérèse pouvait faire dire aux bijoux, c'était fascinant ! Qui en avait de nouveaux ? Laquelle avait réussi à se faire offrir une parure de prix ? Par qui ? Selon elle, par les bijoux on apprenait et on disait beaucoup de choses. Des amours cachées que l'on voulait dévoiler, des maîtresses qui affichaient ainsi une reconnaissance officielle, ou, au contraire, une épouse qui confirmait un pouvoir solidement installé. Elle n'avait pas manqué d'ailleurs l'épisode des perles de Sophie et s'était trouvée confrontée à un problème insoluble. « Pourquoi Sophie était-elle allée s'acheter des boucles d'oreilles seule alors que son mari les lui aurait offertes sans aucun problème ? » C'est là qu'avait germé l'idée de la liaison, mais ça ne tenait pas debout, sinon c'est son amant qui les lui aurait données et elle ne se serait pas rendue chez Poque, où tout se sait. Thérèse n'avait donc pas pu apporter de réponse satisfaisante à cette énigme. Avec les bijoux des autres, Thérèse était pourtant capable de tisser des romans. La maison était également un de ses sujets de prédilection, et, sur ce point, elle et Sophie s'entendaient fort bien. C'est fou ce que Sophie aimait entendre Thérèse raconter dans le moindre détail la décoration d'une maison ou d'une pièce, la façon dont la maîtresse de maison avait dressé la table lors d'un repas. C'est que Thérèse avait le sens du détail minutieux qui venait pimenter le récit et dévoilait certains traits de caractère des propriétaires, voire certaines manies. Sophie avait encore en mémoire sa remarque sur la rose fanée d'Abel. Depuis, quand Thérèse venait, elle cachait la rose. La veuve Millau voyait tout. Qui avait fait des rénovations d'intérieur, des achats un peu hors normes comme un meuble de prix ou un tableau ? Elle était capable de tout relever avec une minutie incroyable, jusqu'au moindre changement, et ensuite elle en évaluait le prix. Car en matière d'évaluation financière, Thérèse était imbattable. Pas question de la bluffer avec du toc ou des copies, elle les reconnaissait tout de suite. Pour une raison d'ailleurs très simple, elle les utilisait beaucoup. Sa maison était un mélange incroyable de tout ce qui pouvait exister en matière de faux. Mais comme çà et là elle introduisait de belles pièces fort chères, elle arrivait à berner beaucoup de monde. Pas question pour autant de se faire avoir par les autres.

— Pensez donc, avait-elle confié à Sophie, Mme Massy, la femme du préfet, a fleuri sa salle de réception avec des bouquets artificiels. Pas mal, mais sans plus. Seulement elle a voulu nous faire croire qu'ils venaient du fabricant parisien où se sert Mme Fould. Ce n'est pas vrai ! Je suis sûre qu'elle les fait réaliser à Argelès chez Mme Prat. Je les ai reconnus tout de suite à cause des tissus utilisés et des couleurs. Rien à voir avec les fines soies peintes une à une à la main par les artistes de chez *Artificiel*. Je connais les fleurs de Mme Prat. J'en ai fait faire une composition pour mon entrée et mon salon. Elles font leur effet, mais il ne faut pas y regarder de trop près. Mme Massy nous prend pour des idiotes ! Ce mensonge est ridicule ! Quel manque de classe pour une femme de préfet ! Vous ne trouvez pas ?

Sophie avait souri. Impossible de gruger la mère Millau, comme on l'appelait pour se moquer d'elle et rappeler ses origines populaires. Sous son air ampoulé, ses tenues extravagantes et son air de jouer à la grande dame, Sophie reconnaissait que Thérèse cachait un esprit plus fin qu'elle ne voulait le laisser croire et de longues années passées à servir en coulisse avaient aguerri son jugement. Elle connaissait l'envers du décor et Sophie aimait sa compagnie dans laquelle elle apprenait la version cachée des événements, celle qui expliquait et éclairait d'un jour nouveau leur face officielle.

À ce propos, il ne fallait pas oublier le vase ! Avec une certaine lassitude, Sophie prit le vase à la rose fanée d'Abel et le dissimula derrière un pan du lourd rideau de velours. Lorsque, quelques instants plus tard, Louisette introduisit Thérèse dans le boudoir, Sophie était déjà allongée sur la méridienne fleurie prête à écouter ses confidences. Mais Thérèse était blême et ses traits d'ordinaire bien ronds et fleuris étaient ternes et tirés. De lourds cernes lui faisaient un regard encore plus « grosse vache » qu'à l'ordinaire. Car ces messieurs du Cercle l'affublaient entre eux de ce surnom méchant mais expressif, et Sophie devait bien reconnaître qu'en cet instant Thérèse n'était pas à son avantage.

— Que se passe-t-il, Thérèse, vous m'avez l'air toute retournée ? Asseyez-vous vite.

Mme Millau ne s'assit pas. Elle s'effondra littéralement dans le ravissant petit fauteuil crapaud fleuri assorti à la méridienne. Un horrible craquement se fit alors entendre. Louisette eut une affreuse grimace et, dans son for intérieur, elle évalua aussitôt les dégâts irrémédiables subis par le petit siège délicat. Mais Thérèse ne voyait rien, n'entendait rien, elle était visiblement épuisée. Sur un signe de Sophie, Louisette se retira, non sans avoir manifesté sa désapprobation par de profonds soupirs. En vain, Mme Millau ne les entendit pas.

— Ah, Sophie ! Un drame ! J'ai vécu un drame !

— Mais que vous est-il arrivé ? Un accident ?

Thérèse tenta de se rapprocher de la méridienne de Sophie de manière à parler plus doucement. Elle tira le petit fauteuil. Un craquement sec se fit à nouveau entendre. Sophie se dit qu'effectivement il serait bon à porter chez l'ébéniste dès ce soir. Il était mort. Mais pour l'instant, par on ne savait quel miracle, il tenait toujours et Thérèse était maintenant tout près du visage de Sophie qui respirait son lourd parfum chypré si particulier et si dérangeant. Thérèse prit sa voix chuchotante et commença son récit.

— C'est arrivé hier soir, j'étais à la maison, Mathilde avait tout fermé comme d'habitude et il ne me restait qu'à tirer les rideaux du salon. C'est moi qui m'en charge toujours, j'aime voir le plus tard possible ce qui se passe à l'extérieur. Donc, hier soir, sur les huit heures, la nuit était tombée mais on y voyait assez bien parce qu'ils se sont enfin décidés à nettoyer les réverbères du carrefour. Les façades des maisons étaient bien éclairées et je me disais que, quand même, ils auraient bien pu les nettoyer avant, quand je vois sortir du *Français* la petite Lucile Abadie que nous y avons fait engager. À mi-place, elle s'arrête net. Saisie. Comme si elle avait entendu quelque chose. Elle levait la tête et cherchait visiblement en direction des maisons de l'avenue Maransin. Elle avait l'air inquiète. J'allais ouvrir la fenêtre pour lui demander ce qu'il y avait quand je la vois se diriger vers l'avenue et chercher quelque chose ou quelqu'un en direction des façades des maisons du commissaire, de chez Duprat, de chez le procureur. Diable ! je me dis. Qu'est-ce qu'elle fait ? Elle est restée comme ça un peu, puis, comme à regret elle est partie en se retournant souvent. J'ai cherché à comprendre ce qu'elle avait bien pu entendre pour se diriger avec autant de précision vers ces maisons-là, mais je n'ai rien pu voir. Et comme j'étais très fatiguée j'ai fait ma toilette et je suis allée me coucher. Il devait être neuf heures, pas plus tard...

À ce moment du récit, Thérèse s'arrêta pour reprendre sa respiration. Elle avait parlé vite comme pour en venir à l'essentiel, et maintenant qu'elle y était, elle n'avait plus de souffle. Avec un petit mouchoir de dentelle elle s'essuya le front où perlaient de grosses gouttes. Sophie pensa que la chaleur du feu l'incommodait.

— Vous vous sentez mal, vous voulez qu'on ouvre un peu ?

Thérèse eut un signe de refus.

— Non, non, ça va... Je disais donc que je m'étais couchée. Si vous saviez, Sophie, comme je le regrette ! Si j'étais restée encore un peu, à peine, je l'aurais vue sortir juste derrière son mari, je me serais doutée de quelque chose, j'aurais ouvert les fenêtres, moi aussi comme Lucile je l'aurais entendue crier, je l'aurais appelée, j'aurais peut-être pu éviter ce drame...

Thérèse fondit en larmes. De lourds sanglots que Sophie ne pouvait calmer. Visiblement Mme Millau était profondément éprouvée et Sophie commençait à avoir peur de ce qu'elle allait apprendre.

— Mais qu'avez-vous, Thérèse, que s'est-il donc passé ? Qu'y a-t-il ? Je vous en prie, dites-moi.

Thérèse releva alors son visage tuméfié de larmes. Elle n'était pas belle à voir et Sophie pressentit le pire. C'est alors qu'elle sentit une puissante contraction dans son bas-ventre. Quand Thérèse se remit à parler, Sophie était dans un état second et la voix de Thérèse arrivait caverneuse à ses oreilles.

— Hélène est morte. Elle s'est suicidée cette nuit, son

mari la laissait seule une fois de plus. Elle n'a plus eu la force de le supporter. On l'a retrouvée ce matin sur les dalles froides devant l'église, sous le porche.

Sophie poussa un hurlement dans lequel se mêlait l'horreur de la nouvelle et la douleur violente qu'elle venait de ressentir. Elle porta d'un geste vif ses mains à son ventre. Il était dur comme de la pierre.

Thérèse Millau comprit soudain ce qui se passait : Sophie allait accoucher. Son cri avait été d'une telle intensité qu'il l'avait complètement secouée. Elle réussit après de nombreux efforts à s'extirper du petit fauteuil tout en appelant.

— Louisette ! Louisette ! Vite, vite, elle accouche ! Louisette !...

Plus rapide que Thérèse Millau, Louisette était déjà au chevet de Sophie. Elle l'aida à se mettre debout et la dirigea vers le lit de la chambre où tout, bassines et linges divers, était déjà prêt pour l'événement.

Prévenu, Louis avait couru chercher le docteur Balencie et il attendait maintenant dans l'antichambre avec Thérèse. Louisette et Mélanie étaient dans la chambre pour aider le docteur. Le temps parut interminable à Louis qui marchait de long en large, tournait en rond, et regardait sans arrêt sa montre à gousset. Entre-temps, informée par le cocher de la diligence qui partait juste au début du travail, sa mère était arrivée ainsi que sa belle-sœur et son frère qui habitaient Tarbes. Il était dix-huit heures trente très exactement quand le cri de l'enfant se fit entendre. L'accouchement, très pénible, avait duré près de dix heures. La porte de la chambre s'ouvrit enfin et le docteur Balencie apparut. Louis se leva, fébrile. Quelque chose n'allait pas, il le sentit immédiatement. Balencie fit sortir Mélanie et Louisette, repoussa la mère de Louis qui cherchait à pénétrer dans la chambre et demanda à tous de bien vouloir attendre. Puis, d'un air grave, il fait rentrer Louis.

Une demi-heure plus tard celui-ci ouvrit la porte. Il tenait le bébé dans ses bras et des larmes coulaient sur son visage. Dans l'antichambre, tous le regardèrent, effrayés.

— C'est une petite fille, dit-il. Elle n'est pas tout à fait comme les autres enfants. D'après le docteur, elle ne marchera jamais.

D'un même élan, tous étouffèrent un cri. Dans un geste mi-païen, mi-religieux, la mère de Louis, femme pieuse jusqu'à la bigoterie, fit un signe de croix sur son front. Louis la vit. Il se redressa et, d'un ton aigre où perçait une vieille rancœur :

— Le Seigneur ne nous sera pas d'une grande utilité, maman. La preuve ! (Il montra le bébé.) Heureusement, nous avons la science qui fait de jour en jour des progrès immenses. Grâce à elle, nous sauverons ce bébé, elle marchera.

Louis avait parlé avec une ferveur presque inquiétante, il y avait du défi dans sa voix. Dans ses bras l'enfant s'était mise à pleurer et Louisette ne put s'empêcher de venir la prendre. Il la lui confia sans problème. Il était visiblement déjà dans l'expectative du combat à mener et pour ce qui était des couches à changer et des pleurs à consoler, les femmes n'avaient qu'à s'en occuper.

Louis raccompagna tout ce beau monde. Louisette et sa patronne se retrouvèrent seules. Dans son berceau aux voiles blancs le bébé dormait profondément, un doux sourire sur les lèvres. Sophie était pâle comme une morte, elle parlait d'une voix à peine audible.

— C'est Dieu qui me punit, n'est-ce pas, Louisette, pour tout le mal que j'ai fait...

— Quel mal ? De quoi parlez-vous ? Vous ne croyez pas qu'il faut plutôt penser à ce trésor qui dort innocemment plutôt que de parler du passé ? Votre mari s'en va avec les visiteurs et vous, vous parlez de vous et de je ne sais quelle punition. (Elle s'approcha du berceau.) Et elle ? Vous y pensez ? Vous ne lui avez même pas choisi un prénom !

La remarque de Louisette fit à Sophie l'effet d'un coup de

fouet. Son bébé n'avait pas de nom et elle était là, vivante. Sophie réagit vivement :

— Tu as raison, Louisette, comment n'a-t-on pas pensé à...

Louisette la coupa.

— Moi je connais un très beau prénom pour une petite fille.

Sophie avait tout à fait cessé de pleurer, elle regardait Louisette avec des yeux ronds :

— Et comment ça, tu connais un prénom ? Tu y avais pensé ?

Louisette se radoucit, elle vint s'asseoir sur le lit près de Sophie, les mains jointes sur ses genoux, soudain très émue. Elle expliqua à Sophie que lorsque Louis avait prédit que ce serait un garçon et qu'il s'appellerait Louis, elle s'était dit que ce serait peut-être une fille... Alors elle avait cherché un prénom au cas où personne n'aurait rien préparé. Et comme elle voyait que c'était le cas...

Sophie n'en revenait pas :

— Et... et quel est ce prénom ?

— Anne, murmura Louisette tout doucement d'une voix tremblante, on pourrait l'appeler Anne.

L'enterrement d'Hélène eut lieu très discrètement le surlendemain, sans aucune cérémonie religieuse, à cause de son suicide. Sophie eut le cœur serré en l'apprenant. « Quelle horreur ! avait-elle pensé. Et quelle injustice ! Hélène était si croyante. »

Son mari l'avait faite enterrer à l'aube, à la sauvette. Leurs familles respectives qui habitaient dans le Nord n'étaient pas venues. De toute façon, ils seraient arrivés trop tard. Édouard Duprat était donc seul, accompagné de quelques amis du cercle. Louis était présent et il crut bon de raconter à Sophie la souffrance d'Édouard au moment où le cercueil était descendu dans la tombe. Il lui parla aussi de cette monumentale gerbe de lys blancs apportée alors que les terrassiers venaient d'enfermer le cercueil sous une lourde dalle de marbre noir. Cette gerbe anonyme et splendide de fleurs immaculées en plein hiver jeta un froid. Aucun parmi ces messieurs n'avait pensé à porter quoi que ce soit. Pas même Édouard qui, en dehors de ses magnifiques gants de pécari beige, n'avait rien dans les mains.

— Le commissaire était juste à côté de moi, raconta Louis, il s'est penché pour me dire que, de toute façon, à cette heure matinale, nous n'aurions rien trouvé. Et il avait raison. Tout cela s'est fait si vite. Nous ferons quelque chose plus tard. D'ailleurs, ç'aurait été mal venu... Et cette gerbe ! Édouard visiblement a été très surpris.

Mais personne n'avait trouvé qui l'avait envoyée. Aucun d'entre eux ne souhaitait d'ailleurs s'attarder sur ce drame qui en fait les concernait tous. Au Cercle ils connaissaient par le menu l'histoire quotidienne de ce couple, car Édouard ne se gênait pas pour raconter ses conquêtes et même, parfois, pour les partager. Aucun ne voulait se souvenir de la silhouette fragile d'Hélène se faufilant jusqu'à l'église pour prier la Vierge afin qu'elle lui rende l'amour de son mari, aucun ne voulait se rappeler que, bien souvent, en la regardant passer au loin depuis leur poste d'observation du *Café Français*, ils en avaient ri.

Quinze jours avaient passé depuis son accouchement et la mort d'Hélène, et la belle chocolatière repensait à ces événements en regardant la pluie tomber inlassablement sur la place Marcadal. Ce mois de janvier avait été bien gris et bien humide ! Six heures sonnèrent à l'église paroissiale et ces messieurs du Cercle commencèrent à arriver au café. Sophie vit entrer Édouard Duprat accompagné du procureur Dufour. Les deux hommes étaient en pleine conversation et, de ce qu'elle pouvait en voir depuis ses fenêtres, il sembla à Sophie qu'Édouard Duprat était en pleine forme. Plus mélancolique que jamais, elle retourna près du berceau de sa fille. Elle avait voulu qu'il soit placé près de son lit, dans leur chambre. Du moins pour les premiers mois.

— Quelle étrange coïncidence, disait-elle à voix haute en

188

se penchant sur l'enfant. J'ai appris la mort d'Hélène au moment même où je te donnais la vie !

Les premiers jours, Sophie en avait voulu à Thérèse. Elle pensait que le choc de la nouvelle du suicide d'Hélène avait été pour quelque chose dans le handicap de son bébé, que cela avait pu provoquer un dérèglement au dernier moment. Le docteur Balencie, auquel elle s'était confiée, l'avait fermement détournée de cette idée : en aucun cas cela n'avait pu jouer le moindre rôle. Mais Sophie restait sur cette mauvaise impression. Elle avait parlé à Louis du prénom et il avait accepté sans difficulté, visiblement cela n'était pas son souci majeur. Lorsque Sophie avait annoncé à Louisette qu'elle était d'accord pour « Anne », la cuisinière en avait été toute retournée. Dans son berceau tout blanc la petite Anne souriait. Sophie la prit et la berça doucement en la couvrant de baisers.

— Oh mon bébé ! ma petite, mon oiseau, ma perle ! Comme tu es belle, comme tu souris ! Je serai toujours près de toi, mon bébé, ne t'inquiète pas, je serai toujours là. Je ne te parle pas souvent, tu dois penser que je ne m'occupe pas beaucoup de toi. Pardon mon amour ! Mais je t'aime, je t'aime.

Puis, dans un excès d'amour fou pour ce petit être dont elle mesurait de plus en plus la totale dépendance, Sophie la serra convulsivement contre elle, à l'en étouffer.

Une heure plus tard, vers les sept heures, quand Mélanie entra comme tous les soirs pour voir si tout allait bien, elle trouva le berceau vide. Affolée, elle se mit à hurler tout en courant vers le boudoir.

— Madame ! Madame ! Le bébé ! Le bébé !

Sans même prendre le temps de frapper elle ouvrit violemment la porte et entra dans la petite pièce. Sur la méridienne Sophie était endormie, l'enfant serrée tout contre elle. Dans la cheminée le feu continuait de brûler doucement. Devant cette scène paisible, la frayeur de Mélanie retomba d'un seul coup, mais l'angoisse avait été si forte qu'elle se laissa choir dans le petit fauteuil. Sous le choc, celui-ci, déjà fort endommagé par Louis et achevé par Thérèse, se fracassa, et Mélanie roula sur le plancher.

Le fracas réveilla Sophie en sursaut et Louisette, qui était accourue dès les premiers cris de Mélanie, découvrit la femme de chambre à terre près du petit fauteuil brisé. Son regard croisa celui de Sophie. Elles crurent entendre le monumental craquement provoqué par Thérèse quand elle s'était effondrée sur le fauteuil et elles partirent alors dans un tel fou rire qu'il finit par gagner Mélanie elle-même.

Au milieu de ce concert de bruits et de rires, l'enfant continuait à dormir paisiblement, bercée par les secousses du ventre de sa mère. Quelques instants plus tard, dans le calme retrouvé, alors que Louisette remettait une bûche au feu, Mélanie qui s'apprêtait à aller recoucher le bébé dans son berceau se retourna vers Sophie.

— Quel plaisir de vous voir rire, Madame ! C'est devenu si rare. Avant vous étiez toujours gaie, je peux même vous dire, j'ai eu peur... euh...

Sophie l'encouragea avec douceur.

— Dites, Mélanie, dites-moi, je voudrais savoir. De quoi avez-vous eu peur ?

La voix douce de Sophie apaisa les craintes de la jeune femme de chambre.

— J'ai eu peur, je ne sais pas de quoi exactement.... mais... vous avez tellement changé, Madame. Vous ne sortez plus, vous ne vous habillez plus. Vous qui étiez si coquette ! J'ai pensé que peut-être c'était à cause du bébé. J'ai pensé que peut-être vous ne vouliez pas d'enfant. Vous êtes devenue si triste. D'un seul coup...

Les franches paroles de Mélanie résonnaient dans le silence à peine troublé par le crépitement du feu. Sophie n'avait pas bougé et elle regardait sa femme de chambre avec étonnement. L'enfant se mit à gazouiller. Encouragée par cette atmosphère paisible, Mélanie continua.

— J'ai cru... j'ai eu peur... j'ai pensé que peut-être il était arrivé malheur à la petite. Je l'aime tant, vous comprenez...

Sophie avait soudain pâli.

— Mais qu'avez-vous imaginé, Mélanie ?... Vous pensiez que j'aurais pu lui faire du mal ?

Effrayée, Mélanie se rétracta.

— Non ! Non ! Jamais je n'aurais pu penser une chose pareille ! J'avais peur pour elle, c'est tout.

Jusqu'alors silencieuse et toujours accroupie près du feu qu'elle était en train d'arranger, Louisette se redressa.

— Va coucher Anne, va, dit-elle à Mélanie, et surtout ne la borde pas trop haut. Et avant regarde ses couches, il me semble que tout à l'heure elle était toute rouge. Je crois qu'elle poussait, sens-la pour voir, en cas. »

D'un geste leste, Mélanie renversa le bébé, tête en bas, et porta son nez au niveau de ses petites fesses. Sa mimique était explicite.

— Oh oui, la coquine, je l'avais déjà changée mais je vais devoir y retourner. Elle m'aura fait quatre couches dans l'après-midi. Eh ben coquinette ! dit-elle en riant au bébé, c'est Marie qui va être contente avec tout ce linge à laver ! Attends cet été pour faire tes petits cacas, l'eau sera moins froide, ce sera plus facile !

Le bébé la regardait gesticuler avec de jolis yeux ronds.

— Allez, zou ! à la lessive !

Cette petite scène avait redonné le sourire à Sophie mais à peine Mélanie avait-elle quitté le boudoir qu'elle demandait à Louisette :

— Louisette, dis-moi, est-ce que j'ai l'air à ce point de ne pas aimer mon enfant ?

Depuis la naissance du bébé, Sophie s'était mise à tutoyer sa cuisinière. Elles avaient été si proches dans les heures difficiles qui avaient suivi l'accouchement. La nouvelle de la maladie de son bébé avait été très violente pour Sophie, et seule Louisette avait su être présente, attentive comme la mère que Sophie n'avait plus et que sa belle-mère, trop bigote et trop occupée d'elle-même était incapable de remplacer. À l'annonce de la maladie du bébé, cette dernière avait pleuré comme une fontaine et Louis avait passé son temps à la calmer. Elle avait voulu rester dormir là, et, le lendemain, Louis avait été obligé de la raccompagner à Tarbes. Comme si elle était celle qui souffrait le plus de cette situation.

— Mais qu'est-ce que vous allez chercher ! fit Louisette, interrompant les pensées de Sophie. Et la petite ? Bien sûr que vous l'aimez, la petite, tout le monde le sait. Mais il faut comprendre. Mélanie est encore jeune, c'est le premier enfant dont elle s'occupe. Un rien l'effraie. Et puis elle s'interroge, elle voit bien qu'il s'est passé quelque chose. Que vous n'êtes pas heureuse ! Il faut bien dire la vérité. Ça se voit. Alors elle ne comprend pas. Une ou deux fois, elle a essayé de me questionner. J'ai tourné ça à la rigolade. Mais elle oublié d'être bête, la gamine. Je sais qu'elle est toujours fourrée avec Nina, la vendeuse de votre boutique. Et là-bas elles en racontent... Elles n'ont que ça à faire ! Surtout à cause de votre mari.

— Louis ! Qu'est-ce qu'il a fait ?

— Rien. Mais lui aussi il a beaucoup changé. Il est plus renfermé. Déjà qu'il était pas très causant avec le petit personnel. Sauf bien sûr avec son commis, Léon. Mais là, il paraît que même Léon a du mal.

Sophie s'était redressée, inquiète.

— Tu crois qu'il a appris quelque chose ?

— Apprendre ! Et apprendre quoi ?

— Pour moi et Abel !

Louisette fit un large geste de la main en signe de dénégation.

— Bah ! Mais non, mais non. Ça n'a rien à voir, ne vous inquiétez pas. Il y a bien eu une petite rumeur mais elle s'est vite arrêtée. Les gens ne vous voient plus, ils ont oublié. Ils ne pensent plus qu'à votre petite et à votre malheur. Abel, ils savent même pas qui c'est.

Sophie poussa un long soupir et, comme chaque fois que le nom d'Abel était prononcé, les larmes affleurèrent.

— Ils ont bien de la chance. Moi, j'y pense tous les jours.

Louisette n'aimait pas que Sophie se mît à parler d'Abel, elle savait que ça ne valait rien de bon. Que ça finissait toujours par des pleurs et une mélancolie qui durait plusieurs jours. Au début elle s'était laissé prendre et elle écoutait Sophie lui raconter les souvenirs de son amour avec le hussard. Mais aujourd'hui elle avait décidé qu'il ne fallait plus y penser, que cette histoire était terminée et qu'il fallait passer à autre chose. Elle regardait la rose dans le vase. Bien des fois elle avait tenté de convaincre Sophie qu'il fallait la cacher, dans un tiroir ou ailleurs. Que quelqu'un finirait par se poser des questions.

— Personne ne vient ici, à part vous, Antoinette et Thérèse. Et quand elle vient, je la cache, lui répondit Sophie.

— Jusqu'au jour où vous oublierez !

Sophie gardait toujours la rose fanée dans son vase. Pourtant le hussard n'avait fait parvenir aucune nouvelle. Pour Louisette c'était mauvais signe. Elle avait su que des filles du bas qui avaient quelques amourettes au régiment avaient reçu des lettres. Alors ! Pourquoi Abel n'avait-il rien fait passer par Antoinette ? De cela, Louisette ne disait rien à Sophie, elle pensait que le mal d'amour disparaîtrait avec le temps. Et elle s'y emploierait. Sophie avait bien eu assez de malheurs comme ça !

D'un geste vif elle saisit le petit fauteuil crapaud.

— Allez, je descends et celui-là je le fais porter dès demain par Basile chez Ducourneau. Il va nous le refaire en moins de deux. Mais après, attention, quand la mère Millau viendra, on lui donnera la vieille chaise de paille du grenier que je vais descendre exprès et cacher derrière l'escalier.

Sophie, pas dupe de l'attitude de Louisette qui cherchait à lui faire oublier Abel, sourit. Depuis qu'elle était plus proche de Louisette, elle avait aussi découvert autre chose. Quelque chose qu'elle n'avait jamais soupçonné jusqu'alors : Louisette était agacée par la « mère Millau » comme elle l'appelait depuis que ses rapports avec Sophie avaient pris une tournure plus intime. Elles s'étaient connues autrefois quand elles étaient servantes et bien qu'elle n'ait jamais rien pu en tirer, Sophie était sûre qu'il s'était passé quelque chose entre elles. D'ailleurs, elle avait remarqué que Thérèse faisait bien attention à ne pas brusquer Louisette et qu'elle évitait de se faire servir par elle. Quand Louisette apportait le thé, par exemple, Thérèse se jetait sur la théière pour verser, comme pour éviter que Louisette ait à le faire.

Sophie pensait à ce mystère tout en regardant sa cuisinière qui portait le petit fauteuil en secouant la tête et en maugréant. Avant de partir et de refermer la porte du boudoir, Louisette lui glissa un dernier mot.

— Et pour Mélanie, n'ayez aucune inquiétude. Notre petite Anne est en de bonnes mains. Croyez-moi ! Sinon, il y a bien longtemps que j'aurais mis le holà.

Le petit boudoir était maintenant complètement plongé dans la nuit. Seule la lueur du feu projetait sur les meubles et les rideaux bleus ses ombres mobiles. Sophie pensait à ce « notre petite Anne » qu'avait dit Louisette, elle sentait bien que ce bébé était devenu pour sa cuisinière bien plus qu'un bébé ordinaire et elle n'en était pas mécontente. Louis était passé lui dire qu'il se rendait chez le procureur pour un dîner qui était prévu de longue date. Sophie l'avait oublié. Elle qui autrefois aurait préparé l'événement pendant au moins une semaine entière ! Pourtant Thérèse lui en avait longuement parlé la veille car elle était très en colère. Le procureur ne l'avait pas invitée et elle était venue déverser sa rancœur. Comme tout cela paraissait aujourd'hui dérisoire à Sophie.

Ce moment où la nuit tombait était le pire de tous pour la belle chocolatière. Elle voyait arriver sur le chemin de ronde la silhouette du hussard de garde et c'est alors que son avenir lui paraissait le plus effrayant et que la tentation d'en finir l'avait effleurée parfois. Antoinette avait totalement cessé de venir. Sa dernière visite remontait à la naissance de la petite. Elle avait apporté en cadeau une ravissante petite robe qu'elle avait confectionnée et dans les volants de laquelle Sophie avait reconnu certaines dentelles de ses robes : « Je garde toutes les chutes, avait expliqué Antoinette, en cas. Et voyez, ça sert, la preuve. » Elles avaient parlé de la petite mais elles n'avaient jamais prononcé son nom à lui. Un jour, sans qu'elle s'explique vraiment pour-quoi, Sophie avait compris qu'Antoinette ne voulait plus parler d'Abel et pourtant il était là entre elles deux, plus fort et plus présent que jamais malgré ce silence. Sophie n'avait toujours aucune nouvelle de son amant et ses rapports avec Louis étaient devenus quasi inexistants. Elle se sentait plus seule que jamais. Elle avait tenté de parler à son mari du handicap de leur petite mais il avait coupé court de telle manière qu'elle avait senti qu'il ne fallait plus jamais aborder le sujet.

— Laisse-moi faire, lui avait-il dit. Je me renseigne auprès des plus grands chirurgiens à Paris. Je ferai d'ailleurs là-bas un voyage d'ici quelque temps. Je ne négligerai rien et je suis sûr de trouver un moyen de la faire soigner et de la guérir. Occupe-toi d'elle normalement. Pour le reste je m'en charge.

Sophie avait insisté, elle ne comprenait pas qu'il ait pu déjà faire toutes ces démarches sans jamais lui en parler. Elle aussi voulait chercher, tout tenter avec lui.

— Mais, je pourrais venir avec toi, t'aider, je voudrais comprendre...

— Il n'y a rien à comprendre ! Soigne-la comme toute bonne mère. Pour le reste, c'est moi qui décide.

Il la renvoyait aux couches et aux biberons. Ce ton péremptoire l'avait glacée et, pour la première fois de sa vie, Sophie s'était sentie prisonnière. Cet homme qui lui avait toujours passé ses moindres caprices et qui payait tout ce qu'elle voulait se révélait, dans ces moments difficiles, auto-ritaire et cassant. Mais le pire de tout pour Sophie, c'était qu'elle n'avait ressenti dans les paroles de Louis aucun amour pour leur bébé. Son discours était froid, méthodique. Comment la guérir ? Comment la faire marcher un jour ? Voilà ce qui l'occupait exclusivement. Rien sur cette petite vie naissante, sur ce visage si beau de l'enfant, sur ses joues toutes roses, ses cheveux si fins, si doux. Louis ne voyait que la mécanique intérieure du petit corps qui ne fonctionnait pas comme prévu et, en homme méthodique, il s'attachait uniquement à réparer ce qui ne marchait pas. Sophie en avait été stupéfaite. Quel orgueil se disait-elle, quelle séche-resse de cœur ! Mais que faire ? Que répondre et où aller si elle décidait soudain de ne plus accepter d'être traitée ainsi ? Elle qui auparavant savait si bien jouer de son charme et de sa beauté pour obtenir tout ce qu'elle voulait se sentait maintenant démunie, sans armes.

Elle se dirigea vers la grande glace qui ornait le dessus de la cheminée. Dans l'ombre elle discerna son visage fatigué, elle devina ses cheveux ternes et elle sentait que son corps était devenu lourd, informe. Elle n'avait pas retrouvé la fine silhouette et cette allure que tout le monde vantait et qui faisait la fierté de Louis. Désormais, après avoir rouspété au début parce qu'elle ne sortait pas de son boudoir, elle aurait même juré qu'il préférait qu'elle y restât.

— Il veut que personne ne me voie, se dit Sophie. Je suis trop enlaidie, son orgueil ne le supporterait pas. Mais ça m'est égal. Tout m'est égal... Sauf Abel.

Elle regarda la rose fanée dont le rouge sang d'origine était encore perceptible çà et là, dans les replis figés. Elle prit la fleur dans ses mains et l'embrassa fiévreusement.

— Abel, où es-tu ? Reviens, Abel, Abel...

Inlassablement elle prononçait son nom à voix haute. L'entendre anesthésiait un court instant sa douleur, comme si l'homme prenait vie du simple fait que son nom fût dit. Mais ensuite, l'absence réelle revenait, plus forte encore. Alors Sophie pleurait. De longs pleurs, lents et silencieux, puis plus profonds, plus douloureux. Les pleurs solitaires et violents d'une femme perdue que personne n'entendait à cette heure dans l'immensité de la nuit.

— Diable ! Quel frrroid ! Brrrrrrrr, je suis gelé. Vite patrr-ronne, donnez-moi un bon rrremontant.

La voix était tonitruante et joviale. L'homme qui venait d'entrer au *Café Français* tranchait sur la clientèle habituelle. Trapu, très massif, un visage large et rougeaud, l'homme était vêtu de manière rustique mais cossue. Il portait un béret noir et la lourde cape de bure marron dont il s'enveloppait laissait voir une blouse aux larges plis en grosse toile bleue. Son pantalon de laine brune ne cachait pas des belles chaussettes épaisses en laine beige. Aux pieds, de gros sabots noirs, luisants et bien cloutés. Des sabots de riche paysan. De toute évidence il n'appartenait pas aux notables de la ville. Pourtant Lucile, qui lavait les verres derrière le comptoir, nota qu'il était très à l'aise et se sentait visiblement ici comme chez lui. Mme Cazaux lui adressa d'ailleurs un large sourire et le patron l'accueillit à bras ouverts.

— Ça alors ! Bordenave ! Et qu'est-ce que tu deviens ! Ça fait un moment qu'on ne t'avait pas vu. (Il l'entraîna vers le comptoir tout en interpellant Ida qui était en train de balayer la petite salle du billard.) Ida ! Viens, et sers-nous un bon verre de vin chaud.

Ledit Bordenave enleva sa cape, la suspendit près de la porte au lourd portemanteau de bois. Il arriva en se frottant les mains.

— Ah ! Du vin chaud ! Tu as raison, Cazaux, c'est ça qu'il me faut ! Je viens de Labassère et je me suis gelé. Tout le long de la route de Bagnères les petits ruisseaux sont blancs et durs... tiens (il frappa le comptoir avec son poing) comme de la pierre. Ouhhh ! Il y a longtemps qu'on n'a pas eu un froid pareil !

— Et qu'est-ce que tu faisais à Labassère, c'est bien loin de chez toi ?

— J'y étais pour la boucherie de mon frère. Au dernier marché il a acheté une vache à un paysan de là-bas. Et puis au moment d'aller chercher la bête il a eu des ennuis. Alors j'y ai été pour lui, j'ai combiné ça avec un bœuf que je devais porter à Bagnères. Mais ça fait loin, c'est pas mon secteur. J'ai dit à Dédé que la prochaine fois il avait qu'à toujours passer par moi. Soi-disant qu'il a fait une affaire ! Tu parles ! Il sait pas négocier. La négociation c'est l'affaire des maquignons comme moi. Pas des bouchers ! Lui il sait couper la viande, la vendre, la faire belle. Moi je sais acheter les bêtes au meilleur prix. Et des bêtes de premier choix ! (Il avala une bonne gorgée de vin chaud.) Ah ! Ça fait du bien !

197

— Pour ça, il faut dire que chez ton frère il y a toujours de la très bonne viande, renchérit M. Cazaux. Nous on se sert que chez lui, et on n'a jamais eu rien à dire.

L'homme se redresse, fier.

— Et vous avez bien raison ! Avec tous les fraudeurs qu'il y a en ce moment. Tu as vu, ceux de Grasse qui refilaient les bêtes malades ! Ça fait du tort à la profession. Après, les gens ils ont plus confiance. Mais chez mon frère tu peux être tranquille. C'est moi qui le fournis. Et la belle marchandise, je la trouve toujours. Crois-moi, j'ai l'œil.

Il leva son verre et, d'un seul coup, le vida entièrement.

Lucile le regardait avec insistance. Ça y est ! Maintenant elle se souvenait où elle l'avait déjà vu. Au marché. À la foire aux bestiaux du jeudi. Celle où les paysans et les marchands se retrouvaient chaque semaine. La plus grosse foire aux bestiaux de toute la contrée. Là-bas aussi il parlait fort. Plus fort que tout le monde. Lucile se souvenait bien de lui maintenant. Marie, sa mère, lui avait dit que c'était un vieux renard, très fort pour repérer ceux qui avaient un besoin urgent de vendre. Il baissait les prix au maximum. Malgré sa mauvaise réputation, comme il payait rubis sur l'ongle, il trouvait toujours à acheter, tant les besoins dans les petites fermes étaient immenses. Une voisine disait que ces dernières années, avec la crise, il avait amassé une véritable fortune. Il pesait lourd maintenant Bordenave et on le respectait, c'est pour cela qu'au *Français* il était toujours très bien accueilli malgré ses allures rustiques et ses habits de paysan inhabituels en ce lieu très chic. Rien qu'à voir l'attitude de son patron envers lui, Lucile comprit que M. Bordenave était quelqu'un qui comptait. Mme Cazaux aussi derrière sa caisse était tout miel pour lui. Elle souriait à la moindre de ses paroles et acquiesçait à tout ce qu'il disait.

— Dites, vous allez rester manger, monsieur Bordenave. Notre vieille Catherine nous a fait une bonne daube, on sert dans une petite heure mais si vous restez je vais lui dire de vous la faire chauffer et, d'ici un quart d'heure, c'est prêt.

Le temps que Lucile dresse la table et que vous buviez un autre vin chaud.

Bordenave fit mine d'hésiter puis accepta.

— Ça c'est une vraie patronne ! Et qui sait y faire avec les clients ! Hein madame Cazaux ! Allez, va pour la daube. Je rentrerai à Montaut après. Ça fera du bien aux chevaux de se reposer un peu. Depuis hier ils ont pas arrêté. Tout à l'heure ça ira mieux. En trois heures avec la carriole, je suis à la maison.

En fin de matinée, les clients étaient rares. Ils arrivaient plus tard, au moment du déjeuner. Tout en installant la table, Lucile continuait à profiter pleinement de la conversation du maquignon qui parlait haut comme pour toute une assemblée. Il était question d'un certain Navarre. Un gars de Montaut qui avait bien réussi en fabriquant des chapelets. Bordenave expliquait au patron que maintenant il avait des centaines d'ouvriers et que sa dernière usine tournait à plein.

— Tu vois, Cazaux ! Personne y croyait trop aux chapelets de Thomas Saturnin Navarre, mais lui il a vu clair.

Saturnin Navarre était une personnalité hors normes qui possédait le double talent d'avoir des idées et d'être capable de les mettre en pratique. Il s'était renseigné et savait que la foi était l'une des choses les plus fortement ancrées dans les populations de toutes sortes et de toutes catégories quoi qu'en dît l'air scientiste et positiviste de l'époque. Une anecdote en témoignait. Napoléon et les évêques avaient fait vendre des sanctuaires un peu partout en France, trouvant qu'il y en avait trop et aussi trop de fêtes religieuses. Ils avaient décidé de supprimer tout ce qu'ils considéraient comme du « folklore populaire » et, à Lourdes, ça avait failli mal tourner. Les femmes ne voulaient pas qu'on touche à quoi que ce soit, et même le curé, un certain Gabriel Condat, avait pris leur parti et il s'était rebellé contre sa hiérarchie. C'était allé très loin, Bordenave s'en souvenait :

— On était petiots mais ça avait remué du monde ! Chez nous à Bétharram, ils s'y étaient mis à neuf familles du village pour racheter la chapelle et le terrain. Sinon, ces grands décideurs, ils te l'auraient démolie sans nous demander notre avis alors que c'est avec nos sous qu'on l'a bâtie ! (Là, Bordenave ne rigolait pas.) Du coup on a gardé le sanctuaire comme il était, avec les peintures et le retable et on vient toujours y prier la Vierge comme autrefois. Qu'est-ce qu'ils s'imaginaient là-haut à Paris ? Qu'on allait dire « Amen » ! Ils veulent toujours nous en apprendre. Bientôt, tu vas voir ! ils vont venir nous dire comment on va devoir chier, non mais !

À ce bon mot, Cazaux éclata de rire et donna une grande claque dans le dos du maquignon pour montrer son total assentiment. Bien que formé par sa clientèle aux vertus modernes, le patron du *Français* avait gardé le solide fond rural de ses origines. Devant ses clients, il affichait un mépris de façade pour toutes formes de croyances, mais en fait, il y restait très attaché. Heureusement, à cette heure, il n'y avait aucun lettré local pour entendre Bordenave, et M. Cazaux se laissait aller à ses penchants naturels avec une colère d'autant plus grande qu'elle était souvent contenue :

— Tu as bien raison, Bordenave ! Faut pas prier comme ci, faut prier comme ça, je m'en souviens. Soi-disant qu'il fallait plus prier nos statues ! Et elles font du mal à qui nos statues ? Plus de processions, de fleurs. Tu parles ! De quoi je me mêle ? Et si, nous, on a envie de prier nos saints comme ça nous chante ! Non mais ! C'est pas eux qui nous feront changer d'avis !

La conversation des deux hommes n'était que le reflet d'un sentiment largement partagé dans les populations. Le retour à la religion était très grand en cette période du Second Empire et, ici les chrétiens, là-bas les musulmans, tous à un moment ou à un autre se retrouvaient avec un chapelet au bout des doigts. Or, dans le pays de Bigorre, les montagnes étaient couvertes d'un bois très dur, le buis, avec lequel les bergers et les femmes à la veillée fabriquaient grossièrement pour eux-mêmes des chapelets qu'ils vendaient aussi parfois au marché. Navarre réfléchit. Il décida que c'était le moment de passer du stade artisanal à la véritable industrie et qu'il fallait fabriquer des chapelets non seulement pour la messe du dimanche au pays, mais pour toutes les messes dans tous les pays du monde.

— Mais, dis-moi, demanda Cazaux, à propos de Navarre, je croyais qu'il avait eu des problèmes pour faire construire son usine au Bordou.

Le maquignon rigola et fit un geste qui en disait long.

— Tu parles ! Il a réglé ça vite fait. Et comme il faut. On lui cherchait des emmerdements soi-disant parce qu'il fait tourner ses moteurs hydrauliques avec l'eau du gave qui passe sur sa propriété. Tu devrais voir ça ! C'est magnifique. Et, comme dit Navarre, son usine n'incommode personne puisqu'il restitue l'eau par un petit canal, en plus y a rien d'insalubre dans la tournerie du bois.

— Ouh ! Mais... son affaire, ça a quand même été jusqu'à la démission du maire, non ? Il y a eu de sacrés remous au conseil municipal à l'époque !

— Eh tiens pardi ! Comme chaque fois qu'un type fait quelque chose de nouveau. Mais là, c'est l'empereur qui a tranché !

— L'empereur !

— Lui-même, en personne. Le 1er août dernier, le maire a reçu un arrêté signé de Napoléon III autorisant, je cite, « M. Thomas Saturnin Navarre à effectuer sur la rive droite du gave de Pau et dans la commune de Montaut, une prise d'eau destinée à la mise en jeu d'une usine hydraulique ». Ce sont les termes exacts. Je m'en souviens par cœur tellement ça a fait du bruit au pays. Tu penses qu'on l'a lu et relu, l'arrêté. Et maintenant ils sont tous contents. Ça tourne, et ça tourne bien.

M. Cazaux fit une moue dubitative.

— Mais... tu crois qu'il en faut tant que ça toi des chapelets ! Tu crois que ça suffisait pas avec la production des artisans du coin ?

— C'est ce qu'ils disaient tous, qu'on saurait pas quoi en faire de tous ces chapelets. Tu parles, les commandes affluent de partout. De France et même d'ailleurs. Il fait même des chapelets pour les musulmans. Tu te rends compte, c'est pas tout près ces pays-là ! Hein ! Mais c'est qu'il produit vite avec ses inventions, Navarre ! Et de la belle marchandise, des perles bien régulières. Faut voir là-bas, à Montaut, le trafic qu'il y a. Entre les femmes qui viennent de tous les villages chercher des perles pour fabriquer les chapelets et les hommes qui descendent de la montagne avec les charrues pour porter les billes de buis ! On se croirait en permanence à la foire. Y a du travail pour tout le coin. Surtout pour les femmes, il en vient de partout.

Lucile n'avait pas perdu une seule miette de la conversation. Du travail pour les femmes ! Elle n'en revenait pas, et à Montaut en plus ! Montaut, se disait-elle, c'est pas si loin. C'est juste à côté de Bétharram, à une trentaine de kilomètres. Jamais elle n'avait entendu parler de cette histoire d'usine de chapelets. Elle avait bien vu parfois des paysannes au marché enfiler des petites perles de bois avec un drôle d'instrument tout en attendant le client derrière leur étal de légumes. Mais jamais elle n'aurait imaginé que ce soit un vrai travail qui puisse rapporter des sous. Par ici on avait toujours fait des chapelets pour soi, c'était une tradition.

« Il faut que j'en sache un peu plus », se dit-elle.

Pendant que le maquignon s'installait à table, elle fila voir Ida qui donnait le coup de main à Thérèse en cuisine.

— Si ça t'arrange, Ida, je peux servir le client, dit-elle précipitamment. Je finirai de laver les verres après, il m'en reste pas beaucoup.

Ida accepta tout de suite, trop contente de l'occasion.

— Tiens porte-lui d'abord un peu de garbure. Elle est épaisse, ça va le caler et comme ça il mangera moins de daube. On n'en a pas fait beaucoup, il faudrait pas qu'il nous l'entame trop.

Et ce disant, d'un geste énergique, Ida planta la louche dans la grosse soupière fumante de garbure. Une soupe du pays à base de choux, de lard et de pommes de terre que Lucile servit copieusement à Bordenave. Elle avait enregistré la leçon. Pas celle d'Ida. Celle qu'elle avait comprise toute seule depuis qu'elle était ici en voyant faire les uns et les autres. Il y avait des gens qu'il était bon de connaître et avec lesquels il fallait savoir se faire bien, au cas où...

« Autant qu'il m'ait à la bonne. » Et, tout au long du repas, elle versait et reversait du vin, coupait du pain, servait et resservait de la daube. Tant et si bien que le pauvre Bordenave crut sentir sa panse éclater.

— Eh bé, elle a fait une bonne recrue, la patronne, lui dit-il. Et d'où tu viens, toi ?

— D'ici, de Lourdes. Je suis la fille de Jean Abadie, le carrier.

Bordenave eut une moue.

— Connais pas. Mais tu sers bien. C'est pas comme Ida. Il faut toujours lui en redemander à celle-là. Non, toi, c'est bien, c'est bien...

Afin de bien savourer le tout, pour finir, il alluma un gros cigare. Lucile qui était en train de débarrasser le couvert se dit que c'était le moment de poser des questions.

— Dites, monsieur ? avança-t-elle d'une faible voix, accentuant d'instinct sa timidité naturelle.

— Oui ? dit Bordenave à moitié endormi par la garbure et la daube.

— Je vous ai entendu tout à l'heure parler de travail pour les femmes. Des chapelets...

Le maquignon ouvrit un œil :

— Oui. Et alors ? Tu veux en faire ?

— Non, pas moi, je travaille ici. Mais ma mère peut-être et... des voisines...

Bordenave lâcha une énorme bouffée de fumée de cigare que Lucile prit en plein dans les yeux et dans le nez. Elle se mit à larmoyer et à tousser, tousser, tousser. Bien embêté, le maquignon se leva et lui donna plusieurs tapes dans le dos qui manquèrent plutôt la jeter à terre qu'autre chose.

M. Cazaux lui aussi était accouru. Lucile avait retrouvé sa respiration, elle était toute rouge.

— C'est rien, c'est rien. Je me suis juste un peu étouffée.

Bordenave éclata d'un gros rire bien tonitruant.

— Ah, ces fillettes ! Elles sont pas solides pour deux sous. Un peu de fumée et hop, on les envoie de l'autre côté.

Mme Cazaux leva le nez de derrière sa caisse. Elle avait l'air contrarié.

— Dites, monsieur Bordenave, moi je la trouve très solide cette petite. Des sérieuses comme elle on n'en trouve pas tous les jours. Alors ne me l'abîmez pas.

— Mais je sais, madame Cazaux, je sais. D'ailleurs j'étais en train de lui faire des compliments, alors ! Tiens, faites-moi l'addition. Ça va nous réconcilier.

Pendant qu'il payait son repas, Lucile finissait de nettoyer la table et se reprochait déjà d'avoir manqué son but quand, juste avant de partir, après avoir remis sa cape et son béret, le maquignon revint vers elle.

— Tiens, lui dit-il en riant. Voilà 20 centimes, c'est pour le service. Et tu iras voir de ma part Auguste à l'usine Navarre de Montaut. C'est le contremaître. Dis-lui surtout que c'est Bordenave qui t'envoie. Antoine Borde-nave. Tu verras, tout ira bien. Et, attention ! 60 centimes la grosse casserole. Pas moins ! Hein, tu lui diras de ma part.

60 centimes la grosse casserole ? Qu'est-ce que ça signi-fiait ? Lucile était perplexe. Mais peu importe ! Elle comprendrait plus tard. Elle exultait. Elle avait eu le courage de surmonter sa timidité et de prendre une initiative. Avant, elle n'aurait jamais rien osé demander à qui que ce soit et là elle y était arrivée. C'est que quelques sous en plus pour les femmes du quartier c'était vraiment trop important. Pour la première fois elle avait donc transgressé la règle de Mme Cazaux : « Ne pas discuter avec les clients. Ne pas écouter leurs conversations. »

En y pensant, elle réalisa soudain ce qu'elle venait de faire, et regarda sa patronne d'un œil inquiet. Celle-ci avait le nez plongé dans ses papiers et apparemment elle n'avait rien entendu.

« Ouf ! » se dit Lucile, soulagée. Et elle reprit son travail avec une énergie décuplée. Comme il lui tardait d'être au soir pour annoncer la nouvelle à sa mère ! « Du travail, se répétait-elle inlassablement. Je leur apporte du travail. Moi ! C'est incroyable ! j'ai fait ça. Je l'ai fait, j'ai osé ! Si j'avais rien demandé à ce maquignon, j'aurais rien. Comment j'ai fait ? »

Elle était tellement heureuse qu'elle ne remarqua pas le regard sombre que lui jeta Mme Cazaux de derrière sa caisse.

La journée se passa merveilleusement.

Au moment de partir, alors qu'elle s'apprêtait à quitter le café après avoir dit au revoir à tout le monde, Mme Cazaux la retint d'un ton sec :

— Tu n'as rien à me dire, Lucile ?

La foudre lui serait tombée dessus que ça n'aurait pas été pire. La jeune fille sentit ses jambes flageoler. Jamais sa patronne n'avait eu ce ton avec elle. Elle se dit que Mme Cazaux l'avait vue, l'avait entendue parler avec M. Bordenave et, tout d'un coup, elle eut la certitude d'avoir commis un crime impardonnable. Elle devint si pâle que Mme Cazaux se radoucit un peu :

— Alors, tu n'as rien à me dire ?

Lucile domina sa peur et trouva la force de répondre.

— Si. Je... j'ai demandé à M. Bordenave où on faisait les chapelets... Je vous demande pardon.

— Où on faisait les chapelets ?

Derrière son comptoir le visage de Mme Cazaux exprimait une très grande perplexité.

— Oui, pour enfiler les perles de buis. Je... je... c'est pour du travail...

Curieusement, Mme Cazaux parut soulagée et sa physionomie retrouva sa gentillesse habituelle : « C'était donc ça ! se dit-elle. Qu'est-ce que je m'étais imaginé ? Je suis folle, vraiment ! » Puis elle reprit.

— Et pourquoi ? Ça t'intéresse de faire des chapelets ?

— C'est pour maman, et puis aussi pour des voisines.

Elles pourront faire les chapelets le soir, à la veillée. Ça fera des sous en plus Y en a bien besoin dans la rue, vous savez.

Lucile avait parlé d'une traite, ce qui ne lui arrivait jamais, Mme Cazaux avait toujours du mal à lui tirer deux mots de suite. En son for intérieur, la patronne avait honte. Elle avait eu de mauvaises pensées alors que cette petite ne faisait que du bien. Elle s'était imaginé que, comme d'autres employées l'avaient fait avant elle, Lucile faisait des approches auprès du maquignon en lorgnant son porte-monnaie. Du coup, se sentant coupable d'avoir fait une pareille erreur, elle eut un sursaut de bonté.

— Eh bien Lucile, si tu veux, tu n'auras qu'à prendre un jour pour aller là-bas avec ta mère. Ce sera plus facile si vous y êtes toutes les deux.

Lucile n'en revenait pas. Décidément, quelle journée !

Le soir, Lucile entra chez elle comme un ouragan. Marie était près du feu. Elle tournait la soupe dans la coquèle noire qu'elle avait suspendue à la crémaillère et le bruit que fit Lucile en entrant fut si soudain qu'elle manqua renverser le tout.

— Maman ! Maman ! J'ai trouvé du travail !

Marie ouvrit de grands yeux, stupéfaite.

— Mais qu'est-ce qu'il y a ? Je le sais bien que tu as trouvé du travail. Qu'est-ce que tu dis ?

— J'ai trouvé du travail pour vous, maman. Pour vous.

Elle avait du mal à retrouver son souffle tellement elle avait couru vite. Tellement il lui tardait d'annoncer cette nouvelle. Quand Lucile, qui avait enfin retrouvé son calme et sa voix lui eut enfin tout expliqué, Marie n'en revint pas.

— Une usine de chapelets à Montaut ? Et depuis quand il y a une usine ?

— Depuis cet été. Il paraît que ça marche déjà fort. Il faut y aller. Mme Cazaux me donne une journée. Si tu veux on peut y partir dès mercredi.

Lucile eut alors une pensée pour sa petite amie des mauvais jours.

— J'aimerais que Bernadette vienne avec nous à Montaut, dit-elle à Marie, tu pourras demander à sa mère ?

Marie hocha la tête, elle dit que ça allait être difficile, qu'il fallait bien quelqu'un pour garder les petits !

FÉVRIER 1858

Le mercredi suivant, le 10 février, avant l'aube, trois silhouettes quittèrent la rue des Petits-Fossés, descendirent par la rue basse jusqu'au pont du Lapacca et filèrent à pied par la route en direction de Saint-Pé pour rejoindre Bétharram puis Montaut. Elles avaient une trentaine de kilomètres à parcourir et pensaient qu'elles y seraient sur les dix, onze heures. Elles comptaient bien cinq heures de marche mais en fait elles ne savaient pas trop. Marie, Lucile et Toinette n'avaient jamais eu l'occasion d'aller si loin seules et à pied. Louise Soubirous n'avait pas pu venir, elle devait faire les lessives chez Mme Millau. Lucile regrettait aussi que Bernadette ne soit pas là, elle gardait les petits et elle devait aller à Massabielle avec eux.

« Pauvre Bernadette ! se disait Lucile. La grotte de Massabielle ! Que de moments affreux nous y avons passé ! Plus jamais je n'irai ! Plus jamais ! » Lucile s'en faisait intérieurement la promesse avec une rage toute nouvelle et elle avançait d'un pas énergique sur cette route qui, elle en était sûre, la mènerait vers d'autres horizons. Une bruine légère venait frapper son visage et son front, c'était les eaux tumultueuses du gave qui descendait des hauts glaciers et que la route longeait jusqu'à Saint-Pé. Elle avait le capulet sur sa tête et d'une main tenait bien fermée la lourde cape qui l'enveloppait. Une grosse cape de bure qui avait été à son grand-père et que Marie lui avait retaillée. Elle était lourde sur ses épaules, et rugueuse, mais elle protégeait bien du froid et de l'humidité montante. Après un kilomètre, quand le gros bourg de Lourdes fut derrière elles, Lucile vit sur sa gauche, en contrebas de l'autre côté du gave, l'ombre noire et massive de la grotte de Massabielle. Elle serra encore plus fort sa cape autour d'elle comme devant un danger et s'arrêta un instant. Entre la grotte et le gave on devinait dans la nuit, non pas une prairie, mais une étendue de terre noirâtre, informe. Pas d'herbe, pas d'arbres : une étendue de boue. Cet endroit, Lucile le connaissait par cœur. C'est là que le porcher Samson emmenait traîner tous les porcs de la ville qu'il passait prendre à l'aube dans les maisons. C'est là, dans cette boucle qui tournait devant la grotte que le gave déversait tout ce qu'il charriait. Les bois morts qu'il roulait depuis les sommets, mais aussi les cadavres des bêtes que les bergers jetaient dans les eaux et qui échouaient là, ouverts et puants. Lucile était allée bien souvent dans ce cloaque avec les enfants les plus misérables de Lourdes qui venaient y chercher des bouts de bois et surtout des os. Des os qu'ils vendaient ensuite à la chiffonnière Letchina, une vieille qui habitait au quartier du Barraou dans une bicoque puante.

Lucile regardait l'endroit désert à cette heure de la nuit. Dans son imagination elle vit soudain une petite fille qui grattait à pleines mains la même boue que la truie, près d'elle, fouillait avec son groin. Cette petite fille, elle la reconnut, c'était elle, c'était Bernadette. Et la petite fille comme la truie étaient là pour une seule chose. Manger, survivre.

Dans les yeux effarés de Lucile défilèrent alors tout un troupeau d'enfants et d'animaux qui finirent par se confondre. Un troupeau informe, noir et gémissant. Elle poussa un cri d'effroi. « Plus jamais, je le jure ! Plus jamais ! » Devant cette vision d'horreur, cette scène qui lui faisait entrevoir ce qu'avait été toute sa vie d'enfant, Lucile s'échappa. Elle courut rejoindre sa mère et Toinette qui avaient continué d'avancer. Son visage était fermé, dur, et ses mains étaient devenus des poings qui serraient encore plus fort sa cape autour de son cou. Elle savait désormais que plus rien ne l'arrêterait.

Le jour se levait. Un paysan qui rentrait chez lui à Bétharram avec ses bœufs les prit sur sa charrette. Il s'appelait Lucien Carmouze et il revenait d'Adé. Le village où vivait sa mère et où la sœur de Toinette était mariée. Pendant que les deux femmes parlaient avec lui, dos à la route, jambes pendantes sur le bord du hayon, Lucile découvrait son pays. L'horreur de sa vision s'était estompée et elle se laissait aller au plaisir du paysage. Après être passés entre des collines boisées d'un côté et couvertes de bruyères sèches de l'autre, ils arrivèrent dans une petite ville moyenâgeuse, Saint-Pé.

« Comme c'est vieux ! » pensa Lucile.

Ils dépassèrent en plein cœur du village une petite place carrée entourée de maisons en arceaux, où une monumentale ruine se dressait.

— C'est l'église, expliqua le paysan, l'ancien monastère. Il date de 1020 et les huguenots l'ont brûlé. Depuis la ruine est restée comme ça. Il faudra bien qu'ils l'arrangent un jour. En plein village, c'est pas beau à voir.

Ils étaient maintenant dans l'unique rue centrale le long de laquelle s'agglutinaient les maisons. Des maisons lourdes et massives aux beaux encadrements de pierre. Certaines avaient même le long de leurs petits jardins de belles grilles en ferronnerie ouvragée.

Aux deux femmes qui, près de lui, s'étonnaient de voir des maisons aussi cossues dans ce petit bourg, le paysan expliqua d'un air entendu qu'ici il y avait eu de l'argent et qu'avec la fabrication des peignes en buis et en corne certains avaient fait de jolis magots mais comme, en ce moment, les peignes ça marchait un peu moins, les gens du coin faisaient aussi des mouchoirs et des clous.

Émerveillée Lucile absorbait tout ce qu'elle voyait avec avidité. C'était son premier voyage. Ils étaient maintenant sur la route de Bétharram et ils s'éloignaient du gave et des montagnes pour s'enfoncer dans la plaine béarnaise qui menait à Pau, cette ville dont elle avait tant entendu parler. Une ville paraît-il très riche où l'on parlait trois langues : béarnais, français et aussi anglais. Lucile s'était retournée, elle regardait maintenant face à la route, par-delà le paysan, par-delà sa mère et Toinette qui discutaient toujours. Dans les lointains vers lesquels ils se dirigeaient, l'horizon était bleu, d'un bleu si pur qu'il fit bondir son cœur. Comme Massabielle et sa boue lui paraissaient loin ! Enfin, de l'air ! De l'air pur et léger. Ce bleu, c'était la promesse d'un avenir lumineux. Jamais elle n'était allée aussi loin, jamais elle n'avait senti autour d'elle autant de liberté. À Lourdes, les montagnes l'enserraient, le château fort l'écrasait de sa haute et sombre stature. Ici il y avait un espace qui lui semblait infini. Pleine de joie, elle reprit sa position, dos à la route, et laissa échapper un cri. Face à elle, la chaîne des Pyrénées étalait le dessin somptueux de ses sommets enneigés. Lucile était éblouie. Jamais, jusqu'à cet instant, elle n'avait vu ses montagnes comme elle les voyait là. Trop près, elle ne voyait d'elles que les hauts coteaux et les murs de pierre. Ici, de loin, elle les découvrait dans leur unité et dans leur masse. Bleues, blanches et légères comme une image de paradis. Et douces, si douces dans ces couleurs fines. Presque transparentes.

« Mon Dieu ! Et pourquoi on n'est jamais venus jusqu'ici, se disait Lucile. C'est pas si loin, et c'est si beau ! »

— Ça y est, cria le paysan, on arrive à Bétharram.

Il les déposa sur la place. Elles devaient maintenant rejoindre Montaut à pied. Il y en avait pour une petite demi-heure de marche. À onze heures, elles y seraient.

Le maquignon avait dit vrai. Le trafic dans le petit village de Montaut, qui comptait à peine cinq cents âmes, était intense. Cinq chars à bœufs remplis jusqu'à ras bord de grosses billes de bois attendaient sur la place de l'église. Près d'eux un groupe d'hommes était en discussion. L'un indiqua aux trois femmes le chemin de l'usine Navarre située un peu à l'écart du village, près du gave en contrebas

— Vous y allez pour les chapelets ?

— Oui, répondit Marie.

— Ah bon ! Et vous n'avez pas de casseroles ?

212

— Des casseroles ? Et pour quoi faire ?

— Et pour mettre les perles, pardi !

— Ah ! non ! On savait pas.

— C'est la première fois que vous venez ?

— Oui.

L'homme prit un air important.

— Ah ! mais... c'est qu'il les donne pas comme ça les perles le patron ! Il faut connaître un peu les circuits. Faut pas croire. Et si en plus vous savez méme pas qu'il faut des casseroles !

— Ah !

Lucile entraîna sa mère qui montrait un visage un peu désappointé.

— Laisse-le dire maman. Je sais ce qu'il faut faire.

Et elle prit le chemin de l'usine d'un pas décidé. Toinette et Marie la suivirent sans rien dire, surprises de tant d'initiative chez une gamine si timide autrefois.

Au Bordou, en contrebas du chemin, les trois femmes découvrirent l'usine de Thomas Saturnin Navarre. De grands bâtiments situés le long d'un canal dévié du gave. Le long de ce bras d'eau se trouvait un bâtiment plus grand que les autres d'où montait un bruit infernal. Tout autour des hommes s'agitaient qui déchargeaient de grosses billes de bois arrivées sur des chars et même sur des charrettes tirées par des ânes ou des chevaux. Il y en avait partout. Les hommes criaient et s'interpellaient pour organiser le stockage des billes dans un bâtiment. Quand une charrette était vide, elle repartait et une autre arrivait, pleine, depuis le village où elle attendait son tour. Des femmes et des enfants descendaient en courant vers l'usine, des casseroles à la main. D'autres remontaient, toujours avec des casseroles. Mais cette fois, elles étaient remplies de petites billes de bois et de drôles de petites pièces sculptées. Lucile s'adressa à une femme qui passait près d'elle.

— Vous savez où je peux trouver M. Auguste ?

La femme fit une moue négative.

— Non, connais pas. Mais si c'est pour les perles il faut

aller là-bas. Vous passez près des turbines et vous rentrez dans le bâtiment. C'est tout au fond, de l'autre côté. Vous verrez, c'est là qu'on les distribue.

Lucile remercia la femme et, toujours suivie par sa mère et Toinette, elle trouva effectivement un bureau dans lequel étaient entreposés de gros sacs de jute. Sur les sacs il y avait des numéros écrits en blanc, « 8 », « 7 », et aussi des mots, « croix », « cœurs ». À l'aide d'une petite pelle à main, un homme plongeait dans l'un ou l'autre de ces sacs et remplissait les casseroles que des femmes et des enfants avaient posées sur une longue table devant lui. Ceux-ci se dirigeaient ensuite vers une autre petite table où un autre homme notait sur un carnet le nom de la femme ou de l'enfant et la quantité de perles emportée. La file de ceux qui attendaient pour être servis était longue. Lucile, Marie et Toinette se mirent à la suite pour prendre leur tour. Elles n'étaient pas à l'aise, les paroles du bûcheron sur la place les avaient inquiétées et les femmes qui faisaient la queue les regardaient avec curiosité. Elles se sentaient un peu intruses. Marie se tourna vers sa fille.

— Mais comment on va faire, on n'a pas de casserole.

Lucile elle aussi était inquiète. Comment faire ? Pourvu que ce M. Auguste soit là. Il y avait tellement d'hommes ici. Comment le reconnaître ? Mais elle pensa à la boue de Massabielle et se dit que ce n'était pas le moment de flancher.

— Ne bougez pas, dit-elle brusquement, je vais chercher M. Auguste.

Passant devant toute la file des femmes épatées d'un tel toupet, elle s'approcha hardiment de celui qui écrivait sur son petit carnet et demanda d'une voix qui se voulait ferme :

— Bonjour. Je cherche M. Auguste. Il est là ?

Surpris, l'homme releva la tête. Il la regardait des pieds à la tête et il plissa les yeux. Les jambes de Lucile tremblaient sous sa jupe mais heureusement il ne les voyait pas.

— Et qu'est-ce que tu lui veux à M. Auguste, toi ?

— Je dois le voir. C'est de la part de M. Bordenave.

Lucile nota que le nom avait fait son petit effet.

— Quel Bordenave ?

— Antoine Bordenave. Je dois voir le contremaître de sa part, M. Auguste.

L'homme hésita et finit par lui désigner une grande porte ouverte dans le bâtiment. Dehors on voyait des hommes qui débitaient des billes de buis avec une grosse scie circulaire. L'un d'eux avait un large tablier gris et un béret bien enfoncé sur la tête.

— C'est celui qui a le tablier gris. Va le voir là-bas.

Lucile remercia d'un signe de tête. Toinette et Marie, toujours dans la file, avaient observé la scène sans rien entendre. Elles virent Lucile se diriger vers un homme en tablier gris. Celui-ci se mit à faire de grands gestes.

« Mon Dieu, dit Marie, ça n'a pas l'air de bien se passer. Ça m'étonnait aussi qu'on trouve du travail comme ça, si vite. »

De loin Lucile leur fit un signe puis elle s'éloigna avec un garçon que l'homme en tablier gris venait d'appeler. Toinette et Marie se demandaient où elle allait et surtout ce qu'elles allaient dire en arrivant à la table quand ce serait leur tour.

— Bah, dit Marie, avançons. On verra bien.

Lucile suivit le garçon.

— Dis donc, le contremaître Auguste il t'a à la bonne. Faut que je te fasse visiter, il fait pas ça pour tout le monde. C'est bon pour toi. (Il lui serra la main avec un regard franc.) Je m'appelle Denis Salles, on va te donner une certaine quantité de perles et un délai pour nous retourner les chapelets enfilés. Tu auras affaire à moi chaque fois que tu viendras. Voilà, d'abord je vais te montrer l'usine rapidement pour que tu comprennes comment on fonctionne.

Denis était un gars de Bétharram, il connaissait l'usine par cœur. La visite fut précise et rapide. D'abord, le bois.

— C'est du buis, dit Denis, il vient tout droit de la coupe en montagne. C'est parce qu'il y a beaucoup de buis dans

215

nos montagnes qu'on fait des chapelets ici. Le buis, c'est très dur et on peut faire facilement de petits grains avec. Il tient le coup quand on le travaille. Il s'effrite pas, il est pas filandreux. On le fait venir surtout de Ferrières, d'Arbéost ou d'Asson. On descend les barres par chars depuis là-haut. C'est dur, il faut faire attention à pas les abîmer. Une barre qui tombe et c'est fichu. Le bois peut s'être fendu et on peut plus le travailler parce qu'il nous faut des billes complètes. Tu as vu, près d'Auguste, les scies ?

— Oui, répondit Lucile attentive.

— Là on découpe les billes en rondelles et l'épaisseur change selon la grosseur du grain que tu veux faire. Si tu veux des perles de 8, il faut couper la rondelle à 9, même à 10. L'usinage du grain réduit le volume. Tu comprends.

Lucile fit signe que oui, bien que le discours de Denis, un peu rapide, fût aussi pour elle un peu technique. Il l'entraîna vers le bâtiment près des turbines. Le bruit était infernal et il cria pour qu'elle l'entende. À l'intérieur, des hommes étaient penchés sur des machines diverses qui tournaient à toute vitesse et fabriquaient des quantités de perles.

— Tu vois, cria Denis tout en désignant une machine, ça, c'est une mèche de forme montée sur un porte-outil. À l'aide du tour, ça permet de découper les perles en une seule fois. (Il se dirigea vers la machine suivante.) Ici, on les perce et, là-bas, on peut les guillocher.

Lucile approuva en souriant.

— Tu sais ce que ça veut dire guillocher ?

Lucile fit non de la tête. Denis rit et lui montra des perles qui sortaient de la machine.

— Regarde, elles sont décorées. Là, le dessin c'est des roses, mais on peut aussi en faire d'autres.

Lucile regardait, fascinée, le tour à guillocher. La perle, prise dans une griffe était présentée à un outil dont le profil dépendait du motif à obtenir. Après quoi, elle était évacuée de manière automatique, et une autre prenait sa place.

Denis montra fièrement les poulies de chaque machine

reliées à des arbres horizontaux, eux-mêmes entraînés par les turbines hydrauliques placées à l'extérieur sur le canal.

— C'est Navarre qui a inventé tout ça. Fallait y penser, non ? Ça paraît simple maintenant, mais avant tout se faisait à la main. Et il a pas fini de les étonner, Navarre. Il est en train d'inventer un système secret pour encore améliorer la production.

Denis avait pris un air mystérieux et Lucile était loin d'avoir tout compris, mais elle était subjuguée, toute cette activité, cette vie de l'usine lui plaisaient beaucoup. Pour finir, Denis lui montra de grosses cuves.

— Ça, ce sont les bains. On trempe les perles dans ces chaudières qui contiennent des colorants. On les fait bouillir et le tour est joué.

Un monsieur à blouse blanche s'approcha d'eux.

— Bonjour, Denis. Qu'est-ce que vous faites ?

— On regarde les bains. Quelle couleur tu fais là ?

— Toujours pareil. Violet, violet, violet. C'est la mode. Depuis que le Lyonnais a inventé la fuchsine et l'Anglais la mauvéine, et que ces dames sont toutes colorées en mauve de la tête aux pieds, tout le monde en veut. Même pour les chapelets. C'est comme ça, faut suivre la demande. Mais nous, pour teindre, on n'a pas attendu la fuchsine. On utilise des colorants naturels. Les bois de campêche ou de lima donnent un violet foncé splendide et même un rouge vif.

— On n'a pas encore essayé les colorants chimiques ? demanda Denis.

— On y vient, on y vient, on essaie des mélanges. c'est pour bientôt.

Plus loin, Lucile vit les grands séchoirs pour sécher les grains à l'air chaud, puis les tonneaux remplis de « crascalhadis », des déchets de buis mélangés à de la sciure de bois, avec de la cire. On mettait les perles dans ces tonneaux puis ceux-ci tournaient pendant des heures pour le polissage. Les perles ressortaient, brillantes et parfaites.

— On va aller chercher les perles et t'expliquer comment

on fait. Dans quel ordre on les enfile. On te donnera du fil de chanvre et des pinces spéciales.

La visite avait été rapide, mais Lucile s'inquiéta soudain pour sa mère et Toinette. Où étaient-elles ? Heureusement Denis la ramena vers la pièce où on distribuait les perles. Lucile, soulagée, vit de loin sa mère et Toinette qui arrivaient à peine devant la table, c'était leur tour d'être servies et Marie lui fit de grands signes, à la surprise de Denis.

— Tu es accompagnée ?

— Oui, dit Lucile en rougissant un peu. Je voulais l'expliquer à M. Auguste, mais il m'a pas laissé le temps. Il m'a dit : C'est bon, tu travailles pour nous. 60 centimes la casserole, c'est d'accord. Mais j'ai pas eu le temps de lui dire qu'on était plusieurs du quartier à vouloir travailler...

Denis se gratta la tête.

— J'ai compris. Et tu voudrais prendre un bon lot de perles. Pour que là-bas vous les fassiez à plusieurs. C'est ça ?

Lucile sourit, Denis n'avait pas l'air fâché.

— Mais, et comment vous allez faire pour nous porter les chapelets une fois enfilés. C'est loin depuis Lourdes à chaque fois. Nous on travaille qu'avec des femmes du coin qui viennent chercher et ramener la marchandise, c'est plus rapide et plus simple. Tu comprends.

Lucile voyait là-bas les visages de sa mère et de Toinette, pleins d'espoir. Elle ne pouvait pas les décevoir. Elles ne pouvaient pas rentrer sans rien. Comment convaincre Denis ?

— Écoute, lui dit-il, je vais chercher ce qu'il faut pour toi. Mais pour les autres, je peux pas. Ça ferait trop de matériel immobilisé trop longtemps. Attends-moi là, je reviens.

La fièvre et la joie qui étaient montées en Lucile tout au long de la visite retombèrent d'un seul coup. Elle regarda Denis s'éloigner. Comment annoncer ça à Marie, et à Toinette. C'était impossible. De loin Marie lui faisait de grands gestes. Lucile n'osait pas les rejoindre. Elle réfléchit. Comment ramener les chapelets à Montaut toutes les semaines ? C'est vrai, un voyage pareil n'était pas possible aussi

souvent. Que faire ? Soudain, elle eut une idée. Carmouze !
Le paysan qui les avait emmenées. Il leur avait dit qu'il
venait au marché de Lourdes tous les jeudis. Et il habitait à
Bétharram. Ça devait pouvoir s'arranger puisque Denis était
de Bétharram. En un clin d'œil elle rejoignit Denis qui était
en train de lui préparer le paquet, et elle lui expliqua tout.

— ... donc le jeudi au marché, je porte les chapelets au
paysan qui lui me porte les perles. Après il vous porte les
chapelets chez vous et vous, le mercredi soir, vous lui donnez
les perles !

Lucile avait parlé à toute vitesse mais Denis avait compris.
Carmouze ferait le transport des perles dans les deux sens.
Ça paraissait un peu compliqué à Denis tous ces allers-
retours de perles et de chapelets. Mais Lucile était devenue
féroce, elle ne lâchait pas.

— Mais si, si. C'est possible. On n'a qu'à essayer, je suis
sûre que ça va marcher. Et si il y a le moindre problème je
viendrai à pied, moi, toute seule, je vous le promets.

Denis la regardait. Il était touché par tant de volonté, il le
sentait, elle irait jusqu'au bout. Face à tant de détermination, il se dit qu'il pouvait bien donner à cette fille toutes les
perles qu'elle voulait. Il en était sûr maintenant, le boulot
serait fait, et bien fait.

— Bon, c'est d'accord. Va chercher ta mère et la voisine.
Je vous donne ce qu'il faut pour cinq femmes, et pour une
semaine. Demain, c'est jeudi. Jeudi prochain je veux la première livraison le soir par le père Carmouze. On laissera passer une semaine. Je veux vérifier comment le travail sera fait.
Si c'est bon, le jeudi suivant vous aurez d'autres perles. Ça
va ?

Si ça allait ? Lucile sautait de joie. De loin, Marie et Toinette comprirent. C'était gagné. Elles allaient rentrer avec
du travail. Marie fit un signe de croix.

— Merci Notre Mère. Merci Vierge Marie.

— Ça, tu peux la remercier, dit Toinette d'un ton sérieux.
Je sais pas ce qui s'est passé, mais ta fille, c'est quelqu'un.

Et le regard qu'elle posa sur Lucile était rempli d'admiration.

Le jeudi 11 février au soir, Toinette Cazaban, Louise Soubirous, Julie Toulet, la veuve Lapeyre, Catherine et sa fille Justine, Marthe Domec avaient toutes apporté une bûche de chez elles et s'étaient retrouvées chez Abadie. Dans la matinée, Marie avait fait le tour des maisons les plus pauvres de la rue et elles étaient toutes réunies pour cette première soirée autour du travail du chapelet.

Elles étaient venues avec une joie enfantine comme pour une fête. Un travail qui se faisait dedans, près du feu ! On pouvait même bavarder ! C'était pas du travail ! C'était du bonheur !

— Il faut juste enfiler des perles ! Tu te rends compte, Marthe, s'émut la veuve Lapeyre. Quand on pense aux lessives qu'on fait dans le gave ! Et là, il faut juste enfiler des perles devant le feu. Ça alors ! Ça c'est un drôle de travail !

Elles n'en revenaient pas. Au début elles n'avaient pas pris la chose vraiment très au sérieux. Comment pouvait-on les payer juste pour enfiler des perles. C'était un amusement pour les petites filles ! Elles l'avaient toutes pratiqué dans les champs avec les glands des chênes dont elles se faisaient des colliers. Julie se souvenait même d'avoir fait un chapelet de buis avec son grand-père.

— Il taillait les grains un à un avec son couteau. C'était long. Il m'avait même fait une croix. J'ai toujours le chapelet. Je vais à l'église avec, il est dans la poche de mon tablier du dimanche. (Elle prit une poignée de grains que Lucile avait installés par terre sur une toile.) Oh mais ! les grains sont pas aussi beaux que ceux-là ! Ils sont pas aussi lisses, aussi brillants. Ça, c'est des beaux grains !

Toutes les femmes étaient là, debout autour de la toile et elles regardaient les petits tas de perles, de croix et de médailles que Lucile avait préparés. Marie la laissa faire. C'est à elle que Denis avait tout expliqué. C'est elle qui allait leur dire comment il fallait procéder.

Lucile prit une curieuse pince longue et étroite appelée « alicate ». Elle la montra aux femmes.

— Ce sont des pinces spéciales pour faire les chapelets. J'en ai que deux pour cette fois-ci, mais si le travail est bien fait, la prochaine fois on en aura d'autres. Avec cette pince, on coupe le fil de chanvre que voilà (elle montra un rouleau de chanvre posé sur la toile) et on fait des nœuds après chaque perle pour bien les séparer.

— Et combien on en met des perles ? demanda Marthe.

— Ça dépend. Et c'est là qu'il faut pas tromper. On a différents chapelets à faire.

— Différents chapelets ! s'exclame Catherine. Et pourquoi ? Ils sont pas tous pareils les chapelets ?

— Oh non, alors ! Il faut pas le même nombre d'Ave, pas le même nombre de Pater. Et tous n'ont pas des médailles.

Lucile avait bien retenu la leçon. Elle aussi avait été très surprise quand Denis lui avait commandé cinquante rosaires, cinquante traditionnels et cinquante « de sainte Brigitte ». Plus vingt chapelets dits des « Sept Douleurs », un modèle créé en 1724 par le pape Benoît XII et comprenant quatre séries de un Pater et sept Ave afin de marquer les sept douleurs de la Vierge. Pour qu'elles ne se trompent pas, Denis avait fait un croquis sur une feuille. Il avait dessiné le nombre de perles pour chaque Ave et fait une boule plus grosse représentant la perle du Pater.

— Il faut intercaler un Pater tous les dix Ave, expliqua-t-elle en montrant le dessin. Pour le chapelet du Rosaire, il faut quinze dizaines de dix grains chacune. Mais pour le traditionnel il n'y a que cinquante Ave groupés par dizaine. Ça fait donc cinq dizaines, et entre il faudra pas oublier le gros grain du Pater.

Toinette fit une moue dubitative.

— On risque de pas bien se souvenir et de mélanger tout.

— Mais non, répondit Lucile. On n'aura qu'à faire les séries les unes après les autres. Simplement il faudra bien les compter et pas faire plus des unes que des autres.

— Et qui va compter ? demanda Marie. Aucune de nous ne sait le faire.

— Je le ferai, moi, dit Lucile.

Surprise, Marie la regarda.

— Et comment tu feras ? Tu as jamais appris.

— Si justement ! Au café, des fois maintenant, c'est moi qui porte les sous à Mme Cazaux. Elle me rend la monnaie et je commence à comprendre comment ça marche. Pour pas me tromper, au début, je vais faire des barres sur la feuille. Denis m'a fait un exemple. C'est pas difficile.

Trier les grains, couper le chanvre à la bonne longueur, enfiler les perles puis faire les nœuds. Après s'être réparti les tâches, les femmes se mirent au travail en riant. Comme des gamines auxquelles on aurait fait un beau cadeau.

Louise Soubirous intervint.

— Moi je connais le chapelet de sainte Brigitte. J'en ai un.

— Ça alors ! Et d'où tu le sors ? demanda Toinette, interloquée.

— De Bétharram. Ma sœur y est allée pour les affaires du café avec son mari il y a quelques années. Ils avaient emmené ma petite dernière, Toinette, pour qu'elle tienne compagnie à leur petit. Ils m'ont rapporté ce chapelet et Toinette en a porté un autre pour Bernadette.

— Je le connais ! s'exclama Lucile. Elle l'a toujours avec elle.

Louise soudain en colère, grommela :

— Oh ! Me parle pas de celle-là, elle fait des histoires...

Marie qui était en train de couper le fil de chanvre réagit vivement.

— Bernadette ! Des histoires ? Ce serait bien la première fois qu'elle en ferait. Elle s'occupe des petits, elle va à Massabielle...

— Justement ! cria Louise d'une voix haut perchée, aujourd'hui elle y est allée avec sa sœur Toinette et la petite Jeanne. Au lieu de rapporter des os ou du bois, elle est revenue avec une histoire qui veut rien dire. Soi-disant qu'elle a vu une dame en blanc dans la grotte.

Tout en parlant, de manière fébrile, Louise s'était mise à trier les gros grains des Pater.

— Une dame ? Et qu'est-ce que tu lui as dit ? demanda Toinette.

Louise fit un geste vif avec le bras.

— Je lui en ai foutu une bonne raclée. À quoi ça sert de raconter des âneries pareilles. Une dame ! Et qui c'était, je lui ai dit ? Elle a répondu n'importe quoi.

Marie était songeuse.

— C'est pas son genre à Bernadette de dire des bêtises. Elle en dit jamais et elle en fait jamais. Tu aurais pas dû la battre Louise. Tu aurais dû lui parler un peu, elle aurait fini par t'expliquer.

— Mais y a rien à expliquer. Les deux petites ont rien vu et elles y étaient aussi. C'est des histoires pour se faire plaindre. Et qu'est-ce que j'y peux, moi, si elle a faim. Nous aussi on a faim, et je travaille tout ce que je peux !

Le récit de Louise avait créé un petit malaise.

— Et ce chapelet de sainte Brigitte alors ? Qu'est-ce que c'est ?

Marthe changea de sujet. Elle ne voulait pas que la soirée soit gâchée. Elles aussi étaient dans le malheur et la misère. Pas une qui soit épargnée. Ni de la faim qui tenaillait le ventre, ni du froid qui rentrait par toutes les fermetures mal jointes des maisons et qui demandait bien plus de bois qu'il n'y en avait. Pas une qui ne connaissait la douleur du travail de bête de somme qui broyait les corps et les volontés. Pas une qui ne subissait le chômage du mari et les journées passées à attendre. Mais ce soir, c'était la fête. Pas question de la gâcher. Pour une fois qu'elles étaient ensemble, près d'un feu et heureuses parce qu'elles savaient que si ce travail marchait, pour toutes c'était un peu de pain qui allait rentrer dans les maisons...

Lucile montra le chapelet de Louise.

— Vous voyez, il est divisé en six parties. Chacune a dix

Ave, un Pater, et un Credo. Puis, on récite un septième Pater et trois Ave de plus. Ça fait soixante-trois Ave. D'après Denis, c'est parce que ça correspond au nombre d'années que la Sainte Vierge a passées sur terre.

Lucile rit, contente de surprendre ces femmes qu'elle connaissait depuis son enfance.

— Et c'est pas fini ! Denis m'a dit qu'il nous ferait faire des chapelets « des âmes du purgatoire », des chapelets « de Notre Dame du Sacré-Cœur » et plein d'autres modèles encore. Même des chapelets musulmans.

— Et qu'est-ce que c'est que ça ? questionna Julie stupéfaite.

— Je sais pas. On verra bien.

Au bout d'une heure, les femmes avaient saisi et le rythme du travail était pris. Assise seule dans son coin, sur le bord de sa paillasse, Lucile rêvassait. Elle enfilait les perles précautionneusement selon l'ordre précis donné par Denis. Autour du feu, en travaillant, les femmes parlaient. L'histoire de la dame blanche de Bernadette avait réveillé d'autres histoires que l'on se racontait de veillée en veillée dans les maisons et qui passaient d'un village à un autre. Lucile les connaissait par cœur. Elle les entendait depuis toujours. Justine, la fille de Catherine qui allait sur ses quatorze ans comme Bernadette, vint s'asseoir près d'elle sur la paillasse.

— Tu y crois, toi, à la dame de Bernadette ? demanda-t-elle à Lucile.

— Si Bernadette l'a dit, peut-être. Je sais pas...

— Oui elle l'a dit. Je le sais, moi. Jeanne y était. Bernadette était toute blanche et...

— Et alors ! l'interrompit Lucile soudain agacée, Bernadette elle a de l'asthme, alors quand elle a des crises, elle tousse et elle est blanche ! C'est normal.

Vexée, Justine répliqua.

— Je te dis qu'elle était très blanche. Elle était pas comme d'habitude. Elle était pas comme nous.

— Et alors ! Occupe-toi plutôt des chapelets. C'est pas ces histoires de dame blanche et de fées qui vont nous mettre du pain dans la soupe. On ressasse toujours les mêmes choses ici.

Lucile avait parlé d'un ton inhabituel. Elle-même s'en étonnait. Mais, au fond, elle était irritée de voir ces femmes en train de rabâcher encore et encore. Justine se leva et s'en alla retrouver sa mère et les autres près du feu. De loin elle jeta un regard sombre à Lucile. Marie qui avait suivi la scène la rassura.

— Ne t'inquiète pas, va. Lucile est un peu râleuse en ce moment. Je ne sais pas ce qu'elle a.

— Elle s'est moquée de nous avec nos histoires, dit Justine avec rage.

Marie fronça les sourcils.

— Ah ! Et qu'est-ce qu'elle t'a dit ?

— Qu'on ressasse les mêmes vieilleries et que ça met pas du pain dans la soupe.

Marie hocha la tête d'un air inquiet, puis replongea dans son travail. Jean était rentré, visiblement épuisé. Il était près de dix heures. Avait-il travaillé ? Revenait-il du cabaret ? Marie ne savait pas et elle n'avait pas envie de le lui demander. Il se coucha directement après avoir enlevé ses sabots et sa grosse cape. À même la paillasse, juste sous une couverture de bure. Les femmes levèrent à peine le nez de dessus leur tâche. Elles avaient l'habitude de voir les hommes rentrer tard et se coucher. Lucile aussi avait l'habitude, mais pour elle ce soir n'était pas tout à fait comme les autres soirs. Le travail était entré dans la maison, et pas n'importe lequel. Un travail propre et bien payé. Grâce à elle. Et les femmes qui avaient toujours l'habitude de se voir pour des misères et des malheurs étaient gaies, elles parlaient et les chapelets naissaient sous leurs doigts. Elles se les montraient fièrement et vérifiaient que le compte des grains y était bien, et aussi celui des Pater et des Ave. Alors Lucile n'acceptait pas de voir son père rentrer ivre. Elle avait senti l'odeur du vin quand il était passé et, tout au fond d'elle, la colère montait.

Et si sa mère buvait elle aussi sous prétexte de misère et

225

de fatigue. Qu'est-ce qui se passerait ? se disait Lucile. À quoi bon vivre comme ça !

Le feu était quasiment éteint. Il était plus de minuit et les femmes étaient retournées chez elles après avoir compté les chapelets qu'elles avaient terminés, et serré le matériel dans la toile. Elles étaient contentes. Pour un premier soir elles avaient bien avancé et calculé que si elles s'y mettaient toutes, trois soirs par semaine, elles auraient fini pour jeudi prochain et Lucile pourrait remettre les chapelets à Carmouze. Les femmes parties, la petite pièce de terre battue avait retrouvé le silence. On n'entendait plus que le frottement du tistaï, ce petit balai fait avec des branches de bruyère avec lequel Marie rassemblait les cendres. Lucile ne disait rien. Comme tous les soirs, Marie installa la petite statue de plâtre pour la prière. Mais elle sentait bien que cette fois-ci le cœur de sa fille n'y était pas. Lucile priait, mais quelque chose semblait cassé. Marie n'osait rien dire. Elle n'avait que sa fille auprès d'elle et elle ne pouvait imaginer ne serait-ce qu'une seule seconde la moindre divergence entre elles. Marie sentait bien que l'amour de Lucile pour elle était intact, mais qu'elle n'était plus aussi docile. Plusieurs fois déjà elle avait renâclé pour la prière. Soi-disant que ça ne servait à rien.

— Des mauvaises idées qu'on lui met là-bas au café des riches, avait confié Marie à Toinette un jour où, plus que les autres, l'attitude de Lucile l'avait bouleversée.

Marie avait bien vu que la vision qu'avait eue Bernadette agaçait Lucile, et aussi les blagues de celles qui parlaient des histoires de la lande maudite et de la fée qui hantait le lac de Lourdes. Avant, Lucile aimait beaucoup ces récits et il fallait que Marie lui en raconte souvent à la veillée. Mais Lucile était devenue plus grave, les contes de fées ne la faisaient plus rêver. Et il n'y avait pas que ça ! Marie avait bien vu le regard noir qu'elle avait lancé à son père quand il était rentré. Là non plus, elle ne voulait rien dire. Elle espérait que ça passerait. Elle ne voulait pas de cris dans la maison, pas de disputes. Elle savait trop ce que c'était. Jusqu'à ce que son père meure, toute l'enfance de Marie s'était passée dans les vociférations entre ses parents et dans les coups aussi parfois. Et puis des querelles entre son père et son frère aîné. Le silence n'était venu qu'après la disparition du père et du frère, emportés par le choléra, quand elle s'était retrouvée seule avec sa mère.

Avant leur mort Marie n'avait jamais connu le silence sauf à l'église où elle passait tous les soirs avec sa mère pour prier la Sainte Vierge. C'est pour ça que, depuis sa plus petite enfance, le silence était l'idée qu'elle se faisait du paradis.

— Comme c'était calme ! Quelle paix ! Quelle beauté ! Là-haut dans le ciel ça doit être comme ça, avait-elle dit un jour à Lucile.

La prière était finie, Lucile avait embrassé tendrement sa mère avant de se coucher. Mais l'inquiétude de Marie ne s'était pas dissipée. Sur sa paillasse, allongée près de Jean qui ronflait, elle gardait les yeux grands ouverts. Elle pensait à sa Lucile qui avait tant grandi. Les enfants ne restent pas, se disait-elle, ils se marient ou ils trouvent une place et ils nous quittent un jour. Jamais encore Marie n'y avait pensé. Sa fille et elle c'était pour toute la vie, un chemin commun fait de connivences et d'entraide. C'est alors qu'une pensée lui vint à laquelle elle n'avait pas songé une seule seconde, une pensée fulgurante : Lucile était amoureuse ! C'était si limpide et si évident qu'elle se demandait comment elle ne s'en était pas rendu compte avant.

— Mais comment j'y ai pas pensé ? C'est ça ! J'en suis sûre ! Elle est amoureuse et maintenant elle nous juge, elle juge tout ce qu'on fait. Il doit pas être comme nous. Ça doit pas être un garçon des bas quartiers, et... elle nous en veut d'être comme on est.

La révélation laissa Marie pétrifiée. De toute la nuit elle ne dormit pas. Avant Lucile elle-même, elle venait de comprendre ce qui arrivait à sa fille.

Lucile enfila ses habits. Il devait être vers les six heures et la petite pièce des Abadie était encore plongée dans le noir. Quel froid ! Elle se dépêcha car il lui tardait d'arriver au *Français*. C'est là-bas qu'elle se préparerait comme tous les matins. Au début, elle se lavait et se coiffait ici. Mais c'était si difficile ! Il n'y avait rien de prévu chez eux pour la toilette Sauf un broc d'eau qu'elle allait chercher la veille à la fontaine. Il arrivait qu'au matin une pellicule de glace se soit formée au-dessus. Et puis, elle n'y voyait pas. Aucune lueur ne perçait dans les tréfonds des maisons de cette ruelle. Avant qu'elle ne travaille au *Café Français*, ce n'était guère important, mais depuis c'était différent. Avec l'habitude elle arrivait à se laver dans le noir, à tâtons, et sa coiffure n'était jamais parfaite. Au début Marie l'avait aidée. Mais quand elle était déjà partie au bois, Lucile avait du mal à réussir quelque chose de bien. Or, Mme Cazaux était intransigeante sur la présentation et Lucile avait eu droit à plusieurs remarques. Comment lui dire ? Comment expliquer à cette femme nantie ce qu'était la misère ? Comment décrire le « rien », comment expliquer ce que c'était que d'être démuni de tout ? Lucile ne trouvait pas les mots. Ils restaient coincés au fond de sa gorge et elle se contentait de s'excuser et de filer vite aux cuisines arranger sa tenue ou sa coiffure. Un jour, Catherine l'avait trouvée en larmes et Lucile lui avait raconté.

— Je sais, avait dit sobrement Catherine. Maintenant tu viendras le matin plus tôt. Tu seras là à six heures, tu déjeuneras et tu te prépareras ici. Ne t'inquiète pas, Madame n'en saura rien et, si un jour elle l'apprend, c'est moi qui lui parlerai.

Depuis ce jour, Lucile revivait. Tout lui semblait d'un luxe inouï grâce à la vieille Catherine qui se levait un peu plus tôt pour que chaque matin le feu ronronne dans le poêle de la cuisine avec une bouilloire d'eau chaude qui l'attendait pour sa toilette. Catherine, elle, était déjà lavée, son chignon tiré, impeccable dans son tablier de grosse toile bleue bien noué dans son dos. Lucile allait se laver près de l'évier, elle prenait la bouilloire, il y avait du savon, une serviette et la lumière de la lampe à gaz. Une fois par semaine elle faisait même une toilette complète. Elle prenait une grande bassine de fer gris et se mettait debout dedans, toute nue. Au début elle était gênée à cause de la présence de Catherine mais elle s'était vite aperçue que la cuisinière ne la voyait même pas, toute occupée qu'elle était à préparer les légumes du repas de midi. Depuis qu'elle se lavait tous les jours, Lucile se sentait différente, elle découvrait un bien-être jusque-là inconnu. En même temps, elle se rendait compte qu'elle ne supportait plus certaines choses chez elle, rue des Petits-Fossés. Comme par exemple l'odeur forte des paillasses dans laquelle il fallait bien qu'elle se couche le soir. Le matin, elle était pressée de quitter leur pièce noire et renfermée. Il lui tardait d'aller se laver et de retrouver la belle lumière du *Français*. Ces histoires des femmes hier soir l'avaient contrariée. C'est qu'elle entendait maintenant des conversations d'un tout autre ordre. Le journaliste Bibé et M. Pailhé lui ouvraient des horizons nouveaux et aussi le jeune avocat qui venait d'arriver et qui parlait souvent avec eux. Ne serait-ce que par le ton qu'ils employaient elle devinait beaucoup de choses car, pour les mots, Lucile ne les comprenait pas encore tous, loin de là. Mais à force d'attention elle progressait, la langue française lui devenait moins mystérieuse et elle l'utilisait de plus en plus souvent. Ce matin, tout en s'habillant dans le noir, Lucile pensait à ce jeune homme récemment arrivé au tribunal. Grand, mince, Jean Davezac avait un visage aux traits un peu trop aigus mais il compensait cette légère disgrâce par un ensemble général de son physique et de son comportement qui dégageait une classe hors normes. À Paris on le prenait souvent pour le descendant d'une longue lignée d'aristocrates, alors qu'il était tout simplement le fils unique d'une bonne famille de notables lour dais, juristes de père en fils. Il avait vingt et un ans et Mme Cazaux ne tarissait pas de compliments sur lui. Selon elle, il était le jeune homme idéal.

— Ah ! disait-elle souvent devant Ida et Lucile. Si j'étais

jeune fille aujourd'hui, je n'hésiterais pas. Ce jeune homme est parfait. Il est raffiné, élégant et il a une belle situation.

Ces paroles prononcées en toute inconscience par Mme Cazaux avaient le don d'exaspérer Ida :

— Tu penses, disait-elle à Catherine, un jeune homme idéal ! Idéal pour qui ? Pas pour des femmes comme nous, va ! Ni pour nos filles ! C'est pas aux miennes qu'il s'intéressera, ni à une fille comme Lucile. Ces garçons-là c'est bon pour les demoiselles, les filles de riches. Pour nous, y a que la piétaille, les ouvriers des carrières. Au mieux, sinon les brassiers. Qui voudrait de nous sinon. On se mélange pas à Lourdes ! J'ai jamais vu une pauvresse comme nous épouser un fils de famille.

— Et la mère Millau ? rétorqua Catherine avec une virulence soudaine. Tu l'oublies. Pourtant ! elle en a épousé un de riche. Le plus riche même. Et tu sais pourquoi il l'a épousée ce vieux renard de Millau ?... Non ? Eh ben je vais te le dire moi, c'est pas d'elle qu'il voulait !

La surprise d'Ida fut totale.

— Et pourquoi tu me parles en colère comme ça ? demanda-t-elle.

Catherine se calma, mais ce qu'elle disait devait lui tenir à cœur car elle se mit à raconter d'un ton mélancolique qui ne lui ressemblait pas plus que la colère. Elle expliqua que Charles Millau était rentier, le seul de la ville. Son père avait fait des affaires avec le marquis d'Angosse qui exploitait des mines de fer dans une vallée pyrénéenne à Ferrières. Ce marquis était un homme cupide et le travail dans ses mines était excessivement dur et très peu payé. Beaucoup d'enfants y travaillaient dans des conditions indignes mais le marquis ne se souciait que d'une chose, la rentabilité de son bien. À charge pour le père de Charles de faire tourner la mine, tâche qu'il accomplissait avec d'autant plus d'efficacité qu'il était le deuxième et unique actionnaire après le marquis. Quand le père Millau mourut, son fils hérita de ces actions qui lui rapportèrent de quoi vivre largement. C'était un homme bien mis, pas très beau mais avec beaucoup de charme, il ne ressemblait pas du tout à son père et il n'avait jamais posé les pieds à la mine. Il désapprouvait d'ailleurs les dures méthodes de son père que tout le monde haïssait et dont la réputation avait fait le tour du pays. Mais il avait pris l'argent sans aucun scrupule quant à ses origines.

— Avec l'argent qu'il avait, dit la vieille Catherine, les filles lui couraient toutes après, il pouvait choisir. Mais il y en a une qui a jamais voulu lui céder et c'est justement celle-là qu'il voulait. Louisette de chez Pailhé. À l'époque elle avait été obligée de travailler chez lui parce qu'elle avait pas trouvé ailleurs, Millau ne comprenait pas pourquoi elle voulait pas de lui, et elle, elle supportait pas cet argent qui venait de ces « mines du malheur » comme elle disait. De toute façon si elle avait cédé à Millau elle serait devenue une moins-que-rien, abandonnée comme tant d'autres servantes avant elle. Le Charles, il l'aurait faite grosse et il l'aurait laissée tomber. Il la suivait partout dans la maison, il en était devenu fou et il commençait même à la menacer, elle a tenu le plus possible et puis un jour elle a eu peur et elle est partie chez Pailhé. Thérèse lui a succédé. C'est par facilité et par dépit que Millau a épousé Thérèse. Elle était moins regardante et surtout elle savait le distraire en lui rapportant les ragots de la ville. Elle savait tout ce qui se passait dans les autres maisons par ses copines qui y travaillaient. C'est d'ailleurs comme ça qu'elle sait toujours tout... (Et, s'adressant à Ida d'un ton de reproche :) Même toi, tu lui racontes ce qui se passe ici.

Ida haussa les épaules.

— Et alors ? Ça fait du mal à qui ? Pour ce que je lui raconte !

Lucile avait écouté avec beaucoup d'attention le récit de Catherine. Elle pensait à l'argent de la mine et ne comprenait pas bien comment Charles Millau en avait, mais elle se disait que Louisette avait bien fait de ne pas lui céder parce que ces histoires d'hommes riches et de servantes abandonnées elle en avait entendu raconter souvent par les femmes, au lavoir ou à la veillée, et, chaque fois, il se dégageait de ces récits une mise en garde : une fille de misère devait épouser un homme de misère. Sinon, elle courait au malheur et devenait immanquablement une fille perdue. À chaque récit la démonstration par des histoires vécues était féroce et les femmes la martelaient avec insistance aux gamines : « Vous entendez bien, vous laissez pas tourner la tête et prenez un gars de chez nous ! Au moins, lui, il vous fera pas croire à des choses qu'il ne vous donnera jamais. » La leçon était bien rentrée dans la tête de Lucile. Et pourtant...

Comme Mme Cazaux, elle ne pouvait s'empêcher de trouver que ce jeune avocat était parfait. Mais jamais au grand jamais elle n'aurait imaginé quoi que ce soit. Seulement quand Ida avait dit que ce jeune homme n'était pas pour une fille comme elle, elle s'était cabrée. Désormais Lucile n'acceptait plus que quelque chose lui soit interdit sous le prétexte qu'elle était pauvre.

« Et pourquoi j'aurais pas droit à des hommes comme ça, moi ? » s'était-elle dit avec une sorte de rage.

Pourquoi repensait-elle à tout ça, ce matin, en enfilant sa robe et en s'enveloppant dans sa cape ? Lucile ne savait pas et en même temps elle avait le sentiment confus de trahir sa mère en se laissant aller à de telles pensées, si dangereuses. Ida avait raison, bien sûr, des hommes comme ce Jean c'était pour les jeunes filles riches et bien mises, celles qui avaient une éducation et qu'elle voyait passer de temps à autre devant le *Français*. Des filles qui allaient aux Enfants-de-Marie, l'école huppée de la ville. Pourtant elle dut faire un effort pour chasser définitivement cette pensée idiote de sa tête.

« D'ailleurs, se dit-elle en fermant le dernier bouton en haut de sa cape, il ne me regarde pas. Il ne m'a jamais adressé la parole. Je n'existe pas pour lui. » Elle allait être en retard. Vite ! Elle sortit, referma la porte derrière elle et s'enfonça dans la nuit. Au moment de prendre sur sa gauche, rue du Porche, elle manqua heurter une petite forme enveloppée, elle aussi, dans une cape de bure sombre. Lucile reconnut Bernadette qui tenait une cruche à la main.

— Ah Bernadette ! C'est toi ? Et qu'est-ce que tu fais ?

La gamine releva la tête et Lucile vit alors son visage. Il était d'une clarté très particulière. Les yeux sombres que Lucile connaissait si bien brillaient d'une lueur inconnue. Bernadette n'était plus la même. Pour Lucile qui la voyait tous les jours depuis leur plus petite enfance, ce changement était frappant. Il y avait dans le visage de sa petite amie une lumière qu'elle n'y avait jamais vue auparavant.

— Je viens de la fontaine, dit Bernadette en montrant sa cruche, et je me dépêche parce qu'après il faut que j'aille à Massabielle.

Ce disant elle fila rue des Petits-Fossés. Lucile se souvint alors de l'histoire de la dame blanche que la mère de Bernadette avait racontée la veille. Elle courut après Bernadette.

— Dis, Bernadette. Qu'est-ce que c'est cette histoire de la dame blanche que tu as vue à Massabielle ?

La petite s'arrêta calmement. Elle se tourna vers Lucile et répondit d'une voix tranquille.

— C'est juste une dame que j'ai vue hier dans la grotte.

Lucile insista.

— Mais qui c'était ? Tu l'as reconnue ou non ?

— Non, je l'avais jamais vue.

Plus Lucile la regardait, plus elle en était sûre. Bernadette avait changé. Elle n'en démordait pas. Ce changement était infime mais il était là. Justine avait raison hier soir. Jamais Lucile ne lui avait connu cet air aussi posé. Jusqu'à aujourd'hui Bernadette avait toujours été comme les autres, elle avait toujours joué avec les gosses de la rue et couru dans les prés avec eux quand ils allaient chercher des os ou du bois. Mais là ? Lucile la regardait avec insistance. Où était passée sa petite copine qui servait au cabaret de Noémie Nicolau ? Où était passée la gamine malicieuse qui, malgré sa misère, riait et jouait avec les filles de son âge. C'était la même et en même temps une autre que Lucile avait aujourd'hui devant elle. Elle se sentit soudain un peu gauche devant Bernadette mais, heureusement, celle-ci s'échappa

— J'y vais. Je dois retourner à Massabielle.

La grotte aux cochons ! Brrrrrr ! Quelle horreur ! Lucile frissonna, et lui tournant le dos elle fila avec hâte à l'opposé, vers la douce quiétude du *Café Français*. Mais la lumière nouvelle qu'elle avait vue sur le visage de sa petite amie la poursuivait. Depuis le temps qu'elles se connaissaient toutes les deux, Lucile pouvait jurer qu'elle ne l'avait jamais entendue mentir. Bernadette était toujours très directe, franche. Alors ? Qu'est-ce qui s'était passé hier à la grotte ? Lucile ne voulait pas y penser pour l'instant. Elle se disait qu'elle en parlerait ce soir, avec sa mère. S'il y avait quelque chose à savoir, elle le saurait bien. Pour l'heure elle courait, il fallait se faire bien propre pour servir ces messieurs.

Sophie Pailhé était derrière ses fenêtres quand elle vit Lucile s'engouffrer dans le café. La place Marcadal était vide. Depuis hier soir, la belle chocolatière ne tenait plus en place, Thérèse Millau était venue l'ennuyer avec une affaire qui commençait à faire grand bruit dans la ville, une apparition qu'une pauvresse aurait eue à Massabielle. Thérèse était passionnée par l'affaire et Sophie en était profondément agacée, elle ne croyait pas à ces sornettes et il lui tardait que Thérèse partît. C'est alors que cette dernière ajouta :

— Je sens que cette affaire va aller loin, heureusement les hussards reviennent et...

Sophie se leva d'un bond

— Les hussards reviennent !

Le cri de la jeune femme fit sursauter Thérèse sur la chaise de paille qui remplaçait désormais pour elle le fauteuil crapaud réparé, que Louisette mettait de côté chaque fois qu'elle était là. Les mains jointes sur sa bouche, Sophie regardait Thérèse, ne sachant quelle contenance prendre. Son exclamation l'avait trahie malgré elle et maintenant, que dire ? Avec doigté, Thérèse passa à autre chose, elle parla de son mal au dos, des travaux d'aiguille de Mlle Estrade qui paraît-il étaient magnifiques, puis elle regarda l'heure et partit. Sophie n'avait pas été dupe, Thérèse non plus. Mais comme chaque fois qu'il fallait se taire, curieusement pour une personne si friande de potins, Thérèse était parfaite et, surtout, possédait une qualité qui était pour beaucoup dans l'intérêt que lui portait Sophie, elle n'était pas méchante. Elle avait senti le désarroi de Sophie et, pudique à sa façon, elle avait choisi de ne rien dire et de ne rien demander, estimant sans doute qu'elle en savait déjà beaucoup trop. Maintenant une seule pensée occupait Sophie, Abel allait rentrer. Quand ? Comment ?

Toute la nuit elle resta le nez collé à la fenêtre de son boudoir espérant entendre le pas des chevaux. Louis ne s'aperçut de rien, habitué aux crises de sa femme qui passait de plus en plus souvent ses nuits seule dans son boudoir. Dans le berceau près de lui, la petite Anne dormait profondément.

— De toute façon, qu'on sache ou pas pour moi et Abel, tant pis ! se disait Sophie. Puisqu'il revient, je veux que rien ne me sépare de lui. Jamais ! Il faudra bien que tout le monde s'y habitue.

Elle avait parlé à voix haute. L'annonce du retour d'Abel l'avait sortie brutalement de la dépression léthargique dans laquelle elle s'enfonçait depuis de longs mois et, du coup, ce qui jusqu'à ce jour lui apparaissait insoluble lui semblait en cet instant d'une grande simplicité. Elle aimait Abel, il l'aimait. Elle allait partir vivre avec lui. Les problèmes de la petite Anne, la réaction de Louis, la question concrète de la vie avec Abel qui pour l'heure était hébergé par son régiment ? Autant de questions qu'elle avait tournées et retournées dans sa tête au cours de ces longs mois. Ces questions aujourd'hui elle ne se les posait plus. Quoi qu'il advienne elle franchirait les obstacles. Elle était déterminée. Dès que Louisette serait là, elle l'enverrait chercher Antoinette. Celle-ci lui trouverait Abel et lui ferait passer le message. Sophie ne doutait pas une seconde de la joie de son hussard.

Il viendrait la chercher et ils partiraient. Ensemble et pour toujours.

« J'ai trop souffert, pensa Sophie. Enfin ! J'ai droit au bonheur maintenant. »

Forte de cette certitude, elle s'installa bien droite devant sa glace et, avec une énergie retrouvée, elle commença à brosser ses longs cheveux noirs.

Antoinette avait ouvert la porte à Louisette et avait immédiatement compris : Abel revenait.

La cuisinière des Pailhé lui avait simplement demandé de se tenir prête pour que les deux amants puissent se retrouver chez elle, et, alors qu'elle s'était juré que plus jamais elle ne leur ouvrirait sa maison, Antoinette avait dit oui. Maintenant au creux de son lit, sous les lourdes couvertures, elle ne réussissait pas à trouver le sommeil. Depuis la naissance de la petite Anne, elle n'avait pas revu Sophie et cela lui avait permis de retrouver une sorte de paix. Sa maison désormais lui était revenue tout entière et elle avait réussi à oublier les soupirs des amants. Heureusement le travail l'avait entièrement absorbée. À son grand soulagement, une autre coquette avait fait son apparition et le nombre de ses commandes compensait la chute totale de celles de Sophie qui, depuis le départ d'Abel, ne s'était pas fait coudre un seul vêtement nouveau. Comme Sophie Pailhé, mais sans la classe naturelle de cette dernière, Adeline Dufo était belle et tout lui était dû. Grande, blonde, le regard bleu comme sa couleur préférée, cette toute jeune femme aux formes parfaites et aux rondeurs idéales n'avait pas froid aux yeux. Pourtant, Antoinette avait su tout de suite qu'elle n'aurait jamais avec elle ces rapports de complicité qu'elle avait connus par moments avec Sophie.

Dans le silence de la nuit, jamais aussi parfait qu'en ces hivers où les animaux et toute la nature se terrent pour mieux se protéger du froid glacial, Antoinette entendit un grondement sourd qui semblait se rapprocher. Elle se leva, jeta sur ses épaules un châle de laine tricoté par sa mère, enfila de grosses chaussettes et ouvrit sa fenêtre. Sur le chemin qui montait au château une guirlande de lumières vacillait, on devinait dans le halo des flammes des silhouettes de cavaliers et de chevaux Les hussards rentraient de campagne. Ils rentraient comme ils étaient partis, à une heure où la ville dormait et ne pouvait les voir. Sans doute, l'empereur Napoléon III ne tenait-il pas trop à faire savoir qu'il avait manqué à sa parole. Très affecté par les souffrances humaines des champs de bataille du Premier Empire, il avait promis à son peuple qu'il n'y aurait plus jamais de guerres. Or voilà que pour aider la Turquie et le sultan à résister aux assauts de l'empire russe, l'empereur s'était engagé aux côtés des Anglais. Pas plus qu'elle ne savait que l'empereur préparait en ce moment la guerre d'Italie, Antoinette, toute occupée à coudre dans son petit atelier de Lourdes, n'avait realisé qu'une guerre s'était déroulée en Russie et elle n'aurait jamais rien su des débarquements en mer Baltique, des horribles combats sur la rivière de l'Alma et de l'hiver atroce qu'avaient vécu les soldats en Crimée sous les murs de Sébastopol si, par la belle fin d'un après-midi, l'automne dernier, Abel ne les avait évoqués. Antoinette s'en souvenait comme si c'était hier et, tout en contemplant, comme hypnotisée, les flambeaux qui se rapprochaient du château, elle entendait à nouveau la voix du hussard, si grave et si douce. Il était arrivé chez elle alors qu'elle ne l'attendait pas, il portait un mot pour Sophie dans lequel il lui annonçait son départ pour une campagne militaire dont il ignorait tout. Il s'était attardé, comme cela lui arrivait parfois. Il regardait le travail d'Antoinette, touchait les étoffes, vérifiait les coutures, montrait les boutons : « Voyez Antoinette, vous cousez les tissus entre eux avec soin, vous fermez méticuleusement avec des boutons pour que les vêtements que vous créez protègent du froid ceux qui les porteront, pour qu'ils ferment bien. Nous, les vêtements, on les déchire sur les champs de bataille et après, on est à moitié nus dans le froid... c'est dur la guerre. Je n'aurais pas cru, mais... quand on y est... Ma première vraie guerre c'était en Crimée il y a deux ans, en

54, dans les tranchées juste en face de Sébastopol. On pourrissait dans la boue, pour survivre on dépouillait les cadavres, pour manger on courait après leurs chevaux qui traînaient, égarés. Même moi j'ai appris là-bas à voler les morts... ils étaient si raides à cause du froid qu'on était obligés de leur casser les os... Ces gestes-là, le craquement que ça fait, on ne l'oublie jamais. C'est un bruit terrible qui me hante la nuit, je suis obligé de me lever. Et le froid ! Il faisait un froid ! Je ne savais pas qu'il pouvait faire des froids pareils. Et on rentrait toujours trempés des combats !... Normalement on aurait dû tous y rester. J'en suis revenu, je ne sais pas comment...

Abel avait parlé comme pour lui-même. Il était resté un moment silencieux à contempler la lumière dorée. Il paraissait réfléchir et Antoinette, saisie par ses confidences incroyables venues aussi spontanément, avait senti qu'il voulait encore dire quelque chose. Elle avait attendu, silencieuse et recueillie. Quand Abel avait parlé à nouveau, sa voix était pleine de mélancolie : « Que les femmes sont heureuses de faire des choses aussi simples et aussi utiles. Ma mère aussi cousait mes vêtements. Ils étaient solides, et d'une douce chaleur réconfortante que je n'ai plus jamais retrouvée. J'ai l'impression que lorsque les femmes font quelque chose, elles le font avec le sentiment de l'éternité. Elles donnent tout et pour toujours... Il m'arrive de me demander comment et pourquoi les hommes en arrivent à mourir et à tuer dans la boue des champs de bataille... (Il semblait comme égaré et, après une courte hésitation, se reprit :) Mais c'est notre métier de hussards, notre fierté... et... notre devoir. »

Ce fut très bref, pourtant Antoinette aurait juré avoir aperçu dans les traits d'Abel le visage de l'enfant qu'il avait été. C'est ce visage d'enfant qu'elle revoyait alors que, sur la ville de Lourdes, la nuit retrouvait sa paix et que les cavaliers disparaissaient derrière les hautes murailles de pierre.

Le silence retomba et quiconque eût regardé le paysage à ce moment n'y aurait vu que la très romantique image d'un château de conte médiéval se découpant sur le bleu sombre d'un ciel éclairé par le croissant parfait d'une lune jaune.

Les grands battoirs claquaient les uns après les autres le long du grand lavoir de pierre près du gave. Les femmes frappaient le linge mouillé pour en extraire toute la crasse. Aujourd'hui, c'était « leur » grande lessive. Il fallait bien aussi s'occuper de chez soi et deux fois l'an elles lavaient en commun le linge de tout le quartier. Une fois l'hiver, une fois l'été, elles faisaient bouillir les gros draps de jute dans des lessiveuses chez les patronnes. Après avoir été longtemps conservé dans les cendres du feu, le linge bouillait de longues heures. Ça lui donnait de la blancheur. Mais après il fallait tout rincer à l'eau claire. Là, il y avait pas d'autre solution que les eaux du gave et les battoirs. Et aussi, comme disait Marie, « l'huile de coude ».

Le temps était magnifique. Froid, mais beau.

— C'est une chance, dit Marthe. On va pouvoir étendre les draps sur la prairie.

— Oh ! Il faut pas compter les avoir secs ce soir, répondit Marie. On sera bien obligées de les replier et de les ramener au moins deux autres fois. L'hiver dernier on les avait pas bien séchés, j'ai eu l'humidité dans les os toutes les nuits. Impossible de la faire partir. Cette fois-ci je m'y laisse plus prendre.

On n'entendait plus que le rythme des battoirs. Courbées sur la pierre grise du lavoir usée de tant et tant de lessives, les femmes frappaient le linge pendant de longues heures. Parler leur coûtait parce que toutes leurs forces étaient concentrées dans ce geste difficile : les battoirs pesaient et il fallait en même temps soulever les draps qui baignaient dans l'eau. Après, quand le plus gros était fait, elles les tordaient à deux, chacune à un bout. Pas trop pour éviter de les abîmer, puis elles allaient les faire tremper une dernière fois dans les eaux claires du gave parce que au lavoir, le temps que l'eau s'écoule et se renouvelle, il fallait attendre trop longtemps. C'était très dur. Les draps mouillés étaient lourds et les berges n'étaient pas sûres. Il fallait trouver de bons appuis et ne pas glisser. C'est que les eaux étaient vraiment très froides ici. Elles venaient directement des hauts glaciers et on pouvait mourir d'y tomber. C'est ce qui était arrivé à la vieille Toulet cinq ans plus tôt. Elle avait été trempée jusqu'aux os. On n'avait rien pu faire. Elle était morte d'une pneumonie après deux jours de fièvre. Depuis cet accident les femmes étaient très vigilantes. Entre les deux opérations, celle du lavoir et celle du gave, elles s'arrêtaient et reprenaient des forces. Au cours de cette pause, les langues allaient bon train. Aujourd'hui, le sujet était tout trouvé, c'était la dame blanche que Bernadette avait vue à la grotte de Massabielle. Quelle histoire ! En moins d'une semaine c'était devenu une véritable affaire. Louise Soubirous avait été prise à partie par ses sœurs.

— Elles sont venues à la maison me dire de faire taire la gosse. Que ça allait nous valoir des ennuis !

— Des ennuis ? Et quels ennuis ? demanda Marie interloquée.

— Je sais pas. Il paraît que ça plaît pas. Hier, après la grand-messe, elles sont parties à Massabielle. Aélie Molins et Léa Sipan, la petite Sère, Annette et Jeanne Noguès. Elles étaient au moins une douzaine. Justine Soubies et Marie Chouatou avaient pris une fiole d'eau bénite à l'église

— Et tu les as laissées partir ? Pour quoi faire ? dit Marthe.

Louise fit un geste d'impuissance.

— Je voudrais t'y voir, moi, à les empêcher. Je vais pas les suivre toute la journée. Si elles veulent y aller elles iront de toute façon.

Éléonore Gesta, une femme au franc parler du quartier Lapacca, intervint alors de manière un peu vive pour abonder dans le sens de Louise que Marthe et d'autres critiquaient.

— Eh ! dit-elle à Marthe, tu la tiens toi, la tienne de fille quand elle va au lavoir avec les filles de Margot ? Et qu'est-ce qu'elles font là-bas, hé ?

Marthe s'approcha d'Éléonore, les poings sur les hanches. Comme elle était plutôt forte de corpulence, dans cette position elle était intimidante.

— Qu'est-ce qu'elles font ? Et qu'est-ce que tu veux qu'elles fassent ? cria-t-elle. Pas plus que toi à leur âge. Ton Jean-Pierre que je sache, tu l'as pas rencontré au catéchisme, hé ? Alors y a rien à dire sur mes filles. Ni sur celles de Margot.

Marie sentait venir la bagarre. C'était arrivé quelquefois. Pas souvent, mais des femmes en étaient venues aux mains. Comme ça, pour rien. Les femmes étaient la plupart du temps très soudées, elles se rendaient tous les services qu'elles pouvaient et puis un jour, pour une peccadille, c'était parti. On avait le sentiment qu'elles cherchaient à décharger quelque chose de trop lourd, elles criaient, elles tapaient. Marie avait une peur bleue de ces excès, elle n'aimait pas les injures qui s'ensuivaient immanquablement. En plus elle connaissait Marthe, une femme très lourde mais aussi très vive. Il ne fallait pas la pousser trop, surtout au sujet de ses filles. Elle les défendait comme une tigresse. Heureusement une grosse voix les interrompit.

— Oh ! Oh ! À la lessive ! Vous avez fini ?

Cette grosse voix, elles la connaissaient toutes, c'était le garde-champêtre, Pierre Callet, qui revenait de la forêt. Que de fois il les avait verbalisées quand elles avaient le malheur de prendre un peu de bois dans une futaie où elles n'en avaient pas le droit ! Même Marie avait eu affaire à lui, et pourtant elle fut contente de le voir :

— Celui-là il vient à point, dit-elle.

Il était un peu en surplomb, à une quinzaine de mètres du lavoir, et regardait les femmes de l'air de celui qui va leur en apprendre une bonne.

— Vous savez pas ?

— Quoi ? Qu'est-ce que tu veux qu'on sache ? dit Marthe d'un ton agressif

— La dame que Bernadette a vue à Massabielle...

— Et alors ? Quoi ?

C'était Mme Pailhé... avec un hussard.

241

Autour du lavoir les femmes étaient ébahies. Mais d'où le garde sortait-il cette histoire ? Qu'est-ce qu'il racontait ? Il les rejoignit et elles le pressèrent de questions mais lui il avait rien vu. Il leur raconta que c'était ce qu'on disait dans les maisons du haut. Il l'avait entendu dire ce matin par les uns et les autres.

Marie était révoltée.

— Sophie Pailhé ? Et quel est l'idiot qui a lancé ce bruit ?

— Ah Marie ! Attention à ce que tu dis, fit le garde d'un air qui se voulait plein d'autorité. Tout le monde en parle là-haut alors ça en fait des idiots, peut-être un peu trop, non ?

Marthe s'avança vers Marie d'un air de conspiration.

— Écoute, pense ce que tu veux, mais moi je vais te dire. La couturière de la femme à Pailhé, Antoinette Peyré, elle habite en face de chez ma patronne. Et moi je l'ai vue venir bien souvent. Je le sais, je repasse le linge juste derrière les fenêtres qui donnent sur la rue. Et j'ai vu aussi un hussard qui venait chez la couturière. J'ai jamais pensé à mal. Je croyais même que le hussard il venait pour Antoinette et ça m'étonnait parce que c'est pas son genre. Mais là...

Marie l'interrompit d'un ton inhabituellement en colère.

— Ah voilà, c'est toi qui es allée le raconter, et après pffft, tout le monde a dit n'importe quoi. Je connais Sophie Pailhé puisque je travaille chez elle. C'est une femme... une femme très bien. Elle vient d'avoir une petite, qui est bien malade, et vous... Vous... vous dites des mauvaises histoires. Depuis qu'elle a accouché, elle sort plus de chez elle, elle est malade. Bien malade.

Le garde était embêté. Il pensait que son histoire allait plaire et voilà qu'il se faisait engueuler. Pour une fois qu'il pouvait se faire mousser, s'il avait su... il serait pas passé par là. En plus il avait fait le tour exprès pour leur porter la nouvelle. Il s'en alla en grommelant.

— Ah ! ces femmes, on sait jamais comment les prendre. Pourtant les histoires elles aiment ça d'habitude. Surtout les bien bonnes. Mais là... Allez savoir ce qui leur a pris.

Le lundi était le jour de réception de Thérèse Millau, juste après le dimanche, jour de déjeuners et de sorties. Ainsi ces dames pouvaient converser à loisir sur les activités de la veille et revenir sur les différentes affaires de la semaine. Mathilde, la femme de chambre de Thérèse, cuisinière, confidente, amie et... bonne à tout faire, avait installé le cérémonial habituel du thé. Deux tables volantes avaient été dressées dans le salon. Sur l'une, la plus petite, une fine nappe de lin blanc rehaussée de broderies bleues sur tout son pourtour retombait avec grâce et ses plis mettaient en valeur la large dentelle d'une délicatesse exquise qui la bordait. L'autre, plus grande, arborait la toute dernière création commandée par Thérèse aux sœurs de Nevers, une exceptionnelle nappe à thé au filet rebrodé de fleurs et de guirlandes. Mathilde s'occupait de la collation, mais le choix des nappes était du ressort de Thérèse car elle avait la passion du beau linge de maison. Cette passion avait son origine dans le métier de lingère qu'elle avait exercé bien avant celui d'employée de maison et bien avant de devenir la très riche Mme Millau. Elle n'avait jamais oublié le choc qu'avait éprouvé la petite paysanne qu'elle était alors, devant les premières lessives faites dans les grosses maisons de Tarbes où elle travaillait. Elle qui, comme ses huit frères et sœurs, n'avait jamais dormi que sur de la paille et dont les parents n'avaient qu'un mauvais drap de bure bien rêche, avait cru entrevoir les portes du paradis dans les fines trames de coton qu'elle était chargée de repasser. Elle avait découvert la légèreté et la douceur du lin, du coton, de la soie, la beauté des broderies. Depuis, elle vouait un véritable culte aux matières et connaissait parfaitement les détails de tissage qui faisaient que telle trame était plus solide que telle autre, ou plus raffinée. Dès qu'elle en avait eu les moyens, elle s'était empressée de se constituer un trousseau entièrement brodé et rebrodé, un trousseau de rêve ! Jamais Lourdes n'avait vu un trousseau aussi somptueux que le sien, pas même celui de Sophie Pailhé, qui, pourtant fort beau, ne pouvait lui être comparé. L'ancienne lingère, arrivée dans la maison de Charles Millau avec, pour tout bagage, deux chemises de gros lin, avait concentré toute son énergie à la création de ce trousseau qui pour elle représentait « l'œuvre d'une vie ». On a peine à imaginer le bonheur que lui procurait le contact des différentes toiles de coton, de lin ou de soie qu'elle achetait inlassablement chez le drapier Lacaze. Ce dernier se fournissait exprès pour elle en certaines toiles rares et chères. Les mots seuls remplissaient Thérèse d'une excitation toute particulière : la batiste, le linon, la percale, le tulle, la mousseline, le madapolam sur lequel sa diction butait, le granité, la guipure, le shirting, la siamoise, le damas, le calicot, le taffetas. Elle se grisait de les entendre et ne résistait pas à l'achat de quelques mètres, elle ne pouvait concevoir une nouvelle toile, un nouveau tissage qu'elle ne posséderait pas. Sur ces trames nouvelles, elle rêvait et imaginait des draps, des rideaux, des services de tables, des nappes à thé, et elle faisait alors réaliser des parures exceptionnelles. Chaque année, elle embellissait son trousseau et y apportait de nouvelles richesses qui, à peine utilisées, rejoignaient dans trois magnifiques armoires de noyer les œuvres précédentes. Deux de ces armoires étaient dans le salon, l'autre dans sa chambre et le grand plaisir de Thérèse était d'en laisser les portes entrouvertes de manière à ce que chacun pût admirer les piles de linge impeccablement repassées et amidonnées, et deviner la richesse des broderies et des dentelles.

C'est la congrégation des sœurs de Nevers, installée à Lourdes depuis fort longtemps, qui avait été chargée de faire les broderies, travail traditionnel qu'elles accomplissaient à l'occasion pour subvenir aux besoins de leur maison. Avec Thérèse comme commanditaire, la broderie devint une activité à temps plein pour certaines d'entre elles. Mouchoirs monogrammés en linon superbement brodé de plumetis et de fleurs ajourées, taies d'oreiller festonnées, draps chiffrés à l'anglaise, jours de Venise, festons, dentelle aux fuseaux, broderies blanc sur blanc au point de tige, de plume, de corail, broderies renaissance, broderie richelieu ou vénitienne, brides à picots, brides sans picots, les petites mains

244

du couvent allaient et venaient inlassablement. Sœur Marthe et sœur Sophie, qui étaient originaires du nord de la France, connaissaient bien ce métier auquel elles avaient été formées dès l'enfance. Elles l'accomplissaient donc avec la soumission des humbles et le sentiment d'un devoir collectif pour leur pauvre communauté à laquelle l'argent de Thérèse apportait un peu de bien-être. Dans le silence de leur atelier, les yeux rivés sur les points minuscules, elles pensaient souvent à ces dentellières de leur pays du Nord qui créaient pour les richissimes familles des dentelles d'une finesse inouïe, dans des conditions d'une très grande dureté. Les commandes affluaient de toutes les cours d'Europe mais la réalisation des dentelles prenait beaucoup de temps. Pressées par les commanditaires et pour finir l'ouvrage plus vite, ces femmes qui la journée faisaient le travail quotidien de leur maison, œuvraient encore le soir à la lueur d'une bougie. Sœur Marthe se souvenait de sa mère qui, pour mieux y voir, plaçait près de la chandelle une boule de verre remplie d'eau afin que le reflet de la flamme agrandisse le halo de clarté, et qu'ainsi elle puisse « denteller » jusqu'à épuisement. Comme la plupart de ces femmes, sa mère était devenue aveugle à l'âge de trente-cinq ans, laissant la lumière de ses yeux clairs dans les transparences éblouissantes des dentelles de robes de bal dont elle n'imaginait même pas l'existence. Dans le secret de leur cœur, sœur Marthe et sœur Sophie haïssaient la beauté des dentelles, et ce n'était pas sans crainte qu'elles voyaient régulièrement arriver Thérèse au couvent pour de nouvelles folies. Mais tout cela Thérèse ne le savait pas, elle connaissait la dureté de l'eau et des battoirs, pas la douleur des doigts tordus sur le point de Venise.

C'est donc avec la plus grande fierté que, ce lundi 15 février à quatre heures de l'après-midi, jour et heure de son thé hebdomadaire, Thérèse présentait son dernier service à thé. Nappe légère, napperon pour plateau en argent et minuscules serviettes frangées qui ne servaient qu'à essuyer le coin des lèvres. À peine introduites dans le salon, les dames s'extasièrent :

— Quelle délicatesse ! quelle incroyable finesse dans les points, et ce fleuri ! ce fleuri ! quelle profusion ! Thérèse vous êtes une fée ! Mais comment faites-vous ? Ces dentelles sont inouïes ! Vous nous étonnez à chaque fois. Décidément les sœurs ont fait une bonne affaire avec vous, car il faut bien le dire, c'est grâce à vous si elles ont la chance de pouvoir réaliser ces chefs-d'œuvre.

Thérèse, sous l'éloge, fit une moue ravie et prit un air modeste :

— Allons, allons... je n'y suis pour rien, ce sont les sœurs qui ont du talent.

— Oui, certes, mais c'est vous qui avez l'idée des motifs, et, au fond, n'est-ce pas cela le plus important ? Car, après tout, la réalisation n'est que la simple exécution de l'idée, et même s'il faut un savoir-faire, c'est cependant moins difficile. Le savoir-faire n'est que le savoir-faire, tandis que l'idée ma foi, c'est... (le mot fusa :) de l'Art !

Un peu surprise d'entendre un discours aussi long dans une bouche qui s'ouvrait davantage pour enfourner des gâteaux que pour développer des théories, Thérèse convia Jeanne Dufour à s'asseoir et lui tendit une assiette de pâtisseries. Sur les tables Mathilde avait disposé la théière en argent, de multiples petits plats chargés de friandises venant de chez Maisongrosse et le fameux service aux roses Comtesse du Barry en porcelaine fine de la manufacture de Limoges. Thérèse, qui n'avait pas perdu toutes ses habitudes d'employée de maison, servit le thé et Mme Dufour y trempa délicatement le petit cannelé qu'elle venait de choisir. Puis elle le porta à ses lèvres en ouvrant largement la bouche afin de ne pas laisser tomber la moindre miette sur son corsage de velours sombre et la fine dentelle qui recouvrait le bord de sa lourde poitrine.

Mme Dupuy, la femme du juge, et ses deux petites filles, Irma Journé, la femme du commissaire, avec la sienne, Mme Lacadé, la femme du maire et enfin Mme Cazaux du *Café Français*, toutes les habituées de la maison Millau étaient maintenant arrivées et, après avoir admiré le nouveau service à thé, elles portèrent délicatement la tasse à leurs lèvres d'une main tout en prenant de l'autre un gâteau. Les trois fillettes s'étaient installées sur la deuxième table, elles connaissaient les usages et avaient aussi leur rituel. Elles avaient apporté leurs propres services à thé en porcelaine et, avec leurs poupées aux magnifiques cheveux, elles jouaient à la dînette comme les mamans tout en picorant les friandises disposées par Mathilde.

Les invitées de Thérèse avaient l'air tout à fait calmes, mais, en fait, elles ressentaient une fébrilité extrême. Depuis la veille, la ville haute tout entière bruissait de la même rumeur . après une longue absence fort remarquée, Sophie Pailhé revenait sur le devant de la scène. La belle chocolatière aurait un amant ! Une pauvresse l'aurait surprise en sa compagnie à la grotte aux cochons de Massabielle ! C'était trop beau pour être vrai, et elles comptaient bien sur Thérèse pour les éclairer car Sophie restait un de leurs sujets de potins favoris. Ses mines, ses crinolines, ses dépenses folles, ses admirateurs, tout y passait. Cependant, depuis le drame de la naissance de son bébé, elle bénéficiait d'une nette clémence auprès de la gent féminine et Thérèse leur donnait de temps à autre des nouvelles, mais rien de fameux. Enfin, la belle chocolatière sortait du bois ! Enfin, le mystère de sa langueur suspecte allait être mis au jour ! Thérèse prit une voix à l'intensité volontairement dramatique :

— Aujourd'hui, je voudrais vous parler de quelque chose de très, très, très important...

D'un coup d'œil elle fit le tour de la table et constata que toutes les dames avaient levé les yeux de leur tasse et restaient crispées dans une attente fiévreuse, les oreilles grandes ouvertes. On n'entendait plus que le babil des gamines occupées à faire manger leurs poupées.

— ... voilà, je voulais vous dire que depuis hier une rumeur venue d'on ne sait où... (Elle jeta autour de la table un regard inquisiteur et chacune des convives prit un air étonné.) Cette rumeur donc, insista Thérèse, prétend que Sophie Pailhé était avec un hussard dans la grotte de Massabielle. Mais qui a pu sortir une chose pareille ? Faut-il quand même avoir l'esprit retors ! Voilà une jeune femme qui se remet à peine de ses couches, et Dieu sait qu'elles ont été douloureuses (son regard se posa à nouveau avec insistance sur l'assistance qui approuva énergiquement), et on voudrait qu'elle coure rejoindre son amant dans cet endroit immonde entre tous ? Un amant qui serait soi-disant un hussard alors qu'ils sont rentrés de campagne seulement hier dans la nuit et que la petite a vu l'apparition jeudi dernier ! Mais comment peut-on colporter de telles choses ?

— Si je puis me permettre, dit Irma Journé, d'où vient alors cette rumeur ? Vous dites toujours, Thérèse, qu'il n'y a pas de fumée sans feu, c'est une de vos maximes favorites.

— Cela viendrait de ces messieurs que ça ne m'étonnerait pas ! intervint alors Mme Cazaux avec véhémence tout en regardant Irma Journé dans les yeux.

La patronne du *Café Français* savait que le commissaire racontait tout à sa femme, surtout les potins, et que cette dernière de son côté ne négligeait de lui donner aucune information.

— Écoutez, ajouta alors Jeanne Dufour, la femme du procureur, moi je ne suis au courant de rien, mais je sais par ma femme de chambre qui est amie avec les vendeuses de la boutique que la chocolatière s'absentait tout le temps sous prétexte d'aller chez sa couturière Antoinette Peyré. Et... (Elle leva son index d'un air insistant :) j'ajoute que la vendeuse a même dit qu'elle y allait un peu trop pomponnée pour que ce soit tout à fait normal. Elles appelaient les robes qu'elle allait soi-disant essayer des « robes à moustaches », c'est dire ! Mais, voilà, moi de mon côté je n'ai rien vu et...

Elle n'eut pas le temps de finir sa phrase que Thérèse la coupa fermement d'un ton dont elle n'usait jamais d'ordinaire auprès de ses invitées :

— Bah bah bah ! Tout ça c'est des bêtises ! Sortez-vous cette idée idiote de la tête, l'affaire est bien plus sérieuse.

Choquées par cette autorité surprenante, et aussi un peu

impressionnées par la gravité soudaine de son intonation, ces dames cessèrent leur babillage.

— Voilà, dit Thérèse, il s'agit de la fille de ma lingère, Bernadette Soubirous, qui a vu une lueur dans la grotte, une dame blanche ! La première fois c'était jeudi dernier et, hier, elle est revenue à la grotte avec les petites filles de son quartier et la dame lui est apparue à nouveau. Le meunier de Savy, Antoine Nicolau, est témoin, il a été obligé d'aller chercher Bernadette pour la ramener. Elle était toute pâle et comme en extase. J'ai parlé avec Nicolau, il m'a dit que le visage de la petite était impressionnant...

La femme du commissaire, qui bien sûr était au courant des bruits qui couraient dans la ville depuis deux ou trois jours, sursauta :

— Thérèse ! Vous n'allez pas me dire que vous croyez à de telles âneries. Une apparition ! Et en plein XIXe siècle ! Mais, enfin, revenez à vous. Je comprends que vous ne souhaitiez pas voir accuser votre amie Sophie d'adultère, mais de là à vouloir nous faire gober une bêtise pareille !

Adultère ! Les dames qui avaient replongé dans les petits fours manquèrent s'étrangler à l'écoute de ce mot indécent. Ça alors ! La femme du commissaire ne mâchait pas ses mots.

— Et pourquoi ce serait des âneries ? reprit Thérèse, vexée d'être ainsi contredite. Moi, voyez-vous, j'y crois à cette histoire, et la petite en question je l'ai vue parfois lorsqu'elle accompagnait Louise, sa mère, pour porter le linge chez moi. Elle me paraît tout ce qu'il y a de plus simple et de plus sérieux.

Irma Journé était agacée. Elle voulait bien venir aux thés de Thérèse, se divertir à ses potins, mais elle n'admettait pas qu'une ancienne lingère se permît de parler avec sérieux de choses qui échappaient à son entendement. Elle se piquait d'idées nouvelles, éclairées comme son temps et ne supportait pas la crédulité populaire et l'obscurantisme qui, à son avis, régnaient en maître dans ce pays. Elle tirait cette certitude des différentes histoires de croyances occultes, de guérisseurs, de voyantes qui trouvaient de larges échos dans les populations locales et dont son mari lui faisait le récit, à sa façon. Elle décida de moucher Thérèse qui avait eu le mauvais goût de lui parler ainsi qu'aux autres d'un ton autoritaire et qui, en plus, persistait dans son erreur.

— Ma chère Thérèse, il est vrai qu'ici, dans ce trou perdu, certaines informations n'arrivent pas dans toutes les maisons et on ne peut pas vous en vouloir de ne pas être au courant de tout. Surtout de ce qui se passe à Paris dans les hauts lieux de la recherche et de la science, là où justement il y a de grands savants qui, eux, peuvent se permettre de dire ce qui est sérieux et ce qui ne l'est pas. Or je suis sûre que ces messieurs-là n'accorderaient ni un regard ni une minute de leur temps à une affaire aussi invraisemblable, à une pauvresse, une fille de lingère qui ne cherche qu'à se faire remarquer. Oubliez-la, voulez-vous Thérèse, et parlons de choses un peu plus réjouissantes.

Irma Journé termina sur un ton qui n'admettait aucune réplique. Thérèse devait obtempérer, après tout elle non plus n'était rien d'autre qu'une lingère. Irma, elle, était femme de commissaire et si autorité il y avait autour de cette table, il était normal, se disait-elle, que ce fût à elle que cette autorité échût. Un silence lourd plomba sur le salon, même les fillettes cessèrent leur babil. Toutes les têtes se tournèrent Thérèse qui avait blêmi et se tenait debout près de la table, la théière dans les mains. Elle avait bien mesuré la portée de la tirade d'Irma Journé. On voulait bien de l'ancienne lingère pour recevoir et offrir des gâteaux et du thé, on voulait bien profiter de ses réceptions et de ses potins, mais à condition qu'elle reste à sa place. Uniquement à sa place. Or voilà qu'aujourd'hui en émettant un avis personnel sur un événement local, Thérèse avait rompu cet accord tacite et Irma ne manquait pas de lui rappeler ses origines. Elle reposa la théière sur le plateau d'argent et, d'une voix secouée, dit en regardant Irma.

— Écoutez, Irma, j'ai beaucoup d'estime pour vous et pour le sérieux de vos connaissances qui, je n'en doute pas, viennent des lieux les plus prestigieux de la capitale. Mais de mon côté je me suis renseignée auprès de notre curé, l'abbé Peyramale, qui a vu la petite et, voyez, il m'en a dit beaucoup de bien, même s'il reste très réservé sur le bien-fondé de ses visions. Car, voyez-vous, il n'est pas homme comme vos savants à ne daigner accorder ni un regard ni une minute à une histoire sous le prétexte qu'elle vient d'une pauvresse, fille d'une simple lingère. Alors, si vous permettez, je me fierai à l'avis de cet homme, humble certes à côté de vos grands savants, mais néanmoins homme de cœur. Et cela me suffit.

Ce fut au tour d'Irma de se redresser. Face à l'assemblée, elle se sentit bafouée. Pire, elle estima qu'à travers elle c'était l'autorité de son mari qu'on insultait. Elle demanda son manteau et sa capeline de fourrure et, entraînant ses deux petites filles à sa suite, elle partit. Gênées par la tournure qu'avait pris l'échange, les autres tentèrent de la retenir, en vain. Le thé, bien sûr, fut gâché, et, sous des prétextes divers, toutes s'éclipsèrent. Seule Hortense Cazaux resta. La patronne du *Café Français* était demeurée très placide durant la discussion entre Irma et Thérèse, continuant à déguster les délicieuses pâtisseries de Maisongrosse. Quand le salon fut déserté, elle poussa un profond soupir de soulagement.

— Enfin ! Du calme ! Thérèse, redonnez-moi un peu de thé s'il vous plaît. Il est fameux.

Thérèse s'exécuta et s'assit près d'elle, l'air un peu abattu. Hortense Cazaux lui servit alors un thé et l'encouragea à le boire avec plaisir.

— Profitez aussi un peu pour vous-même de toutes ces bonnes choses, Thérèse, et cessez de vous faire du mouron pour rien. Je ne comprends pas de pareilles disputes, comme si on ne pouvait pas parler sans monter immédiatement le ton. Si les femmes se mettent à devenir aussi bêtes que les hommes quand elles parlent entre elles, où allons-nous ? Moi, dans mon café, j'entends des âneries tous les jours, alors ! Où vais-je bien pouvoir aller pour être tranquille ? (Mme Cazaux parlait calmement, tout en dégustant le thé.)

251

Cette Irma n'est pas méchante mais elle se croit obligée de prendre le rôle de son mari quand il n'est pas là. Étant la femme du commissaire, elle se prend pour le commissaire. C'est effrayant, non ? Surtout que je peux vous garantir que l'inverse est loin d'être vrai. Si Irma savait le peu d'intérêt que lui accorde son cher mari, elle se rendrait un peu moins ridicule avec ses airs !

Le discours plein d'ironie de Mme Cazaux qui ne se départissait jamais d'une véritable amitié pour elle et qui le lui avait prouvé en d'autres circonstances, réconforta Thérèse.

— Écoutez, Hortense, je vais vous confier quelque chose que je n'ai pas dit, mais qui me trotte dans la tête. Vous vous souvenez de notre chère Élisa Latapie, morte l'hiver dernier ?

Hortense Cazaux fronça les sourcils.

— Bien sûr ! Comment l'oublier, c'était une sainte, cette fille-là.

Thérèse jubilait :

— Voilà, vous avez employé le mot, Élisa était une sainte, tout le monde le disait. Eh bien, je pense que la dame blanche que Bernadette Soubirous a vu dans la grotte, c'était elle.

— Élisa ! Dans la grotte aux cochons de Massabielle ! Et pourquoi y serait-elle venue ?

— Je ne sais pas, mais il faut bien que cette dame blanche ce soit quelqu'un, non ?

— Et si c'était personne ? Thérèse, ce n'est pas pour vous contrarier mais ne pensez-vous pas quand même que tout ça est un peu excessif. Ne croyez-vous pas qu'il faut attendre et voir ce qui se passe avant de tirer de pareilles conclusions ?

— Justement, comme c'est la fille de ma lingère, j'irai chez elle dès demain pour en savoir un peu plus.

Hortense la mit en garde.

— Attention à ce que vous faites, Thérèse ! Soyez discrète. Si vous prenez trop d'intérêt à cette histoire ces messieurs vous humilieront, et ils ne se contenteront pas de sortir leurs grands airs, comme cette idiote d'Irma. Vous les connaissez autant que moi et vous êtes loin d'être naïve. Ils sont féroces sous leurs airs aimables et pour une histoire pareille ils sont capables d'aller très loin. Vous n'en trouverez aucun pour vous soutenir, je puis vous l'affirmer ! Contre vous, ils seront unanimes.

Thérèse resta silencieuse, Hortense Cazaux avait parlé avec gravité et l'une et l'autre savaient à quoi s'en tenir. Toute femme qui n'appartenait pas au monde des clients du *Français* n'était rien de plus qu'une femelle bonne à prendre dans les coins ou à laver leur linge. Thérèse marqua un temps de réflexion puis remercia Hortense de lui avoir parlé avec autant de franchise.

— Je sais, Hortense, merci de me le dire. Mais voyez-vous, cette fois-ci je crois bien que leur avis n'aura aucune importance. Ça fait des années et des années que je me plie et que je me contorsionne pour tenter de leur plaire, ou tout au moins pour être acceptée comme un être humain digne d'intérêt. En vain. Ils ont le crâne farci d'idées toutes faites et on ne les changera pas. Regardez comment ils ont traité Hélène Duprat ! Vous savez bien, Hortense, les moqueries qu'ils ont faites sur son dos, les atroces méchancetés qu'ils ont dites, qu'elle était cocue, qu'elle avait des cornes grandes comme dix fois les croix devant lesquelles elle allait s'age-nouiller. Ils riaient lourdement chez vous, tous ensemble, en la voyant passer pour aller à l'église. Ils s'appelaient pour se la montrer. Et vous croyez qu'elle ne le savait pas ? Elle a souffert d'une souffrance profonde qui la rongeait à l'inté-rieur, elle était devenue plus maigre qu'une alouette et, à la fin, elle tenait à peine debout. Ils l'ont tous tuée, autant que son imbécile d'Édouard qui la trompait à tout bout de champ. Et pas un ne lui a porté ne serait-ce qu'une seule fleur à son enterrement.

Hortense rugit :

— Il aurait plus manqué que ça qu'ils osent lui porter des fleurs ! J'aurais bien voulu en voir un seul qui ose, il aurait eu affaire à moi, je peux vous le jurer !

Hortense était hors d'elle, et Thérèse comprit :

— C'était vous ?

Hortense se calma immédiatement :

— Quoi, qu'est-ce que vous dites ?

— Je vous demande si la gerbe de lys blancs, c'était vous ?

Les larmes montèrent d'un seul coup dans les yeux de la patronne du *Café Français* :

— Oui... Je me suis longtemps sentie coupable de les voir faire et de les entendre sans réagir. Je les ai bien remis en place une fois ou deux, ça les calmait, mais, quelques jours après, un faisait une nouvelle remarque et c'était reparti. (Elle eut un haut-le-cœur et les larmes coulèrent sur ses joues.) Ils pouvaient être ignobles parfois, vous savez, Thérèse, et c'est pour ça que je vous dis de faire attention.

Thérèse lui tendit un mouchoir :

— Tenez, essuyez-vous. Ils ne peuvent plus me faire du mal, ils ont déjà tout dit sur moi, les choses les plus laides et les plus sales. Moi aussi j'ai eu à subir leur mépris et leur méchanceté, mais, à la différence d'Irène, j'avais déjà l'expérience de la souffrance. La pauvreté, la misère, Hortense, c'est une violence que je ne souhaite à personne d'endurer et qui m'a accompagnée durant toute mon enfance ! Alors !... leurs petites flèches, vous savez... je les ai supportées sans trop de mal le jour où j'ai compris qu'avec un compte en banque bien garni on pouvait faire d'eux ce qu'on voulait. Ne vous inquiétez pas pour moi, Hortense, j'ai de quoi les tenir.

La voix de Thérèse Millau était calme et son ton d'une grande détermination. Hortense hocha la tête, se leva et, au moment de partir, l'embrassa très chaleureusement :

— Après tout, vous avez peut-être raison, ils ne méritent pas mieux. En tout cas sachez que je serai toujours avec vous, quoi qu'il arrive.

Du haut de ses fenêtres, Thérèse la regarda s'éloigner. Elle connaissait Hortense Cazaux depuis une bonne vingtaine d'années et leurs rapports avaient toujours été très francs, empreints d'une grande complicité. Mais cette fois-ci, Hortense lui manifestait beaucoup plus, elle lui donnait la preuve d'une grande confiance et, mieux, d'une vraie amitié. Thérèse en était très émue. Avant de laisser retomber son rideau, elle leva machinalement les yeux vers les fenêtres de Sophie. Elle se remémora la scène où elle lui avait annoncé le retour des hussards et elle ne put s'empêcher de penser que Sophie avait été anormalement touchée par cette nouvelle. Elle songea alors que s'il y avait ou s'il y avait eu quoi que ce soit entre la belle chocolatière et un hussard, ces messieurs du *Français* seraient impitoyables et la femme du pharmacien risquait de le payer fort cher.

Cependant que Thérèse Millau se souciait du sort de Sophie, celle-ci, indifférente à tout danger, se précipitait chez Antoinette. Elle ne savait rien de cette rumeur qui courait à son propos pas plus que Louisette qui, depuis le retour des hussards, n'avait pas eu une minute à elle. Sophie lui avait fait faire de multiples allers-retours chez la couturière pour savoir si Abel était venu ou s'il avait envoyé un mot. En vain. Louisette revenait chaque fois avec la même réponse : rien, toujours rien, Antoinette n'avait pas vu le hussard et n'avait reçu aucun mot de lui. La joie qu'avait éprouvée Sophie virait au cauchemar. Quelque chose de grave avait dû se passer. Abel avait appris qu'elle avait donné naissance à un enfant et sans doute ne comprenait-il pas. Il fallait qu'elle lui explique, qu'elle lui parle de toute urgence, elle ne voulait plus attendre et elle décida de partir pour de bon. Elle remplit une petite valise de quelques effets, et se rendit chez Antoinette. Elle arriva, essoufflée d'avoir couru tout le long du chemin, et entra sans même frapper à la porte qu'elle ouvrit toute grande. Antoinette était en pleine séance d'essayage avec Adeline Dufo. À voir le visage défait de Sophie, elle comprit immédiatement ce qui se passait et, avant que la blonde Adeline qui avait poussé un cri en couvrant la nudité de ses épaules d'un châle de cachemire ne puisse rien dire, elle repoussa Sophie dans le vestibule et l'y suivit tout en rassurant sa cliente :

— Je reviens tout de suite, ne vous inquiétez pas.

Puis elle referma la porte et se tourna vers Sophie, qu'elle voyait à peine dans la pénombre du vestibule. Elle porta un doigt à ses lèvres et lui dit en chuchotant d'une voix tout juste audible :

— Vous êtes folle ! Venir ici en pleine journée alors que je suis avec une cliente, mais vous voulez que toute la ville sache, avec cette rumeur...

Sophie ne comprenait pas :

— Quelle rumeur, de quoi parlez-vous ? Je veux le voir, Antoinette, il le faut, je veux que vous alliez me le chercher. Regardez ! (Elle montra la petite valise à ses pieds qu'Antoinette n'avait pas encore vue car elle était cachée par sa robe.) Je partirai d'ici avec lui, pour très loin, et pour toujours. Vous m'entendez !

Elle parlait de plus en plus fort sans se soucier de la présence d'Adeline Dufo et elle s'était mise à secouer Antoinette par les épaules. Effrayée par ce qu'impliquait cette valise et par le désordre du comportement de Sophie, voyant que visiblement elle ne se maîtrisait plus, Antoinette essaya de la calmer :

— Écoutez, Sophie, je comprends votre désarroi mais là, vous voyez bien que je ne peux rien faire. Rentrez chez vous, je vous promets que demain...

Sophie rugit :

— Non ! pas demain. Maintenant. Allez lui dire de venir, que je l'attends.

Antoinette tenta de résister, mais Sophie était déjà en train de grimper l'escalier, sa valise à la main, pour attendre dans la chambre. Se retrouver dans les lieux où elle avait été si heureuse, l'avait comme grisée, emportée vers son amant, et plus rien ne comptait, pas plus la présence proche d'Adeline Dufo que la bienséance vis-à-vis d'Antoinette.

— Mais enfin, que se passe-t-il ?

La voix d'Adeline filtrait à travers la cloison et Antoinette la rejoignit. Elle lui donna tant bien que mal une explication bien peu crédible et lui demanda si la séance pouvait être remise au lendemain. Adeline Dufo acquiesça et partit avec un sourire entendu laissant Antoinette abattue. Après tant et tant d'années de sacrifices, de solitude et de rigueur morale, voilà qu'à cause d'une femme gâtée qui perdait la tête, sa réputation d'intégrité allait être salie. Voilà qu'elle aussi allait être jugée pour avoir accepté de recevoir les amants chez elle, car toute la ville savait qu'il y avait eu quelque chose entre Sophie et un hussard. Et Sophie qui lui demandait quelle était cette rumeur, elle ne savait donc pas ?

— Non, Antoinette, je n'en savais rien, je vous le jure.

Sophie qui tournait en rond dans la chambre fut sincèrement stupéfaite quand Antoinette monta lui poser la question. Antoinette vit bien qu'elle était sincère, mais elle se demandait comment cela était possible. La rumeur de la dame blanche dans la grotte enflait d'heure en heure et passait de maison en maison. Il ne devait plus y avoir personne dans la ville du haut et dans la ville du bas à ne pas être au courant. Seule la maison Pailhé, la plus concernée, avait donc été épargnée ?

— De toute façon, dit Sophie, cela ne change rien, on ne peut pas empêcher les gens de dire ce qu'ils veulent, et s'ils ont décidé de me faire du mal, ils m'en feront. Mais moi, je n'en peux plus de vivre comme ça, il est temps de choisir et de dire la vérité à Louis. Je veux partir avec Abel, vivre avec lui.

— Et la petite ! Et votre bébé ?

— Louisette y est très attachée, répondit Sophie d'une voix soudain tremblante, elle s'en occupera très bien. Et d'ici un ou deux ans, quand ça ira mieux, quand tout sera calmé, je la reprendrai.

Antoinette était effondrée. Elle trouvait cette attitude terrifiante d'égoïsme. Mais, chez Sophie, la femme avait repris le pas sur la mère qu'elle n'avait jamais vraiment été. Depuis la naissance, Mélanie s'occupait des besoins du bébé, le change, les biberons, mais c'était surtout Louisette qui la surveillait et qui donnait à la petite Anne les marques de tendresse normalement attendues d'une mère. Sophie aimait sa fille, mais, en dehors d'un baiser le matin et un le soir, elle ne s'en occupait pas vraiment. Dans sa tête, dans son corps, dans son cœur, il n'y avait qu'un homme, Abel. À force de menaces, de prières, de lamentations, elle réussit à convaincre Antoinette d'aller le chercher, de lui dire qu'elle l'attendait, prête à partir avec lui où il voudrait, qu'elle abandonnait tout.

Aucun chemin ne parut plus difficile à Antoinette que celui qu'elle monta en direction du château fort, aucun ne lui parut aussi long. À chaque pas elle manqua renoncer mais quelque chose la faisait avancer. Elle ne se l'avouait pas mais elle aussi voulait revoir Abel. Quand elle arriva, elle avait le cœur qui battait comme jamais. Elle passa sous une voûte de pierre et frappa à l'énorme porte de bois. On l'introduisit dans une petite pièce destinée aux visiteurs et, au bout d'un petit quart d'heure, Abel entra. Il sembla à Antoinette plus mystérieux encore que lorsqu'il était parti. Il s'avança vers elle en souriant, droit, impeccable dans son uniforme.

— Antoinette ! C'est vous. On m'avait dit qu'une dame me demandait et...

— Vous pensiez que c'était Sophie, vous êtes déçu ?

Il prit une chaise et vint s'asseoir près d'elle.

— Non, Antoinette, non, je savais bien que ce n'était pas elle, c'était impossible. Je me demandais qui était là, c'est tout. Vous venez pour...

Antoinette prit sa respiration et l'interrompit tout net .

— Elle est chez moi, elle est partie de chez elle et elle vous attend avec une valise. Elle est prête à aller avec vous là où vous voudrez.

Antoinette s'arrêta de parler quand elle vit le changement qui s'était opéré chez Abel. Il était blême. Il se leva et se mit à marcher dans la pièce, un air presque mauvais sur le visage.

— Mais qu'est-ce qui lui arrive ? Elle fait un enfant avec son mari et maintenant elle voudrait partir avec moi !

Antoinette était près de lui et lui avait saisi le bras.

— Non, vous ne pouvez pas dire ça ! Sophie n'a pas voulu

vous parler de l'enfant parce qu'elle ne l'a su que la veille du jour où vous êtes parti.

— Peut-être, mais qu'est-ce que ça change ? Maintenant elle a cet enfant et plus rien n'est possible entre nous. Dites-le-lui.

Antoinette le regardait, il avait le visage fermé et dur. Il se détourna et s'approcha d'une petite fenêtre d'où il se mit à regarder la ville en contrebas. Antoinette sentit ses jambes faiblir, que se passait-il ? Comment Abel pouvait-il ne pas écouter, comprendre ? Comment cet homme pouvait-il parler aussi durement d'une femme qu'il avait tant aimée ? Elle insista :

— Mais vous n'avez pas compris, elle ne vous a jamais menti et elle a beaucoup souffert après votre départ. Vous savez pour la petite ?

Abel répondit sans se retourner :

— Savoir quoi ?

Antoinette s'était rapprochée, elle était maintenant juste derrière lui, le ton d'Abel était si dur qu'elle trouva à peine le souffle pour lui expliquer.

— La petite fille de Sophie est née handicapée, elle ne marchera jamais.

Abel fit une volte-face si soudaine qu'elle eut peur. Il était encore plus exaspéré :

— Bien sûr que je sais ! Justement ! Et comment une mère peut-elle quitter un bébé dans cet état ?

Ce n'était plus Abel qu'Antoinette avait devant les yeux, c'était un autre, un homme buté aux yeux pleins de fureur. Il se dirigea d'un pas ferme vers la porte et lança :

— Nous ne nous reverrons plus jamais, dites-le-lui.

La porte claqua et Antoinette se retrouva seule. Jamais de sa vie il ne lui avait été fait une pareille violence. Cet homme qu'elle avait accueilli dans sa maison, cet homme qui avait juré un amour éternel à Sophie, voilà qu'il les rejetait froidement. Tremblante, elle sortit du fort et descendit jusqu'à sa maison dans un état second. Elle entra et, une fois dans le vestibule, s'effondra sur les marches de l'escalier. Il lui semblait sortir d'un mauvais rêve. Abel ne lui avait même pas dit au revoir, il ne lui avait montré aucun intérêt. Après les liens chaleureux qu'ils avaient eus, jamais elle n'aurait imaginé que cela fût possible. Pourtant cela était. Elle revoyait le soldat qui lui avait ouvert, elle entendait les chevaux qui hennissaient dans la cour du château et elle sentait encore dans ses narines la forte odeur animale qui régnait dans ces lieux où elle était entrée pour la première fois. Tout s'était passé si vite... Elle entendit remuer à l'étage. Sophie attendait, elle devait faire les cent pas dans la chambre car les lattes du plancher craquaient. Antoinette se souvenait d'avoir pressenti un drame au tout début de cette histoire. Mais la force qui liait les deux amants était telle qu'elle avait fini par se convaincre qu'elle se trompait. Aujourd'hui, tandis qu'Antoinette montait lentement les marches qui la menaient à l'étage, ce souvenir avait un mauvais goût d'amertume.

La première réaction de Sophie fut l'incrédulité. Elle insistait avec une sorte de foi naïve envers celui qui l'abandonnait alors qu'elle avait fait tout le chemin qui menait à lui, et à ce qu'il avait voulu d'elle. Elle se forçait à rire comme pour défier le réel auquel elle ne croyait pas, mais son rire trahissait sa douleur. Antoinette l'écoutait qui divaguait, qui lui disait qu'elle avait mal compris, qu'elle n'avait pas bien tout expliqué à Abel. Elle regardait cette femme qui avait été si belle et dont on ne voyait plus que le désordre de la chevelure et le regard égaré. Il lui semblait voir Emma Bovary telle qu'elle se l'était imaginée quand son amant Rodolphe l'avait reniée. Mais la lecture de la vie à travers les romans n'est jamais autre chose que du roman. Il y manque cette froide vérité de l'air et du sol qui se dérobe, de l'espace qui n'a plus de sens. Il y manque cette immense blessure qui contient tout l'univers et dont on a le sentiment très aigu qu'elle ne se refermera pas. Sophie découvrait la trahison et Antoinette en faisait à nouveau l'expérience. Celle de son amitié dupée par Sophie l'avait faite souffrir, mais elle était incomparable avec la violence brutale de celle d'Abel. Elle se demandait comment un homme qui avait, sous son toit, prouvé sa sensibilité extrême pouvait de telle sorte changer de visage et de comportement. Là-haut, dans son univers et parmi les siens où elle était une intruse, il l'avait renvoyée sans ménagement et elle était repartie sous le regard moqueur des gardes. Antoinette portait à l'amour entre un homme et une femme une vénération sans égale. Elle qui n'avait jamais vécu de passion s'était persuadée que cet amour, quand il existait, quand on avait la chance de l'avoir rencontré, était la seule chose au monde capable de porter les êtres au-delà d'eux-mêmes, dans des contrées inaccessibles au commun des mortels où ils pouvaient avancer ensemble en déroulant chaque jour cette inépuisable force qui ne s'obtient qu'à deux et qui se découvre, changeante et difficile, exigeante d'humilité mais toujours là. Dans les moments de mélancolie profonde qui la submergeaient parfois, elle se raccrochait à cette certitude que des êtres étaient ainsi capables de tout surmonter, de tout comprendre et de tout apaiser, uniquement par amour l'un pour l'autre. C'était même, à ce qu'elle croyait, le cadeau le plus puissant fait par Dieu à l'humanité. Elle ressentait encore dans tout son corps la vibration de l'étreinte de Sophie et d'Abel, le jour où il avait été obligé de partir. Elle avait acquis à jamais la certitude qu'ensemble ils seraient plus forts que tout. Elle n'avait pas aimé le roman de Flaubert qui se terminait mal, et elle avait pensé que ces deux-là qui s'étreignaient si passionnément sous son toit feraient mentir toutes les littératures du monde. Mais aujourd'hui, Sophie, seule et perdue avec sa valise qui ne servait à rien, était incapable de faire autre chose que répéter indéfiniment à Antoinette qu'elle avait dû se tromper et qu'il fallait retourner au château chercher Abel.

Encore une fois, c'est Louisette qui les sauva. Elle n'était pas là quand Sophie était partie et, inquiète de ne pas la voir, elle venait aux nouvelles chez Antoinette. Quand elle apprit de la bouche de cette dernière ce qui s'était passé, elle ne parut pas étonnée de l'attitude d'Abel. En revanche, elle ne put s'empêcher de hurler de colère quand elle sut que Sophie était venue avec une valise dans l'intention de partir avec lui :

— Mais elle est folle ! Complètement folle ! Et la petite ! Elle y a pensé ? Comment a-t-elle pu un seul instant imaginer l'abandonner ? Vous voyez, Antoinette, des fois je me dis qu'elle ne mérite pas le bonheur d'avoir eu cette enfant. Elle ne pense qu'à elle, comme toujours. J'ai cru un moment que le bébé la rendrait plus humaine, moins frivole, mais je me suis trompée, elle ne s'est intéressée à la petite qu'en attendant le retour de son Abel. Pour ce qu'il s'est occupé d'elle, celui-là, pas une seule fois il n'a écrit et maintenant il n'en veut plus parce qu'elle a un enfant ! Quel monstre ! Ne me parlez pas de la lâcheté des hommes ! Dans ces moments-là, voyez-vous, Antoinette, je les hais, ils se valent tous, allez ! Des promesses, des mots d'amour et puis... pffttt, envolés au premier problème, à la première difficulté. Où est-elle ?

Louisette avait parlé avec une rage qu'elle contenait difficilement, Antoinette fit un mouvement du menton vers le haut pour désigner la chambre.

— Elle est très abattue, je ne sais pas si on pourra lui faire faire un seul pas.

— Comment ça, abattue ! Vous allez voir si elle va pas faire un pas, il manquerait plus que ça !

Et Louisette monta les marches quatre à quatre d'un air déterminé :

— Je la ramène à la maison, vous garderez la valise quelques jours, le temps que tout ça se calme, je me demande comment elle a osé sortir comme ça, en plein jour. Pourvu que personne ne l'ait vu !

Bien calé au fond de son siège de cuir capitonné, cigare aux lèvres, tête légèrement penchée sur le côté, le procureur Dufour se demandait quelle carte il allait abattre. Le bridge était une passion qu'il partageait tous les jours en fin d'après-midi au *Café Français* avec le docteur Balencie, le notaire Jules Dufo et son équipier favori, le commissaire Dominique

Journé. Parfois ce dernier préférait rejoindre Bibé et Pailhé qui, comme en ce moment, jouaient au billard dans l'arrière-salle, et laissait alors la place au patron Pierre Cazaux. Aujourd'hui celui-ci était allé aux nouvelles à la mairie, voir un peu de quoi il retournait dans cette histoire d'apparition. Le commissaire guettait son retour : peut-être serait-il amené à intervenir si jamais les choses prenaient un tour plus important. Il régnait dans la salle remplie à cette heure par les membres les plus éminents du tribunal, quelques fonctionnaires de la police, des riches représentants des diverses professions libérales de la ville et des gros commerçants, un brouhaha indescriptible. Pour Lucile les fins de journée étaient les plus mauvaises, elle courait avec Ida d'une table à l'autre car les consommations se succédaient à un rythme soutenu. Comme la plupart des clients ne venaient pas au café le dimanche, le lundi ils avaient hâte de parlementer à nouveau. En général il ne se passait rien, mais ils trouvaient toujours quelque affaire de querelle, de cocuage ou de politique locale pour alimenter leurs bavardages. Pour Lucile et Ida c'était donc le pire jour qui soit. La patronne était au thé de Mme Millau et Ida se retrouvait coincée à la caisse et laissait Lucile se débrouiller seule dans une salle la plupart du temps bondée. Il régnait toujours le lundi une sorte d'excitation fiévreuse. Ils arrivaient tous vers les six heures. On aurait dit que leur vie dépendait de ce moment passé au *Café français*. À peine entrés, à peine débarrassés de leur cape sur le lourd portemanteau qui manquait à chaque nouveau fardeau de tomber d'un côté ou de l'autre, ils se hâtaient de rejoindre le petit groupe de leurs connaissances. Accolades et grosses voix, cris et rires, Lucile découvrait une sorte de fraternité masculine chaleureuse et bruyante, mais où la vulgarité perçait souvent, hélas ! Au début, elle avait été éblouie par le décor et par la prestance des habitués, mais quand la langue française lui fut devenue plus familière, elle comprit que les conversations n'étaient pas toujours aussi sophistiquées qu'elle l'avait cru, et il lui était arrivé d'entendre des mots cruels dits avec le sourire et des médisances dignes de la grosse Marthe au lavoir quand elle se laissait aller avec deux ou trois autres lingères. Cette découverte l'avait stupéfiée et avait légèrement perturbé son admiration sans bornes pour le milieu des gens riches et bien qu'elle côtoyait désormais. Lucile était née sur un sol de terre battue, dormait sur une paillasse puante et avait toujours été convaincue que dans les belles maisons, sous les belles redingotes et sous les belles robes, entre les draps blancs, tout était limpide, lavé de la boue dans laquelle les pauvres vivaient tous les jours et qui finissait par pénétrer parfois jusqu'à leur âme. Mais là où on trouvait toujours de la lumière et du pain pour éclairer et pour nourrir les hommes, dans ces sourires élégants et ces salutations distinguées, elle s'était persuadée qu'il n'y avait que la pureté et des âmes claires. Elle s'était inventé un monde merveilleux. Aussi les premières fois où elle avait entendu les fonctionnaires de la mairie médire dans le dos de leurs collègues, ou le petit groupe des hommes du tribunal décortiquer cruellement les histoires humaines sordides et douloureuses qui venaient s'échouer entre les murs de pierre de leur très vénérable maison, Lucile n'avait pas bien compris ce qui se passait. Des mots saisis à la volée, des injures, elle avait mis du temps à admettre que tout n'était sans doute pas aussi parfait qu'elle l'imaginait. Pourtant, dans l'ensemble, et surtout en ce qui concernait les membres les plus éminents du Cercle, ses certitudes restaient intactes. De ces messieurs si bien nés et si bien éduqués, il ne pouvait émaner que de nobles sentiments et de nobles attitudes.

La porte du café s'ouvrit et le patron entra. Lucile le vit se diriger vers la table du procureur et elle le suivit immédiatement, de manière à débarrasser les verres et à prendre une nouvelle commande. Ida lui avait expliqué que, lorsqu'il y avait un nouvel arrivant à une table, les clients étaient en général disposés à se faire resservir. Lucile avait remarquablement intégré ces notions élémentaires de commerce et sa discrétion naturelle faisait merveille. Elle enlevait les verres sans même que ces messieurs s'en rendent compte et, au lieu de prendre une tournée à la volée haut et fort comme Ida l'avait toujours fait, elle se penchait doucement vers chaque client et lui demandait ce qu'il souhaitait. Tout affairé à accueillir le nouvel arrivant, et dans l'attente fiévreuse des confidences qu'il pourrait faire, le client lui lâchait toujours le nom de quelque boisson ou cocktail et elle repartait avec une tournée complète sans que personne n'ait rien entendu. Mme Cazaux et Ida s'émerveillaient souvent de ce savoir-faire très particulier et quasi-instinctif. Lucile laissa donc son patron s'asseoir puis, discrètement, glissant entre les chaises, elle commença à enlever les verres. C'est alors qu'elle entendit prononcer le nom de Bernadette Soubirous. Très vite, son attention fut détournée de sa tâche au profit de la conversation qui se déroulait. Du seul fait qu'on parlait d'elle, sa petite voisine miséreuse s'installait avec ses sabots pleins de boue au beau milieu de cet univers feutré. Que pouvait-on lui vouloir ? Elle comprit vite. C'était bien sûr à cause des apparitions à la grotte de Massabielle : la dame blanche. Lucile connaissait par cœur les derniers événements, et pour cause. La veille, dimanche 14 février, à la sortie de l'église après la grand-messe, Lucile, qui ne travaillait au café que l'après-midi, avait failli suivre la douzaine de gamines parmi les plus pauvres du coin qui s'étaient empressées de rejoindre Bernadette à la grotte. Mais les filles de son âge avaient ricané. Pas question de suivre ces morveuses jusqu'à cet endroit affreux où elles avaient été obligées d'aller ramasser des os à moitié pourris et puants. Elles gardaient toutes une haine tenace pour ce coin terrible, venteux et froid qu'on appelait la tutte aux cochons. Aujourd'hui elles étaient grandes et c'était au tour des petites de se consacrer a cette corvée abominable. Elles, maintenant, pouvaient aller seules loin dans les bois chercher les fagots et le dimanche elles avaient bien mieux à faire. Il y avait le bal de la mairie sur la place et les garçons qui les faisaient danser. Aussi Lucile avait-elle renoncé à suivre Bernadette, et seules des petites de six à douze ans l'avaient accompagnée, à peine vêtues de quelques haillons mal ficelés. Le froid glacial de ce mois de février ne les avait même pas retenues, on aurait dit de petits animaux malingres et fébriles. Elles étaient anxieuses, soudées autour de Bernadette, et pour rien au monde elles ne l'auraient laissée aller seule à la tutte. Lucile les avait regardées partir le cœur serré. Le visage de sa petite amie Bernadette était si pâle, si doux qu'elle en avait été remuée et lui aurait volontiers tenu la main. Finalement, comme le bal ça ne lui disait rien, elle était allée aux fagots. Une heure plus tard, alors qu'elle se trouvait en haut du rocher, sous le château, en train de ramasser quelques menues brindilles entre les pierres, elle avait aperçu en contrebas Jeanne Abadie, que tout le monde appelait Baloum, qui courait et hurlait en appelant au secours. Le meunier Nicolau, du moulin de Savy, était sorti en l'entendant et elle l'avait entraîné vers la grotte. Lucile entendait les petites crier au loin et elle avait vu ensuite leur petit troupeau noir suivre en glapissant le meunier qui ramenait Bernadette inerte dans ses bras. Lucile ne pouvait pas les rejoindre directement, elle était obligée de contourner tout le rocher et de redescendre par la ville. Le temps qu'elle arrive, la nouvelle avait déjà fait le tour des maisons et, dans sa rue, un attroupement de femmes s'était aggluttiné devant chez Soubirous. Bernadette était à l'intérieur. Elle avait vu la dame blanche pour la deuxième fois et était entrée en extase. Les petites avaient pris peur et le meunier avait dû la porter car elle était dans un tel état qu'elle n'aurait plus bougé de devant la grotte et serait morte gelée tant la bise était coupante. L'homme, frigorifié, avait engueulé les mères qui laissaient les petites aller là-bas par un froid pareil.

— Comme s'il le savait pas celui-là, avait dit Marthe en colère, les gosses de la rue vont à la tutte depuis la nuit des temps et il nous engueule aujourd'hui parce qu'il a été obligé d'y poser les pieds ! Non mais, quel faux-cul ce Nicolau ! Il voit les petites passer tous les jours devant son moulin et il leur a jamais demandé où elles allaient ! Qu'est-ce qu'il nous emmerde avec ses leçons ! Il a qu'à nous faire payer sa farine moins cher et on les y enverra un peu moins les gosses !

Comme si on aimait ça de les savoir dans la bouillasse ! Et comment on peut faire, hein ! un sou, c'est un sou !

Marie était allée avec Louise Soubirous et les autres femmes chercher Bernadette chez le meunier et il lui avait confié combien il avait été impressionné par le calme qui régnait à Massabielle.

— Tu vois, Marie, avait dit Nicolau, il a dû se passer quelque chose. Les petites criaient de peur et parlaient toutes ensemble, elles étaient venues à ma rencontre, mais quand on est arrivé près de Bernadette, elles se sont tues, instantanément. Le vent sifflait dans les branches des genévriers au-dessus de la grotte, j'avais les pieds trempés de la boue et de l'eau du gave, ça puait, il y avait des saloperies partout. Les cochons de Samson foutent tout sens dessus dessous là-bas, c'est inimaginable, y a de ces trous ! La terre me collait au bas des pantalons et les frusques des gosses étaient raides de crasse. Mais au-dessus de toute cette merde, il y avait un silence... un silence comme jamais je n'en ai entendu. Quelque chose de grave... de fort... je vais même te dire, Marie, c'était... (Il hésita en cherchant le mot juste :) c'était un beau silence. J'étais debout, Bernadette était agenouillée dans la boue devant moi, elle me voyait même pas. Après une ou deux minutes comme ça, j'ai pris peur. Je l'ai attrapée dans mes bras. Elle bougeait plus du tout. J'ai vite filé, il me tardait d'être loin.

Une grosse voix sortit Lucile de ses pensées et la ramena au *Café Français* où elle était en train de ramasser les verres sur la table du procureur.

— Comment peut-on raconter des bêtises pareilles en plein XIXᵉ siècle ! Qu'est-ce que c'est que ces ignares qui font tout ce bruit ! J'espère que Lacadé depuis sa mairie va y mettre bon ordre et qu'il va envoyer le garde Callet faire taire cette gamine au plus vite...

Le procureur Dufour s'était redressé en parlant et il bombait le torse en souriant, il se tourna vers son ami Journé.

— ... ou vous, monsieur le commissaire. Un petit tour

267

entre quatre murs, ça lui lavera le cerveau et ça lui remettra les idées bien en place.

Dominique Journé esquissa un vague sourire et fit de la main un geste méprisant :

— Tout ça va s'arrêter tout seul, on n'aura pas besoin de bouger le petit doigt. Maintenant que je sais que ce sont les femelles du bas qui mènent l'affaire, je ne m'inquiète pas. Elles doivent avoir quelque chaleur mal venue, le soufflé va retomber comme il était monté. (Il fit un clin d'œil, prélude à un bon mot :) Sinon, on leur enverra quelque étalon bien rustique pour les calmer, et tout rentrera dans l'ordre.

De gros rires secouèrent la tablée et le docteur Balencie rajouta :

— Je vous conseille d'envoyer à ces femelles plusieurs étalons, cher commissaire, et bien costauds, j'ai eu l'occasion d'en voir quelques spécimens de près lors de mes visites de médecin et je peux vous jurer qu'avec leurs grosses mamelles et leurs fesses de charrue, il faut compter large.

— Que voulez-vous, cher docteur, renchérit le procureur, nous n'avons pas comme vous accès à tous les genres et nous ne connaissons, fort heureusement, que les gracieuses rondeurs des femmes dignes de ce nom. Quant à ces femelles difformes, on se demande même s'il se trouve un seul mâle suffisamment affamé pour en vouloir. Quelle horreur ! et il fit mine de se tenir l'estomac comme s'il allait vomir.

Lucile avait cessé de travailler. Le verre vide qu'elle venait de ramasser encore à la main, toute pâle, elle écoutait ces hommes déverser devant elle, sans la voir, toute cette boue de mots et d'images. Chacun de leurs éclats de rires poignardait son cœur au plus profond. Devant ses yeux, sa mère lui souriait, Lucile voyait son regard magnifique et son sourire si doux. Jamais jusqu'à cet instant elle n'avait pensé au corps de sa mère. Elle savait seulement qu'il était tendre et accueillant et que, bien souvent, il l'avait protégée des douleurs et du froid et aussi qu'il avait accueilli et calmé beaucoup de malheurs et de désarrois, les souffrances de certaines voisines régulièrement et violemment battues par leur homme ou les plaintes des enfants affamés qui venaient se réfugier dans ses jupes et réclamer un peu d'affection. Et sa mère serait donc une de ces femelles dont les messieurs parlaient. Lucile regardait fixement sans plus les voir les joues grasses et tombantes du procureur secouées au rythme de son rire. Le visage du notaire Dufo était si rouge, si enflé et si congestionné qu'on aurait juré qu'il allait éclater d'une seconde à l'autre. Elle ramassa les derniers verres et rejoignit le comptoir. Ses jambes la portaient tout juste : cette conversation avait été plus violente que si on l'avait rouée de coups. Elle réalisait à peine la portée de ce qu'elle venait d'entendre, pourtant son corps était meurtri de partout.

Elle eut d'autant plus de mal à poursuivre son service qu'elle constata très vite en servant les autres tables que « l'apparition » alimentait nombre de conversations et provoquait beaucoup de rires et de critiques acerbes. Les uns rejetaient la faute sur la municipalité qui laissait faire de pareilles âneries, et les autres s'en prenaient aux femmes du bas qui ne savaient pas tenir leurs maisons et qui laissaient les gamines traîner dans la rue et n'importe où sans surveillance.

— Vous vous rendez compte, glapit un clerc de notaire, moi, en allant à la chasse, que de fois j'en ai vu de ces gosses qui, par grappes, descendaient à peine habillés se rouler dans la fange de Massabielle. Mais comment les y laisse-t-on aller ! C'est invraisemblable à notre époque de voir ça !

— Qu'est-ce que vous voulez, lui répondit son voisin de table, les pères passent la journée au cabaret, et il faut voir dans quel état ils en sortent ! Quant aux mères ! (Il fit un large geste de la main.) Je ne vous dis que ça ! Je me demande même si la plupart sont dignes de ce nom. Je les vois des fois au tribunal venir pour telle ou telle histoire, ce sont des ignares mal fagotées auxquelles on fait prendre des vessies pour des lanternes. Elles sont toujours à courir à gauche et à droite dans les bois et dans les champs. Alors c'est simple, il n'y a personne à la maison, les gosses traînent et il arrive n'importe quoi.

269

— Dans ces milieux il n'y a pas d'éducation, le voilà le problème ! renchérit un troisième.

C'est alors qu'un cri partit du fond de la salle sans que personne sut distinguer qui l'avait poussé parmi tout un groupe de jeunes employés du tribunal :

— Tiens, la voilà l'apparition, ouhhh ! elle marche vite ! Il doit faire froid dans la grotte...

— Bah ! elle, elle a trop chaud, c'est pour ça qu'elle court ! dit un autre.

Tous les regards se tournèrent spontanément vers la place Marcadal et une vague de rires secoua la salle. Sophie revenait de chez Antoinette avec Louisette qui l'obligeait à la suivre d'un pas alerte. Elles traversèrent la place sans se douter qu'elles réveillaient dans le groupe des jeunes gens la rumeur, née dès les premiers récits de l'apparition du 11 février, que Sophie et son amant se retrouvaient dans la grotte. Lucile ne riait pas, elle revenait avec un plateau fort chargé quand elle buta sur un homme planté devant le comptoir. C'était Louis Pailhé. Il venait de quitter la salle de billard et il s'était avancé pour demander à Ida une autre craie pour les cannes. Rien de ce qui venait de se passer ne lui avait échappé, il regarda sa femme et Louisette s'engouffrer sous le porche et il comprit immédiatement le sens à peine voilé des allusions faites par les jeunes employés. Lucile le vit devenir rouge cramoisi comme si on l'avait giflé. Sans dire un mot, il posa la canne contre le comptoir, jeta sa cape noire sur ses épaules, coiffa son haut-de-forme et sortit. Le silence était tombé dans le café dès qu'on s'était aperçu de sa présence. À peine fut-il dehors que les impertinences recommencèrent à voix haute. L'un dit que le chapeau du pharmacien était très haut pour laisser de la place aux cornes, l'autre ajouta qu'il donnait trop de chocolat aux clients et pas assez à sa femme... Lucile avait posé son plateau et elle lavait les verres, écoutant sans y croire les remarques perfides des uns et des autres. Même les amis de Louis Pailhé souriaient et faisaient des mines tout en se croyant obligés de modérer les jeunes par un « Tout de

270

même, là vous exagérez ! » Mais, dans le même temps, ils riaient de la méchanceté qui venait d'être dite, encourageant par là même le moqueur à en trouver une autre. Lucile se disait que ce n'était pas possible, qu'elle allait se réveiller, que des hommes si bien ne pouvaient pas se comporter comme les soudards du cabaret qu'elle avait entendu souvent en allant chercher son père, qui s'insultaient entre eux et salissaient leurs femmes des pires injures. En venant ici, elle avait cru échapper à ce cauchemar. Mais, non, à la table d'en face, les grosses joues du procureur tressautaient toujours au rythme de son rire, et lui rappelaient qu'elle n'avait pas rêvé. Quand les clients se furent calmés et furent passés à d'autres sujets de conversation, elle continuait d'y penser.

Un seul homme n'avait pas ri et s'était abstenu de toute remarque : le commissaire Journé. Le professionnel en lui était déjà sur ses gardes. Pierre Cazaux était rentré de la mairie en racontant que beaucoup de femmes du bas commençaient à prendre les apparitions au sérieux et que le maire Anselme Lacadé était inquiet. Le commissaire se disait que le maire avait bien raison et qu'il valait mieux suivre l'affaire de près et l'étouffer au plus vite au cas où. Il salua, enfila sa cape et partit en direction de son commissariat.

Louis claqua violemment la porte du boudoir derrière lui et se retrouva face à Sophie, debout à sa fenêtre, qui le vit entrer avec stupeur. Durant le temps très court qu'il avait passé à venir du *Français* chez lui, Louis avait eu le temps de réaliser la trahison de Sophie Car, il en était sûr, pour que toute la salle ricane ainsi à une allusion aussi claire, c'est que tout le monde savait qu'elle avait un amant. Sauf lui, bien entendu, comme toujours en pareil cas. Il revit plusieurs fois la scène, les visages hilares du procureur et du notaire, et son monde personnel fait de respectabilité et de reconnaissance sociale s'écroula d'un seul coup. L'humiliation était totale, il se sentait ramené au néant. Lui le scientifique, le bel homme fin et cultivé, admiré et envié de tous et de toutes, il n'était qu'un cocu. Et ce nouveau rôle annihilait à lui seul et à ses yeux tous les précédents. Le mot terrible entra dans sa tête et il crut sa vie finie. Il vit sa maison et songea à un incendie gigantesque qui nettoierait tout d'un seul coup. C'est fou ce qui passa dans la tête de Louis Pailhé dans le court laps de temps qui le ramena chez lui. En quelques mètres, le monde avait basculé. Il y avait à peine une heure il sortait de chez lui, portant beau, brillant et admiré, il y revenait anéanti et brisé. La fureur s'empara de lui au fur et à mesure qu'il se rapprochait de celle qui était la cause de toute cette horreur. Louisette le vit passer et grimper l'escalier des chambres quatre à quatre. Jamais elle n'avait entendu son pas résonner aussi fort. Prise de panique, et sentant bien ce que cette attitude révélait d'anormal et de grave chez un homme d'ordinaire si posé et si maître de lui, elle se rua à sa suite et ne retrouva son calme que lorsqu'elle s'aperçut que la petite Anne dormait toujours paisiblement dans la chambre du couple. Elle se penchait au-dessus du bébé quand elle entendit des cris et un bruit sourd, puis encore des cris. Elle se jeta sur la porte du boudoir qu'elle ouvrit toute grande. Sophie était couchée au sol et Louis, les yeux révulsés, l'injuriait en la bourrant de coups de pieds. Il cognait, cognait sans même regarder où portaient les coups. Louisette, figée, regardait la scène sans réagir. Soudain, venant de très loin, quelque chose d'inconnu et de fort reflua en elle avec la violence des souvenirs enfouis. D'autres cris, une autre femme, sa mère, Anne, implorant l'homme d'arrêter de frapper. Et aussi la toute petite fille qu'elle était alors qui s'agrippait au père et ne pouvait lui faire lâcher prise. Un hurlement la fit sortir de sa transe. Sophie tentait de se protéger le visage et Louis cognait toujours. Elle vit ses yeux horribles et eut comme un coup de sang. Elle empoigna de ses deux larges mains le dos de sa veste et, mue par la puissance de la haine, l'envoya rouler contre le mur de l'autre côté du boudoir. Le silence succéda à la fureur. Louisette releva Sophie qui s'agrippa à elle. Elle tremblait et pleurait en hoquetant :

— Il a voulu me tuer... il ne m'a... pas... écoutée... il...

Louisette la fit taire et s'assit près d'elle sur le bord de la méridienne. Sophie posa la tête sur son épaule et continua à sangloter. Louis, un moment assommé, avait repris connaissance. Il se releva. Ayant retrouvé ses esprits, il vint se planter devant les deux femmes. Louisette le regardait haineusement :

— Comment avez-vous pu faire une chose pareille ! Battre votre femme ! Vous ! Si je n'étais pas arrivée vous l'auriez tuée !

Louis était encore frémissant de colère, mais la force du coup qu'il avait reçu l'avait ramené à la raison. La violence n'était ni dans ses habitudes ni dans ses goûts et il avait fallu que le choc de l'humiliation au *Français* soit grand et inattendu pour qu'il sorte ainsi de lui-même.

— Oui, je l'aurais tuée et elle le méritait. Est-ce qu'elle a hésité, elle, à tuer ma réputation devant toute la ville, à me ridiculiser. Je suis mort maintenant, à cause d'elle. (Il hurla :) À cause d'elle je ne pourrai plus aller nulle part sans qu'on me montre du doigt. Le cocu ! Je suis le cocu ! Celui qui payait les robes et toutes ses folies pour qu'elle aille se coucher dans le lit d'un autre...

La colère revenant en lui au fur et à mesure qu'il parlait, il préféra se taire et se mit à déambuler dans la pièce pour réfléchir plus posément à sa nouvelle situation. Que faire ? Il n'était pas plus homme à tuer sa femme qu'à mourir ou à mettre le feu. Louisette le regardait qui retrouvait son air froid et hautain et son inquiétude grandit. Elle s'était calmée elle aussi et elle commençait à se demander comment les affaires allaient tourner. Monsieur allait la renvoyer, c'est sûr. Et où irait-elle ? Elle n'avait rien, plus rien que cette chambre là-haut d'où elle voyait le ciel de son pays. Qui voudrait d'elle, à son âge ? Et puis elle avait ses habitudes ici, elle connaissait tout. Qu'allait-il se passer maintenant ? Elle n'eut pas longtemps à attendre. Louis avait retrouvé son sang-froid et c'est d'une voix calme qu'il articula :

— Voilà. Désormais tout le monde sait que ma femme

m'a trompé. Peu m'importe comment et avec qui. Mais jamais je ne permettrai à quiconque de croire que cela a suffi à détruire notre couple. Certains seraient trop contents, depuis le temps qu'ils envient ma réussite !...

Les deux femmes le regardaient en se demandant bien quelle solution avait germé dans la tête de cet homme toujours si calculateur. À son ton posé, elles comprirent qu'il était à nouveau très sûr de lui.

— ... Nous continuerons donc à vivre comme si rien ne s'était passé. Au début ils riront encore un peu, mais très vite ils oublieront et ils passeront à autre chose. Je vous conseille donc, ma chère Sophie, d'agir exactement comme d'habitude. Sortez, habillez-vous, souriez, ne changez rien. Mais attention ! Qu'il n'y ait jamais plus le moindre dérapage ou sinon... c'est la rue. Je serai intraitable et je vous répudierai sans aucun état d'âme. Vous irez où vous pourrez. La maison ici est à moi, vous le savez. Vous disposez également de quelques biens de votre côté, mais je me rembourserai avec de tout ce que vous me devez, des achats multiples que vous avez faits par le passé et des dettes que vous avez inconsidérément contractées en bijoux et en robes. Je crains donc qu'ensuite il ne vous reste que fort peu. (Il se tourna vers Louisette :) Quant à vous Louisette, je vous garde. (Louisette ne put se retenir de montrer un grand soulagement.) Mais uniquement pour ne pas faire de remous. Puisque tout continue comme avant, vous aussi vous restez là. Mais sachez que, quoi que Madame fasse, vous irez directement à la rue, comme elle. Donc, vous m'avez bien entendu toutes les deux : il ne s'est rien passé.

Puis il sortit et referma la porte normalement. Louis Pailhé avait retrouvé tous ses esprits.

Sophie et Louisette restèrent un moment silencieuses, sans réaction. Les larmes de Sophie avaient séché le long de ses joues et son visage d'ordinaire si beau était comme un paysage ravagé, rongé d'ornières. Son amant et son mari, deux hommes qui par leur amour ou leur argent la protégeaient jusqu'à ce jour et qui, croyait-elle jusqu'alors, avaient bâti autour d'elle une forteresse de bien-être, voilà qu'en une seule journée ils la reniaient, lui déniant tout pouvoir sur eux. Son amant l'abandonnait à jamais et ne voulait plus la voir, quant à son mari il venait par ses coups de lui faire comprendre que, derrière la comédie des sentiments, il y avait plus fort : la façade sociale ; son rôle consistait à en incarner une représentation parfaite à laquelle il ne fallait déroger sous aucun prétexte. Sophie ne ressentait plus rien puisqu'elle n'était plus rien. Une main caressa doucement son visage, palpant son front, son nez puis ses joues. Louisette vérifiait si rien n'avait été cassé :

— Voilà, ça va, vous avez juste des contusions. Vous aurez peut-être une mâchure demain matin, mais c'est tout. Je vous mettrai du maquillage et on n'y verra rien.

Sophie ne lui répondit pas. Elle n'avait envie que de disparaître, ne plus exister, ne plus rien entendre et ne plus rien vouloir. Elle se pelotonna sur la méridienne en fermant les yeux. Louisette la laissa faire et la recouvrit d'un plaid de laine, puis elle ranima le feu dans la cheminée. Dès qu'il ronronna, le boudoir retrouva comme par magie sa douceur habituelle. À voir cette jeune femme allongée parmi ses coussins dans cet univers si douillet, nul n'aurait pu imaginer le cataclysme qui venait de se produire, et on aurait envié sa quiétude et de sa beauté. Pourtant, en Sophie à cette heure, il ne restait que le néant, et le plus noir qui soit.

Comme l'avait ordonné Monsieur, Louisette reprit aussitôt ses occupations comme si de rien n'était. Heureusement, pensait-elle, Mélanie était déjà partie quand la scène avait eu lieu. Une jeune fille, même très discrète, a toujours plus de mal à garder longtemps un pareil secret. Elle fit donc le repas et mit le couvert pour deux. Seul Louis vint manger, il s'installa à table comme d'habitude, coinça le coin de la grande serviette blanche dans son col et, d'un geste soigné, porta la cuillère de soupe à ses lèvres. Il en avala une grande assiette et finit toute l'omelette aux cèpes. Il prit même dans le grand plat de terre un des beignets que Louisette avait cuits le matin. Durant tout l'hiver il y avait, chez Pailhé, une de ces pâtisseries du pays, tourte, crespérines ou beignets faits par Louisette en début de semaine et mis à disposition des gourmands. Une fois par semaine elle pétrissait à pleines mains sur la table de la cuisine une belle pâte faite de farine et d'œufs bien jaunes, puis elle ajoutait du sucre et, selon, un peu de rhum ou de la vanille, parfois même de l'orange quand il y en avait. Même s'il était en pleine occupation au milieu de ses fioles de pharmacie, Louis s'arrangeait pour venir faire un tour à ce moment-là car les effluves de pâtisserie lui rappelaient son enfance, et il adorait manger un peu de pâte crue. La tradition venait de la mère de Louis, très gourmande, qui souhaitait avoir toujours à disposition quelque bonne chose à manger.

Louis termina son dîner et monta à la chambre, sans avoir prononcé un seul mot. Louisette débarrassa, rangea et prépara la table du petit déjeuner pour le lendemain. En montant les escaliers pour aller se coucher elle s'arrêta devant la chambre du couple. Elle n'avait rien osé préparer pour Sophie car, pour porter un plateau jusqu'au boudoir, il lui aurait fallu entrer et traverser la chambre, or, en présence de Louis, elle n'y tenait pas. Elle ne put cependant s'empêcher de mettre l'oreille à la serrure : elle voulait entendre le souffle du bébé et s'assurer que la petite dormait bien. Elle n'entendit rien sauf des pas qui devaient être ceux du pharmacien et elle alla se coucher, le cœur serré, sans avoir pu embrasser comme elle le faisait tous les soirs cette petite fille qu'elle aimait plus que tout au monde.

Au même moment, rue des Petits-Fossés, Marie, sur le devant de sa porte, observait le ciel avec inquiétude. Il allait neiger cette nuit, elle en était sûre, les bruits étaient plus sourds, les aboiements des chiens semblaient plus éloignés que d'habitude. Décidément cet hiver était rude. La température avait été glaciale dès la fin novembre et à la mi-décembre il avait neigé pendant une bonne dizaine de jours. Puis, la douceur était revenue, faisant fondre la neige et disséminant des plaques de boue partout. Le haut de la ville avait fini par sécher, grâce au soleil et au froid revenus, mais dans les ruelles du bas, étroites et sombres, la boue et l'humidité stagnaient toujours. De la neige par-dessus donnerait encore plus de boue. Marie soupira. Elle repensa à ce que lui avait raconté Lucile en rentrant du *Français*. À ces hommes qui parlaient si mal des femmes du bas et de Sophie Pailhé. Lucile n'avait pas voulu répéter à Marie les paroles exactes, elle disait qu'elle ne s'en souvenait plus bien, mais elle s'était mise à pleurer presque aussitôt. Marie l'avait prise dans ses bras et avait eu un mal fou à la consoler. Puis elles avaient compté ensemble les chapelets que les femmes avaient enfilés pendant la fin de semaine. De ce côté-là tout allait bien, heureusement ! Chaque semaine le maquignon apportait, avec de nouvelles perles, l'argent de la livraison précédente et reprenait l'ouvrage terminé. Le jeudi soir était un bon soir pour les femmes de la rue.

Marie sourit. Plutôt que de ruminer ce qui n'allait pas, elle avait décidé de se réjouir de la moindre bonne chose, et elle remâchait sa satisfaction le plus longtemps possible, jusqu'à la faire pénétrer dans toutes les fibres de sa peau et de son cœur. Elle en extrayait la quintessence et la ressassait inlassablement pour s'en construire une carapace de joie qui rejetait au loin les duretés de la vie quotidienne et les mauvais coups du sort qui s'accumulaient régulièrement dans les maisons du quartier et laminaient le moral des familles. Souvent elle s'était dit que la misère semblait coller toujours à la peau des mêmes, alors, elle faisait avec sa joie comme elle faisait avec son pain. Elle lui donnait une valeur sacrée et en goûtait la moindre bribe. Marie économisa ses forces et s'empressa d'oublier les médisances des hommes du *Français*. Puis, après un dernier regard aux étoiles qui s'effaçaient dans la nuit, elle rentra en souriant : cette semaine serait bonne pour les chapelets. Elles en avaient déjà fait une bonne vingtaine et d'ici jeudi elles atteindraient peut-être les quarante. Marie fit mentalement le compte dans sa tête et les petites billes de buis se transformèrent en cinq belles miches à se partager. Elle sentait déjà la bonne odeur du fournil de Maisongrosse lorsqu'elle s'y rendrait jeudi prochain avec, au creux de la main, les sous des chapelets de buis.

Dans la nuit, la neige recouvrit tout le pays d'un beau manteau blanc. Durant la journée du mardi, la plupart des gens restèrent enfermés chez eux, près de la cheminée. Quand la neige tombait, aussi fine que soit la couche, il était inutile de sortir, il n'y avait plus rien à gratter à l'extérieur et dans les carrières il fallait commencer par déblayer avant de pouvoir se remettre à tailler les pierres ou les ardoises. Sophie ne s'était même pas levée pour sa toilette. Elle avait passé la journée dans son boudoir et n'avait pas voulu voir son bébé. Louisette avait tenté de lui parler, en vain. Antoinette était venue aux nouvelles dans l'après-midi tant elle était inquiète. Après que Louisette lui eut tout raconté, elle s'effraya de ce destin qui s'acharnait contre Sophie. Elle voulut lui parler, mais Louisette s'y opposa.

— C'est inutile de monter, lui dit-elle, elle ne vous dira rien. Souvenez-vous, la première fois qu'Abel est parti. C'était pareil, elle s'était enfermée dans son boudoir et on n'avait rien pu en tirer. Attendons quelques jours, Monsieur aura mieux digéré la chose et je suis sûre qu'elle ira mieux.

— Oh, ça ! Je n'en suis pas si certaine que vous, répondit Antoinette.

— Moi si ! lança Louisette d'un ton sans réplique, elle ira mieux parce qu'il le faut. Elle n'est plus seule, il n'y a pas qu'elle et ses malheurs. Il y a maintenant une petite fille qui n'a rien demandé à personne et qui a besoin d'une mère, plus que tout autre enfant. Il ne faudrait pas qu'elle l'oublie ! On a frôlé le drame, Antoinette, on pourrait être à la rue. Et l'enfant alors ! Où serait-elle ? Avec lui ? Avec nous ? (Elle frémit de peur.) Je préfère ne pas y penser. (Levant les bras au ciel.) Heureusement le Seigneur n'a pas voulu ce malheur ! Alors elle va se réveiller, croyez-moi !

— Je crains que...

Antoinette n'alla pas plus loin.

— Il n'y a rien à craindre, je suis là pour la secouer et vous, il vaut mieux qu'elle vous oublie un peu. Si elle vous voit, elle va vous demander d'aller lui chercher son Abel, et telle que je vous connais vous ne lui refuserez pas. Allez ! allez ! Il est temps de l'oublier définitivement, celui-là. Il vaut pas mieux que les autres !

Antoinette repartit et, en sortant, croisa Louis qui partait au Cercle en compagnie du notaire Jean Dufo. Les deux hommes bavardaient en marchant avec le plus grand naturel du monde et on n'aurait jamais imaginé que le pharmacien avait vécu la veille une telle humiliation de la part de ses pairs. La couturière ne put s'empêcher d'être stupéfaite devant un pareil revirement de la part de Louis Pailhé qui souriait au notaire alors qu'aux dires de Louisette, il était, la veille, un homme quasiment mort.

Quand elle arriva chez elle, Antoinette était attendue, Thérèse Millau faisait les cent pas devant sa maison, visiblement très excitée. Antoinette la fit entrer en s'excusant mais la veuve Millau ne fit pas de manières et, comme à son habitude, alla droit au but :

— Ma chère Antoinette, vous avez entendu parler, je suppose, de cette petite Soubirous qui a vu une dame blanche dans la grotte de Massabielle ?

Antoinette se raidit. Comment ! Même la mère Millau s'y mettait ? Elle aussi, elle voulait savoir s'il s'agissait de Sophie ?

— Écoutez Thérèse... (Elle l'appelait par son prénom car elles s'étaient connues avant que Thérèse Petchot ne devienne Mme Millau.) Ce n'est pas parce que je connais Sophie que...

— Taratata... rien de tout ça. Je ne viens pas pour vous parler de cette rumeur idiote. Je viens vous parler de cette histoire merveilleuse qui arrive à la petite Soubirous. Vous la connaissez ? Elle habite rue des Petits-Fossés. Sa mère Louise est ma lingère et elle est amie de la vôtre, Marie Abadie

Soulagée, Antoinette s'apaisa, elle se rappela la petite

qu'Abel avait rencontrée à l'aube dans les bois. Elle s'était renseignée et on lui avait parlé de cette petite Soubirous qui s'appelait Bernadette et qui allait aux fagots, aux os ou aux moutons, toute seule ou avec sa petite sœur et son petit frère. Sans y penser et très spontanément elle raconta le récit d'Abel à Thérèse :

— Voilà ce que m'a dit ce hussard, je pense que c'était la petite dont vous parlez.

Thérèse resta un instant muette, puis elle se décida à poser une question qui mit Antoinette sens dessus dessous :

— Et depuis quand vous fréquentez les hussards, vous, Antoinette ?

Thérèse avait compris et Antoinette le sut immédiatement. Elle essaya de se défendre :

— Vous vous trompez, Thérèse, il n'y a rien entre moi et ce hussard et je...

Thérèse posa la main sur le bras d'Antoinette en signe de paix :

— Calmez-vous. Je sais. Et pour Sophie je sais aussi qu'elle n'est pour rien dans cette histoire de la grotte. Mais attention ! Ils sont nombreux ceux qui profiteront de cette rumeur idiote, à laquelle ils ne croient pas plus que moi, pour lui faire du mal. Dites-lui de faire attention, quand on prend un amant il faut savoir les risques que l'on encourt. Et quand on est la femme du pharmacien, il faut se méfier doublement. Ces messieurs sont tous très jaloux des femmes de leur milieu. Alors ! les tromper avec un hussard ! Vous imaginez !

Antoinette baissa la tête mais Thérèse continua. Elle était venue pour parler d'autre chose :

— Écoutez, Antoinette, j'ai confiance en vous. Vous êtes une femme sûre et vous avez comme on dit la tête sur les épaules. Je vous sais croyante, mais vous n'avez rien d'une bigote, vous pouvez m'être d'une aide précieuse.

Antoinette releva le nez, perplexe. Thérèse lui expliqua qu'elle avait décidé d'aller le surlendemain en personne à la grotte avec Bernadette Soubirous, très tôt pour ne pas être dérangée, sur les six heures du matin. Elle en avait assez de tous ces gens qui parlaient sans vérifier, d'un côté comme de l'autre. Elle trouvait incroyable qu'on parle autant de cette petite sans même faire l'effort de la rencontrer ou d'aller sur place avec elle.

— Quand même ! dit-elle à Antoinette d'un ton agacé, la grotte de Massabielle, c'est pas au fin fond de l'Amérique, c'est juste à cinq cents mètres, de l'autre côté du château ! Au lieu de faire tant de discours dans leurs fauteuils bien confortables, ces messieurs feraient bien mieux de chausser leurs bottes et d'aller voir concrètement sur le terrain ce qui se passe. Ça leur prendrait à peine une heure, et encore ! Au lieu de ça, ils ne bougent pas et cet idiot de Callet, qui ne sait rien garder pour lui, m'a dit que le commissaire compulsait son livre de droit pour savoir si la petite troublait l'ordre, ou si, selon ses papiers, elle ne le troublait pas encore ! Comme si leurs paperasses allaient leur donner la réponse ! On croit rêver ! Quant à monsieur le maire, Hortense m'a dit cette phrase incroyable que lui a rapportée son mari : il paraît qu'il est « sur ses gardes ». Sur ses gardes ! Devant une petite de treize ou quatorze ans à peine ! Non mais, et sur quoi il serait alors si on était envahis par les Prussiens ! Je vous jure, Antoinette, quels idiots ! On a bien ri avec Hortense. Enfin tant pis pour eux ! Moi, j'ai décidé d'y aller. Vous venez avec moi ?

— Mais pourquoi moi ? demanda Antoinette. Et ces dames ?

Thérèse expliqua que, au cas où il se passerait quelque chose, elle voulait quelqu'un de sûr et de bien considéré dans la ville pour pouvoir en témoigner avec elle. Car « ces dames », là-haut, ne souhaitaient pas prendre part à une initiative qu'elles jugeaient prématurée, voire déplacée. Se rendre à la grotte sur la foi d'une pauvresse, ce n'était pas leur genre. Antoinette réfléchit : Thérèse Millau était une bonne cliente, la petite Soubirous une bonne petite, elle accepta.

Six heures n'avaient pas encore sonné quand Thérèse frappa à la porte d'Antoinette, ce jeudi 18 février 1858.

— Vite, Antoinette, vite, qu'on ne nous voie pas partir à la grotte avec Bernadette. Il manquerait plus que l'un ou l'autre nous suive, tout serait fichu.

Antoinette était déjà prête et elle attendait dans le petit vestibule. Par-dessus la cape de bure que son père mettait pour aller à la chasse, elle jeta prestement un gros châle de laine qu'elle remonta autour de son visage et tourna d'une main ferme la clef dans la serrure de sa porte. Deux fois.

— Voilà, voilà, j'arrive. (Puis regardant Thérèse de la tête aux pieds :) Eh ! Vous y allez comme ça ?

Sur une robe en mérinos, Thérèse avait mis une redingote de drap gris clair bordée d'une peluche de couleur marron assortie à la couleur de sa robe. Sur la tête elle avait noué une capote de velours noir ornée sur chaque coulisse d'un petit froncé de ruban de velours satiné marron qui ne convenait d'ailleurs pas du tout à sa figure trop ronde. Il se dégageait de l'ensemble de ces matières un mélange de chic et de légèreté tout à fait inadapté à la circonstance. Et quand Antoinette vit les bottines de Thérèse, sa stupeur fut totale.

— Des bottines ! dit-elle en soulevant sa cape et en désignant les gros sabots qu'elle avait aux pieds. Mais, voyons, Thérèse ! Vous n'y pensez pas, vous avez vu la boue qu'il y a partout. Moi j'ai mis les sabots, vos bottines vont y rester, vous ne connaissez pas la boue de Massabielle, ça se voit ! Méfiez-vous, vous n'allez pas pouvoir passer. Et puis, vous n'êtes pas assez couverte ! Le vent souffle là-bas, dix fois plus fort qu'ici ! Et votre beau manteau gris clair ! Il ne s'en remettra pas, vous verrez !

Thérèse fronça les sourcils, visiblement ennuyée. Elle avait pourtant revêtu non ce qu'elle avait de plus beau mais plutôt ce qu'elle avait de plus confortable et de plus chaud. Quant aux sabots, elle n'en avait plus porté depuis fort longtemps. Mais la remarque d'Antoinette l'inquiéta car son esprit d'économie rechignait à envisager qu'elle risquait d'abîmer quoi que ce soit. Cependant, comme de toute façon il était trop tard, elle se dit qu'Antoinette, connue pour sa méticulo-sité, devait exagérer.

— Allez, allez, un peu de boue, un peu de froid, c'est pas ça qui va m'arrêter. Venez, on y va.

Et elle fila en direction de chez Soubirous, suivie par une Antoinette dubitative.

Effectivement, après qu'elles eurent pris Bernadette et dépassé le pont du gave, dos au château, le paysage changea totalement. Thérèse n'avait jamais eu l'occasion de venir de ce côté-ci de la ville. Un vent glacial s'engouffrait le long des eaux et vous saisissait à peine franchie la porte du Baous, une porte de pierre qui fermait la ville autrefois. Au-delà, le chemin qui descendait à Massabielle était un petit sentier étroit, plein d'ornières et de boue sur lequel les cochons de Samson passaient deux fois par jour. Rien à voir avec les dalles de pierre bien ajustées de la place Marcadal. Ouvrant la marche, Bernadette allait d'un pas sûr, posant ses sabots sur une motte d'herbe, sur un caillou, sur un bout de roche, évitant avec aisance les flaques de boue et les ornières rem-plies d'eau terreuse. Antoinette la suivait tant bien que mal, elle ne voyait de la petite que le mouvement souple de sa cape de bure marron qui bougeait au rythme de ses sautille-ments. Antoinette était en admiration devant tant d'agilité et de précision. Au bout d'une demi-heure de marche envi-ron, elles furent interrompues par un cri :

— Attendez ! Attendez-moi ! Pas si vite !

C'était la voix de Thérèse, loin derrière, qui demandait grâce. Bernadette s'arrêta net et se retourna. Antoinette, pour la première fois, se trouvait face à la fillette et vit enfin sa figure : sa beauté la stupéfia. Sous son capulet blanc, Ber-nadette montrait un visage à l'ovale fin et bien dessiné, un nez droit, une bouche nettement ourlée et de grands yeux sombres très intenses. Antoinette fut d'autant plus surprise qu'elle ne s'était pas imaginé une seule seconde que cette petite pauvresse pût être belle. Or Bernadette l'était, indé-niablement.

— Vous allez beaucoup trop vite ! Je vais me rompre les os !

Thérèse venait de les rejoindre. Elle était écarlate, transpirait à grosses gouttes malgré le froid et peinait à reprendre son souffle. Ses bottines étaient couvertes de boue, le bas de son manteau gris avait pris une couleur brunâtre et son chapeau était légèrement de guingois :

— Diable ! Mais où on va comme ça, c'est loin ? demanda-t-elle à Bernadette.

La petite se mit à rire. Elle faisait preuve d'un grand naturel et ne cherchait pas à cacher l'amusement que lui procurait le fait de voir Thérèse dans cet état. Elle pointa le doigt en direction d'une masse rocheuse en face de la boucle du gave, à une centaine de mètres environ :

— Non c'est pas loin, c'est là.

Et, sans plus attendre, elle reprit le rythme de ses sautillements en direction de la roche.

Quand Thérèse et Antoinette arrivèrent près de la grotte, Bernadette était déjà à genoux sur les cailloux du gave. Elle priait.

Pour s'approcher d'elle, il fallait traverser une sorte de saligue, mélange de prairie boueuse, de petits courants d'eau du gave et de cailloux. Thérèse était exténuée, elle émit un lourd gémissement et s'affala contre un gros rocher. Antoinette eut un mal fou à la remettre debout.

— Je n'en peux plus, je n'en peux plus, disait Thérèse en grimaçant et en montrant le bas de ses vêtements. Vous aviez raison, Antoinette, c'est des sacs à pommes de terre qu'il faut mettre pour venir ici et des gros sabots pleins de paille ! Regardez mes bottines ! Oh !

— Allons, allons, ce n'est pas le moment de flancher, venez, il faut aller jusqu'au bout, répliqua Antoinette.

Et, montrant l'exemple, la couturière, rassemblant le bas de sa robe pour éviter de le laisser tremper dans l'eau ou la boue, tenta d'appliquer la méthode de Bernadette et chercha les mottes de terre sèches et les gros cailloux pour y poser les pieds. Thérèse, pleine de bonne volonté, la suivit, mais, après quelques sauts réussis elle glissa et tomba genoux en avant dans un filet d'eau. Si Antoinette, délaissant toute précaution, lâchant sa robe et marchant dans l'eau et la boue n'était pas venue la relever, elle y serait encore.

— Ah là là ! glapit Thérèse pendant qu'Antoinette l'aidait à se remettre d'aplomb, si j'avais su que c'était un endroit pareil !

— Et où vous croyiez aller, s'énerva Antoinette, à l'église ?

— Ne vous énervez pas, Antoinette, dit Thérèse pleine de bonne volonté, je savais bien que ça ne serait pas un chemin de roses, mais à ce point !

Puis, rassemblant tout son courage, retrouvant sa légendaire énergie, elle marcha jusqu'au pied de la grotte, droit devant, sans tenir aucun compte de quoi que ce soit. Eaux glacées, boue, ornières, rien ne l'arrêta. Antoinette la suivit. Quand elles furent près de Bernadette, leur allure générale était transformée. Une vraie métamorphose. Les deux dames avaient disparu laissant place à deux miséreuses. Leurs pieds étaient trempés, le bas des robes et des manteaux collés de terre humide et, sur tout le devant jusqu'aux genoux, Thérèse était couverte de boue. Le châle d'Antoinette avait été emporté à deux reprises par les rafales et elle l'avait ramassé dans un tel état qu'elle n'avait pu le reposer sur sa tête. Du coup, le vent s'était engouffré dans sa chevelure lui faisant une tête de folle. À côté des deux femmes, Bernadette, la petite pauvresse, paraissait un modèle d'élégance et de netteté. Son capulet blanc bien posé sur sa tête retombait le long de ses épaules. Usé, reprisé mais impeccable, propre. Sa jupe de bure et son tablier n'étaient même pas mouillés, seuls ses sabots étaient crottés, et encore, à peine. Cependant que Thérèse reprenait son souffle à grand bruit, la très soigneuse et très professionnelle Antoinette ne put s'empêcher de le remarquer et d'en être époustouflée. Tout en réfléchissant à la manière dont la petite s'y était prise pour éviter toutes ces embûches, elle réalisa que son environnement s'était modifié. Thérèse était totalement silencieuse.

On ne l'entendait même plus respirer. Bernadette chuchotait sans bruit, le visage tendu vers la petite grotte ouverte dans la roche, face à elle. À quelques dizaines de mètres à peine, le long du gave, le vent sifflait très fort, soulevant l'écume des eaux et les débris de feuilles noirâtres qui traînaient çà et là entre les cailloux ou que la boue avait emprisonnés. Et pourtant Antoinette l'entendait à peine. Puis elle l'entendit de moins en moins, jusqu'à ce que plus aucun son ne lui parvienne. Rien. Plus un bruit, plus un souffle. Antoinette ne devait jamais oublier ce moment, vide de toute résonance. Elle fixait le mouvement des eaux mais ne l'entendait pas. Le vent soulevait l'écume blanche qui retombait en milliers de gouttelettes au gré du souffle qui les éparpillait sur la saligue... Puis le son revint lentement.

— Voilà, ça y est, je l'ai !

Antoinette se retourna vivement. Thérèse venait d'extirper de son corsage une feuille de papier et un crayon. Elle s'avança vers Bernadette qui n'avait pas bougé et lui dit tout doucement en bigourdan de demander à la dame si elle voulait bien y inscrire son nom. Antoinette se rendit compte que ses oreilles percevaient à nouveau les sons dans leur diversité et leur tumulte. Au fur et à mesure que les sons se faisaient plus nets, l'atmosphère devenait elle aussi plus réelle, plus palpable. Un froid intense enveloppait la couturière qui sentait le gel dans ses sabots trempés d'eau et de boue. Un air glacial transperçait la laine de sa cape, les plis de son châle et pénétrait jusque sous sa robe. Elle pouvait à peine bouger. Thérèse avait fini par s'agenouiller près de Bernadette et toutes deux priaient, calmement. Leurs voix pourtant si différentes s'harmonisaient et elles glissaient d'un mot à l'autre, d'une prière à l'autre dans une parfaite régularité. À cet instant, seule Antoinette semblait encore de ce monde. Elle regardait pour l'imprimer à jamais dans sa mémoire cette scène incroyable : deux êtres que tout semblait séparer, l'âge, l'argent, la beauté, et qui priaient ensemble dans ce cloaque, transfigurées par une ferveur immense qui rayonnait de la figure limpide et tendue de la petite Bernadette jusque sur le pauvre visage abîmé de Thérèse Millau. Le vent près du gave s'était calmé, et la grisaille de l'hiver qui se prolongeait pesait sur le paysage désolé. La roche suintait, la saligue était noire et les arbres nus. En toute conscience et en toute lucidité, très posément, Antoinette, à son tour, s'agenouilla dans l'eau et la boue. Thérèse la regarda, lui fit un sourire et lui prit la main, les yeux humides de larmes. Antoinette lui rendit son sourire et pressa sa main dans la sienne. Elle ne savait pas pourquoi Thérèse pleurait, elle ne savait pas non plus de quoi elle la consolait, mais elle sentait que ces gestes simples faisaient naître en elle une force nouvelle, pleine d'amour et de compréhension.

Sur le chemin du retour, elles ne parlèrent pas, imprégnées qu'elles étaient de ce moment si fort. Thérèse et Antoinette virent Bernadette s'arrêter, puis filer rapidement vers le gave, se pencher et saisir des choses qu'elle enroula ensuite dans le bas de son tablier. Quand elle fut revenue sur le sentier, Antoinette ne put s'empêcher de lui demander ce qu'elle avait ramassé.

— Des os, dit Bernadette, je les ai vus de loin.

— Des os ! s'exclama Thérèse, et qu'est-ce que tu fais avec ces os ?

L'explication était simple et Bernadette la leur donna avec une grande simplicité. Un panier d'os vendu chez la chiffonnière Letchina, c'était un demi-pain chez Maisongrosse, et ajouta-t-elle en riant, toute contente en désignant son tablier roulé :

— Ça fait plus d'une semaine que j'en cherche tous les jours mais là, c'est bon. Avec ça et ceux qui sont à la maison, je vais pouvoir aller ce soir chez Letchina, et, en rentrant, je prends le pain.

Elle se remit à grimper, luttant contre le vent avec une énergie incroyable pour ce corps si frêle, fière, suivie par les deux femmes stupéfaites. Une semaine dans cette pourriture pour un demi-pain ! Thérèse était bouleversée, elle n'avait jamais entendu parler de ça. Antoinette non plus. Elle savait bien que les petits enfants traînaient dans ce coin, mais elle pensait qu'ils venaient jouer ou chercher du bois. En tout cas elle n'imaginait pas des conditions aussi dures, aussi violentes. Le chemin du retour fut encore plus éprouvant que l'aller. Le vent chargé du froid des hauts glaciers venait de face. Il s'engouffrait entre les deux collines et, avec une force terrible, concentré et puissant, cinglait les visages, brûlait la peau. Elles ne savaient plus comment se protéger. Si elles tentaient de mettre les mains sous les plis de laine de leurs manteaux, il leur fallait les ressortir immédiatement pour trouver un appui ou tout simplement pour maintenir leurs vêtements autour d'elle. Enfin elles pasèrent la porte du Baous et retrouvèrent la protection de la ville.

Quand Antoinette tourna à nouveau la clef dans la serrure de sa porte et entra dans son vestibule, il s'était passé plus de trois heures. Les deux femmes avaient raccompagné Bernadette chez elle, et Thérèse s'était attardée chez les Soubirous. Antoinette l'avait laissée, déclinant l'invitation à entrer, le logement lui avait paru noir, exigu. Une odeur insoutenable émanait du fumier entreposé dans une arrière-cour et elle n'avait qu'une hâte, se changer, se laver, se chauffer, revenir à la vie. Recroquevillée maintenant devant le poêle, tout en frictionnant ses mains et ses pieds bleuis de froid, Antoinette hésitait. Avait-elle fait un rêve ou un cauchemar ?

Pour Sophie, la journée s'était déroulée, identique aux autres, c'est-à-dire vide. Vide de toute activité, vide de sens. Louisette avait tout essayé, la tendresse, la colère, les menaces, rien n'y faisait. La belle chocolatière n'était plus que l'ombre d'elle-même. Le matin elle enfilait un peignoir d'intérieur et elle passait son temps allongée sur sa méridienne près de sa fenêtre, à guetter le passage d'Abel sur la place. Le soir elle y était encore, prête pour le cas où il passerait pendant la nuit. Elle s'endormait là jusqu'au matin. Et la journée suivante recommençait, comme la précédente. Abel ne pouvait que venir, elle en était sûre. Louis ne disait rien. Du moment que la folie de sa femme avait lieu entre leurs murs épais et que rien ne transpirait à l'extérieur, elle pouvait bien faire ce qu'elle voulait, il s'en moquait. Louisette et Mélanie s'occupaient parfaitement du bébé. Louis n'en demandait pas plus pour l'instant.

La lumière en ce mois de février baissait vite en fin de journée, et Louisette se dit que le moment était venu de monter le thé. Sophie regardait par la fenêtre. Sans même daigner tourner la tête vers le plateau que Louisette posait près d'elle, elle demanda l'heure d'une voix à peine audible. Louisette rugit :

— L'heure ! Quelle heure il est ? Et qu'est-ce que ça peut vous faire puisque de toute façon vous ne bougez pas, que vous restez là allongée comme un légume à attendre on ne sait quoi !

D'un pas décidé elle s'approcha de la fenêtre et montra la place Marcadal.

— Vide, elle est vide, la place. Il ne viendra pas, il ne viendra jamais, vous l'avez compris ça maintenant ! Vous feriez mieux de vous lever, de vous habiller, et de vivre ! De vivre ! De quel droit vous vous laissez aller comme ça, hein ! De quel droit ?...

Sophie s'était redressée sur sa banquette, elle avait vu quelqu'un arriver sur la place. Louisette s'approcha de la fenêtre et se mit à rire :

— Non, non ce n'est pas Abel ! C'est tout simplement la petite Soubirous avec son petit frère, vous savez, Bernadette, celle qui a vu une apparition à la grotte.

Sophie se redressa tout à fait, puis se leva et vint se coller aux carreaux. Bernadette traversait la place, tenant d'une main un panier et de l'autre son petit frère Justin. La place était grise d'humidité et par endroits, près des maisons, il restait de grosses plaques de neige qui n'avaient pas fondu. D'où elle se trouvait, Sophie ne voyait de Bernadette que son capulet blanc et le bas de son visage. « La voilà, se disait-elle, celle qui a raconté à tout le monde que j'étais à la grotte avec Abel ! » Bernadette avançait sans se douter le moins du monde qu'elle était ainsi observée, et, au fur et à mesure qu'elle se rapprochait, Sophie eut une certitude. Si Abel ne venait pas, s'il n'avait plus voulu la revoir, c'était à cause de cette gamine. Lui aussi il avait eu vent de cette rumeur et, du coup, il ne pouvait plus se montrer en ville, il ne voulait pas lui faire prendre le moindre risque. L'idée que Bernadette était la seule responsable de son malheur n'eut aucun mal à faire son chemin dans son esprit fatigué et meurtri. Elle tenait à peine sur ses jambes – depuis trois jours elle n'avait rien avalé à part un peu de thé –, mais cette révélation soudaine de la culpabilité de Bernadette la mit dans un tel état qu'elle décida qu'il lui fallait parler à cette petite. Immédiatement. Il fallait lui demander pourquoi elle avait inventé ce mensonge odieux qui brisait sa vie. Et, sans attendre, elle dévala les escaliers. Ses petits escarpins d'intérieur étaient si fins et si légers qu'elle les perdit aussitôt, mais cela ne l'arrêta pas. Ce n'est que lorsque ses pieds nus foulèrent les dalles grises et mouillées de la place que le froid la réveilla. Son peignoir flottait autour d'elle et ses cheveux dénoués tombaient sur ses épaules. En un éclair Sophie retrouva suffisamment de lucidité pour se rendre compte de la situation. Mais il était trop tard. Bernadette et son petit frère la regardaient, stupéfaits. Sophie ne voyait plus que les grosses maisons cossues qui l'entouraient. De chaque fenêtre, derrière les lourdes tentures dont on voyait les plis, elle imagina qu'on l'observait, qu'on la jugeait. Elle crut entendre les rires gras des hommes, les méchancetés aigries des femmes, elle vit les visages hilares devant son malheur et sentit d'un coup une forte oppression déchirer sa poitrine. Il lui fallait agir vite, sortir de là, sortir de cette place où elle était à nu. Alors elle eut ce geste inouï, dont même plus tard elle ne pourrait s'expliquer ni la raison ni la violence. Elle rassembla toutes ses forces et envoya à Bernadette une gifle si puissante que la petite, déséquilibrée, tomba de tout son long sur le pavé. Le panier roula, libérant les os pourris et nauséabonds de Massabielle. Sophie, complètement dégrisée, regarda à ses pieds le trésor misérable des deux enfants. Effrayée, ne comprenant pas d'où venaient ces os, elle s'enfuit non sans avoir eu le temps de lire un désarroi immense dans le regard apeuré du petit garçon au visage blafard.

Rien de ce qui venait de se passer n'avait échappé à l'observation sans faille des clients du *Café Français*. Ils étaient même aux premières loges, douillettement installés comme d'habitude dans leurs clubs en cuir capitonné. L'un d'eux avait vu Sophie sortir et, Louis n'étant pas encore arrivé à cette heure, il avait alerté les autres. Ensuite, tous ensemble, ils avaient regardé la scène se dérouler dans la plus franche hilarité et le plus grand brouhaha. Dès qu'ils virent que la belle chocolatière était en déshabillé, les commentaires les plus sordides fusèrent de toutes part. Lucile était à la cuisine quand elle les entendit hurler, la vieille Catherine leva le nez de ses casseroles :

— Vas-y vite, lui dit-elle, pour qu'ils crient comme ça tous en cœur, c'est qu'il doit se passer quelque chose de pas net.

Lucile arriva dans la salle juste au moment où, dehors, Sophie giflait Bernadette. La scène se déroula très rapidement et l'atmosphère dans le café atteignit un comble d'intensité.

— Ces femmes sont folles !

— Complètement dingues oui !

— Des hystériques ! Ce sont des hystériques ! Vous avez vu comme elle te l'a fait valser !

— Et elle est sortie en chemise de nuit pour ça ! Mais elle est piquée ou quoi, la mère Pailhé ?

— Et les gosses, qui c'est ?

Lucile s'entendit répondre :

— C'est Bernadette Soubirous et son petit frère, ils..

Un énorme éclat de rire l'interrompit.

— La voyante ? Ça alors ! La voilà l'explication. Elle lui a fait payer son apparition.

— En tout cas, elle est tombée bien bas, notre belle chocolatière. Et d'ailleurs... belle, belle... aujourd'hui c'est à voir. On la savait inconséquente, cela avait son charme. Mais folle ! Là, c'est autre chose. Si elle ne sait plus se tenir !

Lucile ne les entendait plus, elle s'était approchée de la vitre. Dehors le petit Justin s'était mis à pleurer et Bernadette, à genoux, tentait de récupérer le moindre lambeau, la moindre brisure des os qui s'étaient éparpillés dans tous les sens. Si le kilo n'y était pas, Letchina ne payait pas, et alors, adieu le pain ! Lucile le savait. Elle sentit les larmes monter à ses yeux et serra très fort les poings dans les poches de son tablier. Ses petits frères de misère étaient là, dehors, seuls et humiliés dans le froid et la nuit qui tombait, et ici, dans la lumière et la chaleur, protégés de la réalité par une vitre de rien du tout, des hommes riaient sans imaginer un seul instant la souffrance et l'atroce inquiétude de ces deux enfants s'ils ne ramenaient pas chez eux le pain tant attendu. Les clients du *Français* riaient des déboires des Pailhé, ils ne regardaient plus vers la place. Sophie ayant disparu, il n'y avait pour eux plus rien d'intéressant. Les enfants, ils ne les voyaient même plus. Ils n'existaient pas. Lucile en faisait la douloureuse expérience.

Seul un homme n'avait pas ri. La scène semblait même l'avoir perturbé et il observait Lucile avec insistance. Jean Davezac aimait bien rire, il n'était ni contre un bon coup à boire, ni un peu de moquerie, mais il n'aimait pas la violence, sous aucune forme. Et moins encore la violence des mots. Or ceux qu'il entendait en ce moment lui donnèrent envie de vomir. Sans rien dire, sous les yeux surpris de ceux qui l'entouraient, il se leva, prit sa cape et sortit. Lucile entendit la porte claquer mais ne se retourna pas. Il alla aider Bernadette à ramasser son pauvre trésor. Quand ce fut terminé et que les enfants furent partis avec leur panier, il s'éloigna vers la rue du Bourg. Dès l'instant où elle l'avait vu rejoindre Bernadette, le cœur de Lucile s'était arrêté de battre et les larmes dans ses yeux avaient séché de stupeur. Elle le suivit du regard jusqu'à ce qu'il ait totalement disparu.

Dans la salle du *Français*, le départ de Jean Davezac avait jeté un froid. Les rires s'étaient calmés. Derrière sa caisse, Hortense Cazaux, un léger sourire aux lèvres, dit à Ida de sa voix lente et posée :

— Je l'ai su dès le début, ce Jean Davezac n'est pas comme les autres... (Puis elle ajouta comme pour elle-même en relevant les yeux et en regardant Lucile qui partait vers la cuisine :) Et je crois bien que je ne suis plus la seule à être de cet avis.

Le soir, après la prière, Marie écouta Lucile qui pleurait en lui racontant ce qui s'était passé. Lucile se torturait intérieurement de n'être pas sortie aider Bernadette et Justin, leur dire un mot. Elle avait abandonné sa petite voisine et elle se sentait salie. Elle se trouvait encore pire que ceux du *Français* qui ne les regardaient même pas.

— Moi, dit-elle à sa mère, je voyais Bernadette qui ramassait les os toute seule, je voyais Justin qui pleurait, j'avais mal, et pourtant je n'ai rien fait pour les aider. Rien...

Un sanglot l'étouffa, elle avait honte. Marie la prit dans ses bras :

— C'est pas bien, c'est vrai. Mais... (Elle montra dans un coin le sac de perles que Lucile avait ramené du marché :) tu as bien su y faire avec le Denis de chez Navarre, et pourtant c'était pas une situation facile. Et tu t'en es bien sortie, alors ! T'inquiète pas, on fait pas toujours bien à chaque fois mais, la prochaine, tu sauras mieux ce qu'il faut faire, et je suis sûre que tu le feras.

Lucile s'endormit, apaisée par les paroles de sa mère. Marie connaissait les mots qui rassuraient, qui aidaient. Elle trouvait une solution, vous donnait des points d'appui. Jamais Lucile ne l'avait entendue crier, gronder, se désespérer. Comment faisait-elle ? D'où sa mère tirait-elle cet inépuisable amour qui lui faisait toujours tout comprendre et tout donner ?

Les yeux grands ouverts, allongée près de Jean qui dormait, Marie sentait monter en elle une colère sourde qui venait du plus profond des âges, de bien avant qu'elle-même existe. Jamais elle n'avait ressenti cela. Elle avait écouté, incrédule, le récit qu'avait fait Lucile. Comment Sophie Pailhé qui leur avait procuré tant de bien-être, à elle et à Lucile, avait-elle pu manifester pareille violence envers Bernadette. Bernadette ! Une pauvre gosse toujours préoccupée de tirer un sou de quelque chose, toujours à traîner les petits derrière elle. Comment pouvait-on la gifler ! Elle qui n'avait rien eu de l'enfance, rien reçu de la vie. Elle qui n'avait jamais mendié que des bouts de mique. « Dans le café les hommes riaient et ne les voyaient pas, ni elle tombée au sol, ni le petit Justin qui pleurait. Elle n'existait pas. » Voilà ce qu'avait dit Lucile : « Bernadette n'existait pas ! » Marie réfléchissait et elle ne trouvait pas d'autre réponse à ses interrogations que cette colère qui venait de si loin. Jusqu'au matin elle garda les yeux ouverts et quand Lucile se leva pour partir, elle fit semblant de dormir. Elle ne voulait à aucun prix que sa fille sente sa révolte, il ne fallait pas qu'elle en veuille trop à ces messieurs du *Français*, ça nuirait à son travail. Lucile était heureuse au café, elle y était devenue une jeune fille soignée, une jeune fille bien. Rien ne devait entacher ce bonheur qui était plus précieux que tout pour elle. Marie se jura qu'elle y veillerait, qu'elle protégerait sa fille. Elle se dit aussi qu'elle irait voir un jour d'un peu plus près à quoi ressemblait ce Jean Davezac. Lucile lui avait parlé de son attitude généreuse mais elle était passée un peu trop vite sur cet épisode pour que cela ne cache pas quelque chose.

Une aube encore glauque pointait entre les mauvaises jointures des volets et de la porte. Les premiers bruits du matin commençaient à se faire entendre, les grognements des cochons de Samson et le son si particulier de sa corne, puis le pas claudiquant de la vieille Rosine Cazenave qui allait à la fontaine chercher l'eau pour sa soupe et aussi celle des voisines qui partaient au bois. Rosine s'occupait de chauffer l'eau pour toutes les maisons et elle gardait parfois un ou deux petits quand il fallait. En échange, les voisines lui ramenaient des fagots. Rosine boitait, mais marchait de manière ferme, et Marie aimait le son de son pas.

« Cette vieille Rosine nous enterrera tous, se dit-elle en se levant et s'habillant, c'est la plus vieille, la plus fatiguée, on la croit tous les jours au bout du rouleau, et pourtant, c'est toujours la première levée... » Soudain, elle tendit l'oreille. Rosine s'était arrêtée et elle n'était pas seule. On entendait un brouhaha dominé par des voix d'enfants. Intriguée, Marie sortit sur le pas de la porte. Des femmes du quartier s'étaient attroupées devant chez Marthe. Il y avait là Germaine Raval, ses deux gosses, Catherine Abadie et les siens, Marthe et ses deux filles, la cordonnière Josèphe Barnique, Bernarde Nicolau et Rosine. Marthe l'aperçut et elle lui fit signe d'approcher. Marie jeta sur ses épaules la cape de son mari, ferma sa porte et les rejoignit. Il faisait encore plus nuit que jour et le gel luisait sur les carreaux des fenêtres et le long des rigoles de la rue.

— Et qu'est-ce que vous discutez comme ça à cette heure avec les gosses ? Vous voulez qu'ils attrapent la mort ou quoi ? Avec ce froid !

— On va à la grotte avec Bernadette, lui répondit Catherine, on venait prendre Marthe mais elle veut pas venir, elle dit que les histoires de Bernadette c'est des âneries.

— Eh oui ! C'est des âneries, explosa Marthe. Les Soubirous, c'est des moins que rien, ils ont été foutus dehors de partout, c'est des fainéants ! Et vous allez croire ce que cette Bernadette raconte ! Bah ! tout ce qu'elle dit, ça vaut rien ! C'est une pauvresse, une ignare, c'est de la guenille !

Marie blêmit. Sans s'en douter Marthe avait touché un point très douloureux chez elle. Une blessure encore à vif. Jamais comme en ce milieu du XIXe siècle, où l'argent régnait en maître et coulait à flots dans les poches des nantis, la pauvreté n'avait été l'objet de tant de mépris. Être pauvre, en cette année 1858, c'était pire qu'une déchéance, c'était un vice. Les mots de Marthe pour Bernadette réveillèrent dans la tête de Marie la phrase que Louis Pailhé avait employée pour parler d'elle : « Jetez-moi cette ivrognasse dehors ! » Elle y pensait tous les jours, c'était une plaie qui saignait. Ce mot, « ivrognasse », Louis Pailhé le lui avait jeté à la figure comme un miroir vous renvoie brutalement votre image. Sans concession aucune pour votre amour-propre et votre fierté. Depuis, elle ne s'était plus sentie tout à fait la même, elle était abîmée, salie, et bien souvent en cachette elle en pleurait. Alors, aujourd'hui, que Marthe, née dans la même rue, vivant à quelques pas dans la même boue que Bernadette, vienne ainsi la renier, elle ne pouvait l'entendre, c'était trop. Beaucoup trop.

— De la guenille ? hurla-t-elle. Bernadette, de la guenille ! Et qu'est-ce que tu es d'autre, toi, Marthe ! Et qu'est-ce que nous sommes toutes ici d'autre que des ignares et des pauvresses. Des pauvresses enlaidies, avachies sous le poids de la misère, écrasées de travail...

La stupeur dans le petit groupe des femmes fut à la hauteur de l'événement. Marie était hors d'elle. Marie si douce, si compréhensive, si aimante, Marie criait, Marie était en fureur. Elle saisit à pleines mains la robe usée, fanée et mille fois reprisée de Marthe :

— Regardez ! regardez toutes. C'est de la dentelle, ça ? Non, c'est pas de la dentelle, Marthe ! c'est de la guenille ! (Puis elle montra à toutes sa propre cape rapiécée, ses mains aux doigts rougis, aux ongles cassés et aux crevasses couleur de terre :) Et ça ? Cette loque portée par mon père, par ma mère puis par mon mari, par moi, et qui tient plus que par quelques fils, c'est pas de la misère ! Et ces mains ! vous croyez que c'est des mains de dame vous ! (Elle se tourna vers Marthe et ses deux filles qui n'avaient pas bougé et qui la fixaient, hébétées, incrédules.) Non, Marthe ! Ces mains ! Tu les vois, tu les vois bien ! Regarde-les, et regarde les tiennes aussi. (Elle hurla :) Toutes, regardez vos mains !

Elle tendit les bras et ouvrit toutes grandes les paumes des siennes. Pétrifiées, les femmes s'exécutèrent, et toutes tendirent leurs mains, même Marthe. Ces mains ainsi tournées vers le ciel avaient quelque chose de terrible. C'était une géographie, une géologie vivante sur laquelle se lisaient les heures, les jours, les mois et les années passées, dès l'enfance, à lier les bottes de paille dure dans les champs sous des chaleurs étouffantes, une paille qui arrache la peau et y laisse des milliers de piqûres. S'y lisaient le gel des eaux du gave, l'hiver qui crevasse l'intérieur des paumes en de larges sillons qui ne se referment jamais. S'y lisaient les griffes des ronces qui déchirent la peau jusqu'au sang, les brûlures de la neige sous laquelle on cherche encore et encore les dernières châtaignes, le dernier fagot. S'y lisaient les travaux des champs, la terre qu'on soulève à pleines mains, les pommes de terre qu'on plante à l'automne, puis qu'on ramasse au printemps. S'y lisait le travail incessant de ces outils vivants, sensibles et meurtris. Ces mains de femmes les unes près des autres, c'était tout à la fois. Les craquèlements de la terre trop sèche en plein soleil d'été, les ravinements des pierres sous l'eau qui ruisselle, l'éclatement des roches sous le gel. Ces mains, c'était le paysage merveilleux et violent d'une terre qui donne, mais aussi qui prend. Et ces mains étaient là, à nu, effrayantes dans leur masse informe, avec leurs doigts noueux et tordus, ouvertes vers le ciel. Les femmes les regardaient, stupéfaites, comme si elle les voyaient pour la première fois. Un silence douloureux planait. Marie, la première, laissa retomber les bras le long de son corps. Elle se sentait vidée. Face à elle, la petite de Catherine, Jeanne, la regardait avec de grands yeux ronds, la morve coulait de ses narines et elle reniflait tant et plus. Marie fouilla dans la poche de son tablier de devant et en extirpa un grand mouchoir à carreaux bleus et blancs avec lequel elle entreprit de la nettoyer :

— Et d'où tu sors toute cette morve toi, petite ? lui dit-elle d'un ton qui avait retrouvé son calme.

— Oh ça, pour la morve, on n'a pas de problème, enchaîna Catherine, contente de sortir de l'atmosphère pesante suscitée par l'intervention de Marie, elle en fabrique tant qu'on en veut.

Les femmes se déridèrent et Josèphe Barnique en profita

pour reparler de la grotte. Après tout elles étaient parties pour y aller, non ? Alors ? Qu'est-ce qu'elles décidaient ?

— Il faut y aller, dit Marie. La couturière et la veuve y ont été hier, elles n'ont pas fait tant de chichis et elles ont eu raison. Bernadette, je la connais depuis qu'elle est toute petite, et je l'ai jamais vue faire ou dire n'importe quoi. Alors aujourd'hui, je comprends pas pourquoi elle se prend des gifles et des insultes...

— Des gifles ! Ah pardon, l'interrompit Marthe, je n'ai giflé personne.

— Toi non, je sais, mais elle s'est quand même pris une grosse gifle hier à cause de ça.

— Et... et qui l'a giflée ?

Marie hésita, elle ne voulait pas dire à Marthe ni aux autres que c'était Sophie Pailhé, elles lui en auraient voulu. Instinctivement, Marie sentait que si Sophie avait agi de la sorte, c'est qu'il devait y avoir une raison. Elle la connaîtrait un jour, elle le demanderait à Louisette. Alors, un peu prise au dépourvu, avec stupeur, elle s'entendit mentir :

— C'est Louis Pailhé, le pharmacien.

Ce ne fut qu'un cri :

— Le pharmacien ! Et de quoi il se mêle celui-là ? Qu'est-ce qui lui prend ?

La grosse Marthe était sortie de ses gonds et retrouvait sa truculence habituelle.

— On va aller lui en mettre une, freluquet comme il est on risque rien et il va comprendre ! Ça va lui faire drôle...

— Non mais c'est vrai, enchaîna Josèphe, elle a raison. De quoi il se mêle ?...

— On n'a qu'à aller à sa pharmacie le lui demander, dit Germaine hors d'elle, elle aussi.

Marie s'interposa, effrayée de la réaction qu'elle avait déclenchée contre Louis Pailhé, même si, au fond de son cœur, elle en éprouvait une certaine jouissance après l'humiliation qu'il lui avait fait subir. Après tout, se disait-elle, Marthe a raison, ça lui ferait le plus grand bien. Elle imagina non sans plaisir Louis valsant sous le revers de la grosse main de Marthe et elle se mit à rire. Puis elle les raisonna. Louis Pailhé, ça n'était pas important, par contre il fallait faire vite si on voulait aller avec Bernadette.

— Vite, les filles, dit Marthe, attrapez les capes et fermez la porte, on part.

Elles s'éloignèrent toutes ensemble, parlant et riant, heureuses. Rosine seule était restée, elle les regarda de loin s'arrêter chez Soubirous puis ressortir avec Bernadette, la veuve Millau et la couturière, plus la tante Bernarde et Louise, la mère de Bernadette. Rosine leur cria de loin, en agitant son bras :

— Je rajoute deux cruches de plus à chauffer, comme ça il y en aura pour tout le monde !

Marie se retourna et lui fit un signe de la main pour montrer qu'elle avait compris, puis le petit groupe des femmes s'éloigna. Le jour se levait. À peine eurent-elles disparu à l'angle de la rue du Baous que le garde Callet surgit par la rue du Porche. Il tomba nez à nez avec la vieille Rosine qui avait encore le bras levé. Stupéfait, il la dévisagea puis regarda la rue dans les deux sens. Rien, la rue était vide. Il s'avança vers Rosine :

— Qu'est-ce que tu fais avec ce bras levé, à qui tu parlais ? C'est toi qui faisais tout ce bruit ?

Rosine, surprise, ouvrit la bouche, puis elle se ravisa et tourna les talons sans daigner lui répondre.

— Non mais, marmonna-t-elle entre ses dents, soudain galvanisée par ce qu'elle venait de vivre, il manquait plus que celui-là ! Il entend du bruit, il rapplique et il pose des questions ! Il a qu'à le trouver tout seul d'où il vient le bruit. Non mais ! Est-ce qu'il nous aide à trouver nos fagots, lui, quand il vient nous engueuler et nous menacer soi-disant parce qu'on ramasse le bois là où il faut pas ? Tu parles ! Toujours là pour nous faire des ennuis et jamais là pour nous aider. Qu'il se démerde tout seul !

Le garde Callet, planté au milieu de la rue, se mit à ronchonner.

— Quelle vieille folle, cette Rosine ! Et qu'est-ce qu'elle

avait à gueuler comme ça en pleine rue à cette heure ? Il a raison le commissaire, c'est toutes des... des... (Il chercha à se rappeler le mot du commissaire puis il eut une lueur :) des « hystriques » ! Voilà, c'est toutes des « hystriques » !

Puis il repartit comme il était venu... C'est ainsi que le garde Pierre Callet rata sans le savoir une information capitale pour M. le maire et M. le commissaire : les femmes étaient solidaires de Bernadette. Il faudrait désormais en tenir compte.

La nouvelle des visions de Bernadette avait fait le tour des vallées environnantes, du département et même du Béarn voisin. Elle s'était répandue d'autant plus vite que le jour où Thérèse Millau et Antoinette avaient suivi Bernadette pour la première fois était un jeudi, jour de grand marché à Lourdes et qu'il y avait foule, comme toujours.

Dès son retour de la grotte, Thérèse Millau s'était empressée de s'y rendre et de raconter aux paysannes auprès desquelles elle se fournissait en légumes, fromage et poulets, l'émotion qui les avait gagnées, elle et Antoinette, dans cet endroit venteux et boueux de Massabielle. Une émotion nouvelle, très douce, et qui ne pouvait venir que d'ailleurs, d'un autre monde que celui des hommes. Thérèse dit la certitude qui était désormais la sienne que la petite disait vrai, qu'elle avait vu cette dame dont elle parlait. Emportée par la fièvre de ce qu'elle venait de vivre, elle employa même le mot « apparition ». Le lendemain, tout le pays était au courant, on commençait à dire qu'il s'agissait de la Sainte Vierge et, dès le samedi, des dizaines et des dizaines de femmes et d'enfants accoururent de partout pour assister à une apparition.

Elles n'allaient pas rester longtemps seules. Deux militaires vinrent voir de plus près ce qu'elles pouvaient bien fabriquer. Avec le garde, ils furent d'ailleurs les seuls à se déplacer. Sur la route qui venait de Tarbes, ces deux hommes galopaient à bride abattue vers Lourdes. Le chef d'escadron Renault, patron des gendarmes du département et son secrétaire, le maréchal des logis Bègue, venaient de recevoir un pli du maréchal des logis d'Angla les avertissant de ce qui se passait : des femmes se retrouvaient depuis plus d'une semaine devant une grotte ! Et leur nombre grossissait de jour en jour ! Il valait mieux aller voir sur place de quoi il retournait. Dans le même temps, à la mairie, Journé, averti par son ami d'Angla du déplacement des gendarmes, se disait qu'il faudrait peut-être faire cesser ce désordre et cherchait la solution avec le procureur impérial Dufour et le maire Anselme Lacadé.

Derrière son lourd bureau de chêne noirci, rehaussé dans ses angles de délicates ferronneries dorées, le maire fulminait cependant que le procureur, calé dans un fauteuil, réfléchissait. Le commissaire, en manque d'action, tournait en rond, visiblement inquiet.

— Moi je ne peux rien faire, dit Lacadé, sauf envoyer ce brave Callet voir ce qui se passe Mais après, terminé. Une fois qu'il m'aura dit que les femmes vont là-bas, je fais quoi moi ? Hein ? Rien. Elles ont le droit d'aller se balader où elles veulent, non ? Moi j'ai rien à dire, je ne dispose d'aucun pouvoir. Ce n'est pas comme vous, messieurs. Vous avez les moyens légaux d'intervenir et je crois qu'il est temps de réagir. Des femmes qui se réunissent comme ça, ce n'est pas bon.

Le commissaire interrompit son va-et-vient, et haussa les épaules d'un air méprisant :

— Allons, allons, n'exagérons pas. Quelques femmes en extase, ça ne peut pas mener bien loin. On va régler ce problème très vite et très facilement, inutile de s'alarmer outre mesure.

— Quelques femmes en extase ! dit Lacadé d'un ton doucereux, mais mon cher commissaire, vous n'y êtes pas. Ce n'est pas l'extase qui m'inquiète, ça, à la limite je trouverais plutôt cocasse. Non, voyez-vous, ce qui est grave, c'est qu'elles se rassemblent. Croyez-moi, c'est très mauvais signe.

Le procureur prit un air hautain, vaguement las et il eut un geste de la main comme quelqu'un qui chercherait à éloigner des mouches :

— Le commissaire a raison, ce ne sont pas quelques femmes qui vont nous poser problème...

Anselme Lacadé bondit sur son siège.

— Ah pardon ! Mille pardons, mais vous faites une grosse erreur ! Ça se voit que vous ne connaissez pas encore bien Lourdes. Sinon vous sauriez qu'ici, quand ces dames bougent, ça n'est pas pour rien et on s'en souvient longtemps. Il y a quelque cinquante ans, elles ont mené une émeute de la faim dont on parle encore dans toutes les familles. C'était le 5 mai 1793, mon grand-père le racontait souvent. Elles ont soulevé les carriers, les ardoisiers, tous les ouvriers agricoles, elles ont attaqué la maison de l'ancien maire Julien Normande, et, à coups de hache, elles ont enfoncé les grainiers. Résultat, la municipalité s'est fait virer par les autorités départementales. On a accusé le maire de négligences, d'incapacité à maintenir l'ordre. Alors moi, aujourd'hui, je prends les devants et je vous préviens. J'aurai fait mon boulot !

Le procureur, un peu déstabilisé par le récit du maire, fronça les sourcils. Il lui revint en mémoire le rapport alarmant que son supérieur hiérarchique, le procureur général de Pau, Falconnet, avait envoyé à Paris. Famine, chômage, la situation économique en Bigorre était catastrophique. On avait recensé plus de sept mille ouvriers valides qui cherchaient du travail. Certes, le rapport datait d'un an, mais tout de même, il valait mieux être prudent et éviter tout regroupement. En tant qu'officier de police judiciaire, nommé par décret, il avait le pouvoir de faire procéder à l'interrogation de Bernadette par Journé. Ce qu'il décida sur-le-champ avec l'accord du commissaire.

— Je vais régler cela rapidement, conclut celui-ci, plein d'assurance. Je sais qui est derrière tout ça. (Et, devant les regards éberlués des deux autres, il ajouta :) C'est la veuve Millau. Elle a pris la gamine chez elle et elle a dû lui monter le coup. Je le ferai avouer à la petite, et tout rentrera dans l'ordre.

— Et pourquoi la mère Millau aurait fait ça ? demanda Lacadé incrédule.

Journé frisotta le bout de sa moustache en souriant :

— C'est une veuve. Maintenant qu'elle n'a plus d'homme elle se languit. Et... (Il fronça à nouveau le sourcil :) je ne suis pas sûr non plus qu'elle ne soit pas guidée par quelques membres du bas clergé.

— Bah ! dit Lacadé, détrompez-vous, ils ne veulent pas se mouiller. Le curé Peyramale a interdit à tous ses prêtres de paraître à la grotte.

— Le clergé est prudent, comme toujours. Il nous laisse agir d'abord, soupira le procureur en se levant, montrant par là même que la réunion était terminée. Et, conclut-il en riant, ils n'ont pas tout à fait tort. C'est vrai que pour les affaires de femmes, on s'y entend quand même mieux qu'eux, non ?

Ce bon mot emporta l'adhésion et ils en riaient encore tous trois bien fort en se dirigeant dans leurs belles cape sombres vers le *Café Français*. C'était leur heure, l'heure du Cercle.

Depuis qu'elle avait giflé Bernadette, Sophie s'était terrée chez elle encore plus profondément qu'avant. Loin de la libérer, ce geste l'avait anéantie. Louisette, qui n'avait pas eu le temps de réagir quand elle était sortie sur la place Marcadal en tenue d'intérieur, était entrée dans une colère noire quand elle avait réalisé ce qui s'était passé. Elle lui avait fait une scène terrible et Sophie avait baissé la tête, sans rien dire. Elle avait en mémoire le regard apeuré du petit Justin Soubirous et le triste spectacle de ces os étalés par terre. Le lendemain, quand Louisette fut un peu calmée, Sophie lui parla de ces os et celle-ci lui expliqua que la chiffonnière les achetait pour les brûler et faire avec du noir de fumée qui se vendait très bien aux imprimeurs. C'était un noir plus gras que celui fait avec du bois qui s'effritait. Il était plus facile à manipuler et il se vendait mieux. Voilà pourquoi les enfants ramassaient des os. Un panier d'os rapportait six sous, et avec six sous on pouvait acheter un pain. Sophie avait écouté sans rien dire ce que disait Louisette. En même temps elle pensait à Abel. C'était pour lui qu'elle avait fait cela. Elle ne voulait pas gifler Bernadette, elle voulait être entendue d'Abel. Et elle espérait secrètement que l'un de ces messieurs du *Français*, bien intentionné, lui en ferait le récit. « Il se demandera ce qui m'a poussée à faire ça, il cherchera à comprendre et il viendra me voir », se disait-elle. Elle cherchait à tout prix à se convaincre que donner une gifle à Bernadette était un acte suffisamment fort, même si elle ne l'avait pas voulu ainsi, pour qu'Abel s'interroge.

Sophie avait vu juste. Sur le chemin de ronde où il venait, chaque fois qu'il le pouvait, reposer son regard des images atroces de la guerre de Crimée qui hantaient ses nuits, Abel s'interrogeait. On lui avait fait le récit de ce qui s'était passé, en insistant bien sur le fait que Sophie était en déshabillé sur la place, et il souffrait. Il ne pouvait imaginer cette femme si belle et si fière dans un état et dans une situation pareils. Il laissa errer son regard. Le pays étalait sous ses yeux l'immense horizon de ses terres multiples. Au nord, les coteaux mouraient doucement vers la plaine de Tarbes qui perdait ses limites dans des filets de brume claire. Au sud, vers l'Espagne, encadrés par les deux petits monts qui enserraient la ville, il voyait briller dans la lumière tranchante de ce matin de février les sommets blancs et purs des Pyrénées. Abel ne savait pas s'il aimait les montagnes. Il était plutôt un homme de la mer fasciné par l'infini bleuté, les horizons vides. Mais ce qu'il savait à coup sûr, c'est que ce paysage, cette ville de Lourdes dans son écrin ouvert étaient une des images les plus apaisantes qu'il lui ait jamais été donné de voir. Les toits d'ardoise grise, le vert des prés en toutes saisons, et le bleu du ciel, les vallonnements si doux produisaient une alchimie profonde qui calmait ses peurs. Il oubliait en les contemplant les angoisses qui le tenaillaient d'aussi loin qu'il s'en souvienne, et qui étaient nées, probablement avec lui, dans ces plaines de Pologne qu'il avait quittées un jour dans les bras de sa mère sans espoir de retour. Abel n'avait jamais pu apprendre d'où venait sa mère, qui elle était vraiment, et elle était morte sans le lui dire. Il savait seulement qu'elle était juive et donc, qu'il l'était aussi. Depuis il s'était débrouillé tout seul. Avec la vie, la faim, la mort. Il n'avait pas de pays et, en regardant celui-ci, en regardant ces toits gris si paisibles à les observer de haut, il en aurait pleuré. Abel se savait condamné à l'errance des cavaliers de nulle part qui vont là où les guerres éclatent. Il avait aimé Sophie d'un amour immense qu'il aurait tant voulu pouvoir donner pour de bon. Mais les femmes comme Sophie, il en avait connu d'autres, raffolent des cavaliers mystérieux à condition qu'elles puissent s'endormir avec eux non pas à la belle étoile qui est le seul lit des grands voyageurs, mais dans la chaleur protectrice d'une maison cossue aux murs épais. Or Abel n'avait rien, que son cheval, son habit et son sabre. Il enviait parfois les bourgeois ronds aux visages lisses qu'il voyait le soir rentrer chez eux et refermer d'un air satisfait les lourdes portes de chêne de leur maison. Il s'imaginait assis dans une de ces bergères enveloppantes, les pieds devant le feu, une soupière fumante sur la table et sa femme en soulevant le couvercle et qui lui aurait dit en souriant avec douceur : « À table ! »

Le monde était ainsi fait. Abel rêvait parfois des bourgeois, et eux, en le voyant passer, frémissaient devant le mystère puissant qui baignait sa figure et son regard sombre, et qui bruissait dans sa lourde chevelure noire. Ils auraient tout donné pour posséder ce magnétisme qu'ils ne s'expliquaient pas mais dont ils constataient, dans le regard troublé des femmes, le sulfureux attrait.

Abel était assis sur le mur du chemin de ronde. Il eut froid soudain et se leva. Il avait entendu parler d'un nouveau départ possible pour l'Italie, et il savait ce qu'il devait faire.

Depuis ses fenêtres, Sophie vit au loin la haute silhouette sur le chemin de ronde et elle eut un pincement au cœur.

Mais elle ne reconnut pas l'homme qui se levait, il était trop loin. Elle pensa qu'il s'agissait du garde de service et elle l'envia de se trouver dans les murs où était Abel. Que faisait en ce moment l'homme qui accaparait toutes ses pensées ? Avait-il su pour la gifle ? Avait-il compris ? Allait-il réagir ? Allait-il venir ? Elle rêvait qu'il viendrait la chercher, défiant tous ceux qui les avaient insultés, et elle guettait aussi Antoinette au cas où il passerait par elle, comme avant. Chaque heure, chaque minute, la belle chocolatière attendait Abel. Le temps était beau et l'air vif en ce dimanche matin. Sophie regardait la place quand les cloches annoncèrent la sortie de la messe, les premiers fidèles sortirent dans leurs beaux habits. Rien qu'à leur mise on devinait s'ils venaient de la ville du haut ou de celle du bas. Sophie reconnaissait les uns et les autres, le couple Estrade et leur fille, les demoiselles Cazalot du magasin de chaussures toujours vêtues de noir. Puis les dames qui portaient pour la plupart de nouvelles tenues, ce que Sophie ne manqua pas de remarquer malgré l'indifférence qui l'habitait. Irma Journé et la femme du procureur arboraient le dernier modèle en vogue, dit « le tyrolien ». C'était un manteau court, garni de nombreuses passementeries et de boutons dorés sur son plastron, qui enserrait la taille puis s'élargissait en larges plis jusqu'à mi-robe. D'un pas lent et mesuré de manière à se faire admirer de tous, elles s'éloignèrent ensemble vers la maison du procureur où, comme tous les dimanches après la messe, elles allaient prendre une collation. Peut-être même y avait-il un déjeuner dominical comme cela arrivait régulièrement, Sophie ne savait pas, Louis ne lui faisait plus part des invitations et les évitait lui-même le plus souvent. Délaissant leurs épouses, les hommes, chapeautés de noir et gantés de blanc, filèrent comme d'habitude au *Français*. Sophie les imagina à leur table de bridge ou à leur billard, leur éternel cigare au bec, tandis que leurs femmes ressassaient leurs langueurs, leurs maux divers et leurs aigreurs, attendant que ces messieurs arrivent pour passer à table, faisant patienter la cuisinière qui ronchonnait parce que ça faisait deux fois qu'elle remettait le canard au four et que, forcément, il serait trop cuit. Sophie se demandait comment elle avait pu vivre parmi eux aussi longtemps, à ne rien faire, ne rien espérer d'autre que cette compagnie de femmes étouffantes et d'hommes absents. C'est alors qu'une rumeur s'éleva du côté de la place du Porche. D'où elle était Sophie ne voyait rien, mais le bruit devenait si fort qu'elle ouvrit les fenêtres. Elle entendit crier, des voix de femmes surtout, et elle se demandait ce qui pouvait bien se passer quand Louisette entra précipitamment :

— Une émeute, madame, il y a une émeute.

— Une émeute ! Comment ça une émeute ?

Louisette se précipita à la fenêtre près de Sophie. Sur la place du Porche, devant le commissariat, elles virent se former un gros attroupement d'hommes, de femmes et d'enfants de la ville du bas qui, eux aussi, sortaient de la messe. Les femmes criaient. Elles haranguaient les hommes, des carriers pour la plupart. Plusieurs se mirent à taper contre la porte du commissariat. Une ou deux fois cette dernière s'ouvrit pour laisser entrevoir le visage inquiet du garde Callet, mais il n'avait pas le temps d'ouvrir la bouche qu'il devait déjà la refermer pour éviter d'être directement pris à partie. En haut de la mairie, derrière les fenêtres, Sophie aperçut le maire qui contemplait la scène à ses pieds et elle trouva étrange qu'il soit là plutôt qu'au *Français* avec les autres, comme à son habitude. « Comme s'il s'attendait à ce qui arrivait », pensa-t-elle.

— Voyez ! hurla Louisette, là-bas, c'est Bernadette ! La petite Soubirous. Vous la voyez, elle sort du commissariat. Ah ! elle est avec Louise, sa mère, et ses tantes. Ah ! y'a aussi le père, François.

— Et qu'est-ce qu'elle a fait pour être au commissariat ? demanda Sophie étonnée.

— C'est à cause des visions, bien sûr, lâcha Louisette.

Sophie resta bouche bée :

— Des visions ?

Depuis le jour de la gifle, elle n'était pas ressortie et

Louisette s'était bien gardée de l'informer de ce qui se passait en ville, pensant que ce n'était pas bon de reparler de circonstances auxquelles Sophie et Abel avaient été mêlés malgré eux. Elle était sûre de toute façon que ces histoires s'arrêteraient très vite. Jamais elle n'aurait cru que ça durerait autant, que ça irait aussi loin mais, du coup, elle se dit qu'il valait mieux expliquer la situation à Sophie. Quand elle eut fini de tout raconter, Sophie était abasourdie. Son horizon, longtemps limité aux thés en ville et à l'histoire du catéchisme, s'était considérablement élargi, aéré, après les découvertes que son mari lui avait permis de faire sur le monde des sciences et des idées nouvelles. Elle aimait passionnément cette idée que les hommes, avec leurs cerveaux et leurs intelligences, arrivent à décrypter un univers jusquelà si méconnu. L'infiniment petit et l'infiniment grand commençaient à devenir moins mystérieux et apprenaient à l'humanité beaucoup de choses sur elle-même. Comme Louis, Sophie pensait que des découvertes récentes il ne pouvait advenir que du bien. Face à tant de clarté, à tant d'espérance pour tous les hommes, elle se demandait ce que venait faire à Lourdes cette histoire d'un autre âge.

— Mais comment les gens peuvent-ils croire encore à des choses pareilles ? Ne me dis pas, Louisette, que la foule vient là pour cette histoire de visions !

Louisette, agacée, haussa les épaules.

— Et pourquoi ils y viendraient pas ?

Sophie se retourna vers elle, surprise de son ton :

— Mais... Louisette ! Tu y crois à ces bêtises ? Ne me dis...

— Regardez ! Là ! Là !

Louisette n'écoutait plus. Toute remuée, elle pointait le doigt sur la place. Elle venait de repérer Antoinette au milieu d'un groupe de lingères, des femmes du bas. Stupéfaite, Sophie colla son visage aux carreaux pour mieux voir sa couturière. Et elle n'en crut pas ses yeux.

— Mais, Louisette, vois ! À côté d'Antoinette, c'est Thérèse !

Effectivement, au milieu d'un groupe où l'on reconnaissait Marie, Catherine et Marthe, le manteau cossu de Thérèse, le taffetas brillant de sa robe, le velours soyeux de son chapeau tranchaient singulièrement parmi les toiles ternes et les fichus élimés qui affublaient les autres femmes. Elle paraissait en pleine conversation et faisait de grands gestes. La présence de Thérèse, femme riche habitant sur la place Marcadal et fréquentant les notables, avait quelque chose d'extraordinaire et même d'incongru aux yeux de Sophie et de Louisette. Pourquoi était-elle là ? Louisette eut un étrange sourire :

— Il faut qu'il se passe quelque chose de vraiment exceptionnel pour que la veuve en vienne comme ça devant tout le monde à frayer avec les lingères du bas. Elle qui a passé tant d'années à jouer les grandes dames pour faire oublier d'où elle vient, la voilà dans une émeute ! Y a pas à dire, c'est pas normal.

Maintenant les cris avaient cessé. Avant que Bernadette ne ressorte du commissariat, les cris de la foule étaient haineux, violents. On pouvait craindre le pire. Il s'était passé qu'à la sortie de la messe, le garde Callet était venu prendre Bernadette comme une voleuse et il l'avait emmenée au commissariat. Marie était là, avec les autres, toutes celles qui allaient à la grotte. Ce que le garde ignorait, c'était qu'en touchant à la petite il touchait au cœur de mère de Marie. Dès qu'elle vit l'uniforme du garde, quand il sortit de sa poche d'un air autoritaire un papier officiel, quand elle entendit qu'on allait mettre la petite en prison, Marie avait réagi avec une virulence inouïe. Elle avait poussé un hurlement tel que Callet en avait sursauté de peur et qu'il s'était éloigné au pas de course en tirant Bernadette.

— Une petite de quatorze ans en prison ! Mais ils sont fous ou quoi ? hurlait Marie. Le choléra et la faim tuent nos enfants et eux, comme si ça suffisait pas, ils nous les enferment ! Au nom de quoi ! De quelle autorité ! Qui peut décider une chose pareille ?

Les autres, d'abord saisies par tout ce qui se passait, prirent immédiatement le relais :

— Je vais chercher les hommes chez Poulot ! lança Marthe d'une voix tonitruante, les carriers, dès qu'ils bougent, ils font peur à ces messieurs. Et tu vas voir comme on va les faire bouger, nous ! Ils ont intérêt à la relâcher vite fait la petite, je te le dis moi !

Dès lors tout s'était enchaîné, les femmes avaient soulevé le cœur des pères et ils étaient arrivés devant le commissariat, prêts à la violence et à l'affrontement si Journé ne relâchait pas Bernadette. Ce qu'il se dépêcha de faire. Une fois que la petite fut dehors, la colère de la foule retomba et les gens se dispersèrent d'eux-mêmes. Au bout d'une heure à peine, tout était rentré dans l'ordre sans que les autorités aient eu à intervenir. Dans son bureau de la mairie, Anselme Lacadé était congestionné, il suait à grosses gouttes et s'essuyait le front. Pour lui, ça avait été comme un orage avec un ciel si noir qu'il s'était imaginé qu'il allait emporter les toitures des maisons, les ponts, les arbres. Et puis, au bout du compte, l'orage s'était transformé en une pluie violente mais brève qui ne laissait derrière elle qu'une grosse frayeur. Anselme donc avait eu très peur. Mais les femmes ne savaient rien de la peur d'Anselme. Elles avaient récupéré la petite, c'était ce qu'elles voulaient. La place retrouva son calme habituel et Sophie, distraite un moment par tout ce mouvement, replongea ensuite dans sa mélancolie. Louisette essaya de profiter de ce qui venait de se passer pour tenter de la faire sortir de ses pensées. Elle s'attarda, remit du bois dans la petite cheminée, rangea deux ou trois choses qui traînaient dans le boudoir. En vain, Sophie ne voyait plus rien, n'entendait plus rien. Son absence au monde atteignait par moments des degrés extrêmes. Le matin, elle ne voulait plus se laver, se coiffer. « À quoi bon ! » soupirait-elle. Louisette supportait de plus en plus difficilement l'état de sa patronne. Au début, elle avait été compréhensive, mais les jours passant, elle la houspillait et se fâchait. Ce que Louisette n'admettait pas, c'était le désintérêt total que Sophie manifestait pour sa fille. Du coup, elle-même redoublait d'attentions pour l'enfant et désormais, le soir, la petite dormait en haut dans sa chambre sous les toits. La première fois que cela s'était produit, Louis était parti à Bayonne et Louisette n'avait pas voulu laisser la petite sans surveillance dans la chambre. Elle n'avait plus aucune confiance en Sophie qui restait dans son boudoir. Aussi, sans rien dire à personne, elle avait récupéré un petit berceau de bois qui était au grenier dans la maison, elle l'avait bien nettoyé, ciré, garni de jolis petits draps, d'une couverture de laine et d'un bon gros édredon. Puis elle avait monté le bébé pour y passer la nuit, et, le matin, elle l'avait remise dans la nacelle suspendue de son magnifique berceau de dentelles blanches, dans la chambre de ses parents. Sophie n'avait rien dit, et Louis avait trouvé que c'était plutôt mieux comme ça. Depuis, tous les soirs après son dernier lait, après que Mélanie l'ait bien changée et baignée, Louisette venait la prendre comme on prend un trésor et montait la coucher pour la nuit dans le petit berceau de bois. L'enfant s'endormait aussitôt, apaisée par tant d'amour, un doux sourire au bord des lèvres. Et Louisette chaque soir en était émue jusqu'aux larmes. De son lit lorsqu'elle-même s'était couchée et que la lune éclairait la chambre d'une lueur bleutée, Louisette la regardait avidement et écoutait dans ce silence nocturne la musique délicate que faisait la toute petite respiration rapide de l'enfant, avec un émerveillement et un bonheur que n'atteindraient jamais, dans son intensité et dans sa pureté, les plus grands mélomanes du monde avec aucune des plus belles musiques qui soient. Il lui semblait, de l'avoir là près d'elle dans cette mansarde, que, désormais, la petite lui appartenait bien plus qu'à son père ou à sa mère.

Dans le boudoir le feu ronronnait à nouveau. Allongée dans sa méridienne Sophie avait repris son attente et près d'elle, dans son vase, la rose fanée d'Abel était couverte de poussière. Louisette la regarda avec découragement et s'en fut.

Dès le lendemain de l'émeute, à l'heure du déjeuner, les clients du *Café Français* brandissaient tous le journal local. *Le Lavedan* racontait les visions de Bernadette d'un ton léger, mais, curieusement, le rédacteur omettait de parler des événements devant le commissariat. L'article n'était pas signé, mais tous savaient que Bibé en était l'auteur. Dès la première ligne il donnait le ton en ouvrant par son point de vue sur Bernadette : « Une jeune fille que tout fait supposer atteinte de catalepsie... » Le mot fit beaucoup rire et comme Bibé concluait son papier moqueur par un : « Nous tiendrons nos lecteurs au courant de cette aventure... », cela devint : « l'aventure de la cataleptique ». Ces messieurs étaient ravis d'avoir trouvé pareille formule et, les jours suivants, le grand jeu consistait à demander : « Et alors ? Où en est l'aventure de la cataleptique ? » Le moqueur provoquait à coup sûr une salve de rires gras.

Mais du côté des représentants de l'ordre le rire n'était plus de mise. Les deux militaires, qui étaient venus de Tarbes tout exprès, s'en étaient retournés en émettant un simple rapport sur ce qu'ils avaient vu à la grotte. Ils ne disaient rien sur l'émeute pour la bonne raison qu'ils étaient déjà repartis quand elle avait éclaté : « Ah ceux-là, râlait le maire, toujours là quand on les attend pas et jamais quand on a besoin d'eux ! » Décidément il semblait que dans cette affaire les hommes s'y prenaient fort mal. Après le temps du mépris vint alors pour eux le temps de l'autorité. Après l'intervention ratée des militaires, ce fut au tour du commissaire Journé, dans sa précipitation à régler le problème, de commettre une sérieuse erreur. L'interrogatoire était illégal. Bernadette était mineure et ne pouvait être interpellée sans passer par ses parents. Or Journé, négligeant toute procédure, était allé la faire arrêter directement à la sortie de la messe.

— Heureusement que ces bougres ne connaissent rien à la loi, l'avertit le procureur, car sinon vous imaginez un peu les problèmes que nous pourrions avoir ?

Le commissaire fulminait. Après l'interrogatoire raté, vu

qu'il n'avait pas pu faire avouer la petite Soubirous, voilà que son supérieur lui mettait sous le nez une faute professionnelle.

— Il faut savoir ce qu'on veut, répliqua-t-il vexé. Moi on m'a dit de faire vite, j'ai fait vite.

Derrière son comptoir, Hortense ne pouvait retenir un petit sourire. Lucile était devenue très complice avec sa patronne, elle courait d'une table à l'autre et, chaque fois qu'elle revenait au comptoir, lui faisait le rapport de ce qui se disait.

L'après-midi, au thé de Thérèse, Hortense fit suivre l'information. Mmes Journé, Dufour et les autres boudaient bien sûr, mais étaient remplacées par une nouvelle venue qu'Hortense eut plaisir à voir, Antoinette. Elles parlèrent tout d'abord des événements et de la grotte, de Bernadette et des apparitions puis Hortense en vint aux réactions de ses clients.

— Beau succès ! leur dit-elle en riant tout en savourant un petit cannelé juste sorti du four, le commissaire rate son interrogatoire et les militaires repartent sans rien voir ! Et pourtant, si vous les entendiez comme je les entends ! Ah ça, ils en bâtissent de grandes stratégies à longueur de journée. Et puis là, devant une gamine qui sait à peine lire, ils font les pires bourdes et s'emmêlent les pinceaux. Et après, bien sûr, pour ne pas changer, ils s'engueulent. Le maire râle après les militaires, le procureur après le commissaire et le commissaire après le procureur.

Thérèse sourit, elle les connaissait bien et ne s'étonnait guère :

— Et il y a même mieux, dit-elle à son tour. Sais-tu ce que les militaires ont fait à leur retour à Tarbes pendant qu'ici il y avait tout ce mouvement ? Non ? Je te le donne en mille. Ils ont tranquillement écrit leur rapport !

Hortense manqua s'étouffer et elles rirent longtemps toutes les trois en évoquant ces hommes qui compulsent des dossiers, des lois, se réfugient derrière des textes, et écrivent des rapports.

Abel avait changé de direction. D'habitude quand il allait faire courir son cheval le dimanche il partait en direction du nord-est, suivait la route qui va vers Pau, puis la quittait pour atteindre un plateau venteux couvert de landes, de bruyères et de marécages. Quand il était sur ces terres incultes et sauvages, Abel éprouvait des sensations étranges. Délivré de tout, collé à sa monture avec laquelle il ne faisait plus qu'un, il galopait comme un fou pendant des heures parmi les bruyères, soulevant des nuages de poussière, faisant jaillir l'eau des marais en grandes éclaboussures. Il sentait monter en lui des vagues étourdissantes de liberté, d'air et d'infini. Il traversait le vaste plateau désert en criant comme un possédé, hurlait et faisait des figures inouïes, se couchant parfois le long du flanc de la bête en laissant sa tête frôler les herbes folles. Quand il n'en pouvait plus, quand l'animal était en sueur, alors seulement il s'arrêtait. Mais il ne descendait jamais de son cheval et ils restaient tous deux un long moment, soudés et immobiles. Dans le calme revenu on entendait le bruissement du vent qui balayait la lande et, çà et là, perçaient d'étranges cris d'oiseaux. Ensuite ils prenaient lentement le chemin du retour. Abel revenait chaque fois éperdu et brisé, avec le sentiment d'un grand vide qui succédait au plaisir ambigu qu'il éprouvait à courir ainsi comme un fou. Toujours, il rentrait par la route de Pau parce que c'était le plus simple et qu'à ce moment-là il n'avait plus envie de rien. Mais, ce dimanche, il décida de changer de direction. Il suivit un chemin plus compliqué qui traversait la forêt puis revenait dans la ville par le sentier du Baous. Il avait demandé à rejoindre en Italie les missions que l'empereur y envoyait depuis quelque temps. Cela lui avait été immédiatement accordé. Il partait le lendemain et savait que cette course sur la lande serait la dernière. Alors il voulait revoir la forêt qu'il aimait tant et où, au cours de ses nombreuses sorties d'entraînement, il avait si souvent pensé à Sophie.

Au niveau de la roche de Massabielle devant laquelle passait le sentier, il vit un nombre important de femmes et d'enfants regroupés près de la grotte. Il y en avait une bonne centaine. Surpris, il s'arrêta et les observa un moment de loin. Là-haut dans la forteresse la rumeur de la ville filtrait peu. Cependant l'émeute avait fait beaucoup de bruit et il avait entendu parler de cette histoire de visions et de femmes « hystériques ». Or ces femmes qu'il voyait là étaient toutes très calmes. Certaines priaient à genoux, d'autres, un peu à l'écart, parlaient entre elles, il en vit même qui donnaient le sein à des nourrissons dont on devinait la forme minuscule dans les couvertures de laine brune qui les enveloppaient. Quant aux enfants ils jouaient tranquillement entre les flaques d'eau et de boue de cette saligue comme si elle eût été un terrain de jeu idéal et sans danger alors qu'à quelques mètres à peine le gave charriait tout ce qu'il pouvait emporter sur son passage dans des eaux fortes et glacées. Abel regardait cette scène étonnante dans un endroit si peu fait pour elle et qui dégageait pourtant un souffle paisible et heureux. Portés par le vent il entendit venir jusqu'à lui des plaintes, des pleurs, des rires et des chants en cette langue occitane qu'il ne comprenait pas, mais qui lui rappelait par son mystère la magie de celle que parlait parfois sa mère quand elle était seule le soir et qu'elle avait le mal du pays. Il se souvint avec émotion de ces soirées où, après être rentrée, épuisée de quelque travail, elle psalmodiait de douces litanies qui ressemblaient pour lui à des mélodies. Ces tout petits moments du soir où la paix et le sourire revenaient sur le visage de sa mère en prière avaient été les plus beaux moments de l'enfance solitaire d'Abel. Les seuls moments où il avait pu imaginer ce qu'était le bonheur. Il resta là longtemps sur son cheval à regarder les jeux des enfants et les femmes en prière et ne put s'empêcher de penser aux autres femmes qu'il avait croisées ici et ailleurs et qui, dans des langues inconnues et multiples, priaient des dieux différents avec la même ferveur et la certitude que le bonheur existe pour les hommes ici-bas.

Une heure plus tard il était devant la maison d'Antoinette. Celle-ci le vit arriver à cheval par la fenêtre et, n'en croyant pas ses yeux, se précipita pour lui ouvrir la porte. Quelques minutes plus tard ils étaient attablés devant un café dans l'atelier près du poêle. Des morceaux de tissu, du fil, des aiguilles, un dé à coudre, Abel ressentait une harmonie se dégager de cet atelier qu'il imaginait, même au plus fort du travail, rempli de paix et d'intimité féminine. Sans rien dire il but une gorgée de café, étendit ses longues jambes et poussa un soupir de plaisir. La venue d'Abel, si improbable après la façon très sèche avec laquelle il l'avait quittée lorsqu'elle lui avait rendu visite au château, avait littéralement coupé les jambes et la voix d'Antoinette. Souriant, il avait tranquillement attaché son cheval et était entré comme s'il était venu la veille, comme s'il n'était jamais parti. La colère qu'Antoinette ressentait, ses interrogations devant son attitude s'étaient dissoutes en un clin d'œil du fait de sa seule presence. Il avait demandé du café qu'elle lui avait offert et maintenant, radieuse, elle attendait qu'il parle. Mais quand il le fit, ce fut pour lui planter une flèche en plein cœur :

— Je pars demain pour l'Italie... S'il y a une guerre là-bas d'ici peu, ce dont je suis persuadé car les enjeux y sont trop important pour l'empereur, elle sera violente et je ne crois pas que je revienne un jour. Je suis venu vous dire adieu.

Antoinette ne cilla pas. Elle reposa sa tasse et resta impassible. Son sourire avait disparu et son visage s'était fermé. On ne pouvait plus rien y voir qu'une pâleur extrême. Abel se sentit mal à l'aise. Il ramena ses longues jambes sous lui, appuya ses coudes sur la table et, un peu gauche soudain, lui demanda :

— Qu'y a-t-il, Antoinette ? Vous ne dites rien ?

Il insista :

— Vous m'en voulez pour la dernière fois, c'est ça ?

Antoinette le regardait maintenant avec des yeux fixes, elle ne comprenait pas ce qu'il lui voulait, ce qu'il venait chercher. Il se mit à parler d'une voix lente :

— Je n'ai rien, Antoinette. Rien. Ni maison, ni pays, ni

famille. Vous imaginez-vous ce que c'est que de ne rien avoir, vous qui vivez ici dans un pays aussi beau et dans une maison qui vous appartient ? Une maison où vous pouvez inviter qui bon vous semble ?... Je suis hussard, ma vie se résume à ça, je pars du jour au lendemain et pour ne jamais être sûr de revenir, et même si je revenais je n'ai nul endroit où attendre qui que ce soit. Et quand bien même, imaginez-vous une femme comme Sophie en train de m'attendre quelque part ? Jamais ! Jamais une femme comme elle ne pourrait le faire. Comment voulez-vous que Sophie puisse entrer dans ma vie ?...

Antoinette ne put se retenir de hurler.

— Mais ! Mais c'est vous qui l'y avez faite entrer ! C'est vous ! Et maintenant...

Il l'interrompit, le visage soudain dur.

— Maintenant il y a un enfant et ce ne sera plus jamais comme avant. Tant qu'elle était seule, et malgré ce que je viens de vous dire, tout était possible et je peux vous le jurer, malgré toutes ces incertitudes, ces différences, j'étais prêt à tout.

Il s'arrêta de parler et resta un instant silencieux. Abel ne voulait pas laisser Antoinette sur l'idée qu'il était lâche, qu'il fuyait en abandonnant une femme, il sentit qu'il n'y avait pas autre chose à faire qu'à dire la vérité, celle qui était aux tréfonds de lui. Quand il reprit la parole, sa voix était grave, profonde, il avait perdu son air buté et ses traits montraient une souffrance qui bouleversa Antoinette

— Je n'ai jamais eu de père... J'ai vécu avec une mère qui ne s'est jamais remise de son absence et qui devait avoir pour lui un immense amour. Je ne sais rien de lui, elle ne m'en a jamais parlé mais dans ses prières parfois elle disait son nom. De l'amour d'un homme et d'une femme, je n'ai connu que la souffrance de ma mère et jamais je ne ferai vivre à un enfant ce que j'ai vécu.

Abel avait parlé d'une seule traite. Pour la première fois de sa vie il parlait à quelqu'un de son enfance, et, même s'il en disait peu, cela représentait beaucoup pour lui qui n'avait jamais partagé avec quiconque ces souvenirs douloureux. La confession d'Abel avait profondément ému Antoinette. Elle essayait de l'imaginer petit garçon, et, du coup, l'homme qu'il était devenu prit en cet instant un autre visage, plus fragile. Comme elle ne disait toujours rien, il pensa avoir parlé en vain et il se leva. Il remit son manteau de hussard et se dirigea vers la porte. Un peu hébétée, Antoinette le regardait qui s'éloignait. Tout se bousculait dans sa tête, elle ne pouvait accepter que cet homme disparaisse à jamais de leur vie. Et Sophie, que dire à Sophie ? Elle avait failli l'oublier et pourtant ! Sophie souffrait, Antoinette le savait et maintenant elle comprenait cette souffrance car elle-même commençait à la ressentir.

— Vous n'avez pas le droit !

Ce fut un cri, un cri désespéré d'Antoinette pour retenir l'homme qui les laissait. Abel avait déjà ouvert la porte. Il s'arrêta, saisi.

— Vous ne pouvez pas partir comme ça sans la voir, sans lui dire vous-même que vous partez et pourquoi.

Antoinette avait parlé vite, sans réfléchir, elle aurait dit n'importe quoi pour qu'il reste, et les mots lui étaient venus sans qu'elle sache comment. Maintenant qu'elle les avait prononcés, elle s'y accrochait. De toutes ses forces elle voulait que Sophie le revoit. Abel hésita et elle s'engouffra dans ce court instant d'indécision avec tout l'amour dont elle se sentait capable. Avant qu'il n'ait bien pu réaliser, elle était déjà dehors et avait refermé la porte sur lui en disant :

— Je vais la chercher, je reviens, attendez-nous.

Puis elle avait couru jusqu'à chez Sophie à perdre haleine, sans s'arrêter. Ce n'est qu'une fois arrivée à l'angle de la place Marcadal qu'un doute lui vint : « Et si c'était pire ? Et s'il valait mieux qu'ils ne se revoient jamais ? » Son initiative de remettre les deux amants en présence lui parut soudain une pure folie. À quoi bon puisqu'il allait partir ! Et l'enfant, la petite Anne, que deviendrait-elle si Sophie et lui, repris par leur passion, partaient ensemble en la laissant ? Alors, au lieu de s'engager sur la place, elle se tourna vers l'église et, sans réfléchir, y pénétra. La pénombre qui régnait sous les voûtes de pierre la frappa. Machinalement elle se dirigea vers l'autel de sa Vierge et ne put retenir un cri : « Sophie ! » La silhouette noire qui était agenouillée près de l'autel et dont on ne voyait que la masse, releva la tête, surprise. Sous le capuchon qui emprisonnait sa chevelure, Sophie était en larmes et Antoinette vacilla. Elle se dit qu'il ne pouvait y avoir eu qu'une intervention divine pour les avoir réunies là en un pareil moment. Sans qu'aucun mot soit échangé, Sophie comprit qu'Antoinette venait la chercher. Elle ne demanda rien, mais s'élança vers la porte de l'église et disparut avant qu'Antoinette réagît. Elle eut à peine le temps de voir la cape sombre de Sophie disparaître sous le porche puis à l'angle de la rue et elle se mit à courir pour tenter de la rattraper. Mais c'était impossible. Portée par son amour, Sophie volait plus vite que le vent, plus vite que les rumeurs, les bruits, les gens qu'elle croisait et qui la regardaient passer, ahuris, se demandant où la belle chocolatière pouvait aller aussi vite et dans un pareil état. Sophie ne voyait plus rien, n'entendait plus rien, sauf cet élan d'amour fou pour celui qui était là, enfin !

Elle tourna rue du Bourg, traversa la rue du Baron-Duprat, fila de l'autre côté et se retrouva à une dizaine de mètres de la maison de sa couturière. Elle s'arrêta pour reprendre souffle et, quand elle releva la tête, Abel était devant elle. Depuis qu'Antoinette l'avait laissé, Abel s'était mis à attendre presque malgré lui. Chaque minute, chaque seconde avaient compté et au bruit de la course qui s'arrêtait dans la rue, tout près, il n'avait pu se retenir et était sorti. Maintenant ils étaient là, face à face. Elle le retrouva tel qu'elle l'avait toujours connu, peut-être plus beau. Il avait ôté sa tunique, et sa chemise blanche entrouverte laissait voir le début d'une poitrine large et brune. Il ne l'avait jamais vue ainsi, pâle, fatiguée, échevelée, avec au fond des yeux une intensité si poignante que lorsque leurs regards plongèrent l'un dans l'autre il manqua en chavirer d'amour. Sophie comprit qu'elle aimait cet homme à jamais et qu'il l'aimait aussi. Et qu'ils étaient suffisamment riches de cet amour mutuel pour en créer encore et encore et que ni le doute ni les violences du destin ne pourraient jamais les désunir. Ils s'aimaient pour la vie entière et bien au-delà. Soudain un cri les fit sursauter :

— Abel !

Antoinette arrivait en courant. Elle passa devant Sophie et se jeta dans les bras du hussard abasourdi. Antoinette qui arrivait dans l'autre sens avait aperçu de loin le docteur Balencie et le notaire Latour qui revenaient ensemble d'une visite commune à une famille dont le père venait de décéder. En un clin d'œil elle prit la mesure le drame qui s'ensuivrait. Le docteur et le notaire, plongés dans leurs propres affaires, relevèrent le nez à son cri, passèrent devant le couple enlacé et, dix pas plus loin, tombèrent nez à nez sur Sophie qu'ils n'avaient pas remarquée tant Antoinette les avait surpris.

— Madame Pailhé ! s'exclama le docteur, mais que faites-vous ici, vous voilà enfin sortie un peu de chez vous. C'est donc que vous allez un peu mieux, j'en suis ravi. Pourtant ! (Il hocha la tête d'un air professionnel et contemplant son visage tout pâle ajouta :) Vous m'avez l'air encore bien fatiguée.

Sophie, sous le choc, le regardait fixement et ne répondait rien.

— Ça ne va pas bien ? insista Balencie. Vous voulez qu'on vous ramène chez vous ?

Antoinette intervint pour la deuxième fois. Elle s'approcha et vint au secours de Sophie :

— Oh ! Madame Pailhé, je suis désolée mais ce serait bien si on pouvait remettre l'essayage à demain. (Elle prit un ton un peu gêné et ajouta en montrant Abel :) J'ai un autre rendez-vous et...

— Ne dérangez personne pour moi, Antoinette, répliqua Abel, je venais juste vous dire que je partais immédiatement avec mon régiment. Je ne peux attendre davantage, excusez-moi. Ma chère, messieurs, madame, adieu !

Après un salut des plus militaires, il alla prendre son uniforme, enfourcha son cheval et partit. Le tout avait duré une ou deux minutes à peine. Quand il eut disparu, Antoinette entraîna Sophie vers sa maison et lui dit simplement :

— Venez, nous aurons tout le temps pour l'essayage.

Le docteur et le notaire, un peu ébahis de cette scène inattendue, les quittèrent non sans que le docteur Balencie ait fait promettre à Sophie de venir le voir afin qu'il lui prescrire un remontant dont, disait-il, elle semblait avoir bien besoin. Puis ils s'éloignèrent d'un pas rapide, pressés d'être hors de portée de voix afin d'échanger leurs sentiments communs sur cette rencontre, ma foi, bien curieuse.

Quand elles se retrouvèrent seules dans cet atelier encore rempli de la présence d'Abel, les nerfs de Sophie lâchèrent. Le revoir pour un instant aussi fort et aussi bref et le voir disparaître avec ce seul mot d'adieu fut trop difficile. Cette fois, elle ne put surmonter la violence du choc. Elle voulait courir jusqu'au château et supplia Antoinette de la laisser partir, mais celle-ci l'empêchait d'accéder à la porte et ne voulait rien entendre. Alors Sophie, épuisée, comme prise de démence, se jeta sur elle comme une furie et se mit à la battre de toutes les forces qui lui restaient. Elle fit preuve d'une telle frénésie que les deux femmes roulèrent à terre. Antoinette fut obligée de se défendre tant les coups de Sophie étaient durs et incontrôlés. La couturière criait en se débattant et s'accrochait à la robe de Sophie qui se déchira à plusieurs reprises. Mais celle-ci ne voyait plus rien. Elle était dans un état de souffrance tel qu'il décuplait ses forces et anéantissait totalement sa raison. Antoinette était maintenant sous elle, au sol. Sophie se mit alors à lui cogner la tête contre les dalles pour l'assommer et pouvoir enfin partir rejoindre cet homme qu'elle aimait éperdument. Dès le premier choc, Antoinette comprit que si elle laissait faire, elle allait mourir, là, sur le sol de son atelier, tuée par la folie de Sophie devenue incontrôlable. Antoinette alla chercher au plus profond les dernières ressources qui lui restaient et se mit à hurler. Après, les choses se brouillèrent devant ses yeux, elle sentit l'haleine proche de Sophie, vit son visage déformé et sombra dans l'inconscient.

Quand elle se réveilla, la nuit était tombée. Elle était étendue dans son lit, à l'étage, et des bruits de voix indistincts lui parvenaient de l'atelier au-dessous d'elle. Elle voulut se lever mais une douleur à la tête l'en empêcha. En bas, les voix se turent, puis elle entendit des bruits dans le vestibule, la porte d'entrée s'ouvrit et se referma et, après un court silence, des pas montèrent l'escalier. La porte s'entrebâilla doucement et un visage apparut. C'était celui de Marie Abadie, sa lingère. Marie lui expliqua qu'elle passait rue des Petits-Fossés quand elle avait entendu ses cris. Elle était entrée et, après un court moment de frayeur devant la scène qui se déroulait dans l'atelier, elle avait réussi à séparer les deux femmes. Elle raconta que, dès qu'elle était intervenue, la violence et la folie de Sophie avaient disparu en un instant. Hébétée, celle-ci s'était effondrée sur une chaise, le regard vide et les mains tremblantes, et n'en avait plus bougé. Marie n'avait pas réussi à soulever Antoinette et, comme Sophie était calmée, elle avait couru jusque chez Pailhé et ramené Louisette qui l'avait aidée à monter la couturière dans sa chambre. Sophie était toujours prostrée, sa coiffure était complètement défaite et sa robe déchirée en plusieurs endroits. Marie et Louisette l'avaient arrangée du mieux qu'elles avaient pu et Louisette, terriblement inquiète devant le comportement de plus en plus aberrant de sa patronne, était repartie avec elle en faisant jurer à Marie de ne jamais parler à quiconque de ce qui venait de se passer.

— Reste ici jusqu'à ce que je revienne, avait-elle demandé à Marie, je fais vite et je rapporte quelque chose pour Antoinette. Dans son placard à la maison, Monsieur a une fiole qui lui sert un peu pour tout, pour les maux de tête et les contusions ça devrait aller.

En attendant le retour de Louisette, Marie avait remis un peu d'ordre dans l'atelier. Elle n'y était jamais venue auparavant et elle n'avait jamais eu de sa vie l'occasion de voir des tissus aussi beaux, des rubans et des ornements comme ceux qui attendaient d'être posés sur une magnifique robe en velours bleu qui habillait un mannequin de bois. Marie s'approcha de la robe et la regarda. Elle toucha délicatement le tissu du revers de la main et esquissa une mimique d'étonnement intense :

— Que c'est doux !

Sur le sol, éparpillés, quelques bouts de velours, déchets de la découpe, attendaient de rejoindre la poubelle. Un bref instant Marie s'était imaginé voir sa Lucile dans la belle robe et elle n'avait pu s'empêcher d'emporter un peu de ce rêve : « Je le montrerai à Lucile », s'était-elle dit en fourrant prestement un morceau d'étoffe dans le fond de sa poche. Bien qu'elle sût que ces débris étaient désormais inutiles et qu'ils seraient jetés, elle ne le fit pas sans un certain malaise et ce tissu de riche au fond de sa poche la brûlait presque. Louisette était revenue avec le médicament et repartie le plus vite possible pour que Monsieur ne s'aperçoive de rien. Marie avait oublié le bout de tissu et elle était montée avec le médicament. Maintenant elle était là, dans l'entrebâillement de la porte. Antoinette la regardait et semblait ne pas se souvenir de ce qui venait de se passer. Marie alluma une petite lampe à pétrole et versa dans un verre un peu du contenu de la fiole. Antoinette le but en faisant la grimace. Le liquide était amer et laissait un goût âcre au fond de la gorge, mais le seul fait de boire lui fit du bien et l'aida à retrouver ses esprits. Marie lui raconta la fin de l'incident et resta assise près du lit sur une chaise, attentive.

— Merci pour tout, Marie.

Marie eut un petit sourire pour signifier que ce n'était rien.

— Reposez-vous, je vais rester pour la nuit, en cas. Louisette va aller au *Français* dire à Lucile que je suis ici pour qu'ils ne s'inquiètent pas. Demain matin on y verra plus clair. Vous voulez que je vous fasse chauffer quelque chose ? Un peu de soupe ?

Antoinette était maintenant tout à fait lucide. Elle réalisa que Marie l'avait changée et glissée dans le lit et que, pour cela, elle avait cherché son linge dans l'armoire. Elle vit aussi que sa table de toilette avait été utilisée. Une serviette et un morceau de savon posés près du broc à eau montraient qu'elle l'avait débarbouillée. Antoinette fut contrariée que l'intimité de son petit royaume ait été ainsi violée pendant qu'elle-même était inconsciente. Tout en elle répugnait à ce que l'on touchât à son univers, à l'intimité de sa maison. L'intrusion d'Abel et de Sophie avait été une expérience douloureuse et elle s'était juré de ne plus jamais laisser quiconque venir entre ses murs. Or voilà qu'aujourd'hui Marie avait ouvert son armoire et son lit. Il n'était pas question d'aller plus loin, personne n'irait dans sa cuisine !

— Merci, Marie, dit-elle, mais ça va beaucoup mieux. D'ailleurs je vais pouvoir me lever et faire tout ça moi-même. Vous pouvez rentrer chez vous sans aucun problème.

Ce disant elle avait repoussé les draps et tentait de se lever, en vain. Sa tête tournait, ses jambes ne la portaient pas. Elle fut obligée de se recoucher. Marie prit alors les choses en main énergiquement. Elle remit les draps en ordre et descendit à la cuisine en disant qu'elle se débrouillerait, qu'elle trouverait bien de quoi faire. Très vite elle revint avec deux bols de soupe qu'elle n'avait eu qu'à faire chauffer. Elles mangèrent en silence. On n'entendait que le bruit de la cuillère d'Antoinette contre la faïence du bol et celui des lampées de Marie qui n'avait jamais utilisé une cuillère et avalait la soupe directement au bol.

Sophie avait passé une nuit terrifiante. Jamais elle n'avait senti monter d'aussi loin une angoisse aussi grande. En un bref laps de temps, le monde autour d'elle s'était écroulé comme un décor vaniteux. Sophie avait été belle, adulée, conquérante, et, en se contemplant dans le miroir de sa coiffeuse, elle ne voyait plus que le visage flétri de fatigue et de doute d'une femme abandonnée par son amant, rejetée par son mari et désormais capable de folie. Comment tout cela avait-il pu arriver ? Comment avait-elle pu se laisser aller à une telle violence à l'encontre d'Antoinette ? Voilà ce qu'elle ne pouvait s'expliquer et qui la rongeait. Une autre scène lui revint en mémoire : ce fameux jour où elle avait giflé la petite Bernadette Soubirous avec une telle force qu'elle l'avait jetée au sol. Sophie revit avec effroi la fillette étalée dans la neige avec ces os répugnants éparpillés autour d'elle et le petit garçon trop maigre qui pleurait et criait en la regardant. Elle s'était enfuie pour ne plus les voir et ne plus entendre les cris perçants de cet enfant qui l'avaient poursuivie jusque chez elle, à travers les murs et les fenêtres. Elle avait su depuis par Thérèse que cette petite était d'une très grande pauvreté.

— Il paraît même, avait ajouté Thérèse non sans malice, que sa misère aurait ému un hussard qui l'avait rencontrée seule au fond des bois à ramasser des fagots.

Sophie avait immédiatement établi le lien entre le récit d'Antoinette et celui de Thérèse. Ainsi, c'était cette petite pauvresse qui avait ému Abel ? « Mais pourquoi ? se demandait-elle, pourquoi cette gamine est-elle arrivée à l'émouvoir et pas moi ? Mes larmes sont-elles moins importantes et moins douloureuses à ses yeux que l'état de cette petite ? Ma détresse lui semble-t-elle donc moins grave ? Mais pourquoi ? Pourquoi ? » Sophie cherchait une réponse et ne la trouvait pas. Comme si cela pouvait d'une manière ou d'une autre lui en apporter une, elle décida d'aller constater par elle-même où vivait Bernadette. Thérèse lui avait expliqué que les Soubirous habitaient juste derrière la place, à une rue à peine, dans une pièce malodorante et sans lumière. Aller voir des pauvres ! Jamais une idée pareille n'avait germé dans l'esprit de Sophie. Cela lui aurait paru auparavant invraisemblable, mais aujourd'hui plus rien n'était pareil et dès qu'il fit nuit noire et qu'elle fut bien sûre que Louisette était occupée à la cuisine à servir Louis, elle descendit à tâtons le grand escalier de bois sculpté, se faufila sans bruit le long du couloir jusqu'à la lingerie où elle s'enveloppa de la cape de bure marron de Louisette. Puis elle prit les sabots que la cuisinière laissait toujours derrière la porte d'entrée et elle sortit. Elle longea les murs avec d'infinies précautions et rejoignit le plus discrètement possible la rue du Porche puis gagna la rue des Petits-Fossés où habitaient les Soubirous. Quiconque serait alors passé près de cette silhouette à la démarche hésitante aurait eu bien du mal à reconnaître l'allure racée de la belle chocolatière. Sophie était partie très vite, sans réfléchir. Un peu trop vite car, au fur et à mesure qu'elle avançait, elle s'apercevait que les grands pieds de Louisette n'avaient rien à voir avec les siens qui glissaient sur la semelle de bois des sabots trop lourds. Elle avait beau crisper les orteils pour tenter de les maintenir, ils s'échappaient. De plus, alors que Louisette portait de grosses chaussettes de laine, l'inconséquente Sophie avait gardé les bas de coton fin qu'elle enfilait le soir dans ses mules de soie. Pour finir, la cape de bure pesait lourd sur ses épaules habituées aux fines étoffes de chez Lacaze et la capuche, taillée grossièrement, écrasait sa coiffure et retombait si bas devant ses yeux qu'elle n'y voyait presque rien. Quand elle arriva tant bien que mal jusqu'à la rue des Petits-Fossés, la lueur des réverbères qui illuminait la place Marcadal avait quasiment disparu et en dehors d'un lampadaire tout encrassé, on n'y voyait goutte. Elle releva sa capuche et une odeur âcre la saisit. Surprise, elle ramena sur son visage un bord de la cape mais, au même instant, elle sentit ses pieds plonger dans une masse gluante, mouillée et froide. Elle ne put retenir un cri, ses deux pieds étaient sortis des sabots et venaient de s'enfoncer dans la terre boueuse de la rue. Trompée par la nuit, Sophie n'avait pas vu que le sol de pierre grise du centre de Lourdes s'arrêtait juste à l'angle où démarrait la rue des Petits-Fossés. Elle remis prestement les sabots. Alors qu'elle s'était lancée sans aucune crainte, voilà qu'elle avait maintenant peur seule dans cette rue étroite où elle n'était jamais venue. Elle se disait qu'elle était folle d'être venue là dans la nuit, personne ne sachant où elle était. Elle hésita à revenir sur ses pas, mais finalement choisit de continuer son chemin. La maison des Soubirous ne devait pas être loin maintenant, il n'était pas question de renoncer. Comment reconnaître le logement des Soubirous ? Heureusement Thérèse, toujours friande de détails, avait été suffisamment précise et avait parlé d'une fenêtre avec des grilles comme celles d'une prison. « C'est pas loin, juste à quelques pas », avait-elle précisé en ajoutant : « Si près de nous, tant de misère c'est impensable ! » Sophie continuait d'avancer à tâtons, elle passa devant trois maisons plongées dans le noir et, soudain, vit les grilles de la petite fenêtre. Elle s'approcha doucement et se hissa pour regarder. Derrière la grille tout était sombre, pas une lumière, pas un bruit. Sophie pensa s'être trompée mais elle entendit du bruit à l'étage de la petite maison et avisa une porte qui donnait sur la rue. Surmontant sa crainte, elle souleva le loquet et la porte s'ouvrit sans résistance. L'obscurité était totale, pourtant au bout d'un moment les yeux de Sophie devinèrent une sorte de couloir au bout duquel devait se trouver une cour car elle percevait la lueur bleutée de la nuit. Frissonnante mais déterminée, elle s'avança. L'odeur repoussante de la rue n'était rien à côté de celle qui régnait ici. Elle suffoqua. Dans la minuscule courette intérieure elle devina une masse sombre et comprit qu'il devait s'agir d'un tas de fumier. Sur la droite, dans le mur, une faible lumière laissait deviner une pièce habitée. Sophie s'approcha et, comme l'ouverture était petite et un peu haute, elle dut se mettre sur les sabots de Louisette, sur la pointe des pieds. Il n'y avait pas de fenêtres, pas de vitres, l'ouverture plongeait directement dans la pièce et ce que vit alors Sophie lui parut invraisemblable. Pour elle qui passait ses journées et ses nuits dans la douce chaleur d'une belle maison, dans un univers d'étoffes confortables et de meubles cirés, le spectacle qui s'offrit à elle fut un cauchemar. Elle resta bouche bée, les yeux fixes, figée devant le dénuement absolu de cette pièce glaciale où vivait une famille de miséreux. Le père était couché, la mère assise, le regard perdu devant quelques braises qui se mouraient contre un mur à même le sol de terre battue, une fin de chandelle se consumait sur un tabouret de bois, et... trois enfants dormaient entassés sur la même paillasse. Sophie écarquillait les yeux en vain, il n'y avait rien d'autre à découvrir dans cette pièce minuscule d'à peine quelque dix mètres carrés. C'est alors que ses pieds glissèrent et s'enfoncèrent à nouveau dans la boue glacée de la courette. Elle retint à grand-peine un cri d'effroi, remit les sabots, et s'enfuit du plus vite qu'elle put, se cognant aux murs du corridor et se jetant dans la rue sans même songer à refermer derrière elle. Le vent qui s'était levé s'engouffra dans le couloir et elle entendit la porte claquer à grand bruit. Les chocs résonnèrent entre les murs de cette ruelle étroite et donnèrent à la fuite de Sophie une dimension cauchemardesque. Elle perdit les sabots et continua de courir sur ses bas déchirés. Elle ne sentait plus rien et ne souhaitait rien d'autre que fuir loin de ce cloaque affreux dont le souvenir faisait frissonner son corps tout entier. Elle ne reprit son souffle qu'une fois arrivée dans la lingerie de Louisette. Personne n'avait remarqué son absence qui avait duré une demi-heure à peine. Son mari et Louisette étaient toujours dans la cuisine. Sophie remit la cape à sa place et remonta silencieusement non sans avoir pris soin d'essuyer ses pieds à un vieux chiffon. Quelques minutes plus tard elle était à nouveau assise dans le boudoir près du bon feu de sa cheminée. Jambes allongées devant les flammes elle regardait brûler les bas de coton déchirés et trempés qu'elle venait d'ôter et de jeter dans l'âtre. Quand Louisette passa la voir, comme tous les soirs avant d'aller se coucher et de prendre la petite dans son berceau, elle était toujours là à contempler le feu, mais son visage était marbré de larmes séchées. Louisette n'y prêta même pas attention car les pleurs de Sophie étaient désormais habituels. C'est dire la surprise qui fut la sienne quand, s'agenouillant pour rassembler les bûches, elle entendit cette question inouïe :

— Dis-moi, Louisette, c'est comment quand on est pauvre ?

La cuisinière s'attendait à une énième question sur Abel ou l'amour et voilà que Sophie parlait des pauvres. C'était si inattendu que Louisette fit celle qui n'avait pas entendu. Elle qui avait vécu sa jeunesse dans le plus grand dénuement n'avait aucune envie d'en décrire la réalité. Les souvenirs étaient trop douloureux et les mots pour les raconter n'auraient pu passer sa gorge. Et de toute façon, à quoi bon ? Louisette était née dans une ferme au fond d'une vallée pyrénéenne. Son père, métayer, allait aux travaux des champs à gauche, à droite selon la saison et elle avait assuré le tout-venant dès l'âge de six ans après que sa mère était morte. Comment c'est d'être pauvre ? Le seul fait d'avoir à y repenser lui fut insupportable et elle se dépêcha de parler d'autre chose :

— Dites, Sophie, vous trouvez pas que ça sent le roussi ? Qu'est-ce que vous avez mis dans le feu ?

Ce disant elle touillait les cendres avec un tisonnier. Sophie prit un air innocent, affirmant qu'elle ne comprenait pas, que vraiment elle ne sentait rien et que, sans doute, Louisette se faisait des idées.

— Des idées ! s'exclama Louisette. Non, non, je ne me fais pas des idées, il y a une odeur de roussi et je vois pas d'où ça vient. Mais vous, vous devez savoir. Seulement vous voulez rien me dire. Faites attention, Sophie, bientôt je ne pourrai plus cacher vos folies à votre mari. Heureusement qu'Antoinette et Marie sont des femmes de confiance. Aucune d'elles ne parlera de votre moment d'égarement, et pourtant, croyez-moi, elles en auraient le droit. Alors ne me prenez pas pour une idiote et ne venez pas me dire que je me fais des idées. D'ailleurs, je vous trouve bien étrange ce soir. Vous êtes sûre que vous n'avez rien à me dire ?

Non, Sophie n'avait plus rien à dire. Elle préféra garder sa visite nocturne pour elle-même car elle sentait bien que Louisette ne l'aurait pas approuvée. Et puis si sa cuisinière parlait volontiers des difficultés des autres, de Mélanie ou de Marie, jamais Sophie n'avait pu lui tirer une seule confidence sur sa propre vie et, s'il arrivait qu'elle fasse allusion à son enfance, Louisette se refermait et prenait un air si dur qu'il décourageait Sophie de continuer.

Toute la nuit les questions se bousculèrent dans la tête de la belle chocolatière, l'horrible spectacle du logis Soubirous, la fuite d'Abel, le mépris et la dureté de Louis à son égard, la violence dont elle-même avait fait preuve sur Bernadette et Antoinette, la maladie de sa fille, son désintérêt à son égard, tout venait alimenter en Sophie une angoisse de plus en plus insoutenable et morbide. Rien ne venait briser la spirale qui emportait sa raison et tout ce qui avait fait le bonheur de sa vie s'effondrait de toutes parts depuis qu'Abel ne répondait plus à son amour. Louisette la retrouva allongée toute habillée sur la méridienne, juste recouverte du gros couvre-lit de plume qu'elle était allée prendre sur le lit conjugal. La cuisinière était consternée. Longtemps elle avait espéré que Sophie retrouverait sa joie de vivre et que tout redeviendrait comme avant, mais les jours passaient et la maison autrefois si bruyante des extravagances de Madame devenait de plus en plus morne et triste. Louis ne faisait que passer et, comme Sophie ne sortait ni ne recevait plus, le travail en était considérablement réduit. Aussi, quand, au début de l'après-midi, Louisette vit arriver Thérèse Millau presque immédiatement suivie d'Antoinette et de Marie Abadie, elle leur ouvrit tout grand la porte et les conduisit en toute hâte auprès de Sophie. Seule Marie ne voulait pas monter, elle préférait rester en bas, elle était juste venue accompagner Antoinette et prendre des nouvelles. Thérèse Millau eut beau insister, elle n'en démordit pas et attendit à la cuisine où elle donna un coup de main à Louisette pour préparer des crêpes et un bon chocolat chaud.

Thérèse n'avait jamais vu Louisette aussi bien disposée à son égard. Elle remarqua même qu'elle avait à nouveau droit au charmant petit fauteuil crapaud alors que ces derniers temps la cuisinière lui avançait une mauvaise chaise de paille sur laquelle il était difficile de tenir longtemps. Sophie avait vu entrer les deux femmes avec stupéfaction. Louisette n'avait même pas pris la peine de l'avertir car elle craignait qu'elle ne prétextât quelque malaise pour refuser de les voir et se complaire ainsi dans son malheur. Antoinette s'avança pour embrasser chaleureusement Sophie et la serrer bien fort et celle-ci comprit tout ce qu'il avait dans ce geste d'affection et de pardon. Elle en fut si émue qu'elle ne put s'empêcher de fondre en larmes et Thérèse, ne sachant pas ce qui s'était passé chez la couturière, mit cette émotion sur le compte d'une trop grande solitude et d'une dépression dont le tout Lourdes se faisait l'écho dès qu'on parlait de la belle chocolatière. Elle tapota le bras de la jeune femme de sa main dodue et, désignant dans le vase la rose rouge sang toute fanée que Sophie, et pour cause, n'avait pas pu cacher comme à chacune de ses venues, elle lui dit d'un ton où se mélangeaient remontrance et amitié :

— Je vous avais pourtant recommandé de vous débarrasser des fleurs fanées, ma chère Sophie. À quoi bon les garder ! Elles n'ont plus d'odeur, plus de beauté et elles ne servent qu'à vous mettre le moral à zéro. Jetez-moi cette rose au plus vite, n'y pensez plus et offrez-vous-en une nouvelle si celles de votre époux ne vous conviennent pas !

Antoinette et Sophie, en cœur, regardèrent Thérèse qui les observait avec un sourire en coin. Louisette s'éclipsa discrètement, se sentant fautive. « Et moi qui la houspillait toujours en lui disant qu'elle allait se faire surprendre, me voilà bien ! »

Sophie resta finalement muette et ce fut Antoinette qui, d'une voix douce et appuyée, trouva les mots qui ne lui venaient pas :

— Il y a des boutons de roses uniques, Thérèse, des roses au rouge si profond et au parfum si enivrant qu'on n'en trouve plus aucune autre capable de vous donner le bonheur que celle-là vous a apporté.

— Taratata. Et où vous avez appris toutes ces sornettes, vous, Antoinette, hein ! répliqua Thérèse en éclatant de rire. Un bouton de rose unique ! Voyez-vous ça ! Mais le monde est rempli de boutons de rose uniques comme celui-là, ma chère Antoinette. Des boutons au rouge merveilleux, des boutons bien vivants et remplis de sève et, croyez-moi, j'ai de l'expérience en matière de boutons de rose, contrairement à vous...

Le feu monta aux joues d'Antoinette qui balbutia des mots

maladroits pour tenter de se défendre. Avant que Sophie ait pu faire un geste pour l'en empêcher, Thérèse se saisit de la rose. Sophie poussa un hurlement mais Thérèse ne se démonta pas pour autant et repoussa les mains de la choco-latière qui se tendaient.

Elle montra sur la tige flétrie les grosses épines sombres qui la recouvraient et dit d'une voix où affleurait la colère :

— Regardez ces épines ! Elles sont dures, sûres d'elles, de leur bon droit, elles sont têtues, obstinées, prêtes à vous faire du mal. Même après tout ce temps où vous les avez gardées près de vous, où vous leur avez dit des mots d'amour tous les jours, inlassablement, elles ne se sont pas assouplies. Ce n'est pas bon signe.

Sophie et Antoinette écoutaient Thérèse sans rien dire. Elles se sentaient l'une et l'autre mises à nu. Sophie profita du court silence et reprit sa rose. Antoinette risqua une défense :

— Mais Thérèse, de toute façon, tous les boutons de roses ont des épines non ?

— Plus ou moins, répliqua Thérèse. Celui-là il a des épines qui manquent d'humilité et surtout, Antoinette... qui manquent d'amour.

Bien qu'elle trouva la démonstration un peu ambiguë et, connaissant l'esprit de Thérèse, un peu osé, Sophie avait été touchée par son discours. Il lui sembla soudain que la rose avait perdu de sa superbe et la poussière qui la recouvrait lui apparut plus visible, alors que ce matin encore elle ne la remarquait même pas.

Louisette entra suivie par Marie. Elles apportaient le cho-colat chaud et les crêpes qu'elles venaient de faire dorer. Thérèse s'extasia :

— Ce chocolat ! Quelle odeur fabuleuse ! Ma chère Sophie, votre mari n'y connaît peut-être rien en roses, mais il faut bien reconnaître que pour le chocolat, il est unique ! Et, à mon avis un homme qui s'y connaît en gourmandise mérite qu'on y prête quelque attention.

Sophie ne répondit pas. Elle regardait, surprise, sa lingère

Marie Abadie qui, un peu gauche, tenait le plateau. Louisette disposa les tasses tout en expliquant qu'il fallait manger vite sinon ce serait froid et ce serait dommage car elle avait mis du beurre dans la pâte et « c'était un délice ! ». Puis elles s'éclipsèrent et redescendirent à la cuisine où Louisette avait mis quelques crêpes de côté. Comme Sophie s'étonnait auprès d'Antoinette de la présence de Marie, la couturière lui expliqua qu'elles étaient devenues très proches depuis les apparitions, qu'elles allaient souvent prier avec Bernadette et beaucoup d'autres femmes et d'enfants et que d'ailleurs, demain, une procession aux flambeaux se rendrait à la grotte de Massabielle. Thérèse approuva et, tout en essuyant le jus sucré d'une crêpe qui coulait sur son menton, elle ajouta :

— Et vous devriez être des nôtres, Sophie, cela vous ferait le plus grand bien de sortir un peu et de venir voir cet événement exceptionnel. Vous qui êtes croyante, vous seriez touchée, j'en suis sûre, par la grâce qui se dégage de ce lieu quand la petite Soubirous y est en prière. Cela vous aiderait...

Sophie se redressa. Contre toute attente, vu l'état de mélancolie dans lequel elle se trouvait l'instant d'avant, elle expliqua d'une voix ferme qu'il ne fallait pas tout mélanger et que si elle allait à l'église, par contre, les événements qui avaient lieu à Lourdes en ce moment et dont toute la ville parlait ne l'intéressaient pas le moins du monde. Elle se demandait même comment des femmes aussi sensées et responsables que Thérèse et Antoinette pouvaient y participer et croire un seul instant à la véracité des dires de cette petite. En parlant, Sophie avait retrouvé tout naturellement le ton autoritaire qui avait été le sien du temps de sa gloire. En elle se réveillait la fierté de la « belle chocolatière », femme du prestigieux pharmacien et adepte convaincue comme lui des philosophies en vogue. Elle fit appel à la science, aux découvertes, à la médecine, à l'industrie naissance. Elle trouva des accents dignes de Louis au *Café Français* et se laissa emporter par cette énergie nouvelle, heureuse de retrouver un terrain où elle se sentait encore des convictions. « Lourdes, conclut-elle, d'un ton sentencieux, ne peut que se ridiculiser dans cette affaire, et vous deux, vous y perdrez votre réputation. »

À peine eut-elle terminé sa grande plaidoirie que Thérèse sourit. Elle avait écouté Sophie attentivement et avec beaucoup de patience, se disant qu'après tout il était bon que la belle chocolatière se mît un peu en colère. Cela prouvait au moins qu'elle était encore vivante. Mais quand elle entendit prononcer ce mot de « réputation » elle ne put se retenir plus longtemps et reposa sa tasse de chocolat.

— Notre réputation ! Comme vous y allez ma chère Sophie. Mais réveillez-vous donc ! Ce qui se passe en ce moment est autrement plus important que notre réputation, comme vous dites. Et si vous croyez que les femmes qui viennent prier à la grotte pensent à leur réputation ! Elles viennent parce qu'elle croient, pour de vrai, qu'il existe quelque chose de plus pur et de plus généreux que la vie qu'on leur fait ici-bas. Tenez, c'est bien simple, moi par exemple, depuis que je vais prier à la grotte et que je parle avec toutes ces femmes, je revis. Alors, vous savez, ma réputation !...

Emportée par une passion inattendue, Thérèse raconta à Sophie éberluée comment, dès le début, elle avait senti que cette petite Bernadette Soubirous portait une vérité donnée par les apparitions d'une dame dont elle ne doutait plus que ce fût la Sainte Vierge, et comment le message d'amour de la mère de Dieu dans cette grotte de Massabielle était si puissant qu'il déferlerait sur la ville et même au-delà. Qu'il rayonnerait un jour dans le monde entier quoi qu'en pensent et quoi que fassent tous ces beaux messieurs si intelligents et si bien nés.

— Ils n'y pourront rien, Sophie, l'amour est plus fort que tout et croyez-moi, entre ces femmes, dans cette grotte de l'apparition, autour de cette Vierge que nous ne voyons pas mais que nous sentons toutes si fort, il y a beaucoup de solidarité et d'amour.

Comme Sophie à ce mot esquissait une moue dubitative, Thérèse insista :

— Oui de l'amour ! Du vrai, du simple, et pas du compliqué qui laisse se faner les roses.

Et elle raconta. Depuis plus d'une semaine maintenant que Bernadette allait à la grotte tous les matins, le flot des femmes grossissait derrière elle. On en comptait plus de cinq cents accompagnées d'enfants. Depuis l'émeute, c'était une véritable foule de près de mille cinq cents personnes qui accouraient de tout le pays environnant. Ces femmes parlaient entre elles, de l'apparition bien sûr, mais aussi de leurs soucis, de leurs enfants, elles se découvraient les mêmes problèmes, les mêmes difficultés et souvent des unes aux autres elles s'entraidaient. Ce qui se passait à Massabielle leur redonnait du courage et les plus pauvres des pauvres, et Dieu sait s'il y en avait, trouvaient là quelque chose qu'elles ne pouvaient trouver nulle part ailleurs : l'espérance.

— Oui, redit Thérèse en appuyant fortement sur ce mot : l'espérance !

Même le très sérieux M. Estrade, employé aux contributions, avait voulu se rendre compte par lui-même de ce qui se passait à la grotte et il était rentré, époustouflé. « Des femmes du peuple en foule de tous âges, enthousiastes, et qui priaient et qui parlaient, entourées d'enfants qui jouaient ou attendaient calmement dans le froid et la boue ! »

Sophie écoutait, incrédule. Elle dévisageait tour à tour Antoinette et Thérèse, ces deux femmes qu'elle connaissait si bien et depuis si longtemps et n'en revenait pas. Leurs visages s'animaient, elles jubilaient visiblement. La jeune femme découvrait avec surprise la complicité toute nouvelle qui semblait les unir. Oubliant totalement sa présence, elles se préoccupaient des chandelles de résine qu'il leur fallait se procurer pour la procession du lendemain. Sophie les entendit prononcer plusieurs fois le nom de Marie Abadie et d'autres femmes du bas qu'elles n'auraient pas salué il y a seulement quelques jours et qu'il leur semblait tout à fait naturel de fréquenter aujourd'hui. Leur conversation fut brusquement interrompue. Marie, haletante et bientôt suivie par Louisette, fit irruption dans le boudoir. Elle venait avertir « Mme Millau et à Mlle Peyré » que le commissaire avait fait enlever toutes les images, les objets et les chandelles que les femmes avaient déposées à la grotte pour la Sainte Vierge. Thérèse et Antoinette se levèrent d'un bond, s'excusèrent auprès de Sophie pour ce départ précipité, remercièrent Louisette pour les crêpes « si délicieuses » et s'enfuirent en courant derrière Marie qui leur expliquait que « le butin » avait été déposé à la mairie.

De ses fenêtres Sophie vit s'éloigner leurs capes de bure, de laine et d'ottoman qui mélangeaient harmonieusement leurs couleurs et ne put s'empêcher de penser que ces trois femmes si différentes, que tout séparait hier, couraient aujourd'hui ensemble vers un même but.

Elle leva machinalement les yeux vers les remparts déserts et humides du château. Puis elle laissa retomber le lourd rideau de velours bleu et se retourna. Son regard tomba alors sur la rose fanée d'Abel qui attendait toujours dans le vase sans eau. D'un geste brusque elle prit entre ses mains la fleur sèche qui avait tant fait sourire Thérèse et la jeta dans la cheminée.

Hortense ne décolérait pas. Thérèse lui ayant expliqué la veille que Marie Abadie et les femmes du bas avaient eu l'idée d'organiser pour ce matin même une procession aux flambeaux jusqu'à la grotte en l'honneur de la Sainte Vierge, elle avait décidé d'y participer. Elle pensait pouvoir les rejoindre tranquillement, laissant à son mari le soin de faire la caisse. Et voilà que ce dernier lui annonçait au dernier moment qu'il n'en était pas question car il devait se rendre à Pau pour affaires. Elle eut beau maugréer, il fit atteler le cabriolet en précisant qu'il espérait bien qu'elle ne participerait pas à cette mascarade. Par-dessus le marché, il ajouta qu'il ne rentrerait que le soir, sans doute fort tard. Depuis son départ Hortense n'arrivait pas à se calmer, et les clients habitués à son « Bonjour » souriant furent fraîchement accueillis.

— Tu te rends compte, disait-elle à Ida, il s'en va où il veut quand il veut, je ne dis jamais rien. Moi, mis à part le thé de Thérèse, je ne vais nulle part, tu le sais bien, toi Ida, n'est-ce pas ? (Ida approuva d'un signe de tête appuyé.) Alors pour une fois que je veux faire quelque chose, il aurait pu faire un effort. Eh bien non ! Et en plus il me fait la leçon ! C'est un peu fort !

Ida, que cette inhabituelle rébellion d'Hortense surprenait quelque peu, s'empressa d'approuver et même d'en rajouter car elle trouvait aussi que M. Paul en prenait à son aise et qu'il n'était pas le seul, d'ailleurs. Ces jours derniers, depuis l'affaire des apparitions, ces messieurs étaient devenus intenables, leurs moqueries permanentes et leurs jeux de mots douteux sur « le crétinisme de ces femmes hystériques » commençaient à lui faire monter la moutarde au nez et, à de nombreuses reprises, elle avait dû se retenir de les remettre à leur place. Mais, bien qu'Ida bénéficiât de par la longévité de sa présence au *Café Français* d'une certaine autorité, sa position de serveuse ne lui permettait pas malgré tout de trop bousculer ces messieurs. Ce n'était pourtant pas l'envie qui lui en manquait. Aussi, quand elle vit arriver sur la place du Porche la procession réunissant les femmes de la ville entière qui tenaient en main des chandelles allumées, elle ne put s'empêcher d'aller trouver Hortense, pensant que si la patronne rejoignait la procession, ça leur en boucherait un coin et ils ne pourraient plus rire aussi fort.

— Vous avez vu ? Elles sont devant l'église, d'ici un moment elles vont partir à la grotte.

— J'ai vu, dit Hortense dont les nerfs étaient à vif, et elles sont nombreuses, regarde ! (Ce disant, elle se penchait vers les vitres pour mieux voir ce qui se passait sur la place de l'église.) Et cette fois, continua-t-elle, il n'y a pas que les femmes du bas, j'en vois certaines qui sont du quartier de Lengelle et de la rue du Bourg, et il y a même quelques dames, Mme Estrade et sa fille, et Mme Dufo, la femme de l'avocat avec deux amies. Quand je pense que je suis coincée ici...

La patronne était réellement en colère. Ida avait autant envie de lui faire plaisir que de rabattre le caquet des clients. Si Hortense était sévère, un peu maniaque sur le ménage et les détails du service, c'était une patronne juste et chaleureuse, tout le contraire de son mari qui, comme le disait souvent la vieille Catherine, « ne fichait jamais rien, se faisait tout le temps servir et trouvait en plus le moyen de râler » !

— Écoutez, madame, dit Ida, allez les rejoindre, je vous prépare une chandelle. Entre Lucile et moi, on va arriver à se débrouiller ici pour la salle et la caisse...

— Et comment tu feras ? dit Hortense, surprise. Tu sais bien qu'au moment du repas tu dois être en cuisine et Lucile sert. Et alors, qui encaisse, hein ! Qui fait les notes ?

Ida insista mais il fallait se rendre à l'évidence. Il était impossible de se passer d'Hortense. C'était le jour du cassoulet, et la salle était toujours comble tant la clientèle raffolait de celui de Catherine, mijoté depuis la veille pour qu'il soit bien onctueux. Ida poussa un soupir de regret en regardant les femmes regroupées sur la place. Les premiers clients arrivaient pour le déjeuner et la salle résonna aussitôt de leurs moqueries. Agglutinés contre les vitres, certains se permettaient des commentaires sur le physique de l'une, sur les vêtements d'une autre, les imitaient qui portaient les chandelles et faisaient mine de tomber en transes, ou prenaient des airs niais pour les ridiculiser. Ils firent tant et si bien que soudain Hortense, n'y tenant plus, se leva de derrière son comptoir et annonça d'une voix de stentor, à la stupéfaction générale, que le *Café Français* fermait pour cause de procession. Tous ces messieurs devaient sortir immédiatement ! Lucile et Ida qui finissaient de dresser les tables en restèrent bouche bée. Les clients crurent avoir mal compris, jusqu'à ce qu'Hortense s'empressât de les pousser dehors en leur expliquant qu'ils mangeraient le cassoulet demain, « s'il en restait ». Le dernier à sortir eut à peine le temps de récupérer son haut-de-forme et dut enfiler sa cape sur la place. Il y avait devant le café un brouhaha invraisemblable. Sans se démonter le moins du monde, Hortense donna deux tours de clef, tira les rideaux et, suivie de Lucile et d'Ida, gagna la cuisine où elle intima à la vieille Catherine éberluée d'éteindre les fourneaux. Puis, se tournant vers Ida :

— Trouve-nous quatre chandelles, on va toutes à la procession. Allez, vite, dépêchons-nous !

Catherine, Ida et Lucile étaient aux anges. L'idée d'aller en cortège à la grotte était venue à Marie Abadie un ou deux soirs plus tôt. Puisque la dame blanche avait demandé à Bernadette qu'on vienne à la grotte en procession, il fallait y aller. Les femmes étaient réunies autour de la cheminée à enfiler les chapelets. Lucile racontait que ça avait été une explosion de joie. Certaines femmes avaient pleuré de bonheur car, depuis plusieurs jours, elles allaient prier à Massabielle. Cela représentait un tel moment de liberté qu'elles ne pouvaient plus s'en passer. Une procession, c'était un peu une fête et il avait beau faire froid, le vent avait beau souffler, rien ne les retenait. La vieille Catherine et Ida avaient écouté Lucile, subjuguées, et la cuisinière avait dit simplement : « J'aimerais bien, moi aussi, pouvoir aller prier la Vierge là-bas. Il y a si longtemps que je n'ai pu aller à aucune procession. Je crois que la dernière que j'ai faite, j'avais huit ans, c'était pour la bénédiction des troupeaux. »

Elles sortirent par-derrière et passèrent devant les clients du *Café Français* qui piétinaient devant l'entrée, ne pouvant croire qu'ils ne mangeraient pas leur cassoulet. Leur nombre avait grossi, la plupart des membres du Cercle étaient là auxquels les premiers expliquaient la situation. Le journaliste Bibé courut après Hortense :

— Madame Cazaux, que se passe-t-il ? Il paraît que vous fermez !

— Je ferme, je ferme, répliqua Hortense, c'est un bien grand mot ! Ne vous inquiétez pas, je rouvre vers cinq heures.

— Mais... et le cassoulet ? enchaîna Bibé d'un air dépité.

— Ah ça ! dit Hortense d'un ton qui n'admettait aucune réplique, pour le cassoulet on verra demain.

— Où on va manger alors ?

— Mon cher ami, je ne sais pas. Mais je ne me fais pas de souci, aucun de vous n'est à la rue. Vous avez tous des maisons, non ? Et des cuisines ? Alors, aux fourneaux !

Et, lui tournant le dos, elle s'en fut rejoindre les autres, le laissant bras ballants. Lucile apercevait, plantés dehors dans le froid, le procureur et le commissaire qui faisaient de grands gestes devant le *Café Français* fermé. La décision d'Hortense marqua beaucoup Lucile qui, pour la première fois, voyait une femme faire preuve d'autorité face à un groupe d'hommes. La leçon lui serait profitable, elle ne l'oublierait plus. Mais, pour l'heure, elle avait rejoint sa mère et leurs voisines. Antoinette et Marie avaient fini d'allumer les chandelles de résine et la procession s'ébranla vers Massabielle sur deux rangs calmes et ordonnés. L'écho des anciennes litanies occitanes s'éleva vers le ciel et elles marchèrent ainsi en chantant sous le regard ébahi de la gent masculine.

Inutile de dire que le soir même, à la mairie, l'ambiance était surchauffée. La grande salle du conseil était comble et n'avait jamais connu pareille effervescence. Anselme Lacadé, alerté par le préfet Oscar Massy avait réuni tout son conseil municipal et nombre des membres les plus éminents du Cercle étaient là. Le maire annonça qu'il fallait à tout prix intervenir pour arrêter les désobéissances de plus en plus flagrantes à l'ordre civil. La veille, le commissaire Journé avait fait enlever les objets déposés à la grotte et, après les avoir récupérés à la mairie, où chacun pouvait venir les chercher, les femmes étaient allées les replacer sans tenir aucun cas des avertissements du commissaire. Et puis, le matin, il y avait eu cette procession. Aucun des membres de l'assistance ne fit allusion à l'incident du déjeuner au *Français*. Paul Cazaux était présent et avait du mal à se contenir depuis qu'il avait appris que sa femme avait fermé le café à l'heure du déjeuner. Seulement, comme sa petite course à Pau s'appelait Aline, que le monde était au courant et qu'il n'était pas certain qu'Hortense ne se doutât de rien, il était en mauvaise posture et ne pouvait rien dire. D'ailleurs, s'il en avait éprouvé la moindre envie, le coup d'œil furieux que lui jeta Hortense quand il rentra l'en dissuada immédiatement. Le tumulte était tel que le maire fit résonner à plusieurs reprises la clochette qui servait à ouvrir les séances, qu'en temps ordinaire il n'utilisait jamais. L'heure était grave, son honneur de maire venait d'être bafoué. En effet, sans tenir le moindre compte de son avis, le préfet Massy s'était accordé le droit de signer à sa place et en son nom un arrêté stipulant que les terrains communaux près de la grotte étaient désormais interdits d'accès. Surpris, Lacadé avait menacé de démissionner et, pour éviter un conflit, il fut convenu que le préfet prendrait sur lui la responsabilité de cette mesure. Lacadé devait donc informer son conseil de la prise d'un arrêté pour lequel il n'avait pas été consulté. Quand il eut réussi à les faire taire et à leur annoncer la chose, le volume du bruit augmenta encore.

— Ça c'est un peu fort, disait le gros Normande, ce sont nos terrains et c'est le préfet qui décide !

— Bien sûr, se défendit Lacadé, mais s'il y a une émeute ? Vous voulez la prendre, vous, la décision de fermer la grotte ? Pas moi. Je connais les gaillards des carrières et surtout leurs femmes. Pas question de mettre le feu aux poudres. D'ailleurs, pour ce qu'elles font !

— Comment ça ! hurla le commissaire. Elles troublent l'ordre public. Ce n'est pas suffisant ?

— Si, bien sûr, dit Lacadé, tentant de le calmer, c'est pour ça qu'il vaut mieux que ce soit le préfet qui prenne la décision plutôt que nous. C'est tout ce que je voulais dire.

— Et M. le curé, et l'évêque, qu'est-ce qu'ils en disent ? demanda un conseiller.

— Ah ! bonne question, dit Lacadé en poussant un profond soupir. Ils ne disent rien et ils ne font rien. Mgr Laurence a conseillé à ses prêtres d'observer la plus grande prudence et de ne pas intervenir ni dans un sens, ni dans l'autre. Avec ça...

— Conclusion, répliqua Journé d'un ton sec, où en est-on et que fait-on ?

— On ferme la grotte, on pose des barrières et on signale que l'ordre vient d'en haut, dit Lacadé. Comme j'en ai averti le préfet, attendez-vous à des réactions. Je l'aurai assez répété.

Un coup de sonnette conclut la séance. Le brouhaha reprit de plus belle et chacun y alla de son avis, les uns étant d'accord avec la méthode musclée et autoritaire du préfet, les autres, comme Lacadé, préférant laisser pourrir une situation qui selon eux ne saurait se prolonger indéfiniment.

— Quand elles auront été faire deux ou trois processions, au pire une dizaine, elles en auront marre et elles arrêteront toutes seules. Qu'est-ce qu'on parie ? clamait Normande en se tapant les cuisses de rire.

Le gros Dominique Normande avait grand tort de rire. S'il avait pris le temps d'aller au moins une fois à la grotte, il aurait certainement mesuré ses paroles. Aucun endroit n'avait été plus repoussant et plus sordide que Massabielle. Or, depuis que la petite Soubirous venait y voir la dame blanche, en deux semaines à peine, l'univers de boue était devenu un univers de lumière où brillaient chaque jour des centaines de petites flammes et la grotte venteuse et froide dégageait une telle chaleur humaine que quiconque s'y était réchauffé une seule fois ressentait ce qu'il y avait d'irréversible dans ce lieu désormais sacré. Mais, et ce fut l'une parmi tant d'autres des erreurs de ces hommes qui se voulaient importants, ils ne se déplacèrent pas. Depuis leur bureau de maire, de conseiller, de notaire, de juge ou d'avocat, forts de la certitude que tout cela n'était qu'une mascarade qui ne pouvait mener loin, ils n'en démordirent pas. Seule une vague inquiétude perçait parmi les hommes de terrain comme le commissaire ou le maréchal des logis. Quant aux hommes de pouvoir la seule chose qui leur importait vraiment était d'être obéis. Et ce fut par là justement que les choses se compliquèrent. Car les femmes ne tinrent aucun compte des barrières et trouvèrent milles astuces pour les contourner. En un mot elles désobéirent. Elles avaient développé une telle force et elles ressentaient une telle puissance dans leur solidarité que rien ne put les faire renoncer. Ni les menaces, ni les contraventions, ni les multiples procès-verbaux et amendes. Elles se sentaient dans leur droit et comme Marie le dit un jour au garde Callet venu les verbaliser : « Mais, on ne fait rien de mal. On prie, on parle entre nous, on se remonte le moral. On allume aussi des chandelles pour la Vierge, quand on en a. C'est tout. Vous allez bien au café vous, ajouta-t-elle, vous y dépensez des sous et vous y buvez souvent plus qu'il ne faut, non ? (Callet détourna le regard et marmonna entre ses dents.) Nous, ici, on dépense pas les sous du ménage, au contraire on se donne des coups de main pour en faire rentrer et surtout, on prie. Qu'est-ce qu'il y a de mal à ça ? Hein ! »

Callet rentrait le soir faire ses comptes-rendus au maire qui désespérait. Jamais les autorités n'auraient imaginé se retrouver devant une telle résistance car, en général, il suffisait d'agiter de loin la menace de la loi pour faire immédiatement courber l'échine de ces femmes apeurées. Mais là, rien n'y fit.

C'est alors qu'un autre homme, le procureur impérial Dufour, entra en scène. Un peu aigri d'avoir été jusqu'alors tenu à l'écart des décisions prises par les uns et les autres, sûr de ce qu'il fallait frapper bien plus fort et n'hésitant pas à dire que, jusque-là, on avait été trop timoré, il trouva enfin le moyen légal d'exercer une action juridique qu'il voulut exemplaire. Prétextant qu'elles n'avaient pas respecté la pose des barrières à la grotte et qu'elles colportaient de fausses nouvelles dans la ville de Lourdes, il fit traduire sept femmes en police correctionnelle et porta le procès devant la cour d'appel de Pau.

Lucile était au café lorsqu'elle apprit par Ida que sa mère était parmi les femmes arrêtées. Lucile avait suivi les événements avec une joie d'autant plus grande qu'elle sentait bien la force qu'y puisaient toutes ces femmes et qu'elle voyait l'espérance faire rayonner des visages qui ne souriaient plus depuis bien longtemps. Quand elle sut que « la loi » frappait sa mère, elle blêmit. La loi, pour Lucile, c'était un mot terrible. Elle avait vu les Soubirous jetés dehors en plein hiver par « la loi », elle avait vu des familles entières ruinées et dispersées par « la loi ». Aucun mot ne pouvait l'impressionner plus que celui-là. Aussi s'était-elle juré d'être toujours en accord avec toutes les lois du monde car elle voyait là le premier moyen de devenir « normale », « respectable ». Pouvoir passer devant le garde tête haute sans craindre qu'il vous arrête pour vous dire qu'il vous avait vue ramasser des fagots où il ne fallait pas, et non plus la baisser en se sentant fautive d'avoir effectivement coupé quelques branches pour le feu du soir, c'était pour elle le début de la reconnaissance. Et voilà qu'aujourd'hui sa mère tombait sous le coup de cette fameuse loi. Le procès, peut-être la prison, Lucile ne savait pas ce qui allait se passer mais, instinctivement, elle poussa tout au pire. À peine Ida lui eut-elle annoncé la nouvelle, qu'un léger tremblement gagna tout son corps et il lui fallut s'asseoir un moment en cuisine tant elle se sentait incapable de faire quoi que ce soit. Un peu plus tard, Hortense lui expliqua de ne pas s'en faire, que tout s'arrangerait au mieux. Mais rien ne put soulager la peur panique qui l'avait envahie.

Il lui tardait de rentrer pour retrouver sa mère et en savoir plus quand Jean Davezac entra dans le café. Lucile aurait pu rentrer sous terre qu'elle l'aurait fait tant la honte la submergea. Le jeune homme travaillait au tribunal et elle pensa qu'il devait déjà être au courant des arrestations. Elle se dit cependant qu'il ne connaissait d'elle que son prénom et qu'il n'y avait donc aucune raison qu'il fasse le rapprochement avec l'inculpée Marie Abadie. Il la détrompa aussitôt. Après avoir, comme à son habitude, accroché sa cape au portemanteau et posé son haut-de-forme noir par-dessus, il s'avança vers Lucile et, posant amicalement sa main sur son épaule, lui dit d'une voix qui se voulait le plus aimable possible :

— Pour votre mère, Lucile, ne vous en faites pas. Je ne pense pas que le jugement sera bien sévère. On lui donnera sans doute un avertissement ou, tout au mieux, une forte amende, pas plus.

S'approchant de son oreille, il lui chuchota :

— C'est surtout que la fierté de M. le préfet et du procureur est atteinte, vous comprenez. Donc il s'agit juste de faire peur aux prévenues. Mais, n'ayez crainte, cela n'ira pas jusqu'à la prison.

Tout le temps qu'il parlait Lucile l'écoutait à peine, tout son être concentré sur la chaleur de sa main sur son épaule et son souffle contre sa joue. Le fils Davezac s'adressait à elle comme à une jeune fille digne d'intérêt puisqu'il lui parlait de sa mère et essayait de la rassurer. En la sentant si tendue, celui-ci se demanda s'il n'avait pas fait une erreur : peut-être Lucile eût-elle préféré qu'il ne fît aucune allusion à ce procès. Gêné, il prit quelque distance et s'excusa. Lucile sentit alors qu'elle avait mal réagi, que son silence pourrait être mal interprété et elle se dépêcha de le remercier :

— Excusez-moi, monsieur Davezac, je suis un peu choquée par ce qui arrive, je vous remercie beaucoup de me dire tout cela.

Davezac sourit puis, tout en s'éloignant pour rejoindre ses amis, il commanda un vermouth blanc avec quelques olives.

— Tu vois, dit Hortense à Ida cependant que Lucile portait le vermouth, ce jeune Davezac est d'une grande délicatesse. J'en connais beaucoup qui n'auraient pas pris tant de peine pour une serveuse. Mais lui, il est vraiment bien !

— Décidément, lui répondit Ida en se moquant gentiment, quel dommage que Madame n'ait pas de fille. Sinon il aurait été le gendre parfait. Non ?

Hortense haussa les épaules et eut un petit mouvement de tête. Chaque fois qu'on faisait allusion à la fille qu'elle aurait pu avoir, les larmes lui montaient aux yeux et elle ne voulait rien en laisser paraître. Car si Hortense avait deux garçons qui vivaient maintenant à Tarbes et à Pau et qu'elle voyait rarement, la fille qu'elle attendait tant n'était jamais venue. Elle avait consulté tous les médecins possibles, ingurgité nombre de tisanes et de décoctions et même, en compagnie de Thérèse, vu une vieille sorcière aux méthodes soi-disant infaillibles. Les mois et les années étaient passés et elle ne se souvenait même plus du jour où elle avait fini par se résigner. Mais la plaie était encore sensible et la petite fille jamais née était toujours là, cachée au plus profond de son cœur. Aussi, quand Lucile était arrivée au café, elle n'avait pu s'empêcher de l'accueillir avec une tendresse et une générosité que la vieille Catherine, plus attentive qu'Ida, avait remarquées. Hortense se rappellerait toujours ce fameux soir où elle lui avait dit : « Ça va vous paraître drôle, mais je trouve que cette petite vous ressemble un peu. Je suis sûre que si vous disiez que c'est la vôtre, on vous croirait. » La vieille Catherine avait-elle compris qu'en recevant Lucile, le premier jour, Hortense avait cru se revoir quand elle était jeune, encore un peu gauche dans ses vêtements d'adolescente timide. La patronne du *Français* n'aurait pu le jurer, mais, en signe de connivence, elle avait posé affectueusement sa main sur le bras de sa vieille cuisinière et essuyé une larme. Aujourd'hui, c'était Ida qui voyait juste. Hortense s'était beaucoup attachée à la fille de Marie Abadie à laquelle elle trouvait toutes les qualités essentielles à ses yeux. Lucile était énergique, aucun travail ne la rebutait et le café n'avait jamais été aussi propre que depuis qu'elle s'en occupait, les cuivres brillaient, le parquet sentait la cire et les verres jetaient des éclats de lumière comme le cristal. Depuis quelque temps elle avait même appris à sourire et ne s'en privait pas. Bref, c'était une vraie métamorphose à laquelle Hortense ne se sentait pas étrangère. Lucile évoluait maintenant avec l'aisance d'une vraie jeune fille et ses embarras du début avaient totalement disparu, sauf... devant le fils Davezac. Hortense n'avait pas manqué de s'en apercevoir et elle trouvait que, ma foi, ces deux-là iraient bien ensemble. Mais c'était une pensée en l'air, comme ça, parce qu'Hortense savait bien qu'un fils de la maison Davezac ne pourrait jamais envisager un avenir avec la fille d'un chômeur et d'une lingère du bas de la ville.

Sans quitter son boudoir Sophie avait suivi, au jour le jour, les derniers événements de la grotte qui prenaient dans toute la région et même au-delà une ampleur de plus en plus considérable, surtout avec la pose des barrières et l'annonce du procès. Depuis la veille elle observait le va-et-vient de groupes qui visiblement convergeaient de toutes les vallées environnantes et même, au vu de leur mise, de villes comme Tarbes ou Pau. Ceux-là qui arrivaient dans des cabriolets privés, commençaient par s'arrêter au *Café Français* puis se rendaient ensuite à Massabielle à pied, par conviction ou par curiosité. Le nombre des femmes était nettement plus élevé et seuls quelques hommes se distinguaient dans la foule des passants. Mais, ce matin, Sophie guettait plus précisément l'arrivée de deux femmes dont elle avait sollicité la visite par l'intermédiaire de Louisette. Elle les vit de loin. Irma Journé, corsetée dans un petit boléro noir dernier cri recouvert d'un grand châle de cachemire et Jeanne Dufour, arborant un luxueux chapeau Marie Stuart, sorte de petit bonnet plat en pointe sur le haut du front, pressaient le pas. Sophie courut à sa coiffeuse pour vérifier une dernière fois que tout, dans sa toilette était parfait. En un tour de main elle repoudra légèrement son visage et replaça une mèche rebelle dans le lissé impeccable de ses cheveux que Louisette avait coiffés. Pour le plus grand bonheur de cette dernière, elle avait enfin quitté le déshabillé qu'elle traînait depuis plusieurs jours et, après s'être soigneusement lavée, s'était revêtue d'un magnifique ensemble d'intérieur en soie ivoire qu'elle n'avait encore jamais porté. Elle s'était même parfumée, ce qu'elle ne faisait plus depuis longtemps. Elle avait tamponné sur sa nuque et ses poignets un peu de cette essence de violette qu'Hortense Cazaux lui avait fait parvenir pour la remercier de lui avoir recommandé Lucile. Louisette était aux anges, Madame se tenait bien droite et avait retrouvé sa légendaire élégance, preuve qu'elle prenait sa mission à cœur. Si Sophie se donnait tant de mal, si elle avait souhaité voir ces dames qu'elle n'avait plus rencontrées depuis six mois, c'était effectivement pour une cause très particulière. La veille, une Antoinette affolée était venue lui annoncer que Marie Abadie allait être traînée en justice à Pau sur injonction du procureur impérial, et lui demander d'intervenir en sa faveur. Sophie n'avait pu s'empêcher de sermonner sa couturière en lui disant qu'elles allaient trop loin. et que si elles se mettaient à ne plus respecter la loi, il ne fallait pas s'étonner que les autorités réagissent. Mais, devant le désarroi d'Antoinette, elle avait promis : « Ne vous inquiétez pas, je verrai Jeanne Dufour et même, s'il le faut, Irma Journé. J'ignore ce qu'elles pourront faire, pas grand-chose à mon avis, mais je vais essayer. »

De leur côté, la femme du procureur et la femme du commissaire faisaient mille suppositions se demandant pour quelle raison, après ce long silence, la belle chocolatière souhaitait les voir. La veille, Irma s'était rendue chez Jeanne après la visite de Louisette pour en parler. Mais elles eurent beau retourner cette surprenante invitation matinale dans tous les sens, elles ne voyaient pas ce que la très fière et très dédaigneuse Sophie pouvait bien leur vouloir. Aussi quand Louisette les introduisit dans le boudoir, étaient-elles sur le qui-vive, prêtes à tout entendre. Embrassades, minauderies convenues, préliminaires d'usage pour se demander des nouvelles, rien ne manqua aux retrouvailles, mais de part et d'autre on était impatient d'en venir au fait. Louisette était en train de servir du café lorsque Sophie, qui ne savait trop comment s'y prendre et tournait depuis un moment les mots dans sa bouche, choisit finalement la manière directe, celle qui lui convenait le mieux. Elle exposa le cas de Marie Abadie, expliqua qu'elle la connaissait depuis fort longtemps et que c'était une femme en tous points exemplaire et que, sans doute, c'était malgré elle qu'elle avait été entraînée à désobéir à l'ordre du préfet et à aller prier à la grotte. Dire qu'Irma et Jeanne furent surprises serait faible. Elles manquèrent s'étouffer et se regardèrent, incrédules. Comment ! La belle chocolatière les avait fait venir de toute urgence pour parler du sort d'une lingère ? Coupable de désordre, de surcroît ! Mais c'était le monde à l'envers ! Irma, d'un tempérament plus trempé que la pauvre Jeanne, se remit la première de cet invraisemblable réquisitoire :

— Mais... voyons Sophie, qu'attendez-vous de nous exactement ? Et en quoi la mésaventure de cette lingère nous concerne-t-elle ?

— C'est tout simple, trancha Sophie agacée par le ton un peu trop hautain, à son goût, d'Irma. Ce sont vos maris qui sont à l'origine de ces condamnations, ils devraient pouvoir faire quelque chose pour Marie. Non ?

Avec son naturel habituel, Sophie ne s'était pas embarrassée de précautions et avait fait montre de l'autorité qui avait toujours été la sienne dans le petit milieu des bourgeoises de Lourdes. Mais Irma ne l'entendit pas de cette façon. Piquée, elle reposa sa tasse et, d'un ton soudain très froid, expliqua à Sophie qu'il y avait certainement un malentendu. Si leurs époux avaient pris une telle décision c'est qu'il le fallait et que ces femmes le méritaient.

— ... Et je suis très surprise, ajouta-t-elle, que vous puissiez envisager de les défendre car elles se comportent comme des hallucinées d'une autre époque. Et croyez-moi, cela est catastrophique pour la réputation de notre ville. On en rit déjà là-haut à Paris dans la presse nationale. Certains papiers sur l'affaire nous ont éreintés. On nous y traite même de « crétins », c'est dire !

— Oui c'est affreux ! À Paris, on nous prend pour des demeurés ! renchérit Jeanne, la femme du procureur, très ennuyée du tour que prenait la visite et saisissant l'opportunité de donner un avis sans avoir à répondre directement à le demande de Sophie. Ce n'est plus tenable, il faut arrêter ces débordements.

Sophie ne put s'empêcher de penser que le procureur parlait directement par la bouche de la pauvre Jeanne qu'elle jugeait plus inconsciente que méchante et, au lieu d'être déstabilisée par cet accueil plutôt négatif, furieuse de la réponse d'Irma, elle insista :

— Écoutez, je ne défends personne et tout comme vous je trouve cette histoire d'apparitions accablante pour notre ville. Mais enfin, de là à amener une misérable lingère en procès...

— Misérable, misérable ! râla Irma. C'est toujours comme ça, on essaie de nous apitoyer. La petite Soubirous aussi est misérable, paraît-il. Allons, allons, pour boire il paraît que son père a les sous ! Ils nous en rabattent toujours les oreilles avec leur misère mais qu'en sait-on au juste hein ?

— Moi je sais ! ne put s'empêcher de hurler Sophie que la tirade d'Irma avait mise hors d'elle. Ils n'ont rien, rien du tout ! Et vous ne pouvez pas même imaginer à quel point !

La femme du commissaire, estomaquée par la colère de Sophie, avait reposé sa tasse et Jeanne Dufour se faisait toute petite, ne comprenant rien à cette flambée soudaine. Sophie s'était levée de la méridienne. La saleté, la boue et la puanteur de la pièce des Soubirous qu'elle avait entrevues dans la nuit lui remontèrent à la gorge comme une nausée. Dans l'éclairage de ce souvenir, les bajoues tressautantes et la gorge trop remplie de Jeanne la soumise, la suffisance hautaine d'Irma lui apparurent d'une inhumanité insupportable. Sophie eut un haut-le-cœur. Depuis de longs mois qu'elle ne pratiquait plus l'art de la conversation mondaine, elle avait perdu l'habitude des docilités de bonne compagnie et avait développé au contact de Louisette un art du parler vrai qui lui vint sans aucun calcul :

— Ni l'une ni l'autre, continua-t-elle, vous n'êtes jamais sorties de chez vous. Vous allez aux thés à gauche, à droite, aux réceptions, aux dîners, dans les boutiques et puis c'est tout. Comment imaginez-vous un seul instant pouvoir comprendre quelque chose à la misère, comment osez-vous seulement en parler ?

La charge était telle que même Irma en fut déstabilisée. Un silence s'ensuivit et Sophie, réalisant qu'elle s'était laisse emporter, enchaîna avec un ton presque implorant, se voulant tout à coup plus conciliante :

— Écoutez, nous ne sommes pas là pour nous disputer. Je vous dis simplement qu'une pauvre femme risque d'être jetée en prison et qu'elle ne le mérite pas. Enfin ! Irma, Jeanne, ne me dites pas que cela vous est indifférent. Je vous connais, je vous ai vues de nombreuses fois faire la charité et donner beaucoup à M. le curé pour ses pauvres, alors ?

Cette fois, ce fut Jeanne qui répondit :

— Ma chère Sophie, mais que voulez-vous que nous fassions ? Je veux bien donner un peu d'argent, mais je ne suis pour rien dans la décision de mon mari, vous savez et...

— Je sais bien, Jeanne, mais vous pourriez tenter de l'attendrir, de lui expliquer la situation.

C'est alors qu'Irma intervint. La colère de Sophie l'avait totalement prise au dépourvu, mais elle avait l'esprit vif et le sens des situations. Gagnée par le ton franc et nouveau de Sophie, elle répondit d'une voix étonnamment calme :

— Puisque vous parlez avec autant de franchise, Sophie, permettez-moi d'en faire autant. Vous êtes trop fine pour ignorer que nos maris se fichent complètement de ce que nous pouvons penser. Pour ce qui est de les attendrir, nous n'en avons plus les moyens. Alors ? Que voulez-vous de nous très exactement ?

Sophie avala sa salive. Irma avait raison. Portée par l'envie de faire plaisir à Antoinette et à Louisette, elle avait agi sans réfléchir aux possibilités réelles d'intervention des deux femmes. Et, à bien y regarder, elles étaient quasiment nulles. Ni le procureur ni le commissaire n'accorderaient la moindre attention à une demande de leurs épouses. Les paroles d'Irma avaient profondément atteint Jeanne dont l'admiration pour la brillante carrière de son époux n'était un secret pour personne et qui donc se sentait déconsidérée et mise à nu dans son rôle d'épouse inutile. Elle avait l'air si abattu que Sophie s'approcha d'elle :

— Allons, Jeanne, ne vous en faites pas. Ça ne fait rien, je comprends. Après tout, votre mari doit faire son métier, ce n'est pas si facile. Je me suis laissée emporter, ne vous inquiétez pas.

Puis elle servit un autre café et, d'un ton plus gai, parla de choses et d'autres, interrogea Irma sur les nouveaux aménagements de sa salle à manger dont elle avait entendu parler et félicita Jeanne pour son chapeau Marie Stuart. Aucune n'était dupe et le malaise persista jusqu'à ce que, prétextant l'heure du déjeuner qui approchait, les deux femmes prissent congé après avoir embrassé Sophie. Mais, avant de partir, Irma ne put s'empêcher de faire une suggestion un peu impertinente et bien dans son caractère :

— Mais j'y pense, chère amie, à propos de votre lingère, vous devriez en parler à Louis. Votre mari a l'oreille du procureur et il paraît qu'il ne sait rien vous refuser.

Sophie ne put retenir une grimace.

Alors qu'elle se sentait parfaitement en forme pour convaincre, leur visite lui laissa un goût amer d'impuissance. Elle se compara à la grosse Jeanne, et se dit que, malgré sa beauté et sa volonté, elle ne pouvait rien faire de plus qu'elle. Irma, Jeanne, Thérèse, Antoinette, et même Louisette et Marie, au fond elles étaient toutes semblables. Démunies. C'était la première fois que Sophie réfléchissait à cet aspect des choses. Elle ne les voyait pas sous cet angle autrefois. Il lui semblait au contraire que, comparées aux femmes du peuple, soumises et courbées, toutes ces dames de la bourgeoisie, fières et droites, avaient un certain pouvoir. Mais il fallait bien se rendre à l'évidence, ce pouvoir était un leurre, limité essentiellement aux dépenses de frivolités. Tant d'impuissance la laissa un moment abattue, puis elle se reprit. Elle parlerait à Louis, elle le convaincrait d'aider Marie.

Sans informer Louisette de son projet, elle lui annonça qu'elle déjeunerait avec Louis dans la salle à manger. Celle-ci faillit en laisser tomber le plateau qu'elle redescendait, mais, trop heureuse de tous ces changements positifs, elle approuva vigoureusement et se dépêcha de préparer un menu digne de ce grand moment de réconciliation. Pendant ce temps, Mélanie, qui comme tous les matins s'occupait de de la toilette et de la promenade du bébé, fut chargée dès le retour de promenade d'aider sa patronne à enfiler une robe de jour que Sophie ne mit pas moins d'une heure à choisir parmi toutes celles qu'elle possédait. Sur les douze heures trente, quand elle descendit pour le déjeuner, la « belle chocolatière » était tout à fait ressuscitée. Louisette en eut les larmes aux yeux. Quant à Louis, s'il fut surpris, il n'en laissa rien paraître. Il ne fit aucune remarque, et agit comme si la présence de Sophie et son allure élégante étaient tout à fait habituelles. En un mot il s'efforçait à l'indifférence pour préserver ses certitudes et consolider un système intime tourné vers sa propre protection. Sophie ne fut pas dupe. Elle comprit tout de suite que son mari s'était réfugié dans un rôle de façade. Autrefois son tempérament entier en aurait été révulsé, mais aujourd'hui elle était différente. La douleur de ce qu'elle avait vécu cette dernière année, la profondeur des changements intervenus dans sa vie, qu'elle avait dû surmonter au prix d'une humilité bien loin de ses habitudes, avaient modifié sa perception des rapports humains. Cette journée pas comme les autres était pour elle l'occasion de s'apercevoir de ce chemin personnel qu'elle avait accompli sans même s'en rendre compte. Aujourd'hui, elle avait simplement envie de se rendre utile et il se trouvait que le sort de Marie était en quelque sorte entre ses mains. Elle s'en tenait à cette volonté nouvelle qui l'avait sortie de sa léthargie comme par miracle et, quand elle parla à Louis, elle le fit avec conviction. Mais Louis n'était pas prêt à entendre quoi que ce soit. Depuis qu'il avait appris la trahison de Sophie, il ne s'était jamais ouvert à quiconque de sa vie, de ses doutes, et aussi de sa douleur. Car il avait souffert et s'était enfermé dans cette souffrance comme dans un carcan rigide. Sa réponse à la demande de Sophie fut d'autant plus cinglante que, de la même façon qu'Irma et Jeanne, il ne s'attendait pas à un pareil discours dans la bouche de sa femme.

— Comment as-tu pu imaginer une seule seconde que j'interviendrais auprès de mon ami Dufour pour une femme pareille ! Tu as perdu la raison ou quoi ? As-tu oublié qu'il est procureur impérial ? Une des plus hautes autorités de ce département ? Que je ne t'entende plus jamais parler de cette histoire ! Tu m'entends ! Plus jamais !

Curieusement le ton agressif de Louis n'eut aucun effet sur Sophie, et c'est d'une voix calme qu'elle poursuivit :

— Écoute, Louis, essayons de ne pas laisser nos propres différends interférer dans la situation actuelle. Cette femme est très pauvre, elle n'a rien fait de vraiment grave. Tu es bien placé pour savoir qu'il se passe tous les jours et parfois même en haut lieu des choses bien pires qu'on ne sanctionne jamais. C'est toi-même qui me les racontais.

Louis bondit. Rien n'aurait pu le rendre plus furieux que ce rappel de confidences faites à sa femme à une époque où elle avait toute sa confiance.

— Laisse ça de côté, veux-tu. Ces broutilles n'ont aucune commune mesure avec le désordre moral que ces femmes provoquent et qui est autrement plus important que quelques facilités accordées çà et là à des gens de bien. La femme dont tu me parles n'a aucun sens moral, je sais qu'elle boit, je l'ai vue ici même, et elle défend cette visionnaire de carnaval qui sort de la pire des familles qui soit.

— Elle sort de la misère, Louis, ce n'est peut-être pas sa faute à l'âge qu'elle a.

— Les chiens ne font pas des chats ! Et cesse d'employer des mots qui te dépassent, la « misère » ! Dans ta bouche ça a un air...

Sur ce il se leva et se dirigea vers la porte pour partir à sa pharmacie. Sophie le rattrapa et, avec une tendresse spontanée, le prit par les épaules :

— Louis, je t'en prie. Cessons de nous faire du mal, il y a ces femmes aujourd'hui et ces enfants qui ont peur de ce qu'il leur arrive. Un procès pour des gens comme ça, c'est terrible, tu comprends. Il te suffirait de...

Louis saisit les mains de sa femme qui étaient posées sur ses épaules et, d'un geste dur, les ôta puis partit en claquant la porte derrière lui.

Sophie resta sans réaction. Elle avait échoué à convaincre un homme, dont elle avait été pourtant si proche et auquel elle avait donné un enfant, de faire une chose simple qui ne lui eût pas coûté beaucoup et qui aurait porté dans un foyer de pauvres gens un soulagement immense. Comment un homme comme Louis, qui n'était pas pire qu'un autre, pouvait-il ainsi rester sourd ? À cette question Sophie ne trouva pas de réponse.

— Les hommes sont durs, Madame, plus que nous. Ils ont la dureté facile, celle qui les arrange et qui leur permet de se donner raison. Et pour la douceur, c'est pareil. Ils ont la douceur et la générosité débordantes quand ils nous admirent et nous désirent, mais ils sont rares ceux qui ont la simple force d'apprendre à aimer et de bâtir. Et pourtant c'est la seule force qui vaille la peine, celle qui nous conduit à vraiment aimer. Et ça, c'est un long chemin qui prend une vie entière, mais quel chemin !

Louisette avait parlé d'une seule traite, sans chercher ses mots. Elle avait parlé sans rancœur, d'un ton neutre où se mêlait à peine un peu d'émotion.

Sophie lui sourit :

— C'est notre faute à tous, Louisette. Pendant longtemps je n'ai vu Louis que comme un homme parmi tant d'autres, je ne lui ai pas accordé plus d'amour que ça. J'ai pensé à moi... (Elle resta un instant silencieuse.) Nous sommes tous responsables. Nous ne regardons rien et nous ne voulons surtout pas voir ce qui nous dérange. L'autre soir, je suis partie en cachette voir où habitait Bernadette Soubirous. Quelle misère, Louisette, juste à deux pas d'ici, de notre maison si douillette, si confortable.

— Ça alors ! dit Louisette, et qu'est-ce que vous avez fait ?

— Rien, justement. Je n'ai rien fait. Je les ai regardés par une petite ouverture et je me suis sauvée. J'y pense parfois, mais à part donner quelques sous je ne sais pas quoi faire. Et puis cette petite avec ces histoires de visions, ça ne me donne pas confiance.

— Et pourquoi ? Pourquoi elle dirait pas la vérité ?

— Mais parce que des vérités comme ça, ça n'existe pas, tout simplement.

Louisette ne put se retenir :

— Vous faites comme la femme du commissaire. Parce qu'elle a jamais vu la misère, elle en doute. Elle dit même que ça n'existe pas.

— Ça alors ! fit Sophie, mais tu écoutes aux portes maintenant ?

Louisette haussa les épaules et répondit que c'était pas pire que de sortir la nuit en cachette et d'aller perdre des sabots tout neufs et faire semblant de rien.

— Tu m'as vue ? demanda Sophie interloquée.

— Non, pas moi. Mais Lucile Abadie rentrait du café et elle vous a vue perdre les sabots. Elle me les a ramenés. Je croyais que vous étiez allée au château essayer encore de le voir. C'est pour ça que je vous ai rien dit.

— C'est incroyable, dit Sophie. Tu m'as dit que tu ne les trouvais plus et je t'ai donné des sous pour t'en acheter d'autres. Qu'est-ce que tu en as fait ?

— Je les ai remis dans l'argent de la semaine. Ça remplaçait une avance que j'avais faite à Marie il y a longtemps.

Sophie n'en revenait pas et découvrait la vie de sa propre maison sous un autre jour.

Le procès eut lieu au jour et à l'heure dits. Marie et Germaine de la rue des Petits-Fossés, Marthe, Rosine, et trois autres femmes des maisons du bas partirent ensemble, très tôt, et elles n'étaient pas seules. Une foule les attendait sur la place du Porche devant l'église. Les deux voituriers de la ville avaient senti l'aubaine et avaient attelé toutes leurs carrioles qui, dès l'aube, attendaient les clients qui voulaient se rendre au procès. Elles furent remplies en un clin d'œil. Lingères, carriers, petits artisans, commerçants, ils voulaient tous assister à ce grand moment qui mettait la ville en effervescence. Nombre de cabriolets privés étaient également attelés devant les maisons de la place Marcadal pour emporter les notables qui attendaient pour la plupart une sanction du tribunal à l'encontre des femmes. Les petites gens, au contraire, espéraient la clémence et surtout priaient ardemment pour qu'il n'y ait aucune amende car le bruit avait couru que les juges feraient payer cher à ces « hystériques » la désobéissance aux ordres du préfet. « Payer cher ! », l'expression avait fait frémir les prévenues qui imaginaient le peu qu'elles avaient saisi par le tribunal et se voyaient déjà jetées à la rue avec leurs familles, comme tant d'autres avant elles. Marie, la première, se disait qu'elle avait agi sans penser aux conséquences et, l'heure approchant, se laissait gagner par la peur. Mais quand elle arriva sur la place et qu'elle vit la foule, quand elle entendit les cris d'encouragement des uns et des autres sur son passage, elle se sentit portée par une force nouvelle.

« Vas-y, Marie, te laisse pas faire, on est avec toi ! » « Vous inquiétez pas, les femmes, on donnera le coup de poing s'il faut ! » « De toute façon, s'ils vous enferment on fera sauter les verrous ! » « Pas question de vous laisser là-bas, ayez pas peur ! Quoi qu'ils disent à Pau, on vous ramène ! S'ils croient qu'on va vous laisser tomber comme ça, ils se trompent. Y'a plein de gars des carrières et des ardoisiers qui sont partis à pied hier soir. Ça va leur faire drôle au tribunal tout ce monde. Ça va les faire réfléchir ! »

Les sept femmes montèrent dans la même carriole et partirent en tête sous les cris de l'assistance. Puis les autres voitures suivirent et ce fut une véritable caravane qui s'élança sur la route en direction de Pau. Depuis ses fenêtres, Sophie vit Hortense Cazaux et Antoinette monter dans le cabriolet que Thérèse avait fait atteler devant chez elle par son cocher. Un instant elle eut envie de courir et d'aller les retrouver, mais elle pensa à Louis, et la menace qu'il lui avait faite de la jeter à la rue au moindre écart lui revint en mémoire. Le « moindre écart », qu'est-ce que cela voulait dire en fait ? Cela pouvait recouvrir tant de choses. Pour elle-même, cela lui était égal, mais pour Louisette et la petite Anne, elle choisit la prudence et ne bougea pas. Elle vit partir le maire, le procureur et le commissaire, puis la famille Estrade et aussi l'avocat Dufo avec le journaliste Bibé. « Décidément, il y a beaucoup de monde. Ce procès les inquiète donc tant que ça ? » Enfin, après que les derniers badauds se furent éparpillés, la place redevint vide et d'autant plus silencieuse après ce vacarme.

Seul tout en haut de sa roche humide, le château restait impénétrable et offrait comme toujours la vue de sa masse mystérieuse. Il arrivait parfois, selon que le vent d'Espagne soufflât ou non, que l'on entendît dans la ville des bruits qui s'en échappaient et dont il était difficile de bien cerner l'origine. Des cris, des bruits de combats, des hennissements, cela avait toujours à voir avec la guerre, la fureur. Et ces sons portés par le hasard du vent contribuaient au mystère du château, même s'il paraissait logique à tous qu'un corps de hussards ait peu de chances de laisser échapper d'autres musiques que celles-là, aux résonances barbares et dures. De lourds nuages gris fuyaient derrière les créneaux et Sophie entendit le vent qui se levait et hurlait de plus en plus fort. Mue par une impulsion, elle tourna la crémone dorée et les hautes fenêtres de son boudoir s'ouvrirent largement. Le vent s'engouffra aussitôt et vint lui fouetter le visage, soulevant les fins rideaux de dentelle et les secouant au risque de les déchirer. Un sifflement aigu montait des ruelles d'où le vent venu d'Espagne s'échappait pour glisser sur la place où il s'élargissait dans une amplitude sonore grave et houleuse. En regardant les dalles de pierre en contrebas, Sophie voyait se soulever les moindres feuilles et tournoyer les quelques débris qui çà et là jonchaient le sol. La belle chocolatière se souvint de ces jours de vent où, avec les élèves des Enfants de Marie, lorsqu'elles passaient en rangs bien ordonnés, la sœur chargée de les surveiller à leur tête, elles jouaient à tromper sa vigilance et faisaient pénétrer le vent sous leur cape et parfois même jusque sous leur robe. Le souvenir de ces jeux lui serra le cœur. Comme il lui parut innocent et lointain le temps de l'enfance ! Elle entendit leurs rires, elle crut même reconnaître celui d'Élisa Latapie, emportée par la maladie à dix-huit ans à peine. Au tout début des apparitions, Thérèse avait pensé que c'était peut-être elle qui venait à la grotte de Massabielle. Le vent fit claquer le volet du salon que Louisette avait dû mal accrocher. Sophie se dit qu'il valait mieux descendre tout de suite l'en avertir avant qu'il n'y ait trop de dégâts sur le mur. Quand elle releva la tête pour fermer la fenêtre, elle eut le souffle coupé. Abel était là. Il était arrivé sans qu'elle l'entende, le pas de son cheval étouffé par le bruit du vent. Il était arrêté de l'autre côté de la place, en face de sa maison, juste à la sortie de la rue qui descend du château, par laquelle passent les hussards quand ils traversent la ville. Il était immobile dans son uniforme de parade et seule la fourrure blanche de sa toque, fouettée par l'air violent, montrait qu'il s'agissait bien d'un cavalier vivant. Les deux amants restèrent ainsi à se regarder pendant des secondes qui leur parurent une éternité cependant que le vent créait sur cette place un vide qui, étrangement, les réunissait. Puis, soudainement, Abel partit. Il mit son cheval au pas et longea lentement la place jusqu'à arriver face à l'avenue Maransin en direction de la route de Tarbes. Et quand il fut là, après un dernier regard dont, même à cette distance, Sophie perçut l'intensité, il tourna bride vers le nord et partit au galop. Elle resta seule, debout, les cheveux torturés par le vent, les mains encore accrochées à la fenêtre qu'elle s'apprêtait à fermer. L'homme qui était arrivé un jour de grand bal dans sa vie, et qui lui avait fait les plus belles promesses d'amour dont une femme pût rêver, cet homme venait de disparaître sur cette même route où, par une belle nuit d'hiver, elle était allée à sa rencontre sans même savoir qu'il existait. Elle sentit sur son front la douceur des premiers flocons de neige tombés ce soir lointain du Nouvel An, et se poser sur ses lèvres le premier baiser d'Abel. Un flot de larmes monta à ses yeux et elle se laissa doucement glisser sur le parquet.

C'est Mélanie qui la trouva ainsi, inanimée dans la pièce glaciale où le vent s'engouffrait. Elle hurla en voyant sa maîtresse et Louisette, accourue, comprit immédiatement que l'état de Sophie était grave. Elle rattrapa de justesse Mélanie qui se précipitait pour aller chercher Louis et, à la grande stupéfaction de la jeune bonne, lui demanda de se taire et d'aller vite remettre du bois pour ranimer le feu. Puis, d'un geste énergique, elle referma les fenêtres. Aux confins de la place, le visage dissimulé sous son éternelle cape brune, le porcher Samson semblait attendre. Quand Louisette se montra à la fenêtre il lui sembla que le porcher levait la tête, mais ce fut si bref qu'elle crut s'être trompée. Déjà il repartait avec ses pourceaux qui le suivaient fidèlement comme de petits chiots, et on entendit résonner dans la brume matinale sa corne au son si particulier et si inquiétant. Louisette frissonna en marmonnant : « Qu'est-ce qu'il fait ici celui-là, à cette heure ? » Mélanie avait remis du bois dans la petite cheminée et, quand le boudoir eut retrouvé un peu de douceur, elles dévêtirent Sophie et la frictionnèrent avec une huile que Louis utilisait parfois pour ses jambes. Sophie ne réagissait pas mais Louisette s'obstinait. Elle ne voulait à aucun prix appeler Louis. Mélanie pleurnichait en disant que si on ne faisait rien, si on n'allait pas chercher tout de suite Monsieur à la pharmacie, Madame allait mourir. Louisette ne l'écoutait pas. Elle s'acharnait sur les jambes, les pieds et le haut du corps de sa patronne qui, sous l'effet des frictions étaient devenus rouge vif. Enfin, et alors que Louisette commençait à douter, Sophie manifesta une légère réaction et, petit à petit, revint à la vie. Elle dormit beaucoup. Louisette, encore bouleversée, la dérangea seulement pour lui faire avaler une bonne soupe chaude. La journée se passa ainsi, dans une intense inquiétude pour Louisette, une grande perplexité pour Mélanie et un néant effrayant pour Sophie. Très étrangement, la corne du porcher Samson résonna plusieurs fois, de façon plus insistante et plus prolongée que d'habitude. Même ce fouineur de Léon vint s'enquérir auprès de Louisette si elle savait pourquoi cet « imbécile de Samson » sonnait sans arrêt.

— Je sais pas, lui répliqua vertement Louisette. Il doit lui manquer quelque cochon. Toi, peut-être, tu devrais y aller !

Léon était reparti furieux. Louis vint déjeuner et, ne s'attarda pas. Tout comme il ne s'était pas étonné de voir à nouveau Sophie à sa table, il ne s'étonna pas plus de ne pas l'y revoir et ne manifesta aucune curiosité. Pareille obstination dans l'indifférence mit Louisette hors d'elle et, dès qu'il eut le dos tourné, elle laissa éclater sa rage :

— Que cet homme est bête ! Et il se croit maître de lui parce qu'il ne dit rien ! Tu vois, Mélanie, au fond cet homme est un lâche et je ne le dirai jamais à Madame, mais il ne la mérite pas. Il n'est pas assez solide et pas assez simple. Et pour l'amour, crois-moi, il faut beaucoup de vraie force et de simplicité.

Ce fut en fin de journée, alors qu'elle avait complètement oublié le procès, que Louisette entendit retentir la sonnerie de la porte d'entrée. Elle se précipita pour ouvrir et tomba sur Thérèse et Antoinette, enthousiastes :

— On a gagné Louisette, on a gagné ! dit Thérèse en la prenant dans ses bras. Elles sont relaxées, elles n'ont aucune peine, aucune amende, rien. On a gagné !

Louisette, saisie par le geste inhabituel de Thérèse, ne comprit pas tout de suite ce qui se passait. Ce n'est qu'au bout de quelques secondes qu'elle réalisa. Marie et les autres n'iraient pas en prison.

— Et... et les amendes ? demanda-t-elle en repensant à ce qui avait été sa pire crainte pour Marie.

— Rien, pas un sou. Elles n'auront pas un sou à payer ! Elles ont été acclamées à la sortie du tribunal, Louisette ! C'était une vraie fête ! Quel bonheur ! On vient juste d'arriver, les voitures étaient toutes bondées, tu aurais dû voir à la sortie la tête du procureur et celle du commissaire ! Devant eux le juge a donné raison à nos femmes, tu te rends compte ! Tu n'as pas entendu le bruit de notre arrivée sur la place ? Même M. le curé était là et il les a félicitées.

Décidément ce n'était pas un jour ordinaire pour

Louisette. Voilà qu'après l'avoir embrassée, Thérèse la tutoyait. Antoinette, tout excitée elle aussi, en rajoutait :

— Oh ! Louisette, il faudra qu'on vous raconte tout. Marthe a été tellement drôle et Marie nous a bien étonnées. Je n'aurais jamais imaginé qu'elle puisse parler devant une pareille assemblée. Eh bien, si vous l'aviez entendue, vous en auriez été baba, comme nous ! Elle s'est défendue comme un vrai orateur ! Et même Rosine, fallait les entendre !

« Vous en auriez été baba ! » Louisette ne rêvait pas, c'était bien Antoinette qui parlait.

— Vite, enchaîna Thérèse sans lui laisser le temps de se remettre et en la poussant vers l'intérieur, il faut qu'on raconte tout ça à Sophie.

— Non, non ! cria Louisette en retenant Thérèse, elle... elle va pas bien.

— Encore ! Et qu'est-ce qu'elle a ? fit Thérèse surprise.

Louisette, qui était arrivée précipitamment de la cuisine où elle découpait un poulet, répondit d'un ton inhabituellement las, en essuyant ses mains sur son tablier blanc et en nettoyant avec un coin la poignée de porte qu'elle avait copieusement graissée.

— Si je savais ce qu'elle a ! Seulement j'en sais rien, voilà ! Mais elle m'a fait une belle peur.

Louisette raconta dans quel état elles avaient retrouvé Sophie dans le boudoir.

— Et, ajouta-t-elle, on n'a rien dit à Monsieur, il vaut mieux éviter les conflits on sait jamais. Cet évanouissement, je sais pas, mais... c'est pas très clair. Y avait aucune raison.

— Où est-elle ? demanda Antoinette soudain intriguée et inquiète.

— Au boudoir, elle se repose. Peut-être qu'elle dort.

— Allons-y, dit Thérèse d'un ton énergique. On va lui raconter le procès, ça lui fera du bien, ça la fera même rire.

— Oh ça, souffla Louisette en les précédant dans l'escalier, ça m'étonnerait ! Mais enfin, essayez toujours. Moi, je ne sais plus quoi faire pour la sortir de là.

Quand elle vit Thérèse et Antoinette entrer dans son boudoir, Sophie éclata brusquement en sanglots et leur tendit les bras comme l'aurait fait une gamine recherchant la protection maternelle. Ceux de Thérèse s'ouvrirent les premiers. La belle chocolatière laissa échapper ces mots qui firent frémir Antoinette :

— Il est parti.

Un silence tomba sur la petite pièce. Seul le feu dans la cheminée faisait entendre un léger crépitement.

— Qu'est-ce qu'il a dit ? chuchota Antoinette.

— Rien, répondit Sophie d'une voix à peine audible. Il m'a regardée et c'est tout, il est parti comme ça.

Antoinette baissa la tête et se laissa tomber dans le petit fauteuil crapaud où elle plongea dans une mélancolie aussi profonde que soudaine. Louisette, restée debout près de la porte, regardait la couturière avec des yeux interrogatifs et perplexes. Seule Thérèse, qui serrait toujours Sophie en larmes entre ses bras, comprit que le hussard n'était peut-être pas allé seulement au cœur de la belle chocolatière, mais qu'il avait aussi atteint celui d'Antoinette. Comme l'aurait fait une mère pour consoler sa fille, elle tint un peu plus fort le visage en larmes de Sophie contre elle, puis, regardant l'horizon par-delà les fenêtres, elle raconta, d'une voix étrangement douce :

— Il y a bien longtemps, j'ai connu un garçon qui n'était pas encore un homme mais qui voulait le devenir... j'étais si jeune ! Je l'ai aimé comme on dit souvent que l'on aime à cet âge. Sans retenue, sans peur du lendemain. Avec cette promesse au fond de mon cœur que jamais rien au monde ne pourrait être plus beau et plus fort dans ma vie. Mon enfance avait été pleine de boue, d'aubes froides et mouillées mais l'avenir serait merveilleux puisque j'allais le vivre avec lui. Peu m'importait alors mes sabots et mes gros bas de laine. Il m'aimait, me serrait dans ses bras en me parlant d'éternité et j'étais prête à affronter toutes les nuits, aussi dures, aussi froides, aussi noires soient-elles puisque j'avais la certitude avec lui, enfin !... d'atteindre à la lumière.

Ici Thérèse s'interrompit. Au fur et à mesure qu'elle parlait, Sophie, Antoinette et Louisette s'étaient concentrées sur ce récit inattendu et elles étaient toutes trois figées dans l'attente de savoir ce qu'était devenu ce garçon qui avait voulu devenir un homme. Thérèse eut une courte respiration, légèrement oppressée comme si le souvenir en remontant à sa mémoire provoquait encore un dernier soubresaut d'émotion. Puis elle continua :

— ... il m'a quittée un jour pour un magnifique navire ancré dans le port de Bayonne qui partait pour des pays lointains aux noms étranges. Buenos Aires, l'Argentine, je me souviens... Il disait trouver un paradis où nous serions heureux. Je ne l'ai plus jamais revu mais je l'ai attendu longtemps. Trop longtemps... (Elle regarda tour à tour Sophie et Antoinette d'un regard appuyé et, d'une voix devenue plus claire et plus ferme, elle continua :) Aujourd'hui je sais que ceux qui partent n'ont pas raison et que les seuls paradis pour ceux qui s'aiment sont ceux qu'ils bâtissent ensemble, jour après jour. (Elle se tourna vers Louisette encore debout près de la porte :) Je sais, Louisette, que tu m'en as toujours voulu d'avoir épousé Charles à ta place. Mais c'est toi qui as eu tort. Charles t'aimait, et parce que l'argent de sa famille venait d'une mine de fer où ton père et ton frère avaient tant souffert, tu n'en as pas voulu. Pourtant toi aussi tu l'aimais. Mais tu t'es obstinée, et vous avez été malheureux tous les deux. Votre paradis tu aurais pu le bâtir avec lui, l'inventer. Tu aurais aidé Charles à devenir meilleur et il t'aurait sans doute beaucoup donné lui aussi. Ça n'aurait pas été facile, mais vous y seriez arrivés. J'en suis sûre. Parce que quand l'un ne sait plus où il en est, l'autre est là pour faire le geste qu'il faut. Avec l'amour, on arrive à tout. C'est pas la peine d'aller chercher plus loin. Seulement tu es partie toi aussi. Comme mon marin, comme le hussard. Et tu as passé toute ta vie là-haut, seule dans ta soupente à rêver de lui et de ce que vous auriez été si...

Un atroce sanglot l'interrompit. Louisette avait remonté le tablier sur son visage et y enfouissait une montagne de larmes et de hoquets qui la secouaient nerveusement comme le ferait une mécanique dont un rouage aurait soudainement cassé. Éberluée, Sophie regardait tour à tour Thérèse et Louisette. Elle comprenait brusquement la signification des rapports étranges qu'entretenaient les deux femmes. Elle qui n'avait jamais imaginé sa cuisinière autrement que devant ses fourneaux et ses casseroles, elle découvrait la passion inassouvie qui la faisait vibrer depuis tant d'années.

Émue, Antoinette se leva et vint près de Louisette dont elle entoura les épaules en signe d'affection :

— Pourquoi nous racontez-vous tout cela, Thérèse ? À quoi bon ?

Thérèse hésita. Les pleurs de Louisette l'avaient surprise et touchée. Elle aussi se demandait comment elle avait été amenée à parler devant Sophie et Antoinette de cette histoire intime, si longtemps enfouie.

— Je ne sais pas... ou plutôt si... je sais. On ne dit jamais les choses assez clairement et on parle souvent trop tard. J'ai été bouleversée par l'attitude de Marie aujourd'hui à ce procès. C'est la plus humble, la plus inculte de nous toutes, et face à ce tribunal impressionnant, elle a eu un courage que nous n'aurions peut-être pas su trouver. Elle a parlé de toutes ces femmes qui, comme elle, comme nous, vont prier à la grotte. Elle a employé des mots justes, simples. Elle n'a pas eu peur de dire ce qu'il fallait. Et pourtant elle risquait gros. Alors je me demande pourquoi des femmes comme nous avons peur de parler de notre vie. Pourquoi nous avons peur du simple départ des hommes, ceux d'hier ou ceux d'aujourd'hui, alors que nous ne devrions avoir peur que de nos propres défaillances face à la vie. Cette vie qui nous demande d'aimer, de comprendre et surtout d'être là. De rester. De construire. Toujours, obstinément. (Elle se tourna vers Sophie.) Surtout quand, comme vous, Sophie, on a le grand bonheur d'avoir une petite fille à laquelle il va falloir donner la force de ne jamais douter du bonheur. Votre hussard est parti ? La belle affaire ! Qu'il s'en aille donc courir après ses chimères. (Puis, changeant de ton et retrouvant subitement la gaieté de son arrivée :) Mais... au fait,

Antoinette, Louisette ! on a oublié de dire à Sophie que les femmes ont gagné le procès !

Sophie se redressa d'un coup :

— C'est vrai ! Elles n'ont rien ?

Antoinette enchaîna, trop heureuse de secouer l'atmosphère lourde de confidences et d'étouffer la souffrance du départ d'Abel. Elle raconta la journée, s'attardant sur le moindre détail, reprenant les réparties de Marthe qui avaient fait rire toute la salle, jusqu'aux juges. Louisette retrouvait peu à peu ses esprits. Le récit auquel Thérèse donnait de temps à autre un éclairage supplémentaire était très vivant, et elle se prit au jeu. Au moment où Antoinette, reprenant la sentence, annonça d'un ton solennel : « Acquittées », elle et Sophie applaudirent de toutes leurs forces en riant. Une joie enfantine les avait gagnées. Elles déchargeaient une douleur trop profonde pour que de simples mots, aussi justes soient-ils comme ceux de Thérèse, puissent la calmer. Abel était toujours là, au plus profond du cœur de Sophie et les années semblaient n'avoir jamais réussi à cicatriser la blessure de celui de Louisette. Seule Thérèse avait pour de bon oublié son marin. Elle avait appris à aimer Charles autrement et réussi à partager avec lui une tendresse qui l'avait rendue très heureuse et qui, au long des années, était devenue un lien d'une très grande force.

Elles se quittèrent un peu plus tard, émues de ces rires et de ces larmes communes que jamais, avant ce jour, elles ne se seraient laisser aller à partager. Mais c'est qu'à Lourdes bien des choses avaient changé et en si peu de temps !

Le soleil était revenu mais il réchauffait à peine l'atmosphère glacée de cette fin d'hiver. Le garde Callet avait beau tapoter sur le verre du thermomètre de la mairie, celui-ci restait obstinément au-dessous de zéro et le fonctionnaire maugréait parce qu'en raison de cette affaire de la grotte il était obligé d'aller faire son tour à Massabielle tous les jours et même plusieurs fois par jour à cause du monde qui accourait de partout et tout le temps. Callet avait averti le maire que cela devenait dangereux, que rien n'était prévu pour gérer tant de passage. Le petit pont en avait vu plus en quinze jours qu'en dix ans. Mais on ne l'écoutait pas. Seul le maréchal des logis d'Angla s'était alarmé un matin en voyant tous ces gens agrippés au rocher ou à moitié agenouillés dans les eaux du gave. « Si au moins elle avait eu la bonne idée d'apparaître en plein été cette dame blanche, je dis pas ! marmonnait Callet, mais là, en plein hiver au pire endroit de la ville, quelle idée ! » Et il partait en pestant contre tous ceux qui n'avaient rien de mieux à faire que de venir se geler dans un endroit pareil.

Au *Français*, l'acquittement avait fait l'effet d'un coup de tonnerre. La stupeur s'était abattue sur les jeunes loups du tribunal de Lourdes qui ne comprenaient pas ce qui avait poussé les juges palois à agir de la sorte. Le procureur Dufour et le commissaire Journé se sentaient d'autant plus trahis qu'ils purent assister depuis le café à des scènes qui en disaient long sur les changements qui atteignaient la ville. Dès le lendemain matin, il y eut un nombre incessant d'allées et venues. Les femmes passaient de maison en maison pour le simple plaisir de se redire encore et encore la bonne nouvelle. Des groupes se formaient sur la place du Porche et la plupart riaient à gorge déployée, sachant que là-bas, derrière les vitres, ces messieurs les observaient et ruminaient leur défaite. Bien enfoncé dans son club, le procureur impérial les regardait avec la concentration de l'homme qui vient de subir une défaite, certes, mais qui ne s'avoue pas battu. Pour l'heure, sa colère était dirigée contre l'abbé Pène. La femme du cordonnier Barinque était au nombre des prévenues et l'abbé, vicaire de la paroisse, avait été vu dans la boutique en plein midi, en train de la féliciter et de rire plus qu'il n'aurait été convenable aux dires de ceux qui ne manquèrent pas de rapporter l'incident au procureur impérial. Comment ? Après la justice voilà que maintenant les membres du clergé local se mettaient du côté de ces femmes ! Contre les plus éminentes autorités de la ville ? Il se produisait un réel changement dans l'attitude des représen-

367

tants de l'église et les deux hommes étaient persuadés que tout cela ne pouvait avoir lieu sans l'assentiment de Mgr Laurence, évêque et autorité ecclésiastique suprême du département. La veille, le curé de la paroisse, Peyramale, était allé accueillir les prévenues et le procureur avait eu vent d'une lettre enthousiaste qu'il avait fait passer à son supérieur.

— Il nous faudra aviser le baron de ces changements dans l'attitude de notre curé, dit le procureur au commissaire tout en tirant de longues bouffées du cigare qu'il venait d'allumer. On ne sait jamais.

— Je n'arrête pas d'envoyer des rapports, souligna le commissaire agacé, c'est à se demander ce qu'ils en font.

— Gardez-le pour vous, cher ami, mais pour l'instant les informations remontent directement sur le bureau du ministre de l'Intérieur, notre brillant député, Achille Fould. Je crois savoir que Rouland, le ministre des Cultes a été tenu à l'écart. Les relations entre notre empereur et l'Église ne sont peut-être pas ce qu'on nous laisse entendre.

Journé tortilla sa moustache d'un air sceptique :

— Je ne vois pas pourquoi. Selon les vœux de l'impératrice elle-même, le pape est le parrain du petit prince impérial, non ?

Dufour poussa un gros soupir :

— Eh oui, mais les choses ne sont jamais simples...

Le procureur était certain que le ministre des Cultes avait été informé, notamment par l'évêque de Tarbes, mais qu'il jouait les ignorants. Il expliqua au commissaire que, selon lui, l'Église se trouvait engluée dans une contradiction dont elle aurait à son avis bien du mal à se sortir si l'affaire devait tourner mal. D'un côté elle affichait la volonté de dépouiller la religion de tout archaïsme de représentation, statues, miracles, et, de l'autre elle était bien obligée de reconnaître la foi des siens, quelle que soit la manière dont elle se manifestait.

— Ils sont donc prudents, conclut Dufour, agacé.

Derrière eux, à la table qu'elle venait de débarrasser,

Lucile s'attardait pour les écouter en passant et repassant l'éponge sur le marbre gris qui reluisait fort. Mais les deux notables n'allèrent pas plus loin dans leur conversation et se renfrognèrent, tirant si nerveusement sur leurs gros cigares qu'ils furent très vite noyés dans un épais nuage de fumée. Visiblement la situation ne tournait pas comme ils l'avaient imaginé. Ces femmes, dont ils avaient totalement négligé la capacité de résistance, dont ils n'imaginaient même pas qu'elles puissent en avoir une, continuaient malgré les barrières, les interdictions et les procès, à faire ce qu'elles avaient décidé : elles allaient prier à la grotte. Et ce que ces hommes n'arrivaient pas à comprendre, c'était où et comment ces femmes ordinaires trouvaient le courage de leur résister.

— Eh bien ! Elle va briller cette table ! On peut s'asseoir ?

Lucile sursauta. Jean Davezac, accompagné de deux amis du tribunal, se tenait devant elle. Il venait de la surprendre en flagrant délit. Elle en était sûre, le jeune avocat avait compris qu'elle écoutait la conversation. Le feu monta subitement à ses joues. Contrariée, c'est d'un ton inhabituellement sec qu'elle prit la commande.

Jean Davezac la regarda s'éloigner avec le sourire.

— Tu t'intéresses aux filles de salle, maintenant ! lui lança un de ses compagnons.

Un rire tonitruant ponctua la phrase. L'autre jeune homme, Jacques Bordes, n'avait pu se retenir. À peine gêné par l'effet provoqué par son rire qui en avait fait se retourner plus d'un dans le café, il s'assit et, baissant la voix, il dit :

— Voyons, Hubert, ne dis pas que tu n'es pas au courant !

Hubert fronça le sourcil et l'autre enchaîna :

— Notre cher ami Jean est bien trop occupé pour s'intéresser à une fille de salle. N'est-ce pas, Jean ?

Jean Davezac répondit d'un ton mystérieux :

— Je ne suis occupé par personne, sauf par moi-même. Tu le sais bien.

— Allons, allons ! Et que faisais-tu l'autre jour avec la belle Adeline Dufo qui te dévorait des yeux ? Tu lui parlais des modifications du dernier alinéa de la loi sur les terres cultivables ?

Ce fut au tour d'Hubert de retenir une exclamation incrédule :

— Non ? Tu fréquentes la fille de notre grand avocat ? Ça alors ! Et tu n'en disais rien, bien sûr.

Il ajouta, soudain crispé, d'un air mi-figue mi-raisin :

— Tu te places ?

Jean Davezac éclata franchement de rire :

— Eh oui, Hubert ! Tu es grillé. À moi les bons procès, les envolées à la barre qui marquent une carrière. Il faut savoir se placer, comme tu dis. Et rien de tel que de devenir gendre. N'est-ce pas ? Du moins c'est comme ça que tu vois les choses ? Je me trompe ? Moi en tout cas, je veux que tu le saches et que Jacques le sache aussi, c'est pas comme ça que je les vois.

Hubert eut un léger rictus, mais sut faire bonne figure et, comme Lucile revenait, les trois amis se turent. Il la regardèrent poser et remplir les verres en silence. Elle sentit sur elle leurs regards appuyés et repartit le plus vite possible, les jambes flageolantes. Elle imaginait qu'ils avaient dû parler ensemble de son indiscrétion et sentait sur ses épaules le poids de leur jugement. Elle blêmit. Plus jamais elle ne pourrait espérer une quelconque attention de Jean Davezac. Il l'avait surprise dans cette attitude déshonorante et il la méprisait. Elle en était sûre. Elle posa son plateau derrière le comptoir, lava ses verres et prétexta un oubli pour filer en cuisine chercher un peu de réconfort chez la vieille Catherine. La porte était entrouverte et, en approchant, elle reconnut la voix d'Ida qui parlait de Jean Davezac. Instinctivement elle ralentit le pas. La voix d'Ida était en colère :

— Tu comprends, disait-elle à Catherine, la pauvre Lucile s'imagine des choses sur ce garçon. Je le vois bien, moi. Et Madame l'y encourage. Ah ! elle va tomber de haut notre pauvre Lucile quand elle va savoir qu'il fait la cour à la fille de l'avocat.

Lucile s'appuya contre le mur du couloir en fermant les yeux. Ida continuait :

— Comment veux-tu ? Une fille de rien contre une fille belle, riche et toujours habillée comme une princesse. Faut la voir, Mlle Dufo. C'est qu'elle est belle ! Et elle a pas l'air d'avoir froid aux yeux. Et puis son père est quelqu'un d'influent. Pas comme le pauvre François qui est plus souvent au café qu'au travail.

— Qu'est-ce que tu veux..., répondit la voix de Catherine. Les femmes comme nous qui viennent de rien, on n'a pas notre place chez ces messieurs. Je l'ai souvent répété à Lucile, je voyais bien qu'il y avait quelque chose. Mais l'amour, tu sais... On croit pouvoir tout changer, c'est normal à son âge. La pauvre !... Ne lui dis rien, va. Laisse-la, elle finira par comprendre toute seule. C'est pas la peine de lui faire du mal.

Adeline Dufo ! Lucile vacilla. Le visage fier et la démarche arrogante de la fille de l'avocat quand elle passait devant le *Français* apparurent immédiatement devant ses yeux et sa propre condition de fille de brassier et de lingère lui revint à la figure comme une gifle monumentale. Comment avait-elle pu oublier d'où elle venait ? Comment, alors qu'il y avait dans la ville des jeunes filles aussi belles et aussi riches qu'Adeline Dufo, avait-elle pu imaginer qu'un Jean Davezac s'intéresserait à elle ? Le monde s'écroulait. Tout le chemin accompli ces derniers mois pour devenir une autre, pour anéantir à jamais la jeune fille pauvre, sale et mal attifée qu'elle avait été, lui parut instantanément réduit à néant. Elle comprit soudain le sens des regards appuyés qu'avaient eus les trois amis quand elle était allée les servir. Elle mesura sa méprise et l'ampleur de son humiliation. Ses yeux restèrent secs et son visage se durcit. Mais son cœur était broyé. Elle redressa la tête : « C'est Catherine qui a raison, se dit-elle. On ne change pas l'univers d'où on vient. On est condamné à y rester. » Et elle reprit son service comme si rien ne s'était passé. À peine Hortense remarqua-t-elle ce qu'elle prit pour une légère contrariété.

Dans la salle l'ambiance était houleuse. L'unanimité long-temps de mise contre les hystériques de la grotte commençait à être sérieusement ébranlée. Lucile constatait les attitudes ambiguës et les retournements de veste. Elle mesurait aussi combien les opinions des hommes étaient fragiles et sujettes à l'air du temps. Mais cette découverte qui, un autre jour l'aurait ébranlée, lui sembla en cet instant bien dérisoire. Lucile se demandait si l'amour, comme le reste, ne dépendait que du pouvoir, de la beauté et de la richesse. Trois choses qu'elle n'avait pas. Même si elle se trouvait plus jolie qu'avant, elle n'avait aucune illusion quant à une éventuelle comparaison avec la sublime beauté d'Adeline Dufo sur laquelle ces messieurs ne tarissaient pas d'éloge.

Lucile se mit à essuyer consciencieusement les verres et porta sur la salle un regard vide. Hortense la surveillait du coin de l'œil, vaguement inquiète.

Marie ne perçut pas tout de suite le changement qui s'était opéré chez sa fille. Dans l'euphorie de la victoire au procès, après l'accueil enthousiaste qui leur avait été réservé à leur arrivée à Lourdes, et puisqu'il lui avait été possible de se faire entendre, elle voyait le monde autrement. Quelque chose de profond s'était modifié en elle. Devant les juges, si impressionnants dans leurs habits de cour, elle n'avait ressenti aucune crainte. Et, encore aujourd'hui, elle en était stupéfaite. Pourtant elle savait que ce qui l'avait soutenue était la certitude qu'elle ne faisait aucun mal, qu'elle ne nuisait à personne en allant prier avec Bernadette à la grotte. Elle n'avait pas compris l'acharnement des autorités de la ville contre elles. Elle revoyait leur pauvre cohorte de femmes et d'enfants, si démunis, si peu dangereux pour quiconque. Elle entendait les douloureuses prières nées au plus profond de ces cœurs meurtris, de ces ventres affamés et elle ressentait une profonde révolte en songeant que les messieurs de la ville haute, d'ordinaire si peu intéressés à leurs drames quotidiens, voulaient les arracher à cet endroit venteux où ils n'avaient jamais posé les pieds, mais où il leur déplaisait simplement qu'elles aillent. Pourquoi tant d'acharnement ? Marie n'avait aucune idée des subtilités qui unissaient ou opposaient la politique et la religion. Elle s'en tenait à ce qu'elle vivait, à ce qu'elle voyait. Comment d'ailleurs aurait-il pu en être autrement puisque, de toute sa vie, une seule préoccupation avait été au cœur de ses journées et de celles de ses compagnes : survivre.

Maintenant, Marie avait un autre combat à mener. Après le procès, voilà qu'un autre grand événement se profilait pour les jours prochains. Bernadette avait annoncé que l'apparition viendrait pendant une quinzaine et le dernier jour de cette quinzaine tombait le jeudi 4 mars, jour de grand marché à Lourdes. Le bruit courait déjà qu'il y aurait foule et les autorités, longtemps indifférentes aux alertes successives données par le maréchal des logis d'Angla, seul homme à se rendre régulièrement sur le terrain, commençaient à s'interroger. Au café, Lucile les entendait tous les soirs émettre des avis contraires et, du coup, avoir quelque difficulté à s'accorder sur une décision. Le maire voulait mobiliser toutes les forces disponibles pour se couvrir en cas d'incident, tandis que le procureur le jugeait alarmiste et s'étonnait de son manque de sang-froid. Deux clans s'étaient formés, ceux qui prédisaient le pire et ceux qui ne voyaient dans toute cette agitation qu'une nouvelle manœuvre des hystériques de la grotte.

Lucile était la mieux placée pour mesurer tout ce qui séparait un monde de l'autre. Ces femmes que tous les bavards du café imaginaient se livrant aux pires machinations, elle les retrouvait le soir autour du feu, appliquées à enfiler minutieusement des perles de buis pour finir à temps les chapelets qui seraient confiés au paysan de Bétharram le jour du marché, ce fameux jeudi 4 mars. Cependant qu'entre leurs bureaux et le *Café Français*, le maire et le maréchal des logis s'ingéniaient à bâtir des stratégies pour étouffer dans l'œuf tout éventuel débordement, elles parlaient avec un enthousiasme naïf de cette journée où elles iraient à la grotte, où elles auraient l'argent des chapelets et où elles retrouveraient peut-être telle cousine ou telle amie qui arriverait des villages voisins. Elles espéraient aussi voir l'apparition de la grotte et pouvoir la remercier de ce qui leur arrivait de bon, si miraculeux après tant d'années noires. Tout devenait prétexte à rire de joie et à espérer.

Ce n'est qu'au bout de deux ou trois soirs que Marie remarqua le changement intervenu chez sa fille. Lucile ne dispensait plus d'encouragements et ne se montrait plus aussi pointilleuse au sujet des chapelets. Elle se contentait de les compter et personne n'avait eu droit à une de ses critiques acerbes sur tel nœud mal fait ou telle perle mal choisie. Et, surtout, elle ne riait plus, même aux bons mots de Marthe. Elle gardait un air sérieux et un ton sec que Marie ne lui avait jamais connus.

— Qu'est-ce que tu as, Lucile, lui demanda-t-elle un soir après la veillée. Il s'est passé quelque chose ?

Lucile se cabra si vivement que Marie en eut le cœur serré. Elle se jura de ne plus poser de question pour l'instant. Si sa fille était ainsi, c'est que la blessure était profonde. Il faudrait du temps pour la guérir. Elle pensa aussitôt à ce jeune avocat arrivé au début de l'année et dont Lucile avait parlé un jour. Lucile en était-elle tombée amoureuse ? Cela paraissait impossible. Lucile était raisonnable, elle ne pouvait pas s'être laissée tourner la tête. Voilà comment Marie voyait les choses. Pourtant elle n'arrivait pas vraiment à se rassurer et, toute la nuit, les yeux grands ouverts, elle se tourmenta pour sa fille

À quelques rues de là, Antoinette passa elle aussi une nuit blanche. Elle avait cousu des heures et des heures durant, dans son atelier, la nouvelle robe d'Adeline Dufo et elle était épuisée. La jeune femme était aussi exigeante que l'avait été Sophie mais elle était moins aimable. Pourtant, ce n'était pas la raison qui tenait Antoinette éveillée. Son tourment s'appelait Abel. Sans se l'avouer, elle avait espéré qu'il ne quitterait pas la ville sans lui dire au revoir, sans venir la voir une dernière fois. Elle avait été si accueillante pour lui, si compréhensive. Et il lui avait même semblé qu'il prenait plaisir à sa compagnie. Le jour où elle avait appris son départ, elle avait regardé le château comme elle le faisait avant d'aller se coucher. La citadelle, toujours si romantique à ses yeux, lui avait paru lugubre. Abel n'était plus là et cela changeait tout. Avant, quand elle s'endormait, elle avait l'impression d'être un peu près de lui puisque, de son lit, à travers sa petite fenêtre, elle apercevait les créneaux du chemin de ronde et la tour. Elle l'avait souvent imaginé dormant dans sa chemise blanche entrouverte, ou sans rien, l'été par les grandes chaleurs. Elle devinait sa peau brune et ses cheveux épais et noirs sur la toile du drap. Le vide de sa couche lui devint insupportable et elle tira le rideau, plongeant la chambre dans le noir le plus absolu.

Le premier soir elle s'était effondrée en larmes sur le rebord du lit. Face à elle, dans la lumière vacillante de la lampe à pétrole, les mêmes bouquets de fleurs ornaient toujours le même papier peint. Une scène champêtre s'y répétait qui l'avait fait beaucoup rêver autrefois, où une bergère habillée comme une princesse se balançait, poussée par un jeune homme bien mis et souriant. Un mouton broutait et un chien assis les regardait complaisamment. Antoinette ne se souvenait pas d'avoir jamais fait de la balançoire et elle s'en voulut d'avoir rêvé pour rien.

Un visage vint l'aider à retrouver sa sérénité. Celui de Marie, la lingère. Antoinette la revit à la barre du tribunal, le corps déjà courbé, usé par la fatigue, mais le regard si clair, si net. Et la voix posée qui avait été la sienne pour expliquer que ses prières la tenaient en vie. Antoinette en avait été bouleversée, comme tout le tribunal. Alors qu'il régnait dans la salle un grand brouhaha, tout le monde s'était tu progressivement en l'écoutant. Un moment de silence intense avait suivi ces paroles. Antoinette, qui allait souvent s'agenouiller à l'église et ressentait profondément ce dont avait parlé Marie, n'était pas certaine qu'elle aurait su trouver les mots simples et forts qui étaient naturellement venus dans la bouche de sa lingère. Et, à dire vrai, jamais elle n'aurait imaginé que celle-ci puisse éprouver des choses aussi profondes. Ç'avait été une découverte pour Antoinette. Elle pensait à Marie et à cette journée de jeudi où, avec les autres, elle se rendrait à la grotte pour accompagner la petite Soubirous. L'idée de cette prière commune lui fut douce. Thérèse serait présente. Elle la connaissait bien mieux maintenant et elle appréciait sa force de caractère. Cette femme qui n'avait pas hésité entre ses convictions religieuses et son milieu social lui était devenue précieuse. Leur relation était encore un peu neuve mais une grande confiance s'était instaurée entre elles. Et puis sans doute il y aurait aussi Hortense dont elle ne connaissait que l'allure bourgeoise et qui l'avait beaucoup étonnée par son franc-parler. Qui aurait dit un mois plus tôt qu'elle les côtoierait comme aujourd'hui ? Ces pensées l'apaisèrent et la firent sourire de plaisir. Elle s'endormit profondément.

MARS 1858

Une bonne odeur de pâte chaude se répandit dans toute la maison. Louisette ferma les yeux et la respira à pleins poumons en souriant de bonheur. Voilà près de trois semaines qu'elle n'avait pas pu faire les traditionnels beignets du lundi à cause d'un manque d'œufs. Impossible de s'en procurer dans toute la ville et pourtant Louisette avait frappé à toutes les portes susceptibles de lui en offrir. Les paysannes des environs n'en ramassaient plus depuis quelque temps et, toutes les cuisinières de la place Marcadal manœuvraient auprès de leurs fournisseurs habituels pour en obtenir en priorité. Maisongrosse jurait ses grands dieux à Louisette qu'il n'avait rien, que non il ne la faisait pas passer en dernier et que, bien au contraire, elle serait la première servie. Mais voilà, il fallait compter avec la nature : les poules ne pondaient pas et, tradition du lundi ou pas, Louis Pailhé, qui pointait en vain son nez dans la cuisine depuis trois lundis successifs, devrait attendre leur bon vouloir. Louisette tempêtait en vain. La pâtisserie du lundi matin, c'était son plaisir, sa récompense. Elle aimait tout, la farine blanche étalée sur la table, le beurre doré qu'elle pétrissait à pleines mains pour l'assouplir, le sucre qui se mélangeait aux œufs en faisant un petit grain crissant qui disparaissait dès qu'on ajoutait la farine. Louisette avait un tour de main unique pour lisser la pâte et la tirer en un bandeau souple et régulier. C'était grâce à son savoir-faire que ses beignets gonflaient merveilleusement, à en éclater. Et ces pâtisseries dodues dans la jarre de terre cuite étaient sa fierté. Aussi, ce mercredi matin, quand, après trois semaines de sevrage, Basile arriva avec douze œufs bien lisses, bien propres qui venaient directement de chez sa mère, la joie de Louisette fut immense. Elle l'embrassa comme s'il lui apportait un trésor. Basile aimait rendre service à Louisette, jamais il n'en avait été déçu, au contraire. Elle s'ingéniait toujours à lui rendre la pareille et il n'était pas rare qu'il repartît le soir avec un petit casse-croûte constitué des restes de repas auxquels Sophie ne touchait pas. C'est ainsi qu'il goûtait des plats que jamais il n'aurait pu s'offrir, des daubes, des salmis ou des ris de veau. Louisette venait de sortir les premiers beignets de la friture et se remplissait de leur parfum quand la porte de la cuisine s'ouvrit brusquement :

— Il y a des beignets ?

C'était Louis qui accourait, aussi fébrile qu'un enfant. Dans ces moments-là, Louisette se sentait prête à oublier ses mauvais penchants qui le poussaient à l'autorité et à la sécheresse de cœur. Elle roula une grosse boule de pâte cuite toute dorée dans le sucre et la lui tendit. Il s'en empara avec un sourire rayonnant :

— Oh ! merci, Louisette ! Comme c'est bon de retrouver vos beignets. Il y avait longtemps, au moins un mois, non ?

Et il ouvrit la bouche religieusement. Le beignet fut avalé en deux bouchées à peine et Louisette lui en tendit un autre. Elle avait plaisir à le voir manger avec autant de bonheur et ces moments étaient les seuls où elle avait un échange avec son patron. Elle expliqua à Louis que c'était grâce à Basile qu'il pouvait déguster ses beignets. Louis, tout en continuant à s'empiffrer, opinait de la tête en signe de grand contentement et Louisette en profita pour encenser Basile. Elle lui trouvait toutes les qualités, il rendait toujours service, il dépannait chaque fois qu'on en avait besoin. Bref, conclut-elle non sans malice en songeant à Léon qui débinait toujours son collègue dès qu'il avait le dos tourné : « Il nous est très précieux. »

— Ah oui..., fit Louis surpris, mais je croyais... vous ne

378

trouvez pas qu'il est un peu... désordonné, qu'il manque un peu d'initiative...

Louisette se récria haut et fort. Elle était en bonne position avec ses beignets. Elle fit tant et si bien qu'elle réussit à introduire le doute dans la tête de son patron qui, en la quittant, se jura d'écouter un peu moins Léon et de le remettre à sa place quand il parlerait contre Basile. Louisette jubilait. Elle attendait depuis longtemps le moment de remettre ce faux jeton à sa place ! Elle n'avait jamais oublié qu'il avait dénoncé Marie quand elle s'était évanouie et elle ne lui avait jamais pardonné cette méchanceté.

Mélanie entra dans la cuisine. Elle avait une dizaine de kilomètres à faire pour venir de son village, Adé, sur la route de Tarbes et elle arrivait toujours sur les huit heures du matin. Mais là, exceptionnellement, elle était en retard. La pendule sonnait la demie.

— Vous avez vu ? dit-elle aussitôt à Louisette en faisant de gros yeux ronds.

— Et ?... et qu'est-ce qui y a à voir ? répondit Louisette surprise.

— Y a des gens partout. C'est de la folie ! Ils arrivent par familles entières depuis Tarbes. J'en ai même rencontré qui viennent du Gers et qui sont partis de chez eux depuis trois jours. C'est plein de carrioles, de chars, y a même des calèches avec des dames et des messieurs drôlement bien mis !

Louisette roula trois boules de pâte et les plongea dans l'huile. Un gros bouillon frémit et l'éclaboussa. Elle râla après cette huile toujours trop chaude et s'essuya les mains sur son tablier. Puis, se tournant vers Mélanie :

— Ça alors ! Déjà !... Hier, chez Maisongrosse, le garde Callet disait que ça allait faire du monde pour le marché à cause de l'apparition que la petite Bernadette a annoncée à la grotte demain. Il disait même qu'à la mairie on commençait à s'inquiéter. Moi je me demande un peu pourquoi ils font tant d'histoires. Y a du monde qui vient ? Et alors ! Ça fait des jours et des jours qu'il en vient et ça les a pas trop inquiétés jusqu'à présent sinon ils auraient été y faire un tour à la grotte, non ?

— Oui, c'est vrai, fit Mélanie tout en se débarrassant de sa cape et en venant lorgner du côté des beignets, mais là, y a vraiment beaucoup, beaucoup de monde.

Elle ajouta, baissant la voix comme si elle demandait quelque chose d'extravagant :

— ... je pourrais avoir un beignet, Louisette ?

Louisette éclata de rire et lui tendit la jarre. Rien ne pouvait lui faire plus plaisir que la gourmandise que déclenchaient ses pâtisseries.

— Tiens, prends-en plusieurs. Ils sont meilleurs chauds. Mais après file vite. J'ai donné le lait à la petite, fais-lui sa toilette et change-la. Habille-la chaudement et après, tu peux peut-être la sortir un peu.

— Avec tout ce monde dehors ! s'exclama Mélanie.

— Mais, s'étonna Louisette, y a foule ou quoi ?

— Venez, dit Mélanie en enfournant un beignet et en la tirant par la manche vers l'escalier des chambres. Depuis là-haut on va tout voir.

Louisette jeta un coup d'œil rapide à sa friture et, après une courte hésitation, suivit la jeune bonne. Effectivement, pour un mercredi matin, l'agitation sur les places était inhabituelle. Plusieurs calèches étaient stationnées près de la fontaine du Marcadal et leurs propriétaires devaient certainement être au *Café Français*. À côté des voitures, un petit groupe de cochers discutait en tapant des pieds pour se réchauffer. De très loin, depuis le haut de l'avenue Maransin, on voyait arriver des groupes de piétons, des cavaliers et des voitures de toutes sortes. La place du Porche commençait à être sérieusement encombrée et Louisette et Mélanie, fascinées, regardaient les arrivants qui ne savaient trop où se diriger une fois sur la place. Ils s'asseyaient un peu partout, sur les murets de l'église, sur les bancs et même par terre. La porte de la chambre s'ouvrit doucement et Sophie apparut. Elle venait aux nouvelles. Elle s'approcha de Louisette et vint se plaquer aux vitres avec sa cuisinière et sa bonne.

— Mon Dieu ! fit-elle simplement. Quel monde ! Mais qu'est-ce qu'ils viennent chercher ?

Mélanie et Louisette haussèrent les épaules en signe de perplexité et elles restèrent à contempler le flot qui grossissait. Soudain, une odeur de brûlé monta des cuisines :

— Mes beignets ! hurla Louisette.

Les deux femmes l'entendirent qui ouvrait la porte de la cuisine et une fumée noire envahit l'escalier. En moins d'une minute le palier disparut dans un épais nuage. Mélanie fit une grimace et se mit à tousser cependant que Sophie, plus vive, ouvrait les fenêtres. Un vent glacé entra en tourbillonnant et un vacarme de voix, de cris et de roulement de voitures s'engouffra dans la maison. La ville de Lourdes bruissait de vie et Sophie, habituée au silence de cette place grise, fut prise d'un vertige. Elle s'agrippa à la rambarde et prit une longue bouffée d'air. Il y avait longtemps qu'elle n'avait pas ressenti pareille sensation. Le tumulte de la foule mouvante et le vent froid réveillaient son sang trop longtemps endormi. Il lui sembla que de petites bulles d'air irriguaient son cerveau et elle inspira à nouveau profondément.

De toute la journée le flot ne s'arrêta pas. Ils venaient de partout, descendaient des vallées, de la montagne, remontaient de la plaine du Nord et des régions voisines. Du coin le plus reculé du Pays basque, depuis le plus profond des terres aragonaises, des vallées espagnoles, ils arrivaient inlassablement. Une marée incroyable de voyageurs lointains, de femmes et d'enfants, de vieillards lents et fatigués, de cavaliers curieux et de riches dames étonnées. De sa mairie, Anselme Lacadé voyait, stupéfait, cette foule énorme s'installer sous ses fenêtres. Le maréchal des logis d'Angla était venu trois fois dans la journée :

— Je vous avais averti, on ne m'a pas entendu et voilà le résultat. Il y en a partout, partout.

— Ne nous énervons pas, dit Lacadé surexcité, en tournant dans son bureau comme un diable en cage. On va trouver. Il faut prendre des dispositions. Personne n'a rien dit jusqu'à aujourd'hui, et là, d'un coup, j'ai tout le monde sur le dos. Le préfet vient de me faire passer une dépêche. Sur ses ordres, et à mon avis le procureur Dufour est passé par là, ce soir vous devrez visiter la grotte avec Journé. Mon adjoint Capdevielle viendra avec vous. J'ai déjà envoyé là-bas trois agents de la mairie, ils sont partis il y a une heure environ.

D'Angla s'effondra sur une chaise en écartant les bras en signe d'impuissance et se laissa gagner par la colère :

— On doit aller visiter la grotte ! Et vous croyez que ça va servir à quelque chose ? Ça fait une semaine que je traîne là-bas et je vous répète qu'à part des fleurs, des chapelets et des petits objets sans valeur, il n'y a rien, rien de rien. Des bouts de papier, des prières, c'est tout ! Nom de Dieu, comment il faut le dire ! Y a presque que des femmes qui vont là-bas avec des gosses. Qu'est-ce que vous vous imaginez qu'elles trimbalent ? Des bombes ? Mais réveillez-vous ! C'est pas la grotte qui est dangereuse, c'est vous !

Sur ce, excédé, le maréchal des logis se leva et, tirant les rideaux, montra la foule qui, à cette heure tardive, il était presque six heures du soir, avait complètement envahi la ville, les places et les rues.

— Rien n'est prévu, hurla d'Angla, ni ici dans la ville, ni là-bas pour faire dormir tous ces gens. Et manger ? Où vont-ils manger ? Vous êtes sorti un peu, vous avez senti le froid ? Moi je viens de Massabielle et je peux vous dire que vous n'y tiendriez pas une heure. Il y a des femmes, des enfants, des nouveau-nés, des vieux, des grabataires, c'est de la folie, vous m'entendez, de la folie ! On court à la catastrophe, on n'a rien prévu.

— N'exagérez pas, s'énerva à son tour Lacadé. J'ai quand même fait venir une équipe de gendarmes de Tarbes, ils seront là demain, à l'aube, le commandant Renault me l'a promis. Et puis il y a vos gars, plus ceux de la mairie. On va y arriver quand même !

Puis, subitement, enfilant son pardessus et son haut-de-forme, il entraîna le militaire vers le *Café Français*, où, disait-il, ils allaient faire le point.

— De toute façon, à cette heure-ci, qu'est-ce que vous voulez organiser, hein ? dit-il en se frayant un passage parmi les gens qui, à même le sol, commençaient à s'installer pour passer la nuit.

Le maire traversa des familles entières, vit des mères allaitant des nourrissons en plein vent, des vieux recroquevillés sous leurs capes. Intérieurement il fulminait contre ce procureur Dufour qui avait minimisé la chose et il s'en voulait de l'avoir écouté. Que se passerait-il s'il y avait des conflits, du désordre ? Ou même des morts ? Ce n'était pas les quelques gendarmes et les gars de la mairie qui suffiraient à endiguer une foule pareille si ça dégénérait. Il se félicitait d'avoir envoyé dès le début de l'après-midi un rapport direct au procureur général impérial à Pau, sans passer par Dufour. « Au moins de ce côté-là, je suis à couvert », se disait-il pour se rassurer tout en jetant des regards affolés autour de lui. Sur la place Marcadal il courut presque pour échapper à ce mélange de cris, de rires, de paroles, de prières et de chants mêlés en un chaos sonore confus et, pourtant, curieusement calme.

— Vous avez senti, dit-il à d'Angla en poussant la porte du *Français*, comme ils sont calmes ! Non ?

— Faut se méfier, répliqua d'Angla. Ça veut rien dire, ils sont calmes maintenant et dans une heure, pareil, c'est la folie.

Rassurés par les murs confortables de leur café, retrouvant leur poste d'observation principal derrière les vitres, ils allèrent rejoindre les membres du Cercle qui, tous, exceptionnellement, étaient rassemblés à la table du procureur et du commissaire. L'heure était grave. Tous y allaient de leur analyse.

À Pau au même moment, le procureur général qui avait reçu la missive de Lacadé, se hâtait d'envoyer lui aussi en express une missive à sa hiérarchie pour se couvrir. La lettre partit illico pour la direction des Affaires criminelles. « Monsieur le garde des sceaux, écrivait le procureur, je viens rendre compte à Votre Excellence d'un fait qui n'offre pas à mes yeux, du moins jusqu'à cet instant, un caractère délictueux, mais qui, par l'émotion qu'il produit dans l'arrondissement de Lourdes et même au-delà, me paraît mériter que je vous en instruise... » S'ensuivaient six pages de récapitulatif des événements de la grotte qui se terminaient par une présentation des parents de Bernadette qualifiés de « misérables personnages » et par quelques questions prudentes sur « l'excessive réserve des membres du clergé ». Enfin, avant la traditionnelle formule de politesse, le procureur concluait : « Mon substitut se concertera avec l'autorité locale pour que tout désordre soit prévenu et, si nécessaire, réprimé. »

Le mercredi 3 mars en fin de journée, aucune autorité n'aurait pu entreprendre quoi que ce soit. Comme le disait si justement d'Angla, il était trop tard. Pour la première fois de son histoire, les pèlerins avaient pris possession de la ville de Lourdes.

Pendant que les hommes, bien protégés par les vitres de leur café favori, écrivaient des rapports et faisaient des commentaires sur la situation, Marie et les femmes du bas s'affairaient. Dès que les premières familles étaient arrivées, le matin et au début de l'après-midi, sur le pas des maisons et autour de la fontaine, elles avaient tout naturellement lié connaissance, parlant avec ces mères qui arrivaient parfois de très loin. Bien que le temps fût au beau, il faisait très froid et Marie regardait souvent le ciel, inquiète. De gros nuages barraient la montagne et elle se demandait quand ils viendraient se crever au-dessus de leur tête.

— Et s'il pleut ? fit Toinette alors qu'elles revenaient en petit groupe de la fontaine. Qu'est-ce qu'ils vont faire tous ces gens-là ? Où ils vont aller ?

— Y a l'hôtel des Pyrénées et celui des Voyageurs, dit Julie Toulet. C'est moi qui leur fais le linge des fois, y a au moins une dizaine de chambres...

— Tu parles ! dit Marthe. Ils sont déjà pleins. J'ai entendu une femme dans une belle calèche, elle criait à un couple dans un cabriolet bien luisant de les suivre. Elle disait qu'il n'y avait plus de chambre libre et qu'ils allaient essayer de dormir à Bagnères.

— De toute façon, fit Marie, c'est pas les femmes avec qui on a parlé qui vont pouvoir se payer l'hôtel.

Comme elles arrivaient dans la rue des Petits-Fossés, la cruche bien calée sur leurs têtes, une femme vint en courant à leur rencontre. Elles reconnurent Noémie Nicolau de l'auberge. Celle-ci les cherchait, elle était débordée. Depuis le début de la journée ça défilait dans son auberge, tout le monde cherchait où dormir pour la nuit. Elle n'avait rien qu'une chambre de dépannage qui était en fait un réduit, et elle avait décidé de laisser la salle de l'auberge ouverte. À défaut de paillasse ils dormiraient assis, mais au moins à l'abri. Seulement elle commençait à s'affoler.

— Ils y tiendront pas, il en arrive sans arrêt, au début je leur ai dit de venir dans la salle, mais maintenant je peux plus. Ils rentreront pas. Il faut faire quelque chose ! J'ai une famille là, avec trois gosses. Ils arrivent du Pays basque, ils sont partis à pied depuis lundi. Ils ont trouvé un charretier jusqu'à Pau et ils ont dormi très peu, dehors au bord de la route, mais là ils en peuvent plus. Et moi j'ai plus même un bout de place où les mettre. La salle est noire de monde. Même moi j'ai eu du mal à en sortir pour venir vous voir. Alors ?

Marie posa sa cruche sur le sol :

— Dis-leur de venir, Noémie. Je vais les loger moi, on fera comme on pourra. Je mettrai les petits sur la paillasse de Lucile et on laissera la nôtre à la femme et à son mari. Nous on dormira au sol, pour une nuit on n'en mourra pas.

— Oh merci, Marie, fit Noémie soulagée, je vais le leur dire, je te les envoie.

Elle s'apprêtait à repartir lorsque Marthe l'interrompit :

— Hé, mais ça va pas suffire. Je suis sûre que quand tu vas revenir là-bas, tu vas en avoir encore une dizaine devant la porte. Écoute, tu nous les envoies ici, on va s'arranger, on fera comme Marie. La terre battue, on connaît, ça nous fait pas peur.

Les femmes approuvèrent avec enthousiasme. Elles décidèrent de se mettre tout de suite au travail et d'organiser des lits d'appoint dans toutes les maisons de leur quartier. La rue Basse, la rue de la Fontaine, la rue des Petits-Fossés, aucune mère ne refusa l'hospitalité et leur générosité fut immense. Ces femmes qui n'avaient rien, qui dormaient le plus souvent sur de mauvaises paillasses humides et noires se firent un devoir de bien accueillir. Marthe alla chercher de la paille neuve chez Cazenavette, qui tenait le commerce des diligences et dont l'affaire était bonne vu le nombre des touristes qu'il promenait l'été vers les stations thermales. Elle le trouva dans son écurie avec ses employés en train de nettoyer les voitures. Il se fit un peu tirer l'oreille mais Marthe eut des mots convaincants :

— Dis donc, tu te faisais moins prier quand on était jeunes, hein ? Alors pour un peu de paille...

— Qu'est-ce que c'est que ces histoires ?

Mme Cazenavette, cachée par une diligence, pointa le bout de son nez. Surprise, Marthe bafouilla :

— C'est pour faire dormir tous ces gens, dit-elle, on voulait un peu de paille.

— T'es sûre que c'est pour les faire dormir, c'est pas plutôt pour t'y coucher ? fit Odette Cazenavette qui avait bien connu Marthe autrefois, quand elle n'était pas encore lourde et déformée par le travail, comme aujourd'hui. Elle était alors très appétissante, du moins était-ce l'avis de ses très nombreux amants. La femme de Cazenavette n'était pas dupe. Son mari avait été l'un d'eux. Marthe serra les dents, ce n'était pas le moment de faire un esclandre comme elle en avait l'habitude chaque fois qu'on lui rappelait sa jeunesse. Elle avait déjà fait son deuil de la paille quand, à sa grande surprise, la femme du voiturier se tourna vers un employé qui lessivait les roues d'une voiture et lui demanda, dès qu'il aurait fini, d'aller porter une dizaine de bottes de paille rue des Petits-Fossés.

— Ça ira ? fit-elle à une Marthe sidérée, elle qui pensait rapporter tout au plus une ou deux bottes.

— Et comment ! fit Marthe. Merci Odette ! Je te revaudrai ça.

Celui qui n'avait pas l'air content, c'était Cazenavette. Après s'être défilé en entendant Marthe rappeler leur jeunesse, le voilà qui repointait le nez.

— Dix bottes ! Mais qu'est-ce qui te prend ? fit-il a sa femme. Tu sais ce que ça me coûte, dix bottes de belle paille comme ça ?

— Et comment que je le sais, cria Odette, c'est moi qui la négocie la paille. C'est moi qui m'en occupe dans les champs en plein été pendant que toi tu balades les clientes. Alors un peu que je sais ce que ça coûte ! Si je le fais, c'est qu'on peut le faire. On en a plein les greniers de la paille. On va tenir le coup, non ? T'as été les voir les femmes dehors avec les gosses ? Tu veux les y laisser toute la nuit, toi ?

Calmé par la subite colère de sa femme, Cazenavette se replia vers l'arrière de son hangar en bougonnant et Marthe repartit, émue, avec l'assurance d'Odette que d'ici une heure elles auraient la paille.

Les femmes la répartirent de maison en maison comme si elles distribuaient un trésor. Marie ouvrit son coffre de bois et sortit son unique drap de lin. Celles qui avaient un peu de linge firent pareil. La bonne odeur de la paille que l'on étend, les draps bien propres, le bois que l'on se partage pour qu'il y ait du feu dans chaque cheminée... le cœur des femmes s'était largement ouvert en même temps que les maisons. Les maris, tirés de l'auberge ou descendus des carrières, attirés par la rumeur de cette activité débordante, se laissèrent gagner par l'énergie de leurs épouses et donnèrent çà et là les coups de mains qu'elles leur demandaient. Pourtant elles furent très vite submergées et leurs uniques pièces familiales vite remplies. Marie décida d'aller voir Antoinette :

— Elle a une grande maison toute vide, de bons lits. Elle nous refusera pas.

Pourtant, au moment de frapper à la porte, Marie eut comme un doute. Portée par l'atmosphère de sa rue, elle se sentait tous les courages, mais là, soudain, elle qui n'avait pas l'habitude de quémander se sentit faiblir. Julie Toulet qui l'accompagnait suggéra de repartir.

— Une belle maison comme ça, dit-elle à Marie, je crois pas qu'elle va être contente, la couturière, si on lui demande d'y mettre nos pauvres bougres pleins de poussière.

— Tu as raison, dit Marie en faisant marche arrière. Il faut faire autrement.

Mais la porte s'ouvrit et Antoinette, un morceau de tissu dans une main et une aiguille enfilée dans l'autre les regardait en souriant.

— Marie ! Julie ! Qu'est-ce que vous faites là ?

Après une courte hésitation Marie lui indiqua le but de leur visite mais, s'empressa-t-elle d'ajouter, « si c'est pas possible, on va faire autrement, on va trouver ».

Aucune demande n'aurait pu procurer pareil choc à Antoinette. Ouvrir sa maison ! Ouvrir le lit de ses parents qu'elle conservait en l'état si pieusement depuis tant d'années ! Y mettre une de ces familles inconnues qu'elle avait croisées assises à même la boue des rues ? Voir ces gens souiller ses beaux parquets si bien cirés ! Elle blêmit et Marie comprit immédiatement qu'elle était allée trop loin. Sans laisser à Antoinette le temps de répondre, elle fila en entraînant Julie, s'excusant du dérangement et donnant rendez-vous pour le lendemain à la grotte. Antoinette les laissa partir et referma sa porte. Mal à l'aise, contrariée par sa propre attitude, elle revint dans son atelier où Adeline Dufo essayait une somptueuse crinoline.

— Qu'est-ce qui se passe ? fit cette dernière d'un ton agacé tout en continuant de s'admirer dans la glace. Encore de ces vagabonds qui viennent vous embêter ? Quelle folie, cette ville ! On n'est plus chez soi. Heureusement ça va vite finir. Mon père dit que c'est l'affaire d'une semaine ou deux.

Que tout cela va se terminer rapidement. C'est pas trop tôt, si on doit supporter tous ces miséreux dans nos rues !

Antoinette ne put s'empêcher de la corriger :

— Mais ce ne sont pas des vagabonds ! Ce sont des pèlerins ! Et il n'y a pas que des miséreux, il a beaucoup de gens des campagnes, des familles, des paysans, des artisans, et j'ai croisé aussi beaucoup de belles calèches et de messieurs très bien avec leurs dames. La journée de demain est un grand jour, vous savez ! Pour tous ceux qui croient en la Vierge, qu'il soient pauvres ou riches !

Mais Adeline ne l'écoutait déjà plus. Elle se regardait et admirait sa robe.

— Oui, fit-elle, moi aussi demain je vais y aller avec maman. On ne sait jamais, on risque de voir quelque chose. Et puis maman dit qu'il vaut mieux y faire une prière. Qu'est-ce que ça coûte ? En cas...

Antoinette soupira et préféra se remettre au travail. Elle s'en voulait d'avoir laissé repartir Marie comme ça. Mais ouvrir sa maison ? Pas question ! Aller aider dehors, tout ce qu'on veut, oui ! Mais pas sa maison. Elle tournait et retournait la question dans sa tête quand elle entendit frapper à nouveau. Adeline soupira :

— Encore ! Qu'est-ce qu'ils vous veulent ?

Cette fois, c'est Thérèse qui entra. Elle était toute excitée et elle expliqua qu'elle venait demander à Antoinette de loger des gens pour la nuit. Ils attendaient devant la porte. Elle-même avait toute sa maison complètement garnie et n'avait pu les caser. Tout naturellement elle avait pensé à la maison vide d'Antoinette.

— Loger des inconnus ! Comme ça dans sa propre maison ? Mais vous n'y pensez pas, madame Millau ? fit Adeline scandalisée par une demande aussi incongrue.

— Et comment que j'y pense ! fit Thérèse surprise de cette intervention. Vous allez dormir au chaud, mademoiselle Dufo, non ? Alors pourquoi ces pauvres gens dormiraient-ils dehors ?

— Mais, fit Adeline piquée par le ton de reproche de

Thérèse, personne ne leur a demandé de venir ! Quelle idée d'amener des enfants sans savoir où ils vont manger et dormir ? Il faut être tout à fait irresponsable. Moi, dans ces cas-là, je reste chez moi et je n'embête personne.

Pendant qu'Adeline parlait, par la porte restée entrouverte, Antoinette voyait la famille qui attendait. Le petit garçon avait pointé le nez à l'intérieur du vestibule. Elle crut revoir son frère au même âge, le même air fouineur et malicieux. Elle pensa que, s'il avait voulu venir à Lourdes prier la Vierge et qu'il n'y eût pas la maison, il aurait été bien en peine de payer un hôtel à ses enfants. « Il serait à la rue, comme ceux-là qui attendent dehors », pensa-t-elle. Et, sans plus réfléchir, contrariée par cette pimprenelle d'Adeline, elle s'entendit avec effroi accepter la demande de Thérèse :

— Vous avez bien fait de venir, Thérèse. Je vais les prendre.

Adeline poussa les hauts cris et, comme l'essayage était terminé, elle partit non sans faire mille recommandations à Antoinette pour que « ces gens » ne la volent pas pendant la nuit.

— Et si on manque de chambres, lui lança Thérèse non sans malice, je viendrai voir votre maman. On sait jamais, on peut avoir besoin.

Adeline s'enfuit sans demander son reste, faisant celle qui n'avait pas entendu.

Depuis le matin Sophie n'avait pas quitté ses fenêtres. Elle était fascinée par cette foule qui affluait dans sa ville. Jamais elle n'avait eu l'occasion de contempler pareille marée humaine à Lourdes. La place Marcadal et la place du Porche se confondaient, unies sous la masse mouvante de ces voyageurs disparates aux costumes bigarrés. Sophie entendait tour à tour des cris ou des rires d'enfants, des bribes de conversations, des gens qui s'interpellaient et, au fur et à mesure que la nuit tombait, des chants mystérieux dans des langues multiples. Juste devant sa maison un groupe de Basques avait entonné l'air du pays de leurs fortes voix d'hommes, graves et vibrantes. Plus loin, les Espagnols regroupés autour de la fontaine lançaient des jotas aux accents poignants. Elle-même se surprit à fredonner en même temps que des gens de la montagne un air de Bigorre qu'elle connaissait par cœur. Sa mère le lui avait chanté quand elle était enfant. C'était une mélodie très douce en occitan, avec des mots simples qui revenaient souvent, une sorte de ritournelle à laquelle on s'attache et qui vous rappelle les moments chaleureux des fêtes de famille quand, à l'occasion d'un mariage ou d'un Noël, tous les membres la reprennent en cœur :

Yan Petit qué danso, dab...

Sophie chantonnait de plus en plus franchement quand, dans son dos, elle entendit Louisette reprendre le refrain. Complices, les deux femmes terminèrent ensemble la chanson. Après quoi, comme deux gamines, elles éclatèrent de rire.

— Il faut fermer maintenant, dit Louisette, vous sentez pas le froid qui tombe. C'est de la glace.

— Mais..., fit Sophie. Ils vont rester là toute la nuit ?

— Est-ce que je sais ? dit Louisette. Où voulez-vous qu'ils aillent ?

Elle repoussa la fenêtre, donna un tour de crémone, puis redescendit ajouter les pommes de terre à la garbure qu'elle avait préparée dans l'après-midi.

La nuit était tombée. Hypnotisée, Sophie regardait la lueur des feux que, çà et là, les voyageurs avaient allumés pour se réchauffer. La plupart étaient maintenant assis ou couchés, enroulés dans leurs capes. Sophie pensa à Abel, elle se rappela les histoires de campement qu'il lui racontait, les bivouacs de nuit, et ce ciel au-dessus de sa tête comme un immense drap plein d'étoiles. Abel ! Où était-il ? Elle n'en laissait rien paraître mais elle ne pouvait accepter l'idée qu'elle ne le reverrait plus. Il lui semblait encore impossible qu'il soit parti comme ça, sans un mot.

Un mouvement au milieu des groupes vint la tirer de sa rêverie. Une femme se dirigeait vers sa maison suivie par une autre qui tenait un bébé dans ses bras et aux jupes de laquelle s'agrippait un tout petit enfant.

— Marie !

Sophie reconnut sa lingère. Intriguée, elle descendit les escaliers en courant pour avertir Louisette. C'était bien Marie. Toute intimidée à la vue de Sophie qu'elle ne s'attendait pas à trouver dans la cuisine, Marie expliqua qu'elle avait là, dehors, une mère avec son bébé et une petite fille de trois ans à peine. Elle les avait trouvées recroquevillées sous un porche, et elle s'était dit que si elle les y laissait, elles ne passeraient pas la nuit. Sans lui laisser le temps de poursuivre, Sophie sortit et revint avec la mère et les petites qu'elle poussa près du poêle de la cuisine. Elle tendit une chaise à la jeune femme et prit dans ses bras la petite fille qui se débattit et se mit à crier de peur.

— Mon Dieu ! Mais elles sont gelées ! Vite, Louisette, de la garbure, vite ! Et du lait, du lait chaud pour le bébé, vite ! Elle reposa l'enfant qui se réfugia dans les jupes de sa mère et se précipita pour chercher des bols et des cuillères. Marie regardait Sophie, incrédule. Suffoquée par cette réaction spontanée à laquelle elle ne s'attendait pas, elle pleura. La journée avait été éprouvante et il avait fallu secourir tant et tant de gens démunis de tout qu'elle était épuisée. Elle-même n'avait pas mangé de toute la journée et il y avait encore beaucoup à faire toute la nuit pour aider les uns et les autres.

— Si j'avais osé, dit-elle en essuyant ses larmes, je serais venue avant. Mais... je pensais...

— Ne pense pas. Mange ! lui dit Louisette d'un ton bourru qui cachait mal son émotion. (À la vue de cette jeune mère et de ces deux petites dans un tel état de dénuement, la vieille cuisinière était retournée :) Allez, dit-elle, venez toutes autour de la table, ça sera plus facile pour servir. Et puis, ajouta-t-elle en se forçant à rire et en s'approchant de la toute petite, tu tombes bien, toi, j'ai fait des beignets et ils sont pas tous brûlés. Tu vas en profiter !

La petite fille avait séché ses larmes et la regardait avec de jolis yeux ronds. Pendant ce temps, Sophie avait dressé la table en un tournemain sous les yeux ébahis de Louisette qui, si elle ne s'était pas étonnée de la générosité de sa patronne qu'elle connaissait bien, en revanche n'en revenait pas de la voir se mettre au travail. La mère et sa petite se mirent à dévorer goulûment cette soupe inespérée. Marie en fit autant et Louisette donna au bébé un biberon de lait chaud et sucré. Pendant un moment on n'entendit plus que des bruits de succion et de déglutition. Sophie resservit une tournée et personne ne se fit prier. Puis Louisette posa la jarre de beignets au milieu de la table et Sophie, toute heureuse, fit la distribution. La mère, maintenant rassasiée, ne disait toujours rien, et sa petite, à peine sa soupe avalée, était revenue se blottir contre elle. Elles jetaient des regards inquiets vers Marie qui les avait emmenées et vers le bébé qui continuait à téter le biberon dans les bras de Louisette.

— D'où venez-vous ? demanda Sophie en souriant à la mère.

— Elle ne parle pas un mot de français, intervint Marie, il faut lui parler en bigourdan. Elle est descendue de la vallée de Barèges toute seule avec les petites...

— Toute seule ! À pied ! Avec ce bébé ? Mais... vous êtes folle ? Qu'est-ce qui vous a pris ? Vous n'avez pas senti le froid là-haut ou quoi ? demanda Louisette en bigourdan.

Heureuse d'entendre enfin parler dans sa langue, la femme s'anima et répondit d'une traite. Elle raconta qu'elle avait déjà eu deux petits qui étaient morts à cause de quelque chose au cœur qui tenait pas. Le docteur lui avait dit que pour le bébé, ça serait pareil, elle mourrait à la fin du deuxième hiver. Elle expliqua qu'elle avait tout fait, vu tous les guérisseurs, les vieilles de la montagne avec leurs recettes aux plantes.

— Là-haut, chez nous, on a entendu dire qu'il y avait eu des guérisons à la grotte. J'ai déjà tout essayé, il me reste qu'elle, la Sainte Vierge de Lourdes. J'ai voulu la voir ! Si elle paraît demain matin à la grotte, elle m'entendra, j'en suis sûre.

Sophie ne parlait pas très bien le bigourdan mais elle le comprenait parfaitement. Elle ne croyait pas plus aux miracles qu'aux vieilles recettes des guérisseuses, et pourtant elle répondit avec ferveur :

— Mais bien sûr qu'elle va vous entendre ! Et la petite guérira, vous verrez !

En apprenant que ce petit être de chair si chaude qu'elle tenait contre elle et qui tétait si goulûment était condamnée à mourir, Louisette eut un frisson :

— C'est bien, dit-elle à la mère. Vous avez bien fait de venir ! Mais si vous dormez dehors, c'est pas une malade qu'elle aura, la Sainte Vierge, c'est trois d'un coup. Allez ! au travail ! On va vous préparer un lit, hein ? fit-elle en donnant le bébé à sa mère et en se tournant vers Sophie.

Elles s'y mirent toutes les trois. Louisette, Marie et Sophie. En quelques minutes à peine la grande chambre froide et toujours fermée que l'on gardait pour les visiteurs et qui ne servait qu'une fois dans l'année, fut transformée. Louisette fit du feu dans le poêle qui se mit à ronronner comme un gros chat, Marie mit des braises dans la bassinoire de cuivre qu'elle glissa entre les draps blancs du lit et Sophie alluma la belle lampe à pétrole qui éclaira immédiatement de son doux reflet toute la pièce. Les trois femmes la contemplèrent, émerveillées de sa couleur bleue si fine, de la douceur de ses parquets bien cirés, et de son mobilier en bois façon bambou que Sophie avait acheté l'an passé.

— C'est quand même bête, fit Sophie en réfléchissant. Une belle pièce comme ça, et on n'y vient jamais !

Marie l'écoutait sans y croire. Ils n'y viennent jamais ! pensa-t-elle. Mais comment peut-on avoir dans sa maison une pièce pareille et où on ne va jamais ? Comment peut-il exister même simplement des maisons où des pièces ne servent pas. Pour Marie c'était incompréhensible.

— En tout cas ce soir, j'en connais trois qui vont bien y dormir ! fit Louisette.

Et elle montra la petite qui s'était effondrée sur une chaise et qui dormait profondément. Sophie offrit une belle chemise de nuit qu'elle était allée prendre dans son armoire. Mais la mère, qui n'en avait jamais porté et qui n'avait jamais vu de linge aussi beau n'osa même pas la toucher et elle se coucha dans le grand lit avec ses deux enfants après avoir enlevé juste sa grosse jupe et son capulet. Serrant ses deux petites contre elle sous les draps, d'une voix cassée par l'émotion de se retrouver là, bien au chaud après avoir bien mangé alors qu'une heure à peine plus tôt elles étaient dehors en plein vent sans rien dans le ventre, elle remercia dans les mots colorés de sa langue bigourdane ces trois femmes qui l'avaient si généreusement secourue et qui la regardaient par l'entrebâillement de la porte qu'elles s'apprêtaient à refermer, heureuses et bouleversées de la savoir là, à l'abri, avec ses deux petites.

Une fois redescendues dans la cuisine, Louisette ne voulut pas laisser repartir Marie sans lui avoir servi un café chaud. Elles le burent ensemble, y compris Sophie qui d'ordinaire, à cette heure tardive, ne prenait que de la tisane. Un bonheur intense les réunissait et elles se souriaient sans parler, le verre de café chaud serré entre leurs mains. Elles ressentaient cet instinct protecteur des mères qui savent leur devoir accompli quand elles ont donné à manger et que les enfants dorment, bien bordés dans leurs lits. À la demande de Louisette, Marie raconta sa journée. Noémie débordée, les portes qui s'ouvrent, la paille, les lits improvisés. Elle parla de Thérèse qui avait trois familles chez elle pour qui elle avait ouvert ses armoires à linge :

— Son linge ! laissa échapper Sophie. Son linge si précieux !

Marie confirma et ajouta qu'Hortense avait quasiment obligé Maisongrosse à se mettre au fournil dans l'après-midi parce qu'on était en panne de pain.

— J'ai croisé ma Lucile en venant sur la place. Elle courait voir si la première fournée était prête. Au café, elles peuvent plus fournir les demandes de casse-croûte depuis quatre heures de l'après-midi. Et souvent les gens n'ont pas mangé depuis hier au soir.

Soudain pressée, consciente de s'être attardée plus qu'elle n'aurait dû, Marie se leva d'un bond. Elle avait oublié ce vieux qui toussait tant et plus et auquel elle avait promis de porter un peu de vin chaud pour le remonter.

— Je dois rejoindre les autres, il y a beaucoup à faire toute la nuit. Pourvu qu'il ne pleuve pas ! Allez, j'y vais.

— Attends Marie ! Je viens avec toi !

Sophie s'était levée. En un seul instant, elle qui depuis de longs mois s'enfonçait avec horreur et volupté dans le gouffre vertigineux du néant, qui avait coupé les ponts avec tous les plaisirs de la vie, qui avait tout aimé et qui n'aimait plus rien, passa de la mort à la vie. Elle avait tout fait pour se retirer du monde des humains. Sans lui demander son avis, le monde s'était engouffré dans sa ville, dans sa maison, dans sa chambre et jusque dans sa chair, bouleversant son âme et son cœur.

— Je vais chercher une potion pour la toux à la pharmacie, c'est mieux que du vin ! Et toi, Louisette, va vite prendre des couvertures à la lingerie. On ne sait jamais, ça pourra servir. Je viens avec toi, Marie, je vais t'aider à porter tout ça.

Louisette fit tout pour la dissuader de sortir, elle parla de Louis qui n'allait plus tarder à rentrer et qui devait toujours être au *Français*.

— Qu'est-ce que je vais lui dire moi ? fit Louisette réalisant soudain que la mère était là-haut avec les petites et que Louis n'en savait rien.

Mais pour Sophie l'avis de Louis n'avait déjà plus aucune importance. La réalité de la souffrance humaine qu'elle venait de rencontrer était bien plus forte que la peur des menaces de son mari.

— Tu ne dis rien, répondit-elle à Louisette, il ne va jamais jusqu'à cette chambre et moi, il me croira dans le boudoir. On verra demain. Ne t'inquiète pas, je reviens vite.

Louisette avait peur. Se retrouver dehors, elle savait ce que c'était. Mais elle ne put convaincre Sophie de rester.

La soirée au Cercle avait été houleuse et tendue. Louis y était arrivé tôt, sur les cinq heures, et déjà tous les membres étaient là. Le procureur, après avoir totalement négligé les avertissements soi-disant alarmistes du maréchal des logis, tentait de reprendre les choses en main. Abondant dans le sens du maire, il expliquait qu'il fallait se rendre sur le terrain, à la grotte, de manière à maîtriser la situation et à observer ce qui se passerait. Il devança Lacadé qui s'apprêtait à lui rappeler ses prises de position des jours précédents et, coupant court aux critiques, annonça qu'il se rendrait à la grotte le soir même, avec le commissaire et l'adjoint au maire. Lacadé, surpris, crut bon de se justifier et d'expliquer que s'il n'y allait pas lui-même et s'il envoyait son adjoint, c'est qu'il pensait, comme monsieur le curé, qu'il fallait ne pas encourager les choses par la présence de trop hautes autorités sur les lieux. Mais le procureur n'en démordit pas. Il irait à la grotte dès ce soir. La discussion s'envenima et ils ne furent pas loin d'en venir aux mains. Pendant qu'ils débattaient, la nuit était tombée et le *Café Français*, petit à petit, avait été envahi par les voyageurs aisés qui cherchaient une table pour le dîner. Seul, le commissaire Journé ne quittait pas la place des yeux et il voyait avec terreur grossir le flot des arrivants. Aussi quand le maréchal de logis d'Angla, qui avait fait opérer des comptages par ses hommes, revint en annonçant qu'il fallait s'attendre à voir plus de dix mille personnes à Lourdes le lendemain, il le crut instantanément.

— Dix mille ! Comme vous y allez ! fit le procureur d'un air pincé.

— D'Angla a raison, trancha le commissaire, regardez dehors.

D'un geste sec, il tira les rideaux de lin blanc qui, à mi-vitres, les protégeaient des regards extérieurs. Effarés, ils découvrirent qu'une foule grouillante avait envahi les deux places. Çà et là, la lueur de feux improvisés éclairait des scènes incroyables. Les voyageurs s'étaient installés pour la nuit. Soudain, Lucile et Ida passèrent en courant, une panière pleine dans les bras.

— Mais qu'est-ce qu'elles font ? demanda le procureur ahuri de les voir dehors alors qu'elles auraient dû être en train de servir dans le café.

— Si vous parliez un peu moins et si vous regardiez ce qui se passe au lieu de vous disputer, vous le sauriez déjà !

Hortense était juste derrière eux. Depuis un moment elle observait leur manège et quand elle avait vu d'Angla arriver, elle était venue aux nouvelles. Ils se tournèrent vers elle, surpris. Elle leur expliqua que, depuis au moins trois heures, elles ne cessaient pas de faire des casse-croûte.

— Les filles n'arrêtent pas de passer et de repasser sur la place pour aller à l'épicerie, chez Maisongrosse, à la charcuterie et vous n'avez rien vu ?

Accaparés par leur polémique, aucun n'avait remarqué que le *Français* avait totalement changé de physionomie. Les voyageurs, attablés comme dans un vulgaire auberge, dévoraient des casse-croûte improvisés. Le brouhaha était indescriptible.

— Mais..., fit le patron Pierre Cazaux à sa femme, stupéfait en découvrant cette clientèle inhabituelle, et... et tu les as laissés entrer ?

— Et tu voulais les laisser dehors ou quoi ? Je te signale que ça fait au moins une heure que ça n'arrête pas. Tu t'en aperçois que maintenant ? Mais qu'est-ce que vous faites alors ? De quoi vous parlez depuis deux heures ? Je croyais que vous cherchiez une solution pour la nuit, pour donner un coup de main.

— Mais voyons, Hortense, avança Dominique Normande, que veux-tu qu'on fasse ?

— Ça alors, c'est la meilleure ! La ville regorge de voyageurs qui arrivent de partout, qui ont rien à manger et nulle part où dormir et vous, vous demandez ce qu'il faut faire ?

— Et bien sûr qu'on s'interroge ! dit le procureur d'un ton autoritaire, agacé par cette femme qui venait leur donner des leçons. Il n'y a qu'un hôtel et au total pas plus d'une dizaine de chambres dans la ville. La multiplication des chambres, que je sache, ça se fait pas comme la multiplication des pains !

— Comment ça, y a qu'une dizaine de chambres dans la ville ? Mais y en a bien plus que ça des chambres ! Tiens, chez vous, par exemple, je suis sûre qu'il y en a au moins deux ou trois de libres.

— Hortense !

Exaspéré par sa femme, complètement dépassé par ce qu'il voyait dans son luxueux café, Pierre Cazaux tenta de faire preuve d'autorité. En vain. Hortense était déjà retournée à son comptoir depuis lequel Ida, débordée, lui faisait de grands signes désespérés. Louis, qui commençait à en avoir assez de ce brouhaha et de cette foule populaire qui gâchaient son lieu favori, salua ses commensaux et décida de rentrer chez lui. Bibé le suivit ainsi que l'avocat Dufo.

— La patronne en prend un peu trop à son aise, fit Dufo, à peine dehors. Si j'étais Denis, je la calmerais.

Les trois hommes, bien enveloppés dans leurs confortables pardessus, traversèrent la place en regardant autour d'eux ces groupes d'inconnus installés à même le sol.

— Mais..., s'écria Bibé, regardez, Louis ! C'est pas votre femme là-bas ?

À quelques dizaines de mètres à peine, Sophie et Marie, les bras chargés, partaient en direction de la place du Porche vers la rue Basse.

— Sophie ! hurla Louis en courant pour la rattraper.

Marie avait entendu l'appel de Louis. Elle s'arrêta et se retourna pour voir qui avait crié mais Louis était déjà près d'elles. Il découvrit avec effarement les couvertures qu'elles tenaient dans les bras et prit le pan de l'une d'elles dont il reconnut la couleur violine :

— Mais c'est la couverture de maman ! Qu'est-ce que tu fais ? Où vas-tu avec ça ?

Sophie le regarda calmement. Malgré l'exaltation de cette soirée exceptionnelle, elle se sentait comme cette foule : paisible. Et elle accomplissait tout ce qu'elle faisait avec un grand naturel.

— Tu vois, dit-elle à Louis en montrant les gens autour d'eux, je vais leur porter des couvertures pour la nuit. Il y a encore des enfants et des vieillards dehors. Il faut les protéger.

— Rentre immédiatement ! Et ramène ces couvertures à la maison !

Le ton de Louis était cinglant. Furieux, il arracha le paquet des mains de Marie et les couvertures tombèrent sur le sol. Sophie s'interposa :

— Tu ne me fais pas peur Louis ! Tu ne me fais plus peur ! Il y a des malheureux qui vont mourir de froid cette nuit, dans ta ville ! Et toi ! toi l'homme de science ! L'homme dont le métier est de les secourir, tu refuserais de leur prêter des couvertures qui ne nous servent à rien et qui dorment dans des armoires !

De loin l'avocat Dufo et le journaliste Bibé observaient la scène. Louis les vit et se calma instantanément :

— On en reparlera, dit-il.

Et il tourna les talons pour rejoindre ses amis qui l'attendaient, curieux de ce qu'ils pressentaient comme un nouveau drame à venir entre la belle chocolatière et le pharmacien.

Sophie passa toute la nuit dehors. Quand elle revint, l'aube blanchissait à peine. Les voyageurs dormaient sur la place, recroquevillés les uns contre les autres. Quelques-uns commençaient à se dégourdir les jambes et faisaient les cent pas pendant que d'autres, qui n'avaient pas fermé l'œil, buvaient des cafés chauds autour des feux improvisés. Çà et là, près de leurs maîtres, des chevaux attendaient. Sophie regardait ce spectacle ahurissant. La très stricte et très bourgeoise place Marcadal dégageait des odeurs de fauve et d'écurie mêlées, et l'ordonnancement parfait de sa pierre grise, fierté de ceux qui l'habitaient, disparaissait sous l'amoncellement désordonné et nomade des pèlerins. Une brume légère montait entre les groupes, comme de petites fumées bleues. Sophie avait passé la nuit debout avec Marie et les autres à courir d'une rue à l'autre, porter un peu de bois pour un feu ou servir du café et du vin chaud à ceux qui restaient dehors. Antoinette les avait rejointes et la nuit était passée à la vitesse d'un songe. Il y avait eu tant à faire ! Pour Sophie ce jour qui venait ne ressemblait à aucun autre. Jamais au cours de sa vie elle n'avait eu l'occasion de vivre aussi intensément ce qu'elle avait vécu là, en quelques heures à peine. Elle avait réchauffé ceux qui avaient froid, parlé avec ceux qui souffraient, plongé au cœur ne misère et d'une détresse humaines dont elle n'avait jusqu'à ce jour pas soupçonné l'existence. Mais c'est aussi dans la joie et l'émerveillement le plus total qu'elle avait échangé des paroles et des gestes d'amitié avec des inconnues dont elle ne comprenait pas toujours la langue. Elle avait bu du café, parlé, chanté, pleuré, ri. Elle avait le sentiment d'avoir vécu mille ans en une seule nuit et elle se retrouvait là, à l'aube, sur sa place, épuisée, heureuse et encore étourdie de ce voyage bouleversant parmi l'humanité. Un vent glacé se mit à souffler par courtes rafales. Sophie serra sa cape autour d'elle et se dirigea vers sa maison.

Louisette aussi avait déjà apporté plusieurs cafés aux pèlerins pendant la nuit en attendant Sophie. Elle avait vu de loin les femmes du *Français* le faire. Lucile, Ida, Hortense et même Thérèse et Mathilde. Thérèse lui avait expliqué qu'à l'initiative de Lucile, elles avaient décidé de ravitailler régulièrement les voyageurs en boissons chaudes pour les aider à tenir contre le froid. Un peu surprise, Louisette avait demandé :

— Lucile prend des initiatives maintenant ?

— Et comment ! avait dit Thérèse. De plus en plus souvent. Hortense la laisse faire. Elle trouve que la petite a du flair.

« Tant mieux », s'était dit Louisette avant de se joindre spontanément à la corvée de café. Elle était en train de verser sa dernière cafetière fumante à des montagnards de Cauterets quand elle vit Sophie arriver à l'autre bout de la place. Elle planta là les montagnards et courut vers sa patronne. La belle chocolatière rayonnait.

— Louisette ! Tu es là toi aussi ! C'est bien, si tu savais...

Et elles partirent bras dessus bras dessous vers la maison. Sophie commença à raconter ce qui s'était passé. Quand elles arrivèrent, Louis venait de descendre à la cuisine, où se tenaient la mère et les deux petites. Comme la jeune femme ne parlait que bigourdan et qu'elle était effrayée par cet homme qui visiblement n'en revenait pas de les trouver là et n'avait pas l'air content du tout, il n'avait rien pu en tirer.

— C'est moi ! dit Sophie aussitôt pour couper court à toute question de Louis. Elles étaient à la rue hier soir et je les ai fait dormir dans la chambre bleue.

Louis prit sa tête entre ses mains et s'assit en regardant tour à tour sa femme, Louisette, et la mère avec ses deux petites. Il détailla cette dernière des pieds à la tête et, visiblement, cette inspection ne le rassura pas, au contraire :

— Et tu as laissé cette miséreuse dormir dans notre maison sans surveillance, sans même m'en avertir ! Tu es devenue folle, Sophie, je ne vois pas d'autre explication. Tu es folle ! Ma femme est folle !

Sophie le regardait qui secouait la tête dans tous les sens comme un homme perdu. Autrefois elle aurait pu s'en émouvoir, ce matin elle le trouvait grotesque. La nuit qu'elle venait de passer, la chaleur des femmes et la générosité avec laquelle elle les avait vues partager le peu qu'elles possédaient lui rendaient l'attitude de Louis encore plus abominable. Sophie, en le regardant, réalisait qu'il avait fui au moment où, dehors, des milliers de gens auraient eu besoin de lui. À quoi bon tant d'études, à quoi bon toute sa pharmacie et toutes ses fioles si ce n'était pas pour s'en servir une nuit comme celle-là ? La sécheresse de cœur de son mari lui apparut, atroce, assez semblable finalement à la sienne propre. Elle avait été si peu consciente durant toutes ces années de la douleur des autres, de leur misère. Mais ce qu'elle n'arrivait pas à comprendre, c'est que dans l'urgence d'un événement aussi exceptionnel, face à cette misère devant sa porte, son mari restât de marbre et qu'il continuât à se protéger de la sorte. « Sa maison ! Sa chambre où personne ne dort jamais ! Mais de quoi a-t-il peur ? »

Soudain, Louis se leva et prit un air menaçant :

— Si tu ne règles pas tout ça au plus vite, je ne veux plus te voir et je te donne une heure pour quitter la maison !

— Non ! Non ! Pas ça ! Pas ça, monsieur, hurla Louisette affolée. Non, ce n'est pas sa faute ! C'est moi !

— Arrête, Louisette ! dit Sophie en la prenant par le bras. Donne du lait pour le bébé, je vais préparer quelque chose pour qu'elles emportent un peu à manger, et elles partiront.

— Voilà, fit Louis, c'est ça. Je reviens dans une demi-heure et d'ici là je veux que tout soit réglé.

La porte claqua derrière lui. Bien que ne comprenant pas ce qui se disait, la mère avait instinctivement ramené les petites tout contre elle.

Un peu plus tard, après qu'avec Louisette elle leur eut donné tout ce qu'il fallait pour la journée, Sophie les vit s'éloigner dans la foule du haut des fenêtres de son boudoir où elle était montée en courant pour les suivre du regard le plus longtemps possible. Après un dernier signe de la main, elles disparurent, petites silhouettes fragiles happées par l'énorme foule qui s'était mise en route et qui, comme un fleuve, s'écoulait vers la rue du Baous pour rejoindre le mauvais sentier escarpé qui menait à Massabielle.

Au loin, à l'opposé, par la route où était parti Abel, tout un détachement de gendarmes à cheval arrivait. Au dernier moment, les autorités avaient décidé de les faire venir pour renforcer les équipes de la ville. Mais à peine arrivés sur la place, ils furent engloutis, noyés dans cette foule monumentale. Même s'ils l'avaient voulu, ils n'auraient rien pu faire. Le maréchal des logis avait raison, la veille. Les pèlerins n'avaient cessé d'affluer pendant toute la nuit. Ce matin, ils étaient plus de dix mille. Que faisaient-ils ? Pourquoi venaient-ils de partout, d'aussi loin, et dans des conditions aussi difficiles ? Sophie cherchait à comprendre. Était-ce vraiment à cause de la parole de cette petite Bernadette qui disait avoir vu une « dame blanche » ? Étaient-ils donc si sûrs que ce fût la Sainte Vierge et qu'est-ce qui leur donnait cette certitude ? Tous ces gens, dont elle voyait défiler les visages sous ses fenêtres et avec lesquels elle avait passé la nuit, ressemblaient à tout le monde. Ils n'avaient rien de particulier, ils n'étaient ni des illuminés, ni des exaltés. Au contraire. Elle avait même beaucoup appris d'eux au cours de la nuit et, ce matin, ils marchaient silencieusement, calmes et sereins. Déterminés et patients.

Une toux se fit entendre depuis la chambre voisine. Sophie tendit l'oreille. La toux recommença. Elle ouvrit la porte de sa chambre et s'approcha de sa fille qui, dans son berceau, l'accueillit avec un doux sourire en tendant ses menottes. Émue, Sophie la prit dans ses bras.

— Anne ! ma petite Anne ! Tu es là, c'est vrai. Tu es là.

En la regardant, elle repensa à cette autre petite fille dont le cœur ne passerait pas l'hiver et elle eut la vision soudaine de cette jeune mère agenouillée priant la Vierge de lui accorder la guérison de son enfant. Cette femme avait descendu la montagne, seule avec ses deux filles, chaussée de mauvais sabots et à peine couverte, pour ne pas laisser échapper le moindre espoir de guérir son enfant. La petite Anne gazouillait et regardait Sophie d'un air confiant. Des chants s'élevèrent dehors. Les pèlerins avaient entonné l'Ave Maria et la foule l'avait repris en chœur. Plus un bruit, plus un cri. Sophie n'entendait plus que ce cantique porté par une foule paisible. Une immense émotion l'étreignit devant tous ces hommes, ces femmes et ces enfants unis dans la même quête. Elle était encore parmi eux dans la chaleur et la générosité des paroles et des gestes de la nuit. De tout son cœur elle communiait avec cette foule, avec ces pèlerins inconnus et si proches. Elle serra fort Anne contre elle et l'embrassa longuement.

— J'y vais, dit-elle simplement à Louisette qui venait porter le biberon au bébé.

— C'est bien, lui répondit Louisette en souriant. Sinon c'est moi qui y serais allée. Vite, partez, priez pour notre bébé et... pour nous aussi. On en a bien besoin ! ajouta-t-elle en prenant Anne dans ses bras.

Jamais Sophie n'avait prié de la sorte, dans une fusion aussi totale avec les milliers de pèlerins qui l'entouraient. Le chemin jusqu'à Massabielle n'avait pas été facile mais tout le monde s'était entraidé et ils avaient fini par arriver en vue du rocher en dessous duquel Bernadette Soubirous s'était agenouillée. Au début Sophie chercha à retrouver la jeune mère et les petites dans la foule et puis aussi Thérèse, ou Marie ou Antoinette. Mais c'était impossible. La foule avait tout envahi. Des deux côtés du gave, aussi loin que portait le regard, on ne voyait plus que des capulets de paysannes, rouges et blancs, des grands chapeaux de dames aux voiles si fins, des bérets noirs de montagnards, des hauts-de-forme citadins. Ils prièrent longtemps ensemble, toute la journée. La Sainte Vierge n'apparut pas à la petite Soubirous comme beaucoup l'espéraient. Pourtant, à aucun moment, personne ne manifesta la moindre impatience, la moindre déception. Et quand Bernadette se leva et quitta les lieux, en silence, ils rebroussèrent chemin.

La ville se vida comme elle s'était remplie.

PRINTEMPS-ÉTÉ 1858

Les jours et les semaines qui suivirent, au *Français*, l'atmosphère devint irrespirable. Après le soulagement, arriva l'heure des comptes. Après avoir été si certains que cette histoire d'apparition ne tiendrait pas deux jours, les messieurs de la haute ville étaient persuadés que la ville retrouverait son calme et que la grotte tomberait vite dans l'oubli, tout comme leur incompétence manifeste. Hélas ! pour leur tranquillité, loin de se tarir après le 4 mars, les foules locales et régionales continuèrent d'affluer inlassablement. Il en vint même de bien plus loin et de plus en plus nombreuses. Croyants et curieux, grands journalistes nationaux, proches de l'empereur, tout le monde voulait voir la grotte et la petite Bernadette Soubirous.

Plus personne ne maîtrisait la situation. Les représentants de l'autorité se lâchèrent les uns après les autres, se rejetant mutuellement les décisions à prendre. Les rapports les plus contradictoires se succédèrent, dûment signés et contresignés. Personne ne voulait laisser faire ; aucun non plus ne voulait prendre la responsabilité de tout arrêter. L'accès à la grotte fut à nouveau interdit et des barrières posées. Les gens affluaient toujours et, à plusieurs reprises, le commissaire et le garde, hommes de terrain, se trouvèrent en présence de grands personnages de l'État. Le commissaire Journé provoqua un incident avec le comte de Taschen, cousin de l'empereur, et le garde Callet manqua de réprimander l'amirale Bruhat, amie de l'impératrice et gouvernante du petit prince impérial ainsi que le grand journaliste parisien Veuillot, directeur de *L'Univers*, qui l'accompagnait. Celui-ci fit sa une sur l'affaire de la grotte de Lourdes, et le commissaire Journé reçut de Paris la consigne de ne plus verbaliser personne. Pourtant, par l'intermédiaire du pauvre préfet Massy, on maintint l'interdiction de se rendre à la grotte. Cela devint très vite ingérable et le baron Massy paya l'addition. Il fut mis en disgrâce. On le muta à Grenoble.

Lucile vécut en première ligne toutes ces péripéties, commentées par les uns et les autres au fur et à mesure que leur nouvelle se répandait. Elle comprit qu'il venait de se produire à Lourdes un événement d'une importance extrême, qui avait entre autres choses bouleversé tout le train-train de la ville haute et que là-haut, à Paris, on commençait à s'en apercevoir. La ville de Lourdes devint l'enjeu d'un grand débat intellectuel politico-religieux dans la presse nationale entre ceux qui étaient férocement pour et ceux qui étaient férocement contre. Les joutes se succédèrent à un rythme soutenu et le *Café Français* se transforma en haut lieu de rencontres et de débats.

Hortense était abasourdie par la tournure qu'avaient pris les choses. Tout ce qu'elle vit, lut et entendit dans son café au cours de cette période mouvementée changea définitivement son point de vue sur les hommes qu'on disait « de pouvoir ». Leurs grandes théories, qui coulaient de leurs bouches comme de belles constructions à l'architecture sans faille et qui l'avaient tant éblouie autrefois, s'étaient lamentablement écroulées devant la réalité la plus triviale : préparer des lits pour ceux qui étaient fatigués et à manger pour ceux qui avaient faim. Hortense pensait qu'après cette folle journée du 4 mars, ils réagiraient, se rendraient compte de leur erreur. Rien de tout cela. Ils continuèrent à parler et à rédiger des rapports. Trois mots revenaient inlassablement dans leurs bouches : « Prudence, tact et fermeté. »

— En voilà un programme ! Avec ça, tu peux être sûre que nos pauvres pèlerins vont être bien accueillis ! se plaignit Hortense un après-midi où elle était allée rendre visite à

Thérèse. Ils se gargarisent de leurs grandes tirades qui ne veulent rien dire, poursuivit-elle, mais tu crois qu'au moins une fois j'en aurais entendu un se poser la question de savoir comment on se débrouille pour accueillir tous ces gens ? Penses-tu ! Ce qui les préoccupe c'est : on verbalise ou pas ? On ferme la grotte ou pas ? Des menaces, des interdits ! Pas une seule fois, tu m'entends, Thérèse ! pas une seule fois ils ne se sont demandé pourquoi tous ces gens venaient à la grotte. Ils ont vu défiler des malades, pleurer des inconnus, prier une foule entière et au lieu de se dire qu'il y avait sans doute là quelque mystère humain à respecter, à aider, à accompagner, non ! Eux, tout de suite, ils sortent le fouet, et les rapports ! Ah ces rapports ! Si tu savais avec quel plaisir j'y mettrais le feu ! Pour ce qu'ils servent !

Thérèse souriait en regardant son amie qui, au fur et à mesure de sa diatribe, s'empourprait de colère. Elle lui servit une tasse de thé accompagnée d'une belle part de gâteau doré :

— Tiens, goûte-moi ça au lieu de t'énerver. C'est un essai de Mathilde. Au lieu de rester dans ton café, tu ferais mieux de venir plus souvent parce que nous on parle pas, mais qu'est-ce qu'on avance !

Hortense retrouva le sourire.

— Oui, dis-moi ! Alors, et Marie ? C'est vrai ce que me raconte Lucile ?

Thérèse acquiesça. Marie avait eu, la veille, une idée extraordinaire et toute simple. Depuis que les gens venaient régulièrement, un échange s'était instauré, d'une manière spontanée : aucune de ces femmes n'avait les moyens de subvenir aux besoins de quiconque. Ce qu'elles pouvaient offrir en revanche c'était leur savoir-faire, elles étaient prêtes à cuisiner et à faire des lits. Or, on manquait de place et les conditions d'hébergement devenaient intenables. Alors Marie était allée chercher les carriers au chômage qui traînaient chez Poulot et leur avait expliqué qu'elle voulait construire une maison sur le terrain de sa mère, près du gave. Elle n'avait que ce bout de terre à offrir, et pour la construction, personne n'ayant le moindre sou vaillant, on ferait avec les moyens du bord, en bois.

— Marie va construire ! Tu te rends compte, Hortense ! Elle qui sait même pas lire ni écrire, elle a eu cette idee simple comme un bonjour. Une maison en bois juste pour dormir ! Antoinette est venue m'annoncer ce matin que les hommes étaient déjà au travail. C'est l'enthousiasme ! Ils défrichent la parcelle.

— C'est bien, fit Hortense émerveillée. Ces femmes m'épatent, Thérèse, elles qui n'avaient rien, vois comme elles avancent ! Et toi, alors, où tu en es avec les pèlerins ? Tu continues ?

Toute émoustillée, Thérèse se leva d'un bond et entraîna Hortense à l'étage. Elle ouvrit les portes des deux chambres inoccupées et Hortense constata que les lits étaient faits, des fleurs ornaient les vases et un feu était prêt à flamber dans les cheminées.

— Ça alors ! s'exclama-t-elle. Toi aussi tu vas faire hôtel ?

— Penses-tu, répondit Thérèse en faisant entrer Hortense dans une chambre. Moi j'en ai pas besoin, au contraire ça serait du tracas. Par contre j'ai décidé que tout ça devait servir à quelque chose. Regarde ! dit-elle en montrant un napperon de dentelle fine sur un guéridon, je décore. Avec tout ce que j'ai dans mes armoires, j'ai de quoi ! Qu'est-ce que je suis heureuse de voir que ça sert, tu peux pas savoir ! J'en fais rien de ces chambres, elles sentent toujours le renfermé, la mort. Brrr ! Je me demande comment j'ai pu les supporter vides si longtemps. En ce moment figure-toi que j'ai deux ou trois familles pour une nuit par semaine. C'est Marie qui me les amène. Ceux qui ont un peu de sous, ils vont chez Antoinette parce qu'elle, elle pourrait pas les nourrir sinon. Moi je loge plutôt des mères qui ont rien et qui arrivent avec leurs enfants malades. Il y en a beaucoup tu sais ! Ici au moins ils sont bien.

— C'est beau tout ça, fit Hortense un peu surprise, mais ça coûte des sous à la longue. Une fois ou deux, je dis pas, mais après...

Thérèse l'interrompit gentiment. De l'argent elle en avait assez pour toute une vie et les chambres et les lits étaient là de toute façon. Quant au bois pour le feu, elle en possédait des hectares et des hectares !

— J'ai que la nourriture à payer, et crois-moi, j'ai largement de quoi. On prépare des choses simples et copieuses. Mathilde refait de la vraie cuisine, ça la change des petits gâteaux et du thé !

Thérèse rayonnait, elle contemplait la chambre, les yeux pleins d'amour, heureuse de sentir sa maison vivre :

— Et puis, ajouta-t-elle, si tu savais le bonheur que je trouve à les recevoir ! Ils sont bien ici, mais moi aussi je suis bien avec eux. C'est incroyable ce qu'il y a de vies différentes, j'en ai découvert des choses !

Hortense renchérit. L'événement avait complètement bouleversé leurs vies à toutes, les thés mondains avaient cessé du jour au lendemain. On avait appris à s'occuper des autres et même les dames de la place Marcadal se rendaient régulièrement à l'hospice des sœurs de Nevers pour aider à l'accueil que ces dernières avaient été parmi les premières à organiser pour les malades. Elles s'improvisèrent « soignantes » et firent ce qu'elles purent, tant bien que mal.

— Et tu sais que notre belle chocolatière y passe toutes ses journées maintenant ? dit Hortense au moment de quitter Thérèse.

— Bien sûr que je le sais, je l'y vois souvent. Depuis une semaine elle y est même tous les jours.

Tout en faisant un signe amical à Hortense qui s'éloignait, elle pensa en regardant les fenêtres de Sophie : « Tant mieux, elle oubliera son hussard. Rien de tel que d'être occupée pour oublier les histoires d'amour ! »

Et elle referma sa porte, se dépêchant d'aller rejoindre Mathilde en cuisine. Marthe était venue prévenir que Marie amènerait dans la soirée une famille avec trois gosses.

Sophie avait retrouvé sœur Maria Géraud, son ancienne directrice d'école. La sœur dirigeait maintenant le service de l'éducation des jeunes filles à l'hospice qui servait en même temps d'hôpital. Sur neuf religieuses, sept s'occupaient de l'enseignement. Les jours passant elles faisaient souvent double journée car des malades toujours plus nombreux arrivaient à Lourdes. Au début il y avait juste une dizaine de lits mais depuis il avait fallu en installer une trentaine avec un seul médecin. La fille de l'huissier, Mlle Estrade, toujours aussi généreuse, aidait dès qu'elle le pouvait. Mais c'était loin d'être suffisant. Un jour où elle avait été plus débordée que d'habitude, sœur Maria Géraud était venue trouver Sophie. Elle lui avait expliqué la situation et, l'après-midi même, Sophie était partie pour aider aux soins des malades, entraînant avec elle Irma Journé et Jeanne Dufour. En acceptant, aucune des trois femmes n'avait vraiment idée de ce qui les attendait et elles arrivèrent à l'hospice habillées, soignées et pomponnées comme pour une sortie mondaine. Le médecin auquel elles se présentèrent ne broncha pas. Il les accompagna le long du couloir glacé qui menait à la grande salle commune où les malades gémissaient, allongés sur des lits de fer. D'un geste large, le docteur désigna la salle :

— Voilà, c'est ici. Je pense qu'avec des robes de laine simples et des grands tabliers vous serez plus à l'aise. Pour les pieds on a des sabots qui conviendront mieux aussi. Il faut laver les sols et vos fines bottines n'y résisteront pas.

Les trois femmes le regardaient, effarées.

— Mais, docteur ! osa Sophie, je croyais qu'on venait pour aider les malades.

— Et alors ! rétorqua le médecin. Il faut laver le sol, mais il faudra aussi laver les malades, ne vous inquiétez pas. Et je ne suis pas sûr qu'ensuite vous ne préférerez pas laver par terre. Alors ! toujours d'accord pour nous aider ?

Sophie, Irma et Jeanne se regardèrent, un peu perdues. Puis Sophie prit la parole :

— Mais bien sûr, docteur. Et nous viendrons aussi souvent que cela sera nécessaire. N'est-ce pas Jeanne, Irma ?

Les deux femmes acquiescèrent. Le docteur les avertit :

— Allez ! Ne faites pas trop de promesses. On verra bien. Pour l'instant allez à l'office. Sœur Marie Géraud vous donnera les tabliers.

Il partit en grommelant. Sophie entendit nettement : « Ça m'étonnerait qu'elles tiennent seulement deux jours ! »

Les premières journées furent effectivement très dures. Jamais Sophie, pas plus qu'Irma ou Jeanne, n'avait approché la maladie et la vieillesse d'aussi près. Là, elles virent des êtres humains grabataires, proches de l'agonie et qui perdaient la tête. Certains bavaient, d'autres faisaient sous eux. Il fallut nettoyer, changer, toucher des chairs sales, abîmées et flétries. Que de fois Sophie faillit renoncer, que de fois elle partit en courant et en larmes ! Pourtant elle revint toujours. Elle gardait en mémoire les mots du docteur et ne voulait pour rien au monde lui donner raison. Et puis il y avait ces malades qu'elle avait appris à connaître et pour lesquels elle éprouvait un certain attachement. Parmi eux un vieux soldat de l'Empire rentré de Russie il y a plusieurs années, qu'on avait retrouvé, divaguant. Chaque fois qu'elle le voyait, Sophie pensait à Abel et son cœur saignait. Qui s'en occuperait si elles n'étaient pas là ?

— Personne, lui avait très simplement répondu sœur Maria Géraud.

— Mais... c'est impossible ! Ils sont dans un tel état. Ils mourraient si on ne faisait rien.

— Et alors ! Si vous saviez combien de gens meurent dans nos rues sans que personne ne fasse rien. Combien d'enfants dans les taudis ! Si vous saviez !

Que voulait dire la religieuse ? Qu'il y avait toujours eu des malades, des vieillards qui mouraient dans le froid, seuls, sans assistance ? Des enfants aussi, avait dit sœur Maria ? Fallait-il la croire ? Sophie avait longtemps pensé que seuls les grands voyageurs et les soldats pouvaient mourir de cette façon, abandonnés dans la nuit. Mais la vérité qu'elle découvrait à l'hospice était tout autre. Alors, pour ceux qui n'avaient plus rien, plus personne, et pour l'amour d'Abel qui lui aussi était seul, sans famille, sans terre, sans pays, et

413

qui pourrait ressembler un jour à ces êtres perdus, Sophie trouva le courage de revenir.

Au fur et à mesure, la belle chocolatière devenait une aide précieuse. Les tâches les plus ingrates ne lui faisaient plus peur et elle développait une compétence grandissante. Ses compagnes étaient elles aussi méconnaissables. Le contact quotidien de la douleur et de la misère auquel elles n'avaient jamais été confrontées les avait transformées. Irma s'était adoucie, ce qui paraissait incroyable à tous ceux qui la connaissaient, et Jeanne Dufour, au contraire, s'était affirmée. La plus molle était devenue l'une des plus énergiques, jusqu'à son visage et son corps qui en étaient transformés. Pourtant elle aussi, bien souvent, avait faibli et failli renoncer. Pour aucune d'elles le chemin qui mène au chevet des pauvres et des malades ne fut simple. Le printemps et l'été passèrent avec leur lot de touristes et de fêtes mais aussi leurs pèlerins et leur cortège de souffrances. Au début les hommes n'avaient pas fait grand cas de ce qu'ils appelaient la « nouvelle lubie de ces dames » mais l'automne était là et elles fréquentaient toujours l'hospice. Ils commençaient à s'interroger. Où leurs femmes si protégées trouvaient-elles le courage d'affronter des situations aussi extrêmes alors que rien ne les y obligeait ?

— J'avoue que je n'en reviens pas, leur disait le docteur Balencie. Il m'arrive de passer voir mon collègue à l'hospice et je peux vous dire que les malades qui sont là-bas ne sont guère ragoûtants. Même moi qui ai l'habitude j'aurais du mal à m'en occuper. Ah ! il faut le reconnaître, elles sont très courageuses. Je me demande si vous n'avez pas trop longtemps sous-estimé vos femmes, messieurs !

— Quand je pense, ironisait Dufour, que la mienne se mettait à hurler devant la moindre goutte de sang !

— Ne me dites pas, cher docteur, que la mienne prend le balai, je ne vous croirai pas. À la maison, elle ne bouge même pas le petit doigt, renchérit Journé, un sourire narquois aux lèvres.

— Et pourtant, fit le docteur, elle le prend, cher commissaire.

— Non ! fit Journé, ébahi. Et..., ajouta-t-il en se tournant vers Louis Pailhé qui fumait son cigare sans piper mot. Et votre femme, Louis ?

Tous se turent. Le souvenir de la beauté de la belle chocolatière et du sillage de son parfum envoûtant quand elle traversait la place pour se rendre à la boutique imprégnait toujours très fortement la mémoire masculine du *Français*. Tous avaient rêvé d'elle. Elle représentait la féminité et aucun d'eux ne s'habituait à sa disparition de la scène locale. Ils en voulaient terriblement à ce hussard qui leur avait enlevé ne serait-ce que le plaisir de la voir, de la croiser à un repas ou à un bal, de lui faire un compliment et, parfois même, de la faire danser.

Louis prit un air faussement dégagé et expliqua que sa femme aussi passait ses journées à l'hospice et que c'était une bonne chose puisque, au moins, de cette façon, elle se rendait utile. Tous approuvèrent mais le cœur n'y était pas. Le ballet des crinolines sur la place Marcadal leur manquait, comme manque à un décor un élément devenu invisible avec l'habitude mais qui crée un déséquilibre insupportable lorsqu'il disparaît.

— Messieurs ! Regardez ! Est-ce un rêve ou une apparition ?

Le journaliste Bibé n'avait pu retenir un cri d'admiration. Sur la place, la traversant de manière à être bien vue du *Café Français*, Adeline Dufo étrennait une splendide robe de taffetas mordoré qui s'arrondissait en corolle parfaite sous une petite basquine de velours noir bordée d'ottoman. Un châle de cachemire aux couleurs fauves était négligemment posé sur ses beaux cheveux noirs lissés.

— Splendide ! Vraiment splendide !

Le gros Dominique Normande avait ajusté son monocle et écrasait son nez sur les vitres pour y voir de plus près.

— Ne vous excitez pas, cher ami. Elle est prise. Hélas ! dit le procureur en soupirant

415

— C'est pas grave, j'ai tout mon temps, grasseya Normande qui ne doutait de rien en dépit de son physique rougeaud et de son air bêta.

À la table voisine, Jean Davezac et ses amis n'avaient pas perdu une miette de la conversation. Le commissaire Journé glissa vers ces jeunes loups, comme il les appelait, un coup d'œil ravi, espérant quelque polémique qui les changerait un peu de la grotte de Massabielle.

— Tu ne réponds pas ? lança Hubert de Latour à son ami Davezac en jetant un œil courroucé vers Normande.

— Mon cher Hubert, je ne viens pas comme toi d'une famille où on sortait l'épée à la moindre incartade. Je n'ai pas le sens de cet honneur-là et, d'ailleurs..., dit-il en insistant sur les mots et en jetant sur Lucile, qui déposait devant lui un verre de vermouth, un regard appuyé... la vie de Mlle Adeline Dufo ne me concerne pas.

— Comment ! Qu'est-ce que tu racontes, tout le monde dit que tu vas l'épouser !

Lucile eut un sursaut. Jean Davezac ne la quittait pas des yeux et elle sentait peser son regard sur elle. Déstabilisée malgré la maîtrise d'elle-même qu'elle avait acquise, et voulant s'éloigner au plus vite, Lucile renversa le verre destiné à Hubert de Latour sur le délicat gilet brodé de ce dernier qui se mit à piailler.

— Mais vous êtes folle ! Elle est folle ! Mon gilet tout neuf ! Il est complètement gâché !

Lucile était devenue blême. C'est pourtant d'une voix posée qu'elle s'excusa et promit de nettoyer le gilet.

— Le nettoyer ! Il est fichu, oui, il faut le payer, je...

— Arrête immédiatement, Hubert ! Tu m'entends !

Jean Davezac s'était levé. À la surprise générale, il redressa le verre, prit le torchon sur le plateau de Lucile et, en riant, essuya le gilet de son ami :

— Mon cher Hubert, dit-il à haute voix de manière à être entendu de tous, ce gilet à fleurs était ridicule. Aucun de nous n'osait te le dire et Mlle Lucile t'a rendu un fier service ! Imagine que Mlle Dufo t'ait vu avec. C'était une erreur irréparable aux yeux d'une personne de goût comme elle. Et tes prétentions en auraient été fort compromises. Maintenant, tu as de nouveau toutes tes chances. Et, crois-moi, dit-il en haussant la voix et en adressant un sourire moqueur vers la table des messieurs du Cercle, elles sont à mon avis bien plus sérieuses que celles de M. Normande.

L'intervention de Jean Davezac fit l'effet d'un coup de tonnerre. Toute la salle avait entendu et compris. Le fils Davezac, héritier d'une riche famille très considérée et promis lui-même à un bel avenir, n'épouserait pas la fille de Mᵉ Dufo, famille hautement considérée et fort riche elle aussi. Cela paraissait impensable ! Encore sous le choc de la nouvelle, les habitués virent avec stupeur le jeune avocat essuyer la table et rapporter le plateau au comptoir comme un vulgaire serveur.

Lucile n'avait pas bougé. La scène avait été trop rapide et Jean Davezac se tenait entre elle et Hubert de Latour, l'empêchant de reprendre son plateau. Dès qu'il fut parti vers le comptoir, elle s'excusa à nouveau :

— Vous avez raison, monsieur de Latour, un nettoyage ne suffirait pas. Je vous rembourserai le gilet, dit-elle avant de repartir vers les cuisines. Je vous en fais la promesse.

— Ai-je bien entendu ? fit Hortense à Ida. Qu'est-ce que tout cela veut dire ?..

Ida ne lui répondit pas mais elle jeta vers les cuisines un regard qui en disait long.

— Tu crois ? fit Hortense Non ! Tu crois qu'il y pense ? Bah ! C'est impossible. Un fils Davezac avec... Allez ! On dit des bêtises.

Jean Davezac avait regagné sa table. Hubert de Latour était furieux.

— Tu m'offenses devant tout le monde et...

— Arrête un peu avec tes offenses, sourit Jean Davezac, tu ne vas quand pas me proposer un duel ? Mais voyons, espèce d'idiot ! Tu devrais me remercier au contraire ! Je démens devant tout le monde ce bruit imbécile sur Adeline et moi qui court depuis un moment et qui ne repose sur rien et je te mets en première ligne pour faire ta cour à cette fille dont tu es fou amoureux ! C'est pas vrai ? Et un fils Latour, ça ne se refuse pas, tu le sais bien. Tu verras, d'ici ce soir dans toutes les maisons de la place Marcadal il ne sera plus question de mon mariage mais du tien. En un seul coup, *exit* Davezac, voici Hubert.

Hubert réfléchit. Jean se retirait et lui laissait très officiellement la place. Après tout il serait bien bête de ne pas profiter de l'occasion, lui qui, il y a quelques instants encore, voyait Adeline, et par conséquent son ascension future à la meilleure place du tribunal, lui échapper à jamais.

— Pourquoi fais-tu ça ? demanda Hubert méfiant.

— Disons que je n'aime pas Adeline et que je crois savoir qu'elle ne m'aime pas beaucoup non plus. Ça te va ?

Hubert hésita puis, d'un coup, il leva son verre et les amis trinquèrent en riant sous le regard étonné des clients.

— Comment le fils Davezac peut-il refuser une pareille alliance qui lui apporterait le pouvoir, l'argent et la beauté en une seule fois ? se demanda le commissaire Journé à haute voix. Si la fille était laide encore je pourrais comprendre, mais c'est la plus belle et la plus riche de sa génération. Je me demande ce qu'il peut bien vouloir... Il est loin d'être idiot et il a beaucoup d'ambition, alors ? Je ne comprends pas...

— Vous avez raison, commissaire, je suis comme vous. Cette intervention de sa part est un véritable suicide professionnel. Jamais Dufo ne lui pardonnera d'avoir ainsi refusé publiquement sa fille. Curieux comme prise de position pour un jeune homme qui, je suis de votre avis, est très intelligent et très ambitieux.

— Bah ! fit Normande, ces jeunes hommes ne sont pas comme nous. Tout change. Vous avez vu comme il a pris le torchon ? Mais c'est inimaginable de voir ça !

— Et on n'a pas fini d'en voir, ajouta Anselme Lacadé d'un ton accablé. Là c'était pour la galerie, mais vous verrez, un jour ils le prendront pour de bon.

— Monsieur le maire ! Toujours aussi excessif, dit le procureur.

— Méfiez-vous, monsieur le procureur. Vous êtes un éternel sceptique. La grotte non plus, vous n'y croyiez pas. Dix mille ! Ils étaient plus de dix mille et vous juriez qu'ils ne reviendraient plus. Vous avez vu depuis des mois ! Ils sont toujours là et, j'en suis convaincu, ils viendront et reviendront toujours.

— Je prends les paris, se rengorgea Dufour, c'est l'affaire d'une petite année, pas plus.

— On verra, on verra, dit Lacadé en se levant et en remettant sa cape, et pour le torchon aussi, vous verrez, j'ai raison, les hommes changeront. Les femmes ne leur laisseront pas le choix. Heureusement, d'ici là, je serai loin. Allez, messieurs ! À demain, même heure, même lieu !

Et il partit en sifflotant.

AUTOMNE 1858

C'était une heure grise, entre chien et loup. Sophie rentrait seule, ce qui arrivait rarement. Mais, ce soir-là, Irma et Jeanne étaient déjà parties. Elle avait aidé le docteur à panser le vieux militaire dont une des plaies s'était remise à suinter. Et, lorsqu'il s'agissait du soldat, elle faisait le travail. Elle y tenait. L'hospice était situé tout en haut de la ville, sur la route de Tarbes. L'automne était doux comme toujours dans ce pays de Bigorre. Sophie avançait sur l'avenue Maransin et regardait au loin les Pyrénées légèrement poudrées des premières neiges. Les flancs des montagnes dorées, rouges, jaunes, tempérées par de sourdes couleurs brunes et quelques verts encore présents barraient l'horizon vers l'Espagne. Sophie éprouvait une tendresse particulière pour ce pays proche, juste derrière les monts, à quelques heures à peine. On y parlait une autre langue, on y mangeait d'autres plats, on y pratiquait d'autres coutumes et cela nourrissait ses rêves. Depuis les apparitions, beaucoup d'Espagnols traversaient la frontière et venaient prier la Vierge à Massabielle. Elle aimait les voir, les entendre. Tout comme elle aimait la richesse de cette foule disparate qui ne cessait d'affluer de tout le pays. Depuis qu'elle les côtoyait, elle s'était enrichie et le sentait. Jeanne et Irma aussi. Celle-ci, qui venait de Lorraine, s'était d'ailleurs mis en tête d'apprendre les autres langues, le basque, l'occitan et l'espagnol. Elle se débrouillait déjà si bien qu'on venait souvent la trouver quand l'une ou l'autre n'arrivait pas à comprendre ce que voulait un pèlerin et Sophie, émerveillée de ses progrès, se disait qu'elle devrait faire pareil. Une corne au loin émit un son rauque et poignant. Sophie s'arrêta. C'était Samson. « Étrange à cette heure de la journée », pensa Sophie qui n'entendait jamais la corne du porcher sans un serrement de cœur, une inquiétude. Pourtant la corne de Samson sonnait depuis qu'elle était toute petite. Mais elle ne s'y était jamais habituée comme beaucoup de Lourdais. Il était arrivé, une seule fois, que Samson fût malade et pendant quinze longues journées sa corne était restée silencieuse. Les Lourdais s'étaient alors aperçus qu'ils y tenaient beaucoup. Samson était un homme à part, mystérieux, mais sa présence leur était indispensable. Le matin où sa corne sonna à nouveau, ils furent heureux et rassurés.

Sophie continua sa route sur l'avenue Maransin, passa devant l'auberge des Pyrénées, la maison des diligences de Cazenavette et longea le bel hôtel des Postes récemment construit. Abel lui disait souvent combien il aimait voyager, voir d'autres pays, d'autres villes et en voyant la poste où les lettres arrivaient parfois de si loin, elle songea à cette Italie vers laquelle il était parti. Abel ! Elle l'aimait encore. Elle l'aimerait toujours. Elle avait fini par le comprendre et l'accepter, mais elle n'en parlait plus jamais. Elle gardait cet amour au plus secret de son cœur et il continuait à la meurtrir doucement, insidieusement. Il lui semblait même parfois qu'elle se mourait de l'intérieur sans que personne ne s'en rende compte. Heureusement le travail à l'hospice la ramenait tous les jours vers la vie et l'aidait à tenir.

Pourquoi Abel était-il parti sans rien lui dire ? Cette question, elle la tournait et la retournait sans cesse dans sa tête. Ni les jours qui passaient, ni les mois, ni les saisons n'avaient atténué la torture de n'avoir jamais trouvé de réponse à cette question. Comme cela lui arrivait parfois, elle décida d'aller prier à l'église paroissiale. Elle rencontrait souvent Antoinette qui y venait vers cette heure. Sophie aimait ce moment intime où elles s'agenouillaient ensemble dans la douce lueur des cierges et la pénombre des chapelles. Sophie s'était demandé quelquefois pour qui priait Antoinette, pour quoi ?

Elle avait remarqué que les dévotions de sa couturière étaient particulièrement ferventes. Quand elle entrait en prière, Antoinette ne voyait plus rien, n'entendait plus rien.

Sophie s'engouffra sous le porche et elle s'apprêtait à pousser la lourde porte de bois quand une main ferme l'arrêta. Elle poussa un cri. Dans cette demi-obscurité elle n'avait pas vu la silhouette noire du porcher. Samson lui serrait le bras. Il releva son buste tout courbé et la regarda. Jamais Sophie n'avait vu le visage de Samson. Elle ne connaissait de lui que la cape brune et la capuche qui l'enveloppaient. Pour la première fois elle découvrit non sans frayeur son visage tordu, sillonné de rides profondes et dures. Sa corne pendait sur sa poitrine comme un objet maléfique et envoûtant. Sophie voulut repousser sa main mais il serra plus fort et glissa son autre main libre sous sa cape. Éberluée et soudain calmée, Sophie le vit extirper de ses frusques un petit paquet clair. Sophie crut défaillir. Elle reconnut immédiatement le papier ivoire sur lequel Abel lui avait parfois écrit des mots de rendez-vous. Comment était-ce possible ? Samson esquissa une sorte de grimace, peut-être un sourire ? et lui tendit le paquet. Puis il se recroquevilla sous sa capuche de bure et, silencieux comme un chat, disparut vers la rue Basse. Sophie tremblait de tous ses membres, ses jambes la lâchaient, elle s'appuya contre la pierre sculptée du porche et, rassemblant ses dernières forces, poussa la lourde porte de chêne et de fer. L'église était vide mais la petite chapelle de la Vierge luisait dans la pénombre, réchauffée par les flammes des cierges. Sophie alla s'asseoir sur le petit banc de bois lustré, juste en face de la Madone. Elle déplia les feuilles ivoire une à une. Il y en avait dix. La première lettre d'Abel était datée du 4 avril et commençait ainsi

Forteresse de Lourdes, ce matin brumeux du 4 avril 1858,

Aujourd'hui j'ai décidé que je partirais, que nous ne nous reverrions plus. Du haut de la tour où je me trouve, je vois ta

maison que je regarde sans cesse, comme pour me rapprocher
de toi. Il m'a fallu des jours et des jours pour me résoudre à ce
qui me brise le cœur à jamais. Je partirai dans dix jours. Mais
avant je t'écrirai dix lettres, une chaque jour. Je veux passer ce
temps-là avec toi, je veux pouvoir te dire combien mon amour
pour toi est immense. Je veux que tu saches qu'il sera éternel...

Un coup de vent fit vaciller les flammes des cierges, les
pages d'Abel s'éparpillèrent au pied de l'autel, et, avant de
s'évanouir, Sophie vit le visage de la Madone qui lui souriait.
Quand elle revint à elle, Antoinette était là. Sa couturière lui
tenait la tête, elle avait ramassé les lettres d'Abel et les tenait
dans sa main. Des larmes coulaient sur ses joues.

— Antoinette ! dit Sophie dans un souffle. Antoinette,
c'est lui, il m'aime, il m'aime, tu m'entends. Il me le dit, il
m'aimera toujours. C'est le porcher... les lettres...

Les yeux mouillés, Antoinette répondit :

— Ah ! Samson ! Oui, je sais. Abel le voyait souvent. Ils
parlaient des heures ensemble dans la campagne quand Abel
allait sur la lande faire galoper son cheval.

— Mais..., dit Sophie, intriguée par l'émotion d'Antoinette. Pourquoi pleures-tu ?

Antoinette ne répondit pas. Elle aida Sophie à se remettre
debout et essuya son visage. Une grande douleur se lisait
dans ses yeux vides, lavés par les larmes. C'est alors que
Sophie comprit. La révélation de l'amour d'Antoinette pour
Abel lui apparut d'un seul coup. Évidente. Comment avait-
elle pu rester aveugle aussi longtemps ? Comment n'avait-
elle rien vu alors que ça crevait les yeux ? Les deux femmes
étaient maintenant debout, l'une tout près de l'autre dans la
petite chapelle. Antoinette tendit à Sophie les lettres d'Abel.
Sophie les prit et, après une courte hésitation, saisit la main
d'Antoinette et la serra très fort. Elles restèrent ainsi un
moment puis la couturière leva ses yeux rougis vers ceux de
la belle chocolatière. Dans le regard de Sophie se mêlaient
horreur et tendresse. Aucune d'elles ne prononça le moindre
mot, mais c'est ensemble qu'elles se recueillirent devant la

Vierge, et d'une même voix qu'elles récitèrent avec ferveur un « Je vous salue, Marie, pleine de grâces »... Toutes deux prièrent pour Abel. Le hussard qui les avait rapprochées les séparait à jamais. L'une et l'autre le comprenaient. Sophie ne pouvait accepter qu'Antoinette aimât Abel. Il était à elle seule ! Aucune autre femme n'avait le droit de penser à lui. L'intrusion d'une autre dans cet amour unique et passionné la glaçait. Antoinette savait de son côté qu'elle ne pourrait jamais renoncer. Que Sophie le veuille ou non, elle aimait Abel.

Sentit-elle chez sa couturière cette détermination ? Toujours est-il que Sophie se leva et, après un signe de croix rapide, quitta l'église sans un mot. Un courant d'air tordit les flammes des cierges. La lourde porte se referma avec un choc sourd. Dans le silence revenu, libérée de ce lourd secret, Antoinette sentit une immense paix l'envahir, dénouer une à une les contractions douloureuses qui la torturaient depuis si longtemps. Son amour pour Abel devenait enfin vivant. Ce fut totalement imprévisible. Antoinette se donna désormais le droit d'attendre celui qui lui avait dit un jour qu'il ne reviendrait plus.

Les flammes des cierges avaient repris leur vibration tranquille et régulière. Le visage apaisé, Antoinette joignit les mains. Le monde pour elle avait changé. Son quotidien s'était transformé, comme la ville, et en si peu de temps ! Sa chère maison qu'elle avait ouverte à des pèlerins ce fameux 4 mars ne s'était plus jamais refermée. Elle désertait de plus en plus souvent son atelier et prenait un grand plaisir à accueillir des inconnus et les pièces, trop longtemps figées dans le souvenir de ses parents disparus et de son frère absent, en étaient toutes réchauffées. Avec l'aide et la complicité de Marie et de Thérèse, Antoinette organisait petit à petit, avec un bonheur et une confiance toute neuve, ce qui allait devenir son avenir, une pension de famille. Désormais, tout lui paraissait possible. Même le retour d'Abel.

Lucile ne voulait penser à rien, ne rien imaginer. Au cours des deux années écoulées, elle avait beaucoup appris. L'admiration qu'elle portait à la clientèle du *Café Français* s'était considérablement nuancée et elle pensait avoir réussi à dominer ce qu'elle éprouvait pour le fils Davezac. Tout cela l'avait aidée à se forger une sorte de carapace de fierté dans laquelle elle se sentait bien. Mais, depuis le fameux soir où Jean Davezac avait exprimé haut et fort qu'il n'épouserait pas Adeline, Lucile fantasmait : le jeune homme parlait peut-être pour elle, il ressentait peut-être lui aussi un sentiment... Elle en était complètement retournée. C'était tellement impensable, le riche fils Davezac amoureux de la fille du brassier Abadie ! Un énorme éclat de rire aurait submergé la ville à une telle idée. Pourtant, Lucile était certaine du regard de Jean Davezac.

Mais les soirs passaient, les dernières feuilles de l'automne étaient tombées et Jean Davezac arrivait et repartait sans d'autres mots que les gentillesses habituelles. Même Hortense et Ida pensèrent s'être trompées et bien qu'elle tienne toujours la tête haute, Hortense voyait la mélancolie envahir Lucile de plus en plus souvent :

— Alors Lucile ! lui dit-elle un soir pour la secouer un peu. Où en es-tu de tes chapelets ?

À voir le grand sourire de son employée, Hortense se dit qu'elle avait bien fait d'aborder ce sujet.

— Ça va de mieux en mieux ! dit Lucile visiblement ravie. Au début on en a donné quelques-uns pour dépanner des femmes qui les avaient perdus ou oubliés, mais on a eu tellement de demandes que maintenant j'en vends.

— Tu vends des chapelets ? Et comment tu fais ?

— Ça s'est fait naturellement. Les gens sont venus nous trouver parce que ça commence à se savoir qu'on en fabrique rue des Petits-Fossés. Alors je me suis arrangée avec le gars de chez Navarre. Je lui ai demandé de pouvoir en fabriquer exprès pour Lourdes et il est d'accord. Je donnerai une part à Navarre, une part aux femmes pour le travail et je garderai la différence. C'est normal puisque c'est moi qui les vends.

Lucile avait expliqué tout cela avec beaucoup de simplicité mais aussi avec une grande assurance. On sentait qu'elle possédait bien le sujet et avait bien réfléchi à la manière de procéder. Hortense était soufflée. Un an et demi plus tôt cette petite ne savait même pas compter et voilà qu'elle était en train d'installer tranquillement sur la ville un commerce dont tout pouvait laisser penser qu'il deviendrait florissant. Lucile suivait le cours des choses, ce qui dénotait un grand sens de l'observation et une réelle aptitude à s'inscrire dans la réalité et dans l'action. Hortense sourit. Elle fut heureuse de penser que, peut-être, « sa » Lucile en épaterait plus d'un.

Marie avait terminé son premier chalet et, bien qu'il fût très sommaire, il ne désemplissait pas. Du coup elle aidait maintenant Marthe à monter le sien. Thérèse avait raconté à Hortense que, si ça tenait la route, elles construiraient celui de Catherine. Si les chalets étaient pleins, pourquoi un commerce pour les pèlerins ne marcherait-il pas aussi bien ? Pourquoi ne pas penser d'ici quelque temps à monter une boutique de chapelets ?

Hortense réfléchit quelques jours puis, un soir, elle se décida à parler à Lucile.

— Continue les choses comme tu les as prévues. Mais sache dans un coin de ta tête que si un jour tu te sens prête et si tu crois qu'il y a une place pour ça, je t'aiderai à monter un commerce qui sera à toi. Rien qu'à toi. Je te prêterai de l'argent et tu me le rendras au fur et à mesure.

Lucile regardait Hortense sans y croire. On lui prêterait de l'argent ? À elle ? Pour faire son commerce ?

— Mais... ce commerce, ça serait comment ?

Hortense sourit.

— Ça sera un commerce en dur dans une vraie boutique, avec un comptoir, une caisse et des chapelets. Et si c'est nécessaire une vendeuse pour t'aider. On sait jamais. Mais garde ça pour toi, c'est pas encore le moment.

Lucile était sur un nuage. Un commerce ! À elle ! Quand

elle sortit du café ce soir-là elle courut de place en place. D'abord elle alla voir les boutiques chic, fermées à cette heure mais dont elle admira la façade et imagina derrière les rideaux tirés la luxueuse présentation. La chapellerie des sœurs Tardivail, les chaussures des Cazalot, la chocolaterie des Pailhé, puis elle fila place du Porche voir la devanture encore éclairée de la boulangerie Maisongrosse, l'épicerie toujours animée de chez Lacrampe, plus loin elle vit la boucherie, le magasin de graines, le limonadier et enfin les voitures attelées devant chez Cazenavette. Un commerce ! Un commerce ! Le mot magique tournait dans sa tête et elle ferma les yeux. Une jolie boutique lui apparut avec une devanture en bois peint, un parquet, un comptoir au rebord de cuivre et.. elle s'imagina enfin, chignon relevé, vêtue d'une robe ornée d'un jabot de dentelle fine comme ceux que portait Mme Cazaux.

— À quoi pensez-vous donc en pleine rue, les yeux fermés ?

Jean Davezac etait devant elle avec Jacques Bordes, un de ses amis du tribunal, avocat comme lui.

— Et si on veut passer, on fait comment ? On vous bouscule ?

Lucile se redressa. Être surprise ainsi dans une attitude qu'elle jugeait stupide par l'homme auquel elle vouait la plus grande admiration la vexa au plus haut point.

— Ah ! Excusez-moi, je réfléchissais.

Jacques Bordes répliqua aussitôt, moqueur :

— Vous réfléchissiez ? Et à quoi donc, grands dieux !

Sous le persiflage de l'avocat, Lucile se raidit. Après un court temps de réflexion, elle lui répondit posément en le regardant droit dans les yeux :

— À l'avenir ! Je réfléchissais à l'avenir, monsieur Bordes.

Puis elle s'éloigna, laissant Jacques Bordes et Jean Davezac bouche bée.

Quel changement ! Jean Davezac ne quittait pas des yeux la jeune fille qui marchait vers la place du Porche et qui venait de moucher un des meilleurs avocats de Lourdes !

428

Non contente d'avoir un tempérament hors normes elle avait de plus une allure indéniable. Malgré ses vêtements de drap rêche et usé, Lucile Abadie, la fille du brassier et de Marie la lingère, avait développé un port altier. La honte de la misère, qui l'avait si souvent faite se courber, avait complètement disparu. Elle s'éloignait fièrement et Jean Davezac, fasciné, ne pouvait la quitter des yeux.

— Mais dis-moi Jean, qu'est-ce qui t'arrive ? Cette... serveuse... c'est pas sérieux ? N'est-ce pas ?

Jean Davezac se tourna vers son ami et, après un silence, répondit d'une voix claire :

— Je crois que si.

— Mais voyons ! Tu es fou ! C'est impossible ! Qu'est-ce que tu lui trouves de particulier, elle n'est pas très belle, elle...

— Elle est bien mieux que ça. Tu as raison, mon cher Jacques, trancha Jean Davezac.

Déstabilisé par le ton de son ami, Jacques Bordes resta muet et ils continuèrent leur chemin en silence. Au moment de se séparer, Jean reprit la parole. Au fur et à mesure, il s'anima jusqu'à l'exaltation.

— Tout change, s'enflamma Davezac. Cette ville ne sera plus jamais la même. Comment faites-vous pour ne pas vous en apercevoir et continuer à raisonner comme si rien ne s'était passé ? Les femmes de Lourdes viennent de nous donner une très belle leçon. Envers et contre tout elles ont cru dans ce miracle qui leur venait du ciel. Elles sont allées du côté de la vie, Jacques, et il faut reconnaître qu'elles ont eu raison. La grotte de Massabielle qui n'était qu'un endroit de merde et de boue est devenu le lieu le plus émouvant qui soit. J'y suis allé. Ça vaut le détour, crois-moi. Une fois qu'on s'y est rendu on peut plus en parler comme avant. Et Bernadette Soubirous qui n'était rien, qui aurait pu crever sans même qu'on s'en rende compte ! Eh bien elle existe aujourd'hui, et on n'a pas fini de parler d'elle. J'ai lu les rapports de ses interrogatoires par Journé et Dufour. Je te conseille de le faire aussi, les réponses de cette gamine sont une très belle leçon de cohérence.

— Jean ! Tu ne peux pas renier tes convictions comme ça. Tu es un homme de science, de culture Ne me dis quand même pas que toi, le plus brillant de nos esprits, tu te mets à croire à ces apparitions ?

— Mais on s'en fout complètement de ce à quoi je crois ! C'est ce qui est qui compte. Les gens qui vont à la grotte sont transformés de bonheur ! Et dans les maisons du bas où on crevait de faim, aujourd'hui on revit. Les hommes pleuraient sur leur sort au café, les voilà qui entreprennent, qui bâtissent ! Ce n'est pas un miracle, ça ! Tu crois que ça n'en valait pas la peine ! Et les dames ! Ah ! les dames de la place Marcadal ! Elles ne font pas de grands discours mais à l'hospice elles sont dans le concret. Bien plus que nous !

— Je ne peux pas te laisser dire ça ! Le concret, nous nous y sommes toujours attachés. La raison, les faits, ne pas se laisser gagner par la folie générale, tenter d'avoir tous les éléments pour bien analyser. On ne peut reprocher à aucun d'entre nous de ne pas s'être attaché à la raison avec le plus grand sérieux...

— Mais justement ! Trop de sérieux ! Trop de raison ! Et pas assez de cœur. C'est là notre erreur, notre défaillance. Comprends-le ! Nous avons trop raisonné et pas assez aimé. Nous sortons des écoles et nous continuons à raisonner comme à l'école au lieu de vivre la vie telle qu'elle est. Nous avons jugé au lieu de comprendre. Les gens qui viennent ici n'ont que faire de nos sèches et savantes analyses. Ils viennent pour autre chose.

— Mais pour quoi ? Que veulent-ils ?

— Je ne sais pas, eux non plus peut-être. Mais ils viennent. Tu sais tout, toi ? Tu comprends tout, toujours ? Tu as de la chance ! Ça ne t'arrive jamais de douter, de te poser des questions auxquelles tu ne trouves pas de réponse ? Moi, ça m'arrive.

— Je me pose des questions bien sûr, mais de là à croire au miracle...

— Mais qu'est-ce que tu m'embêtes avec ce miracle ? Restons dans le concret puisque tu y tiens. Et imagine un peu. Si toutes ces femmes, au lieu de se laisser porter par leurs sentiments, nous avaient écoutés avec nos beaux raisonnements et notre science Eh bien tout cela aurait été stoppé net du jour au lendemain et la ville continuerait à mourir d'un côté et à s'enrichir de l'autre. Crois-moi, nous ne pouvons plus percevoir les femmes comme avant, mon cher Jacques, et c'est notre chance ! Elles nous obligent à prendre en compte des dimensions sensibles et spirituelles que nous refusons et qu'il est suicidaire de nier. Je ne sais pas combien de temps cela prendra mais je suis sûr que si un jour nous devenons moins prétentieux et plus généreux, moins arc-boutés sur nos pouvoirs et nos certitudes, ce sera grâce à elles...

Là, Jean Davezac s'arrêta, puis reprit d'un ton très sérieux ·

— Pour en revenir à notre conversation du début, si une femme m'intéresse, ce n'est pas Adeline tu l'as bien compris. C'est Lucile.

Jacques Bordes s'esclaffa :

— Tu es fou ! Tu t'enflammes et tu confonds tout. Ce qui se passe et tes sentiments. Tu ne peux pas épouser une fille comme Lucile ! Une serveuse ! C'est... inimaginable, impensable ! Ta famille t'en empêchera.

— Ça va être difficile, c'est vrai, mais je vais le faire. Du moins... si elle veut bien de moi.

Jacques Bordes eut l'air effrayé.

— Tu ne lui as rien dit, j'espère.

Surpris par cette remarque, Jean Davezac réfléchit, puis un grand sourire éclaira son visage :

— Non, mais il est grand temps, tu as raison. À demain, Jacques ! à demain ! fit-il en courant vers la place du Porche, je dois la rattraper. Quelquefois elle s'arrête à la boulangerie, j'ai peut-être une chance.

NOUVEL AN 1858-1859

— Louisette ! Pourrais-tu aller chercher ma crinoline mauve ?

Louisette avait cru mal entendre. Sophie lui avait dit un jour de ne plus jamais lui parler de cette robe, de l'envelopper et de la ranger définitivement au grenier dans une vieille armoire.

— La mauve, vous êtes sûre. Vous voulez bien la mauve ? avait insisté Louisette.

— Oui, la mauve, dit Sophie. Celle qui est au grenier. Je vais en avoir besoin.

Et c'est ainsi que la crinoline descendit au cœur de la chambre de Sophie, comme en ce jour du passé où Antoinette l'avait apportée pour la première fois.

La soie mauve brochée, les fines dentelles de chantilly, le tendre lilas et le parme des volants, rien n'avait bougé. La plus belle des crinolines qui eût jamais existé à Lourdes sortait enfin d'une longue période d'oubli. Louisette en laissa échapper un cri d'émotion et Mathide crut défaillir en la découvrant. Sophie, elle, était bouleversée. C'était la robe de sa rencontre avec Abel, de leur première danse, de leur premier baiser.

Dans l'encadrement, posée sur un mannequin de bois, éclairée par le franc soleil d'hiver qui en ce début de journée inondait la chambre, la crinoline était un éblouissement. Il fallait bien le reconnaître, cette robe était exceptionnelle, une robe de conte de fées. Sophie savait aujourd'hui que ce conte

433

avait eu lieu et que la robe avait rempli toutes ses promesses. Sophie sentait encore son cœur battre, comme en ce soir lointain...

J'ai demandé à Samson de ne pas te remettre ces lettres avant la fin de l'automne car je voulais que tu me fasses une promesse juste avant l'hiver. Te souviens-tu de ce bal du Nouvel An et de notre premier baiser ? Moi, je m'en souviens comme si c'était hier... Je venais de regarder ma montre à gousset, il était dix heures. Quand j'ai relevé la tête, je t'ai vue pour la première fois. J'ai pris ta main et je t'ai entraînée dans une valse sans fin.

Sophie, le soir du Nouvel An qui vient, je voudrais valser une dernière fois dans tes bras comme nous l'avions fait ce soir-là. Je serai sans doute sur un champ de bataille. Mais toutes mes pensées seront avec toi durant chaque minute, chaque seconde. Je veux pouvoir t'imaginer en ce même château, au même bal et dans la même robe. Je veux qu'une fois dix heures sonnées, pas avant, tu valses jusqu'à minuit. Peu importe qui sera ton cavalier puisque c'est moi qui valserai avec toi. Tu n'auras qu'à fermer les yeux comme je le ferai aussi, là où je me trouverai. Et quand sonnera minuit je veux que tu ailles sur cette terrasse où nous étions. Tu embrasseras l'étoile du berger en pensant à moi. Je l'embrasserai au même instant en pensant à toi. De partout dans le monde on voit briller l'étoile du berger pourvu que le ciel soit clair. Il le sera, le ciel nous fera ce cadeau, j'en suis sûr. Il nous le doit. Pardonne-moi de te demander tout cela, mais sache que cela m'aide à partir car, puisque je te donne ce dernier rendez-vous, cela me lie encore à toi que j'ai tant de douleur à quitter.

Je t'aime, j'attends cette valse dès cette minute, j'attends ce baiser à venir. Ne m'oublie pas, ma Sophie, ne m'oublie jamais, je t'aimais...

Abel.

« Je t'aimais ! » Ce mot la torturait. Mais c'est ainsi, à l'imparfait, que se terminait la dixième et dernière lettre du hussard.

Sophie connaissait chacune d'elles par cœur. Elle aurait pu les réciter ligne après ligne. Elle n'avait rien dit à Louisette, ces lettres restaient son intime secret. Elle les portait bien serrées contre sa taille, calées sous ses blouses ou ses robes, à même la peau pour toujours les sentir. Dans ces lettres, Abel lui parlait comme il ne l'avait jamais fait. Il lui expliquait son désarroi quand il avait appris la naissance d'Anne, et combien ça l'avait torturé de penser qu'il ne pourrait jamais enlever sa mère à cette enfant. Lui n'avait connu qu'une mère pour toute famille, elle avait tout donné pour lui. Il mettait le sentiment maternel au-dessus de tous les autres.

...si tu avais quitté ton enfant pour moi, je suis sûr que mon amour pour toi en aurait souffert. Ne m'en veuille jamais de te le dire car c'est ce que je ressens au plus profond de mon cœur. Et pourtant ! si tu savais combien je t'aime...

Ces mots avaient tiré à Sophie des torrents de larmes, elle qui se culpabilisait sans cesse de ne pas s'occuper assez de la petite Anne. Mais Louisette avait pris toute la place avec tant de bonheur ! Sophie avait fini par comprendre que le prénom que lui avait soufflé Louisette avant le baptême, était celui de sa propre mère. Au début elle en avait été gênée et puis, très vite, avait considéré que ce prénom, au contraire, tissait des liens entre leurs histoires communes, les soudant encore plus fort les unes aux autres. Anne était un bébé heureux. Cela se voyait, elle riait sans cesse et commençait à dire quelques mots. Vu son évolution rapide et sa vitalité, le docteur Balencie avait même dit qu'il n'était pas impossible que son handicap puisse se résoudre un jour.

— Et on peut savoir ce que vous comptez faire avec cette crinoline maintenant qu'on l'a descendue du grenier ? demanda Louisette, intriguée.

— La mettre, ma chère Louisette, lui répondit Sophie avec un sourire lumineux. Je veux la mettre, tout simplement.

Louisette manqua s'étrangler.

— La mettre ! Et... et pour aller où ?

— Au bal. Au bal du Nouvel An au château du ministre impérial Fould. Il faut nous préparer, c'est dans une semaine.

Rien ne paraissait changé. La même route, le ciel rempli d'étoiles, l'air glacé, les chevaux dans le parc et la blanche buée de leurs haleines, les groupes de cochers piétinants, le chambellan dans son impeccable livrée, la main qu'il lui tendit pour descendre de la voiture, l'escalier de pierre qu'elle monta, et la porte qu'il lui ouvrit. Tout était là, comme ce soir inoubliable.

Quand la belle chocolatière fit son entrée, la très luxueuse salle de bal du château Fould brillait des mille feux de ses lustres de cristal et bruissait déjà des rires et des conversations de tous ceux qui n'auraient voulu pour rien au monde rater un bal aussi prestigieux.

Quand le chambellan annonça l'entrée de M. Louis Pailhé et de son épouse, la rumeur s'éteignit d'un coup. Toutes les têtes se tournèrent. Un murmure d'admiration parcourut l'assistance. La belle chocolatière était revenue.

Rayonnante, Sophie émergeait d'un piédestal de tulles mauves et blancs vaporeux à l'excès. Son fin visage au teint mat était encadré des lourds bandeaux de sa chevelure noire, elle-même retenue par une guirlande de fleurs savamment emmêlées. Mais la femme qui deux ans plus tôt à cette même place arborait un air de défi et d'orgueil avait disparu. Une fragilité douloureuse avait imprimé ses griffes légères sur son visage de madone. Sophie glissa parmi les invités avec une grâce infinie.

— Madame, quel plaisir de vous revoir ! Quelle beauté !

Le ministre lui tendit la main pour une valse. Sophie déclina l'invitation, scandalisant ceux qui l'entendirent.

— Ne m'en veuillez pas, monsieur le ministre. Je valserai avec vous, mais à dix heures, pas avant si vous le permettez.

Surpris, et séduit par une réponse aussi mystérieuse, Achille Fould retint la valse de dix heures. Un jeune homme s'avança et demanda la permission d'avoir la suivante. Sophie frémit, un instant elle pensa à Abel qui l'avait invitée par surprise lui aussi. Elle se reprit vite, ce jeune homme était beau, comme l'était Abel, mais il était loin d'avoir son air étrange et captivant. Au contraire il émanait de lui une assurance précise, une rigueur contrôlée. Abel fascinait, ce jeune homme rassurait. Sophie le regarda soudain avec attention.

— — Ne seriez-vous pas le fils Davezac ? Jean Davezac

— Oui, c'est moi. Vous connaissez ma famille, je sais... Je tiens beaucoup à cette valse avec vous car c'est un peu grâce à vous si j'ai rencontré celle qui va devenir ma femme et qui sera à mes côtés l'an prochain pour ce même bal, puisque c'est avec votre recommandation qu'elle est entrée au *Café Français*.

— Lucile ! Mon Dieu ! Oui, dit Sophie soudain rayonnante, j'ai appris votre prochain mariage. La nouvelle a fait suffisamment de bruit ! Sachez que personnellement j'en suis très heureuse. Je l'ai déjà dit à sa mère. Marie Abadie est venue me voir pour me l'annoncer. Elle était complètement retournée, heureuse et si inquiète ! Je l'ai rassurée, je sais que vous serez heureux. Je connais le sérieux de Lucile et je comprends mieux sa décision en vous voyant...

Son sourire s'effaça et la mélancolie assombrit son visage.

— Vous êtes courageux, monsieur Davezac. Votre histoire d'amour paraît impossible à tous et, pourtant, vous l'assumez. C'est beau, et rare.

Aucun des hommes qui se bousculèrent pour l'inviter ne comprit pourquoi Sophie gardait les yeux fermés en dansant.

Aucun ne voulait laisser passer l'occasion de tenir dans ses bras cette femme mythique. Les valses se succédèrent et la merveilleuse crinoline tourna, tourna, sans cesse. Mais a minuit, quand on la chercha pour l'embrasser comme le voulait la coutume, on ne la trouva pas.

Sur la terrasse du château, seule dans la nuit froide et bleue, Sophie embrassait l'étoile du berger. Les larmes ruisselaient sur son visage. Plus rien pour elle ne serait jamais comme avant. Ses rêves de conquête s'étaient dissous, les mirages de la jeune femme qu'elle avait été ne l'intéressaient plus et l'homme qu'elle aimait était parti au loin. Il ne lui restait plus de cet immense amour que ces lettres attachées à sa peau.

Sophie souffrait et pourtant elle se sentait remplie d'une force au moins aussi grande que sa douleur. Quand minuit fut passé, elle essuya ses larmes. Un monde nouveau s'ouvrait devant elle. Désormais il viendrait à Lourdes des milliers d'êtres humains avec leur cortège de misères et de souffrances, mais aussi avec leur magnifique espérance. Elle serait là pour les accueillir, elle partagerait tout avec eux.

Elle traversa la salle et prévint Louis qu'elle souhaitait rentrer. Ses rapports avec son mari s'étaient simplifiés et apaisés. Ils formaient un couple officiel mais chacun avait désormais sa propre vie, ce qui semblait leur convenir. Le procureur se proposa pour ramener Louis et, comme Sophie s'éloignait, il ne put s'empêcher de demander au pharmacien :

— Que de changements, n'est-ce pas, mon ami ? Dites-moi franchement, vous, l'homme de science, que pensez-vous de tout ce qui vient d'arriver à Lourdes ?

Louis, le regard posé sur son épouse qui prenait congé du ministre Fould et de sa femme, réfléchit. Il prononça cette longue réponse que le procureur Dufour écouta de bout en bout, intensément.

— Je pense que la médecine fera des choses incroyables... Un jour on saura rendre la vue, faire marcher ceux qui ne marchent plus, remettre un cœur en route et même d'autres choses inouïes ! C'est toujours ma certitude, mais j'ai évolué ces temps derniers. Ces femmes m'ont ouvert les yeux et... le cœur. Car ces progrès, tout le monde n'en profitera peut-être pas et nous ne résoudrons pas tout. Le commissaire avait raison quand il parlait des complexités de l'âme humaine. Il y a là des gouffres de douleur et de désespoir face auxquels les scientifiques sont désespérément démunis. Et je crains qu'ils ne le restent longtemps. Alors puisque vous me demandez mon opinion sur ce qui se passe en ce moment à Lourdes, cher procureur, eh bien je vous répondrai que les femmes ont apaisé ces désespoirs avec un remède d'une simplicité imparable : l'amour. Et l'amour, mon cher ami, c'est un médicament éternel, on ne fera jamais mieux.

Le procureur Dufour plissa les yeux, signe chez lui d'une grande perplexité. Si même le pharmacien Louis Pailhé, homme sec et rigide s'il en était, parlait ainsi, alors oui, vraiment, c'était que l'amour permettait tout.

Sophie venait d'arriver dans le grand hall. Le chambellan posa sur la crinoline mauve la lourde cape sombre et les dentelles mousseuses s'éteignirent d'un coup.

Dans le cabriolet qui la ramenait vers Lourdes, Sophie remarqua que les étoiles avaient disparu. Le ciel était maintenant bas et lourd. Elle se pencha à la portière et cria :

— Basile ! Basile ! vous avez vu, on dirait qu'il va neiger !

— Mais, il neige... Madame, il neige... regardez !

De légers flocons blancs tourbillonnaient autour de la voiture. En quelques minutes à peine, la route et le pays furent immaculés.

— La neige ! La neige ! Quel bonheur, Basile ! La neige !

Dans la voiture qui l'emportait, Sophie riait, heureuse comme une enfant.

1er janvier 1859 – 27 novembre 2000

Cet ouvrage a été imprimé par

FIRMIN DIDOT

GROUPE CPI

Mesnil-sur-l'Estrée

pour le compte des Éditions Flammarion
en avril 2004

Imprimé en France
Dépôt légal : mai 2001
N° d'édition : FF 803710 - N° d'impression : 67921